Georg Büchner
Jahrbuch

1/1981

Georg Büchner
Jahrbuch

1/1981

In Verbindung mit der
Georg Büchner Gesellschaft
und der Forschungsstelle
Georg Büchner
– Literatur und Geschichte des Vormärz –
im Institut für Neuere deutsche Literatur
der
Philipps-Universität Marburg

herausgegeben
von
Thomas Michael Mayer

Europäische Verlagsanstalt

Redaktionsadresse:

Georg Büchner Jahrbuch
c/o Institut für Neuere deutsche Literatur
der Philipps-Universität Marburg
Wilhelm-Röpke-Str. 6/A; D-3550 Marburg/Lahn
(Tel.: 0 64 21/28 45 41)

oder über:
Georg Büchner Gesellschaft; Postfach 1530;
D-3550 Marburg/Lahn

Die Einsendung von Publikationen (Sonderdrucke wenn möglich in 2 Exemplaren) ist
freundlich erbeten; von Beiträgen jedoch nur nach vorheriger Absprache und mit üblicher
technischer Manuskripteinrichtung sowie mit bibliographischen und Zitat-Auszeichnungen
entsprechend dem vorliegenden Band.

CIP-Kurztitelaufnahme der Deutschen Bibliothek

Georg-Büchner-Jahrbuch /
in Verbindung mit d. Georg-Büchner-Ges.
u. d. Forschungsstelle Georg Büchner, Literatur u. Geschichte d. Vormärz,
im Inst. für Neuere Dt. Literatur
d. Philipps-Univ. Marburg hrsg. – Frankfurt am Main :
Europäische Verlagsanstalt
Erscheint jährl.

1. 1981 –

Inhalt

Verse kann ich keine machen,
eine Phrase fällt mir eben nicht ein,
ich habe also nur die einfache Bitte,
erinnere Dich zuweilen Deines
                        Georg Büchner
Straßburg, 2. August 1833.

Abkürzungen und Siglen

Benn = Maurice B. Benn: *The Drama of Revolt. A Critical Study of Georg Büchner.* – Cambridge [u. a.] 1976

F = Georg Büchner's *Sämmtliche Werke und handschriftlicher Nachlaß.* Erste kritische Gesammt-Ausgabe. Eingel. u. hrsg. von Karl Emil Franzos. – Frankfurt a. M. 1879

GB I/II = *Georg Büchner I/II.* Hrsg. von Heinz Ludwig Arnold. – München 1979 (= Sonderband aus der Reihe text + kritik)

HA = Georg Büchner: *Sämtliche Werke und Briefe.* Historisch-kritische Ausgabe mit Kommentar. Hrsg. von Werner R. Lehmann. – Hamburg [dann München] 1967 ff. [Hamburger bzw. Hanser-Ausgabe]

Hinderer = Walter Hinderer: *Büchner-Kommentar zum dichterischen Werk.* – München 1977

HL = Gerhard Schaub: *Georg Büchner / Friedrich Ludwig Weidig: Der Hessische Landbote. Texte, Materialien, Kommentar.* – München 1976 (= Reihe Hanser Literatur-Kommentare, Bd. 1)

Jancke = Gerhard Jancke: *Georg Büchner. Genese und Aktualität seines Werkes. Einführung in das Gesamtwerk.* – Kronberg/Ts. 1975

Knapp = Gerhard P. Knapp: *Georg Büchner. Eine kritische Einführung in die Forschung.* – Frankfurt a. M. 1975

Martens = *Georg Büchner.* Hrsg. von Wolfgang Martens. – Darmstadt 1965 (= Wege der Forschung, Bd. LIII)

H. Mayer = Hans Mayer: *Georg Büchner und seine Zeit.* – Frankfurt a. M. 1972 (suhrkamp taschenbuch 58)

N = *Nachgelassene Schriften* von Georg Büchner [Hrsg. von Ludwig Büchner]. – Frankfurt a. M. 1850

Nö = Friedrich Noellner: *Actenmäßige Darlegung des wegen Hochverraths eingeleiteten gerichtlichen Verfahrens gegen Pfarrer D. Friedrich Ludwig Weidig [. . .].* – Darmstadt 1844

SW = Georg Büchners *Sämtliche Werke und Briefe.* Hrsg. von Fritz Bergemann. – Leipzig 1922

Viëtor = Karl Viëtor: *Georg Büchner. Politik, Dichtung, Wissenschaft.* – Bern 1949

WuB = Georg Büchner: *Werke und Briefe.* Nach der historisch-kritischen Ausgabe von Werner R. Lehmann. Kommentiert von Karl Pörnbacher, Gerhard Schaub, Hans-Joachim Simm u. Edda Ziegler. – München, Wien [desgl. München: dtv] 1980

Vorbemerkung

Das Jahrbuch, dessen ersten Band wir vorlegen, soll der Georg-Büchner-Forschung als ein Forum der Bestandsaufnahme und der Innovation, der Reflexion und der Debatte, der Quellendokumentation wie der raschen Mitteilung, der Auseinandersetzung wie Verständigung dienen und dabei die ganze inhaltliche und methodische Breite der Forschungsergebnisse und -diskussionen erfassen.

Die gewählten Rubriken suchen hierfür entsprechende Rahmen zu geben. Dabei soll besonders betont sein, daß der Abschnitt »Debatten« nichts Despektierliches gegenüber den jeweiligen Beiträgen ausdrückt, sondern zu weiterem Bedenken des behandelten Themas, zu ergänzenden, bestätigenden oder auch relativierenden Stellungnahmen anregen will. Die Rubrik »Kleinere Beiträge und Glossen« möchte dazu ermuntern, auch marginale oder vorläufige Forschungsergebnisse mitzuteilen.

Da der Umfang des Jahrbuchs begrenzt ist, könnte es sich als notwendig erweisen, doch einen Schwerpunkt zu bevorzugen. Dies sollte dann – gerade unter den besonderen Umständen der Büchner-Forschung, in der breite Quellenlücken die mannigfaltigste Spekulation und Legendenbildung gefördert haben und vermutlich weiter begünstigen – vielleicht derjenige der Publikation neuer Dokumente und Materialien sein.

Thematisch beschränkt sich das Jahrbuch wenigstens zunächst auf Georg Büchners Gesamtwerk, Leben und Wirkungsgeschichte wie auf die ästhetisch ›modernen‹ und demokratischen, aber auch die gegenläufigen Bestrebungen in Literatur und Geschichte der Restauration und des Vormärz, soweit sie in einem plausiblen Zusammenhang mit Büchner stehen.

Zugleich soll das Jahrbuch in der Öffentlichkeit die Kenntnis und Gegenwärtigkeit dieses außerordentlichen Dichters und Demokraten fördern und stärken, auch unter dem Anspruch einer bei weitem noch uneingelösten, nicht nur im 19. Jahrhundert und nicht nur in Deutschland besonders seltenen freiheitlich-egalitären Tradition.

Marburg/Lahn, im Mai 1981   Thomas Michael Mayer

Aufsätze

Büchners Briefe*

Von Volker Braun (Berlin/DDR)

Wen die Nachwelt feiert, der hat Grund zu zittern im Grabe. Die Toten, wenn sie nun hochleben dürfen, reden viel tote Sätze. Wem fiele öffentlich ein, auf ihren Worten zu bestehn? Wir ehren Müntzer, wir ehren Heine, wir ehren Lenin und wissen kaum, von wem wir reden. Diese Leute, gestehn wirs nur ein, sind noch immer kaum zitierbar. Ihre kühnsten Reden müssen noch immer ersaufen im Beifall. Müntzer. Sein *Prager Manifest* ist nicht so ganzlich verjährt, wie unsere Umarmung glauben machen will; man stelle den Mann nur auf die Bühne mit seiner *Ausgedrückten Entblößung,* und er wird abgesetzt werden vor der ersten Vorstellung. Lenin. Das bloße Hersagen seiner *Aprilthesen* eine Provokation, das Aufzählen der Mitglieder seines Politbüros ein diplomatischer Skandal. Und das schreibe ich im sozialistischen Preußen und Sachsen; im kapitalistischen Hessen oder Bayern sind das noch Unpersonen. Oder der dreiundzwanzigjährige Büchner. Sein *Danton,* der in Mode kommt, immer wieder banalisiert auf die dünne Essenz unseres eingeschränkten Denkens. Sein *Hessischer Landbote* ein staubiges Papier über Vorgeschichte, unter die wir bekanntlich den Strich gezogen haben. Wahrlich, die Losung der Ulbrichtzeit hat ihren Sinn: wir haben diese Leute ü b e r - h o l t, ohne sie e i n z u h o l e n.

Und das ist bestürzend wahr. Büchners Briefe lesend, muß man sich mitunter mit Gewalt erinnern, daß es nicht die eines Zeitgenossen sind.

* Der ursprünglich als Nachwort einer Ausgabe der *Briefe von und an* Büchner sowie der *Erinnerungen an Büchner* (Berlin: Buchverlag Der Morgen 1978) verfaßte Essay wurde erstveröffentlicht in der Pariser Zeitschrift *connaissance de la RDA* (Publié avec le concours du service de la recherche de l'Université Paris VIII; 2, rue de la Liberté, F-93526 Saint-Denis Cedex 02), N° 7, Oct. 1978, p. 8–17. Er erscheint hier mit freundlicher Genehmigung der ›edition text und kritik‹ nach der vom Autor durchgesehenen Fassung in *Georg Büchner III*, hrsg. von Heinz Ludwig Arnold. – München 1981. Der dort eingerichtete Rotdruck von Zitaten aus Büchners Briefen mußte dabei aus technischen Gründen kompreß eingerückt gesetzt werden. Knappe redaktionelle Erläuterungen finden sich im Anschluß an den Text.

Er griff nicht nur über den Horizont der bürgerlichen Revolution hinaus: auch an schönen Punkten über den Horizont der sozialistischen. (An eben den Punkten geht auch immer noch die offizielle Phrase über die Wirklichkeit hinweg.) Die Umstände seines Denkens sind aus einem andern Baukasten genommen, aber die Regeln, wonach sie sich zwangsläufig ordnen, sind noch ganze Strecken in Kraft. Das muß nicht bewiesen werden; lassen wir seine Sätze, wo sie uns betreffen in dieser segmentierten Welt aus Kapitalismus und Sozialismus, rot werden wie unser lebendiges Blut: oder wie unsere Scham.

> Für eine politische Abhandlung habe ich keine Zeit mehr, es wäre auch nicht der Mühe werth, das Ganze ist doch nur eine Comödie. Der König und die Kammern regieren, und das Volk klatscht und bezahlt.

Ohne Umschweife: da hatte die Revolution gesiegt. Als Büchner ins französische Straßburg kam, um Medizin zu studieren, waren die Aristokraten gestürzt und eine neue Klasse an der Macht. Die Überzahl des Volks aber, das sich auf den Barrikaden geschlagen hatte, sah sich um den Lohn geprellt. Die erbitterten Streiks (1831: 49, 1832: 51, 1833: 90) signalisierten, daß die Revolution am Hauptinteresse der Massen vorbeigeschritten war. In Lyon kartätschten 20000 Soldaten die Seidenweber in die Lohnarbeit zurück. Die »republikanischen Zierbengel mit rothen Hüten« gaben die Parole aus: Enrichissez-vous!: adressiert an die Fabrikanten und Bankiers – wie dermaleinst nach dem Oktober die Volkskommissare, gewandt an die NÖP-Bonzen. Die große Frage, die aus den neuen Verhältnissen schrie: HAT DIE REVOLUTION GELOHNT? WAS IST NUN DIESE NEUE EPOCHE? Die Frage immer, die eine kühle, illusionslose Antwort fordert.

> Die politischen Verhältnisse könnten mich rasend machen. Das arme Volk schleppt geduldig den Karren, worauf die Fürsten und Liberalen ihre Affenkomödie spielen. Ich bete jeden Abend zum Hanf und zu d. Laternen.

Das auf der andern Seite des Rheins (wir würden heute sagen: der Elbe). Das Großherzogtum Hessen, wie die deutschen Kleinstaaten allesamt, war weit entfernt davon, die Misere der Revolution erkämpft zu haben. Die Deutschen gaben dem »alten ruhigen heiligen römischen Dunghaufen den Vorzug vor der gewaltigen Aktivität eines Volkes, das die Ketten der Sklaverei mit starker Hand abwarf«. Diese »Nation von Theoretikern« (Engels: in Büchners Alter, *Deutsche Zustände*, Brief I) ließ sich unter dem Druck der Zeitumstände lediglich herbei, »ein neues System zu erfinden«, eine »Bastardmonarchie«, in der die Aristokraten die bürgerlichen Klasseninteressen durch gute (und geheime) Verwaltung befriedigten. (Engels spricht merkwürdigerweise und ungenau von einer neuen »besonderen Klasse von administrativen Regierungsbeamten, in deren Händen die Hauptmacht konzentriert ist und die gegen alle anderen Klassen in Opposition steht.« Es sei dies »die barbarische Form der Herrschaft des Bürgertums«, Brief III. Hundert Jahre später und östlich davon eine analoge Herrschaftsweise der Arbeiterklasse, wobei allerdings und entscheidendermaßen die administrativen Beamten nicht gegen alle Klassen sondern für alle Klassen zu regieren suchen.) Das arme Volk in Hessen: die Bauern, sechs Siebentel der Bevölkerung, mußten »immer noch den Gutsherrn dafur entschädigen, daß er nicht mehr wie bisher das Recht hatte, sie für sich unentgeltlich arbeiten zu lassen« (Mottek, *Wirtschaftsgeschichte Deutschlands,* Band II), das Proletariat, eine geringe, zersplitterte Masse. Aber sie, die nicht imstande waren, »ihre Kartoffeln zu schmelzen etc.«, waren noch immer bereit, sie zu fressen.

Meine Meinung ist die: Wenn in unserer Zeit etwas helfen soll, so ist es Gewalt.

Ich sehe heute keinen Grund, an Büchners Bekenntnis einen Abstrich zu machen. Solange eine Gesellschaft, sie mag mittlerweise wie immer heißen, auf Gewalt beruht, namlich solange es »die da oben und die da unten« gibt, bedarf es der Gegengewalt, sie zu verändern. Zwar der Charakter dieser Gegengewalt mag sich modeln, er mag feiner werden; oder in sozialistischen Staaten gar freundlicher, aber mitnichten nachgiebiger. Es wird nicht der Hanf sein und die Laterne, nicht einmal der Streik und die Demonstration. Wo das Oben und Unten sich nicht mehr in der archaischen Gestalt von Klassen gegenübersteht, aber doch die verschiedene Stellung der Individuen in der Pyramide der Verfügungsgewalt anzeigt, geht der Kampf nicht mehr um den Platz an der Spitze, sondern um die Zertrümmerung der Pyramide. Die Staaten, die fähig wären, ihre eigene Gegengewalt zu organisieren (mittels Volksvertretungen, Ausschüssen, Produktionsberatungen, Grundeinheiten der Partei), befinden sich noch im Stadium des Großversuchs: die Massenproduktion von Demokratie ist noch nicht freigegeben. Sie ist auch, obwohl das Ziel, ein Nebenprodukt – der Jahrtausendarbeit, die vertikale Arbeitsteilung aufzuheben durch Umwälzung der Produktionsweise von Grund auf.

Wenn ich an dem, was geschehen, keinen Theil genommen und an dem, was vielleicht geschieht, k e i n e n   T h e i l nehmen werde, so geschieht es weder aus Mißbilligung, noch aus Furcht, sondern nur weil ich im gegenwärtigen Zeitpunkt jede revolutionäre Bewegung als eine vergebliche Unternehmung betrachte und nicht die Verblendung Derer theile, welche in den Deutschen ein zum Kampf für sein Recht bereites Volk sehen.

Was geschehen war: am 3. April 1833 hatten Aufständische die Konstablerwache in Frankfurt am Main gestürmt und die Wachmannschaften entwaffnet. Am Abend waren sie von einem Linienbataillon blutig in die Flucht getrieben worden. Ein dilettantischer Putsch einer Handvoll liberaler Oppositioneller gegen den übermächtigen Polizeistaat – dessen Geheimpolizei nun um so wütender zu rotieren begann. Büchner nannte dergleichen »revolutionäre Kinderstreiche«. Er wollte sich in die »Gießener Winkelpolitik« der radikalen Schwärmer nicht einlassen und mied stur ihre Zirkel. Die erbosten Komilitonen, aus dem Bier tauchend, vergalten es ihm mit Schmährufen vor seinem Fenster. »Offen gestanden, dieser Georg Büchner war uns nicht sympathisch. Er trug einen hohen Zylinderhut, der ihm immer tief unten im Nacken saß, machte beständig ein Gesicht wie eine Katze, wenn's donnert, hielt sich gänzlich abseits, verkehrte nur mit einem etwas verlotterten und verlumpten Genie, August Becker, gewöhnlich nur der ›rote August‹ genannt. Seine Zurückgezogenheit wurde für Hochmut ausgelegt«: Karl Vogt, *Aus meinem Leben.* Es war Nüchternheit. Jenseits und diesseits des Rheins standen Kämpfe bevor, aber wer sollte sie führen? Die Bauern, borniert in ihrem lokalen Dreck, die Kleinbürger, auf nichts erpicht als Konzessionen. Es mußten nur zehn Jahre vergehn, bis Engels und Marx die ungefügen, gewaltigen Regungen einer Klasse zu deuten vermochten, deren Elend allgemein genug war, daß sie aufs Ganze gehen könnte. Von ihr, die nichts hatte, war alles zu hoffen. Büchner blickte in ein Nichts.

Und wohin denn blicken wir?

Hätten die Kommunisten des neunzehnten Jahrhunderts nur das neue Elend, die neue Quälerei wahrgenommen und nicht auch die neuen Qualitäten der sich rekelnden Bourgeoisie, die in den Hallen an der Ruhr die ersten Dampfmaschinen montierte und in den Labors der gießener Universität die künstliche Düngung erfand: sie hätten nie die neue Kraft erkannt, die, in Ketten, unter ihr aufwuchs. Wo, wenn nicht in den neuen Qualitäten der sozialistischen Arbeiterklasse, die unsere radikalen Schwärmer schon abgeschrieben haben, weil sie nicht zehn oder zwanzig Jahre warten können, wo wenn nicht im berühmten Neuen, auf das wir mit amtlicher Billigung den Blick lenken dürfen, sind wir dem radikalen Sprengstoff am nächsten?

> Ich werde zwar immer meinen Grundsätzen gemäß handeln, habe aber in neuerer Zeit gelernt, daß nur das nothwendige Bedürfniß der großen Masse Umänderungen herbeiführen kann, daß alles Bewegen und Schreien der Einzelnen vergebliches Thorenwerk ist.

Zu diesem lapidaren Satz wäre keiner der deutschen Dichter und Denker im Juni 1833 imstand gewesen – nicht einmal die »literarische Partei

Gutzkows und Heines«. (So viel Büchner Heines unbestechlichem Witz verdankte, sein Blick war schon tiefer: in den Abgrund. Er sah den »Riß« in der Gesellschaft, den, wie er Gutzkow »um aufrichtig zu sein« an den Kopf warf, keine »Tagesliteratur« kittete. Den Riß, vor dem »die Reform von selbst aufgehört hätte«.) Wie aber wird das Bedürfnis der Masse notwendig? Wenn sich eine materielle Lage herausgebildet hat, in der deutlich nicht länger so zu leben ist. In den unentwickelten hessischen Verhältnissen schien selbst die drückende Not diffus und ungreifbar, und für die Masse unbegreiflich. Der *Landbote* war nicht einmal in den Wind geschrieben: an vernagelte Stirnen. Hinter dem Rhein (oder heute vor der Elbe), nach Zeiten scheinbaren oder wirklichen Aufbruchs mußte die Schmelze nur erstarren, die materielle Lage wieder gerinnen in feste, unausweichliche Strukturen, um wieder erkennbar – und unerträglich zu werden. Wir haben aber in n e u e r e r Zeit verlernt, ein notwendiges Bedürfnis der Masse, nur weil es sich noch nicht artikuliert, überhaupt für möglich zu halten: indem die neuere Zeit die NEUE ZEIT ist (ich werde mir noch einige Blätter vor den Mund halten, eh ich davon rede).

I c h v e r a c h t e N i e m a n d e n, am wenigsten wegen seines Verstandes oder seiner Bildung, weil es in Niemands Gewalt liegt, kein Dummkopf oder kein Verbrecher zu werden,   weil wir durch gleiche Umstände wohl Alle gleich würden, und weil die Umstände außer uns liegen.

Der Versuch des »Spötters«, sich vor den Eltern zu rechtfertigen, geriet zur großen Konfession. Er berief sich auf seine »mitleidigen Blicke« – und hatte damit seine Weltsicht auf den Begriff gebracht. Er begriff als Materialist die Natur der Leute aus den Verhältnissen, unter denen sie vegetieren oder prassen; Verhältnisse, die nur zu bedauern waren, aber die zu ändern mal nicht zu denken war. Das nennt man meist Fatalismus, ach was. Er nahm die Individuen in Schutz gegenüber den Umständen: eine Verfremdung, die dem revolutionären Denken beliebt. Wovon er n i c h t sprach (und was er n i c h t zeigte), eben das war sein Thema: die Umstände menschlich zu bilden. Sein Realismus: nicht davon zu sprechen.

Der halbe Satz, in dem er darauf kam, blamiert sich vor der beginnenden Zukunft: die gleichen Umstände, die uns gleiche Möglichkeiten verschaffen, werden uns erst als Ungleiche zeigen (die Umstände in uns). Da ist ein a n d e r e r *Woyzeck* zu schreiben, ein bitterer; nicht die Tragödie der Armut: die Tragödie der Unfähigkeit. Ein härteres Elend, das nicht mehr mitleidige Blicke will, aber womöglich helfende Hände.

Meine Freunde verlassen mich, wir schreien uns wie Taube einander in die Ohren; ich wollte, wir wären stumm, dann könnten wir uns doch nur ansehen, und in neuen Zeiten kann ich kaum Jemand starr anblicken, ohne daß mir die Thränen kämen.

Noch war der *Landbote* nicht geschrieben, aber Büchner wälzte ihn im Kopf und diskutierte mit dem butzbacher Pfarrer Weidig bis aufs Messer. Noch waren die gießener und darmstädter Sektionen der *Gesellschaft der Menschenrechte* nicht gegründet, aber Büchner wußte, er wird bei der akademischen Jugend auf Granit beißen: von Standesdünkel. Weidig, furchtloser Flugschreiber (der illegale *Leuchter und Beleuchter für Hessen*), verfocht eine offene Einheitspartei aller Patrioten. Büchner, indem er für die Masse war, mußte gegen diese liberale verwaschene Koalition sein. Sein Organisationsplan zielte auf eine streng disziplinierte Kampfpartei, in der alle gleichgestellt sind und deren Mitglieder sich gleichermaßen als Propagandisten des sozialen Umsturzes, der materiellen Gleichheit aller verstehn. Das war die Sprache von Straßburg, des Babeuf, der Revolution. Die Konsequenz seines Agitierens verblüffte und berauschte die Freunde (Becker, Clemm, Schütz, Minnigerode), »denen allen Büchner imponirte« (und es »dürfte ... schwer sein, sich einen Begriff von der Lebhaftigkeit, mit welcher er seine Meinungen vortrug, zu machen«: Becker im Verhör vom 1. September 1837 vor dem Hofgericht zu Darmstadt). Und die Konsequenz erschreckte sie zugleich. Weidig, der »Opportunist«, rief, den Entwurf des *Landboten* in den Händen: daß nun »kein ehrlicher Mann mehr bei uns aushalten« werde.

Immerhin gehörten beide, wie der Großherzogliche Hessische Hofgerichtsrat Noellner in *actenmäßiger Darlegung* recherchierte, zu jener hochverräterischen »Partei ..., welche den wohlberechneten Plan, die deutschen Staatsverfassungen mit offener Gewalt zu ändern, als unausführbar aufgegeben, dagegen zu demselben Zwecke die Bearbeitung des Volkes zu allmählig fortschreitender Auflehnung gegen die Staatsgewalt durch Druckschriften sich zur Aufgabe gemacht zu haben schien.« Weidig mußte dafür elendiglich mit dem Leben zahlen. Zu demselben Zwecke, mit welchen Mitteln immer, war mit den Burschenschaften ebensowenig zu handeln wie mit den »Philistern«. Der Medizinstudent Georg Büchner, der wie in unsern Tagen Ernesto Che Guevara die Operation an der Gesellschaft der Heilbehandlung einzelner Gebresten vorzog, der die Masse als seinen Patienten sah, sah sich wie dieser allein in einem entsetzlichen Wald. Jeder Schritt weiter kostete die Köpfe der Freunde: in Knast, oder im Verrat, im Gelächter.

Sei ruhig, mein Junge! Schlafe, mein Junge, schlafe!

Ich studirte die Geschichte der Revolution. Ich fühlte mich wie zernichtet unter dem gräßlichen Fatalismus der Geschichte. Ich finde in der Menschennatur eine entsetzliche Gleichheit, in den menschlichen Verhältnissen eine unabwendbare Gewalt, Allen und Keinem verliehen. Der Einzelne nur Schaum auf der Welle, die Größe ein bloßer Zufall, die Herrschaft des Genies ein Puppenspiel, ein lächerliches Ringen gegen ein ehernes Gesetz, es zu erkennen das Höchste, es zu beherrschen unmöglich. ... Das muß ist eins von den Verdammungsworten, womit der Mensch getauft worden. Der Ausspruch: es muß ja Aergerniß kommen, aber wehe dem, durch den es kommt, – ist schauderhaft. Was ist das, was in uns lügt, mordet, stiehlt?

Ich studierte die Geschichte der Oktoberrevolution und watete durch das Blut der dreißiger Jahre. Ich sah mich gegen eine Wand von Bajonetten wandern. Ich spürte die Tinte der Lügen brennen auf meiner Haut. Es war wie ein Bad im Dreck, in Gedärm, in zerfetztem Gehirn. Ich schritt nackt und rückhaltlos draufzu: und fühlte mich gestärkt hervorgehn, mit der ganzen Wahrheit bewaffnet. Die Wahrheit, Genossen, macht nicht schlapp, sie ist unsere Kraft. Die Fragen zu fragen, gestern tödlich, heute ein Schnee. Der Gesamtplan der Wirtschaft, das Tempo der Industrialisierung, der Sozialismus in einem Land: »die Partei ist kein Debattierklub« – aber die Geschichte diskutiert die Fragen zuende. Viele Verräter von einst wortlos rehabilitiert durch den Gang der Dinge. Ein Gang blutig, hart, irrational: solange wir geduckt gehn, blind, unserer Schritte nicht mächtig. Die sinnlosen Opfer, weil wir die Gangart nicht beherrschen (es gibt notwendige Opfer). »Personenkult« die feige Ausrede, die alles erklären soll, ein Augenauswischen. Statt einzuhalten im fahrlassigen Marsch, das Gelände wahrzunehmen, die Bewegung zu trainieren. Das Training des aufrechten Gangs. Die Wissenschaft, die in Büchners Tagen nicht komplett war; das Besteck, dessen sie sich bedient, lag noch nicht beieinander. Der historische Materialismus: das wird ist eins von den Erlösungsworten, die uns in der Kinderkrippe buchstabiert werden. Es muß kein Ärgernis kommen. Wir sind dabei, aus der Welt zu reißen, was uns lügen, morden, stehlen macht.

Arbeiten ist mir unmöglich, ein dumpfes Brüten hat sich meiner bemeistert, in dem mir kaum ein Gedanke noch hell wird. Alles verzehrt sich in mir selbst; hätte ich einen Weg für mein Inneres, aber ich habe keinen Schrei für den Schmerz, kein Jauchzen für die Freude, keine Harmonie für die Seligkeit. Dies Stummsein ist meine Verdammniß. Ich habe dir's schon tausendmal gesagt: Lies meine Briefe nicht – kalte, träge Worte!

Seine kalten trägen Worte waren allerdings die schönsten, die im neunzehnten Jahrhundert eine deutsche Feder schrieb. Es waren die ersten spitzen Halme, aber eine Wiese loderte in seinem Hirn. Er war ein Autor ohne Werk (einige schwache Gedichte lagen im darmstädter Kinderzimmer). Wie sollte er schreiben mit dieser Einsicht in keine Aussicht? »Die ganze Krankheit der heutigen Zeit entstammt zwei Ursachen. . . . Alles, was einst war, ist nicht mehr: alles, was einst sein wird, ist noch nicht.« (Musset, *La Confession d'un enfant du siècle*) Büchner, dessen Analyse am schärfsten schnitt: durch die eigne Existenz, in der tiefsten Krise. Er fängt an, »interessant zu werden«.

Wir nun: vieles, was einst war, dauert noch: vieles, was sein wird, beginnt schon. Das das Fieber, das uns schüttelt, die Spannung, die uns zerreißt. Oder man rettet sich in einen Hochmut oder Zynismus, die Medizinen, mit denen unsere größten Dichter heute sich am Leben fristen.

> Ich benutze jeden Vorwand, um mich von meiner Kette loszumachen. Freitag Abends ging ich von Gießen weg; ich wählte die Nacht der gewaltigen Hitze wegen, und so wanderte ich in der lieblichsten Kühle unter hellem Sternenhimmel, an dessen fernstem Horizonte ein beständiges Blitzen leuchtete.

Diese fröhlichen harmlosen Sätze an die Eltern, scheinheilig als Wandervogel durch die stille Natur. Denn er begegnete zufällig Freund Boekkel, der schwatzen konnte, und Georg beeilte sich, den plötzlichen Trip zu motivieren. Des Vaters Sinn für Ordnung mußte, in den Wirren neuerdings, bedient werden. Ganz Darmstadt wußte wohl, daß der Sohn des Hofgerichtspräsidenten Minnigerode, mit 150 Broschüren eines gewissen *Hessischen Landboten* auf der Haut, am Stadttor in Gießen gekascht worden war. Büchner, stillschweigender Verursacher und Verfasser, wurde in Butzbach beordert, Austräger Schütz in Offenbach zu alarmieren (der entkam in die Schweiz) und die frankfurter Genossen zu warnen. (»Den kleinen Umweg machte ich, weil es von dieser Seite leichter ist, in die Stadt zu kommen, ohne angehalten zu werden.« Er habe sich nicht mit den nötigen Papieren versehen.) Irreführung der Behörden und der Eltern; die gewohnte Komödie (vgl. seinen herausrederischen Brief zum *Danton*). Das Ventil für seine Verstellung pfiff nun in den Kanzleien der Hofgerichte.

O Zeiten o Briefe. Wir schreiben ernstlich keine mehr; da es kein Postgeheimnis gibt – die Verfassungen mögen besagen was wir wollen –, könnte man sich ebensogut gleich einvernehmen lassen.

»Und so wanderte ich in der lieblichsten Kühle«, bleich, die Angst im Nacken. Am fernsten Horizont beständig die Revolution.

> Die ganze Revolution hat sich schon in Liberale und Absolutisten getheilt und muß von der ungebildeten und armen Klasse aufgefressen werden; das Verhältniß zwischen Armen und Reichen ist das einzige revolutionäre Element in der Welt, der Hunger allein kann die Freiheitsgöttin . . . werden.

Halt. Tun wir nicht so erhaben. Dieser abgetane Satz (Marx faßte ihn schon zehn Jahre später tiefer: als Widerspruch von Kapital und Arbeit) ist der zeitgenössischste noch für jede Revolution. Man muß nicht Worte lesen. Das Verhältnis von Ausführenden und Bestimmenden, die wieder die Armen und Reichen sind (arm oder reich an Möglichkeiten, Fähigkeiten, Bedürfnissen), wird das revolutionäre Element, der Hunger nach schöpferischer Tätigkeit wird die Fahne der Freiheit. Die alten Trennungen Kopfarbeit – Handarbeit, Stadt – Land, Lehre – Produktion usw. umzustürzen, wird das notwendige Bedürfnis der Masse werden. Die Revolution des Apparats muß von der subordinierten Klasse aufgefressen (wir sagen sublimer: aufgehoben) werden.

> Wenn man mir übrigens noch sagen wollte, der Dichter müsse die Welt nicht zeigen wie sie ist, sondern wie sie sein solle, so antworte ich, daß ich es nicht besser machen will, als der liebe Gott, der die Welt gewiß gemacht hat, wie sie sein soll. Was noch die sogenannten Idealdichter anbetrifft, so finde ich, daß sie fast nichts als Marionetten mit himmelblauen Nasen und affectirtem Pathos, aber nicht Menschen von Fleisch und Blut gegeben haben, deren Leid und Freude mich mitempfinden macht, und deren Thun und Handeln mir Abscheu oder Bewunderung einflößt.

1835. Die Zeit scheint stillgestanden in den Instituten. Die zwei Hälften seines Lebens. Er hatte sich »vollkommen überzeugt«, daß nichts zu tun war, »daß Jeder, der im Augenblicke sich aufopfert, seine Haut wie ein Narr zu Markte trägt«. Er genoß die Freiheit des unpolitischen Flüchtlings. Ein neuer Lebenslauf, mit einem heutigen Vers: Jetzt bin ich, und liebe lehre dichte.

»Es war allerdings auch die Entscheidung für Verzicht und Resignation möglich. Dann hätte man statt des *Danton* und *Woyzeck* einen neuen *Datterich* erhalten, ähnlich jenem, den der Darmstädter Kandidat Niebergall, der neben Büchner in Gießen studierte, ... als Quintessenz hinterließ.« (Mayer, *Georg Büchner und seine Zeit*) Dergleichen Niebergallen haben sich fortgepflanzt als die Nachtigallen unserer Presselyrik. Büchners Aversionen sind aktuell, weil das Elend der Literatur noch durch keine soziale Revolution besiegt wurde. Also seine Unfreude an der gezierten Künstlichkeit des Biedermeier wie an der brutalen Verwurstung, die sich an jedem Schrecken ergötzt.

> Daß übrigens noch die ungünstigsten Kritiken erscheinen werden, versteht sich von selbst; denn die Regierungen müssen doch durch ihre bezahlten Schreiber beweisen lassen, daß ihre Gegner Dummköpfe oder unsittliche Menschen sind.

Kein Kommentar.

Ich sehe meiner Zukunft sehr ruhig entgegen.

Er hatte nicht mehr zwei Jahre zu leben. Und schrieb: *Leonce und Lena,* die Übersetzung von Hugos *Maria Tudor* und *Lucretia Borgia, Lenz,* die Dissertation *Mémoire sur le système nerveux du barbeau,* ein Kolleg über Cartesius, Exzerpte aus Spinoza und Tennemanns *Geschichte der griechischen Philosophie,* vielleicht *Aretino,* die *Woyzeck*-Fassungen, die Probevorlesung *Über Schädelnerven.* Seine Zukunft begann zwei Menschenalter später.

Wir können ihm einiges vorwerfen, im Stile einiger Scharfrichter vom Gewi-Institut: er begriff nicht die VOLLE DIALEKTIK der sozialen Kämpfe, er ermannte sich nicht zu POSITIVER ZIELSETZUNG, er mißdeutete die HISTORISCHE BESCHRÄNKTHEIT der Revolution fatal als Beschränktheit der menschlichen Natur. »Jeder Mensch ist ein Abgrund«: Woyzeck. Er sah nicht weit, er sah in sie hinein. Sie mußten aus sich selbst heraus; das war sein Problem, das nicht er löste. Den Abgrund überspringen konnte nicht der einzelne im Ernst; der Sprung der Geschichte nur immer kann Lösungen bringen.

> Ich komme vom Christkindelsmarkt, überall Haufen zerlumpter, frierender Kinder, die mit aufgerissenen Augen und traurigen Gesichtern vor den Herrlichkeiten aus Wasser und Mehl, Dreck und Goldpapier standen. Der Gedanke, daß für die meisten Menschen auch die armseligsten Genüsse und Freuden unerreichbare Kostbarkeiten sind, machte mich sehr bitter.

Durch den Neubaukomplex Weißenseer Weg laufend, begegneten mir Scharen randalierender Halbwüchsiger, hin und her wogend in den Fluren und die Treppenhäuser hinauf und ab, »Schlüsselkinder«, sich selbst ausgeliefert, die die Zeit töteten mit Radau bis zur Dunkelheit, bis die Eltern sie mit lieblosen Worten abspeisen und Taschengeld und Flimmerkiste. Wie wenig, in dieser engagierten Gesellschaft, Geborgenheit, gemeinsame Freude.

Der rote Becker gab im Verhör vom 1. September 1837 Büchners (der in Sicherheit war) Satz zu Protokoll: »es sei in seinen Augen bei weitem nicht so betrübt, daß dieser oder jener Liberale seine Gedanken nicht drucken lassen dürfe, als daß viele tausend Familien nicht im Stande wären, ihre Kartoffeln zu schmelzen etc.« Auch dieser Satz noch lesbar! wenn man Augen hat. Als daß viele tausend Arbeiter in elende primitive Produktionen gezwängt sind etc.

> Das Leben ist überhaupt etwas recht Schönes und jedenfalls ist es nicht so langweilig, als wenn es noch einmal so langweilig wäre.

Das Leben ist überhaupt eins der schönsten! und wirklich: es wäre schon gut, wenn es nur nicht immerzu schöner und schöner und schöner heißen müßte.

Ich sehe dich immer so halb durch zwischen Fischschwänzen, Froschzehen u.s.w. Ist das nicht rührender, als die Geschichte von Abälard, wie sich ihm Heloise immer zwischen die Lippen und das Gebet drängt? O, ich werde jeden Tag poetischer, alle meine Gedanken schwimmen in Spiritus.

Du kommst bald? mit dem Jugendmuth ist's fort, ich bekomme sonst graue Haare, ich muß mich bald wieder an Deiner inneren Glückseligkeit stärken und Deiner göttlichen Unbefangenheit und Deinem lieben Leichtsinn und all Deinen bösen Eigenschaften, böses Mädchen.

Die ergreifendsten Briefe an die Braut: Louise Wilhelmine (Minna), Tochter des protestantischen Pfarrers Jaeglé, seines Straßburger Quartiergebers in der Rue Saint-Guillaume. Das liebliche Bild, das sie von ihr malen, nur übertroffen von seiner Lucile, seiner Julie im *Danton*. Seine einzige Frau, und er blieb ihr einziger Mann.

Dieselbe vernichtete alle Briefe (wie auch sein Tagebuch und sein vermutlich kühnstes Stück *Aretino*); was wir haben, sind Abschriften von Auszügen. Dergleichen Andenkenpflege wird immer geübt und die herrlichsten Naturen erniedrigt auf den Horizont von Muckern (Ernst Thälmann und Tamara Bunke keine Ausnahme). Welche Briefstellen fehlen? Die atheistischen, die schweinischen? Die banalen? Noch jeder Satz von ihm macht uns den Verlust vergessen und rasend bewußt. Wir kennen Büchner, um uns unser Teil zu denken.

Erläuterungen. Zu S. 13: Zertrümmerung der Pyramide: Anknüpfend an Ulysses' Rede von sozialer »Abstufung« in »ruhigen Staaten« (Shakespeare: ›Troilus und Cressida‹, I, 3) hat Volker Braun das Thema der Gesellschaftspyramide in seinem Stück ›Großer Frieden‹ (1976, Urauff. 1979) ausführlich behandelt. (Allgemeine Szenenanweisung: »Die Bühne terrassenförmig, die Höhe der Spielorte zeigt die soziale Stellung der Figuren. Die Stufen sehr hoch: Aufstieg und Abstieg mühsam und riskant. In den Kriegswirren ([Szenen] 3, 4) die Stufen aus den Fugen. Zu Beginn des ›Großen Friedens‹ (5, 6) die Bühne plan; während des Aufbaus der neuen Ordnung restauriert sich die Terrasse. / Die Geisterszenen im Dunkeln: das alles gleichmacht.« Volker Braun: Stücke 2. – Frankfurt a. M. 1981 [suhrkamp taschenbuch 680], S. 100). *Zu S. 15: NEUE ZEIT:* Zeitung der CDU in Berlin/DDR. *Zu S. 16: Pfarrer Weidig:* Tatsächlich war Weidig Rektor in Butzbach. *Zu S. 18: Schütz:* floh tatsächlich nach Frankreich. *Zu S. 19: heutigen Vers: Jetzt bin ich . . .:* Schlußvers von Karl Mickels Gedicht ›Gegensonett‹ (1965). *Zu S. 20: Gewi:* Geschichtswissenschaft. *Zu S. 21: Tamara Bunke:* zur Geliebten Che Guevaras vgl. auch Volker Brauns Stück ›Guevara oder der Sonnenstaat‹. – In: Spectaculum 27. Neun moderne Theaterstücke. – Frankfurt a. M. 1977, bes. S. 86 ff. u. 96 ff.

(T. M. M.)

Georg Büchner und
der moderne Begriff der Revolte*

Von Reinhold Grimm (Madison/Wisc.)

Obwohl im englischsprachigen Raum Georg Büchner und sein Werk bisher relativ wenig Beachtung fanden, haben angloamerikanische Wissenschaftler sowohl einen der schlechtesten als auch einen der besten Beiträge zu diesem faszinierenden Gegenstand geliefert. Ich meine einerseits Arthur Knights vor einem Vierteljahrhundert veröffentlichte, höchst un-Brechtsche ›Verfremdung‹ Büchners – und andererseits natürlich Herbert Lindenbergers gelungene und einsichtsvolle Studie aus dem Jahr 1964. Der posthume Beitrag von Maurice B. Benn, die dritte bedeutende Monographie in englischer Sprache**, scheint nun den endgültigen Wendepunkt zu markieren. Diese »kritische Studie« behauptet das von Lindenberger erreichte Niveau nicht etwa nur, sondern geht noch darüber hinaus und könnte so dem deutschen Dramatiker einen dauernden Platz in Schule und Universität, ja selbst beim allgemeinen Lesepublikum und auf der Bühne sichern. Enthusiasmus ist schließlich genauso ansteckend wie die Artaudsche Pest – und dies um so mehr, wenn er auf einer derart soliden Grundlage und Beweisfülle fußt wie im Falle Benns. (Es gibt ja auch endlich verläßliche Büchnerübersetzungen: die von Michael Hamburger [1966], die von Henry Schmidt [1969/77], die von Victor Price [1971].)

Warum also hat Benn den »kritischen« Aspekt hervorgekehrt? Dieser Begriff ist vielleicht ein wenig irreführend; denn er läßt sich hier nur im begrenzten (doch äußerst rühmlichen) Sinn einer exakten wissenschaftlichen Untersuchung und vorsichtigen Beurteilung anwenden. Benn hat kaum etwas an seinem Helden auszusetzen. Wie schon der Titel andeutet, stützt sich der Verfasser auf jene moderne Philosophie von Albert Camus, wie sie dessen *L'Homme révolté* entwickelt, und versucht von da aus den Beweis zu führen, daß Büchners Werk – von seinem Leben ganz abgesehen – vom dreifachen Geist einer ästhetischen, sozialen und me-

---

* Vom Autor überarbeitete und ergänzte Übertragung aus dem Amerikanischen von Thomas M. Stegers. Mit freundlicher Genehmigung der Redaktion *Annali – Studi tedeschi*, Napoli, in deren 21. Bd. (1978), H. 2, S. 7-66, die amerikanische Fassung erschienen ist.
** Maurice B. Benn: *The Drama of Revolt. A Critical Study of Georg Büchner.* – Cambridge 1976. Alle nicht näher bezeichneten Seitenangaben beziehen sich auf dieses Werk.

taphysischen Revolte durchdrungen ist und damit ebenso eine kompromißlose Ablehnung alter Werte wie auch eine fortwährende, obzwar sehr mühsame Suche nach neuen darstellt. Trotz der Ernüchterung, ja Verzweiflung, die auf Büchner lastete, zeugen sowohl *Dantons Tod* und *Woyzeck* als auch die meisterhafte Erzählung *Lenz* und in geringerem Maße sogar die ›absurdistische‹ Komödie *Leonce und Lena* von der gleichen revolutionären Haltung, der gleichen fieberhaften und dennoch beklemmend kalten und wissenschaftlichen, beinah objektiven Einstellung. Wie Benn zutreffend bemerkt, lehnte sich der junge Dichter, erfüllt von unbeugsamem Sinn für Wahrheit und Gerechtigkeit, immer wieder auf: gegen Prinzip und Praxis einer ›klassischen‹, idealisierenden Kunst und Literatur und zugunsten eines eindringlichen, ja visionären Realismus; gegen Unterdrückung, Ausbeutung und Elend und zugunsten einer wahrhaft ›sozialen Demokratie‹, einer echten und dauerhaften Republik ohne irgendwelche Klassenunterschiede und Privilegien; gegen ein sinnentleertes, von Leid und Schmerzen geprägtes menschliches Dasein, dem in einem gnadenlosen, zum Chaos gewordenen, von keiner göttlichen Vorsehung, auch keinem säkularisierten Hegelschen Weltgeist mehr gelenkten All nichts anderes bleibt als gegenseitiges Mitgefühl, schlichte Freundschaft und Solidarität. Benn weist jedweden Versuch, diese Geschlossenheit zu leugnen und entweder Büchners existentielle Angst oder sein politisches Engagement zu bagatellisieren, zurück und besteht auf der einheitlichen Entwicklung von Mensch und Werk.

Ich stimme ihm im wesentlichen zu. Die Leidenschaft wie auch zwingende Kraft, die sein Büchnerbild kennzeichnen, machen sicher das bleibende Verdienst seines Beitrags aus. Aber es ist gerade Benns Kraft der Argumentation, die auch deren implizite Gefährdung und manchmal sogar Schwäche verrät. Jene drei Arten einer Camus'schen Revolte bieten zwar einen tauglichen Rahmen, und keineswegs nur in ideologischer Hinsicht; aber sie neigen unvermeidlich dazu, einen gewissen »Systemzwang« auszuüben, will sagen einen leichten, doch gleichwohl überall spürbaren Zwang zum Schematismus, der sich in Form und Inhalt um so deutlicher äußert, als er zudem mit einer starren Entgegensetzung von Negation und Affirmation gekoppelt ist. Man kann sich des Eindrucks nicht erwehren, daß dies den Verfasser gerade seiner tiefsten Erkenntnis gegenüber blind gemacht haben muß: der Erkenntnis nämlich, die gegen Ende des Buches auf verblüffende Weise ans Licht tritt und trotzdem wieder verdunkelt wird, wenn Benn, über sporadische und vorsichtige Einwände gegen Büchners Ästhetik (vgl. 99-102) hinaus, zu einer kritischen Gesamteinschätzung vordringt. Zum Teil freilich ist er sich dieser Problematik bewußt – und Benn ist auch redlich genug, seine eigene Methode in seine Kritik einzubeziehen.

Er gesteht offen, daß sie nicht allem gerecht werde: sie sei weder »umfassend« noch »erschöpfend«. Besonders die leidenschaftliche »Liebe zur Natur« und die zärtliche »Liebe zu Frauen« in Büchners Stücken liefern (obwohl Benn sie nicht etwa ignoriert) aufschlußreiche Belege hierfür. Denn Benn zufolge wären die Erfahrungen, die darin zum Ausdruck kommen, »offensichtlich nicht [. . .] Werte der Revolte« (vgl. 265). Wirklich nicht? Hätte nicht Benn vielleicht besser daran getan, seine Camus-Lektüre durch einige Kapitel aus Ernst Bloch, dem Philosophen der Hoffnung, zu »ergänzen« (ebd.)? Und gipfelt nicht *L'Homme révolté* selber, die gründlichste Untersuchung menschlicher Revolte und Revolution, in der ausdrücklichen Verschmelzung von Natur und Liebe, im Preis jenes »bref amour de cette terre«, ohne den »la joie étrange qui aide à vivre et à mourir« – das Blochsche *Prinzip Hoffnung* – niemals hätte erwachsen können?[1] Denn menschliches »Glück« und menschliche Freude sind unlösbar mit der Gesamtheit der sozialen, metaphysischen, sogar ästhetischen Revolte des Menschen verbunden. Büchner wußte dies; doch sein Kritiker hält nach jahrelanger geduldiger Forschungsarbeit daran fest, daß es in Büchners Schriften »nicht die gebührende Beachtung« finde (vgl. 268). Benn scheint unfähig gewesen zu sein, Werte wie Liebe und Natur, zerbrechliches Glück und trotzige Hoffnung in der gleichen »ungewöhnlichen Synthese« aufgehoben zu sehen, deren Dialektik aus »pessimistischer Weltansicht und fortschrittlichem Aktivismus auf sozialem und politischem Gebiet« er so genau wahrnahm (vgl. 262). Nur mit »Güte« oder »Haß« (vgl. 70, 209 u. ö.) vermochte er das »außerordentliche Paradox« (14) Büchners zu vereinbaren, kaum jedoch mit der »eigentümlichen Freude«, die Camus empfand.

Und nicht nur Camus. So wie Büchners »Paradox« – hierin stimme ich mit Benn uneingeschränkt überein – schon auf Antonio Gramscis berühmte Losung »pessimismo dell'intelligenza, ottimismo della volontà« vorausdeutet, so läßt andererseits die ›absurde‹ Erfahrung des Franzosen, mit ihrer Vision eines »Sisyphe heureux«[2], noch typisch Nietzsche-sche Begriffe wie die von der Ewigen Wiederkehr, vom ›Jasagen zur Welt‹ und vom *amor fati* anklingen. Abermals sind beide Vorstellungsbereiche unauflöslich miteinander verwoben, philosophisch wie auch historisch; denn was ist Camilles Hymne an die Natur, »die glühend, brausend und leuchtend, um und in [uns], sich jeden Augenblick neu gebiert«, anderes als eine Variation, obgleich Jahrzehnte im Voraus, auf Friedrich Nietzsches dionysischen ›Pessimismus‹? Und gilt nicht dasselbe für die Worte des Dichters Lenz über »eine unendliche Schönheit, die aus einer Form in die andre tritt, ewig aufgeblättert, verändert«? Diese Bekenntnisse aus *Dantons Tod* und Büchners »dramatischer Novelle«

---

1 Albert Camus: *L'Homme révolté.* – Paris, 168ᵉ édition 1958, S. 377f.
2 Ders.: *Le Mythe de Sisyphe.* Nouvelle édition augmentée d'une étude sur Franz Kafka. – Paris, 92ᵉ édition 1958, S. 168.

(vgl. 194), die gleichsam von den Stufen der Guillotine und vom Rande des Wahnsinns ertönen, enthüllen eine Synthese, die nicht minder paradox oder außerordentlich ist als jene von Maurice B. Benn dargelegte. Dennoch hat weder Nietzsche noch Gramsci (jedenfalls soweit ich weiß) jemals Notiz von Büchner genommen – noch auch, wie Benn selber einräumen muß, Camus (vgl. 2). Umgekehrt ist die Abhängigkeit des französischen Existentialisten von Karl Marx ebenso offensichtlich wie die ja noch erstaunlichere Anlehnung des italienischen Marxisten an den Vorfahren des Existentialismus. Es steht außer Zweifel, daß auch Nietzsche, nicht bloß Marx, im Raum der Revolte einen wichtigen Platz einnimmt. Aber wie unvereinbar sind diese zwei Giganten des 19. Jahrhunderts eigentlich, der Prophet des ›Übermenschen‹ und der Verkünder des ›totalen Menschen‹? Und ist nicht ihre widersprüchliche Beziehung zueinander – ich höre bereits die Entrüstungsschreie der Orthodoxen – irgendwie schon bei Büchner vorweggenommen? Falls wir unsere Aufgabe wirklich darin sehen wollen, nicht nur Büchners Leben und Werk zu untersuchen, sondern diese Untersuchung mit Benn »ungescheut weiterzutreiben, wohin sie uns auch führen mag« (vgl. 3), dann müssen wir notwendig vor solch prekäre Fragen gelangen. Sie zu beantworten ist sicherlich nicht einfach; doch darf man immerhin sagen, daß Verweise auf Marx allein, so nützlich sie zweifellos sind (vgl. 33ff. u. pass.), für eine Auseinandersetzung mit dem Drama der Revolte, insbesondere unter der Ägide von Camus, nicht länger ausreichen.

Dies geht zur Genüge, obschon eher indirekt, aus den weltverzweigten Bemühungen hervor, Nietzsche neu zu beleben und seinerseits umzuwerten – Bemühungen, die vor allem von den Erben Gramscis, der Neuen Linken Italiens, unternommen werden. Am lautesten machen sie sich auf philosophischem Gebiete geltend, zum Beispiel in Gianni Vattimos Buch *Il soggetto e la maschera*, das »Nietzsche e il problema della liberazione«[3] behandelt; doch eine ganz ähnliche Tendenz, von der sogar die Autoren selber manchmal nichts merken, herrscht auch verschiedentlich in Literatur und Theater. Den besten Beleg hierfür bietet Massimo Castris Plädoyer *Per un teatro politico* aus dem Jahr 1973.[4] Diese so anregende wie provozierende Schrift (man beachte die Anspielung auf Jerzy Grotowskis *Towards a Poor Theatre*, das eine ausgesprochen unpolitische Sicht befürwortet)[5] ist um so bemerkenswerter und reizt um so mehr zum Widerspruch, als Castri, Direktor des Theaters »La Loggetta« in Brescia und gelernter Kritiker obendrein, es nicht ohne Erfolg unternimmt, die Leistungen Bertolt Brechts und Antonin Artauds zu verknüpfen, sich dabei jedoch des Nietzscheschen Einflusses auf sie – oder zu-

3 Vgl. Gianni Vattimo: *Il soggetto e la maschera. Nietzsche e il problema della liberazione.* – Milano 1974.
4 Vgl. Massimo Castri: *Per un teatro politico. Piscator Brecht Artaud.* – Torino 1973.
5 Man beachte jedoch auch die Anspielung auf Castri in Giorgio Strehlers Sammelband *Per un teatro umano. Pensieri scritti, parlati e attuati,* a cura di Sinah Kessler. – Milano 1974.

mindest der Vorwegnahme beider durch Nietzsche – gänzlich unbewußt zu sein scheint. Das kann natürlich daran liegen, daß der Italiener in seinem ohnehin schon sehr umfangreichen Buch den angeblichen »Vorläufer des Faschismus« (Georg Lukács) und dessen Werk nicht noch einmal breittreten wollte. Schließlich plädiert Castri für den Sozialismus. Dennoch ist diese blinde Stelle, angesichts von Castris scharfem Blick für ein marxistisches ›théâtre et son double‹, erstaunlich genug.[6] Und sie gleicht darüber hinaus, trotz vieler Unterschiede, auf verblüffende Weise dem, was ich in Benns Studie über Büchner vermisse.

Indes wäre eine eigene Schrift von beträchtlichem Umfang erforderlich, um diesen zweiten Knäuel aus widersprüchlichen, scheinbar unvereinbaren Beziehungen und Vorwegnahmen im einzelnen aufzudröseln. Wir müßten einerseits die komplexe Verwandtschaft des epischen Theaters mit dem Theater der Grausamkeit, einschließlich der Wechselwirkung zwischen ihren jeweiligen Nachfolgern, darstellen[7] und andererseits untersuchen, in welchem Ausmaß diese so zukunftsträchtigen Konzeptionen, ob bewußt oder unbewußt, dem theoretischen Schaffen Nietzsches entstammen. Dessen wohl einflußreichste Schrift in dieser Hinsicht ist zweifellos *Die Geburt der Tragödie aus dem Geiste der Musik,* die dann in der Neuauflage *Die Geburt der Tragödie oder Griechentum und Pessimismus* hieß – was ja unweigerlich an Büchner erinnert, obwohl der Dichter von *Dantons Tod,* anders als Nietzsche, den »gräßlichen Fatalismus der Geschichte«[8] bekanntlich beim Studium der Französischen Revolution entdeckte. Im Grunde ist es freilich gar nicht notwendig, zwischen den beiden Fassungen der *Geburt der Tragödie* hier zu differenzieren, da Nietzsches Kerngedanken unverändert bleiben. Als er jedoch 1886 seinen blendenden »Versuch einer Selbstkritik« hinzufügte, machte er unzweideutig und ein für allemal klar, daß die eigentliche Lehre, die ihm jeweils vorschwebte, nicht – wie allgemein angenommen wird – das Nebeneinander des Apollinischen und des Dionysischen war, sondern viel eher der Kontrast des Dionysischen mit dem Sokratischen. Einem aufmerksamen Leser muß dies übrigens von Anfang an deutlich gewesen sein. Schon in der *editio princeps* hatte Nietzsche seine Lehre so unmißverständlich wie nur irgend möglich formuliert. Das erhellt besonders aus § 12, wo es ausdrücklich heißt: »Dies ist der neue Gegensatz: das Dionysische und das Sokratische . . .«

Nietzsches Grundgegensatz, erstmals 1872 verkündet, diente ihm in erster Linie dazu, den Niedergang der Tragödie im alten Griechenland zu erklären. Heute aber, nach über einem Jahrhundert, gewinnt er eine

---

6 Vgl. meinen Essay *Dionysos und Sokrates. Nietzsche und der Entwurf eines neuen politischen Theaters.* – In: *Karl Marx und Friedrich Nietzsche. Acht Beiträge.* Hrsg. von Reinhold Grimm u. Jost Hermand. – Königstein 1978.
7 Einen ersten Überblick bietet mein Aufsatz *Brecht, Artaud e il teatro contemporaneo.* – In: *Studi tedeschi* 19 (1976), S. 91 ff.
8 Vgl. seinen berühmten Brief vom 10. (?) März 1854.

neue, wahrhaft prophetische Bedeutung. Denn er zielte nicht nur mit
Nachdruck und voller Absicht auf Nietzsches eigene Zeit, sondern sollte
in der Tat, weit über die Intentionen des einsamen Philosophen hinaus,
die Entwicklung des abendländischen Theaters überhaupt prägen. In
seiner *Geburt der Tragödie* wie in anderen Schriften hatte Nietzsche den
Finger zugleich auf einen verrotteten bürgerlichen Kulinarismus und
eine ›schmutzige‹ naturalistische Kunst gelegt, die ihm die schlimmsten
Auswüchse sokratischen Denkens schienen; umgekehrt aber hatte er
ein totales Kunstwerk für die Zukunft beschworen, nämlich das mythische ›Gesamtkunstwerk‹ im Sinne Richard Wagners, das, wie er hoffte,
zu guter Letzt die Bühne erobern und Dionysos wieder in seine Rechte
einsetzen werde. (Leider kehrte der erst anno 69 zurück.)[9] Jedenfalls
läßt sich im Rückblick schwerlich leugnen, daß dieselbe Grundkonstellation, wenn auch öfter in zeitlicher Abfolge als gleichzeitig, sich immer
wieder manifestiert hat: und zwar in Theorie wie Praxis all jener ›immer
moderner‹ werdenden Formen des Dramas und des Theaters, die seither
von Paris bis Moskau und von Berlin bis New York über die Bühnen ge-
fegt sind. Verschieden nur nach Art und Ausmaß, durchzieht ihr Gegen
satz sämtliche literarischen Bewegungen, ob nun – um bloß ein paar zu
nennen – Expressionismus und Naturalismus, Surrealismus und Neue
Sachlichkeit oder, erst unlängst, das ekstatische Happening und das
streng dokumentarische Theater. Von wütender Verachtung dessen be-
seelt, was summarisch als ›traditionell‹ und ›konventionell‹ bezeichnet
oder offen als ›bürgerlich‹ gebrandmarkt wird, und ganz unabhängig von
den Werten, die man dabei verwirft oder verficht, hat sich dieser Gegensatz von 1872/86 – der nicht umsonst mit der allmählichen Wiederentdeckung Büchners seit 1879 zusammenfällt – bis heute durchgehalten.
   Seine wichtigsten Exponenten sind Brecht und Artaud, die zwar beide
schon in den frühen zwanziger Jahren hervortraten, ihren prägenden
Einfluß aber erst nach dem Zweiten Weltkrieg auszuüben vermochten.
Ihre untergründige Verbindung zu Nietzsche, die bisher von fast niemandem, auch nicht von Castri, erkannt wurde, wurzelt in eben jener
Doppelheit des Dionysischen und Sokratischen: ersteres das Prinzip Artauds, der die Wiedergeburt des alten rituellen Theaters verkündete, ohne sie doch selber leisten zu können; letzteres das Prinzip Brechts, der
ein neues Theater der dialektischen Aufklärung, mit dem Verfrem-
dungseffekt im Mittelpunkt, nicht nur erfolgreich anbahnte, sondern
auch tatsächlich schuf. Was Nietzsche (der ›Jünger des Dionysos‹, wie er
sich nannte) liebte und verherrlichte, wurde von Artaud aufgegriffen
und fortgesetzt oder in enger Anlehnung variiert, wohingegen das, was
Nietzsche verabscheute und von sich wies, von Brecht entweder gleich

---

9 Vgl. Stefan S. Brechts Rezension von Richard Schechners *Dionysus in 69*. – In: *The Drama Review* 13 (1969) No. 5,
S. 156ff.; eine italienische Fassung findet sich in Brechts *Nuovo teatro americano 1968-1973*. – Roma 1974, S. 59ff.

abgelehnt oder, nach gründlicher Prüfung, nur deshalb aufgenommen wurde, um selbständig weiterentwickelt zu werden. Der Franzose vertritt so das eigentlich Nietzschesche Element, der Deutsche aber ein gleichsam vor-Marxsches: nämlich den Sokratismus mit seinem Glauben an die Vernunft und die Perfektibilität des Menschen und der Welt, samt den dazugehörigen ›epischen‹ Formen, wie sie in dem ansonsten psychologischen, ja naturalistischen Drama des Euripides erscheinen. Kurzum, Nietzsche bildet die Grundlage für ein Artaudsches Theater zügelloser Ekstase – Pest und Orgie zugleich – wie auch für ein Brechtsches, ein nüchternes, doch keineswegs prosaisches »Theater des wissenschaftlichen Zeitalters« (denn als solches versteht es sich ja laut Brecht, wie dessen umfangreiche Beiträge zur Theorie des Dramas und Theaters vielfach bezeugen). Die *Geburt der Tragödie*, mit einem Wort, präfiguriert beides: Brechts berühmtes *Kleines Organon für das Theater* vom Jahr 1948 und dessen nicht minder bedeutsames Gegenstück, Artauds *Le Théâtre et son double* von 1938.

War es also reiner Zufall, daß sie beide Büchner bewunderten und liebten, diesen fiebernden Stückeschreiber und Naturwissenschaftler aus dem frühen 19. Jahrhundert, der nicht nur viel von Marx, sondern auch einiges von Nietzsche vorwegnahm – ja im Grunde sogar eine ganze Menge, zieht man Büchners umstrittenen Nihilismus und seine Äußerungen zum Gottesbegriff in Betracht? Es entbehrt daher nicht der Ironie, daß Nietzsche von diesem radikalen Vorläufer nicht die geringste Ahnung hatte. Artaud und Brecht freilich wußten besser Bescheid. Jener plante zum Beispiel schon für sein experimentelles »Théâtre Alfred Jarry« eine Aufführung des Büchnerschen *Woyzeck*, während dieses Stück für Brecht, obwohl er ebensowenig dazu kam, es je aufzuführen, nicht nur die »erste proletarische Tragödie« darstellte (vgl. 264), sondern das erste moderne Drama überhaupt. Benn meint, umständlich genug, aus einem Bericht Arthur Adamovs – der beiläufig einer der ältesten und treuesten Freunde Artauds war – zitieren zu müssen, wonach Brecht seinerseits, nur wenige Monate vor seinem Tod, erklärt haben soll, Büchners Fragment markiere »pour lui aussi le début du théâtre moderne« (vgl. 305)[10]. Dieses Treuegelöbnis ist zwar unleugbar höchst eindrucksvoll; doch wir brauchen auf Belege aus zweiter Hand hier gar nicht zurückzugreifen. Auch sind solche Äußerungen keineswegs auf die Mitte der fünfziger Jahre beschränkt. Bereits in den zwanziger Jahren, als sich Brecht noch durchaus als Bilderstürmer betätigte, pries er *Woyzeck* als »technisch beinahe vollkommen«[11]; und später, abermals in den fünfziger Jahren, ging er sogar so weit, eigens eine besondere Untergattung zu

---

10 Vgl. Arthur Adamov: *Wozzeck* [sic] *ou la fatalité mise en cause.* – In: *Les lettres françaises* vom 28. November 1963.
11 Vgl. Bertolt Brecht: *Gesammelte Werke in 20 Bänden.* – Frankfurt 1967, Bd. 15, S. 95. – Im folgenden abgekürzt zitiert als *GW* + Bd. u. S.

postulieren, um Büchners Werk zu erfassen. Zusammen mit Goethes *Ur-faust* und dem fragmentarischen *Robert Guiskard* Heinrich von Kleists gehöre es ›zu einer eigentümlichen Gattung von Fragmenten, die nicht unvollkommen, sondern Meisterwerke sind, hingeworfen in einer wunderbaren Skizzenform«[12]. *Woyzeck*, obwohl unvollendet, ist für Brecht alles andere als unvollkommen, vielmehr ›wundervoll‹, ein ›Meisterwerk‹, ein echter und wahrer Geniestreich. Und wir haben allen Grund zu der Annahme, daß Artaud diese Auffassung geteilt hätte, wenn auch vielleicht nicht in derselben Form.

Was Büchners übrige Werke betrifft – und zwar nicht bloß sein Lustspiel, sondern auch *Dantons Tod*, sein Drama über die Französische Revolution –, so war der junge Brecht davon entschieden weniger begeistert. Oder zumindest scheint es so auf den ersten Blick. Da gibt es zum Beispiel eine Eintragung in Brechts Tagebuch vom 4. Oktober 1921. Sie enthält folgende verblüffende Bemerkung: »Dergleichen [d. h. ein Stück wie *Dantons Tod*] ist kein Vorbild mehr . . .« Jedoch fügte Brecht sogleich hinzu: ». . . aber kräftige Hilfe.«[13] Das ist, gelinde gesagt, eine ziemlich unklare Feststellung, Lob sowohl als auch Tadel und mithin nichts Ganzes und nichts Halbes. Brecht bezieht sich aber, wie er eindeutig zu verstehen gibt, auf eine äußerst schwache Aufführung des Augsburger Stadttheaters, der Bühne seiner Heimatstadt; und wir wollen außerdem nicht vergessen, daß er sich gerade damals bilderstümerischer denn je gebärdete. So gesehen, ist Brechts Bemerkung dann wohl kaum noch derart verwirrend. Das Eingeständnis, daß ein Werk aus vergangener Zeit zwar nicht mehr als Vorbild dienen, aber der neuen Avantgarde trotzdem noch Hilfestellung zu leisten vermöge, muß in jenen Jahren fast als eine Brechtsche Rühmung aufgefaßt werden, namentlich wenn man derlei mit Brechts wirklichem »Vandalismus« (wie er selbst einmal sagte)[14] vergleicht. Er bezeichnete immerhin in jener Eintragung *Dantons Tod* auch als »großartiges Melodrama«, ja brachte das Stück sogar auf recht schmeichelhafte Weise mit Shakespeare in Verbindung. Gewiß, Shakespeare lasse eine Ausgewogenheit (»Plastik«) in der Kunst der Charakterisierung erkennen, die bei Büchner fehle; dafür sei *Dantons Tod* aber unter anderem »nervöser, vergeistigter, fragmentarischer«[15].

Im übrigen kennzeichnete Brecht dieses Stück zudem als »ein ekstatisches Szenarium, philosophisch ein Panorama«[16]. Er muß daran ohne Zweifel gewisse in sich widersprüchliche Eigenschaften – eine Art inneren Dualismus – gespürt haben, die wir jetzt ruhig unter eine uns inzwischen vertrautere Rubrik subsumieren dürfen. Oder wäre es allzu will-

---

12 Vgl. *GW* 17, 1280.
13 Vgl. Bertolt Brecht: *Tagebücher 1920-1922. Autobiographische Aufzeichnungen 1920-1954.* Hrsg. von Herta Ramthun. – Frankfurt 1975, S. 161.
14 Vgl. *GW* 15, 105f.
15 Vgl. Brecht: *Tagebücher / Autobiographische Aufzeichnungen,* S. 161.
16 Ebd.

kürlich, Brechts Beobachtung, seinen so früh und knapp zusammengefaßten Eindruck, mit jener Dualität des Dionysischen und Sokratischen,
einschließlich ihrer mannigfaltigen Verzweigungen, in Verbindung zu
bringen? Sollte das, was er empfand, wirklich nur ein Nachhall des damals noch weithin herrschenden Expressionismus gewesen sein? Aber
wenn es je eine Epoche im deutschen Literatur- und Theaterleben gegeben hat, die unter dem Einfluß Büchners wie auch Nietzsches stand, so
war dies mit Sicherheit das Jahrzehnt des expressionistischen »Aufbruchs«. Nicht bloß *Dantons Tod*, sondern ebenso das *Woyzeck*-Frag-
ment, das erst 1913 überhaupt auf die Bühne gelangte, übte eine uner-
hört starke Wirkung auf jene Generation aus; und was Nietzsche anbe-
langt, so gab es fast keinen Dramatiker oder Lyriker, Kritiker oder Ro-
mancier, der sich seinem Einfluß hätte entziehen können. Benn liefert
zwar einige flüchtige Hinweise in bezug auf Büchner (vgl. 262 ff. u.
pass.); und für das Nachwirken Nietzsches besitzen wir ohnehin bereits
wertvolle Arbeiten[17]. Doch es wäre ein leichtes, über beide jeweils eine
ganze Monographie zu verfassen.

Das gleiche gilt für Brecht. Nachdem er eine heftige Abneigung gegen
den Expressionismus entwickelt hatte, versuchte er sich auch, der Laune des Augenblicks nachgebend, in einer Kritik an Büchner; aber seine
Worte, ob bewußt oder unbewußt, verraten eher das Gegenteil. Wie *Woyzeck*, so war ihm auch *Dantons Tod* letztlich ein Gegenstand der Bewunderung. In späteren Jahren sollte er sogar sein Urteil, daß dieses Stück
unmöglich als »Vorbild« für moderne Schriftsteller tauge, revidieren. In
Brechts 1955 entstandenen Notizen zur dramatischen Struktur, »Verschiedene Bauarten von Stücken« überschrieben, wird *Dantons Tod* neben Kleist *Guiskard*-Fragment (wie auch Schillers Fragment *Demetrius*)
angehenden Dramatikern ausdrücklich als Muster empfohlen, das es zu
studieren und dem es nachzueifern gelte. Doch was Brecht nun besonders hervorhebt, nämlich die »Massenszene«, die Behandlung großer
Volksmassen im Text und auf der Bühne, ist bei weitem nicht das einzige
Verdienst, das er mittlerweile anzuerkennen gewillt ist; noch auch ist
Dantons Tod das einzige Stück von Büchner, das eine Neubewertung erfährt. »Welche Unterschiede«, ruft Brecht emphatisch aus, »zwischen
Woyzeck und *Leonce und Lena*!«[18] Es ist ein Ausruf staunender Bewunderung, der nicht etwa künstlerische Rangunterschiede meint, sondern
ganz einfach die überwältigende Vielfalt an genialen Einfällen, die bei-
den Werken gemeinsam ist. Und es gibt ja nun wirklich nicht allzu viele
Stücke, die Brecht uneingeschränkt empfiehlt. Abgesehen vom Werk
Shakespeares, das natürlich unerschöpflich ist, werden hier lediglich

17 Vgl. hierzu im besonderen die Beiträge von Lia Secci und Gunter Martens. – In: *Il caso Nietzsche*. A cura di Marino
   Freschi. – Cremona 1973 bzw. *Nietzsche. Werk und Wirkungen*. Hrsg. von Hans Steffen. – Göttingen 1974; ferner
   Herbert Reicherts Sammlung *Friedrich Nietzsche's Impact on Modern German Literature*. – Chapel Hill 1975.
18 Vgl. *GW* 16, 939.

acht Stücke aus dem Repertoire der deutschen Klassik erwähnt: drei von Goethe, drei von Schiller, eines von Kleist und eines von Lessing. Büchner hingegen ist nicht nur mit seinem Drama über die Französische Revolution, sondern auch mit seinem Lustspiel vertreten; von seiner proletarischen Tragödie vollends zu schweigen. Mit anderen Worten: Büchners dramatisches Œuvre in seiner Gesamtheit wird hier gefeiert und schließlich für schlechthin beispielhaft erklärt.

Aber war es im Grunde nicht immer schon so gewesen, seit Brecht seine Schriftstellerlaufbahn eingeschlagen hatte? Von sich selbst in der dritten Person redend, wie es offenbar nicht bloß Cäsar, sondern auch einem marxistischen Stückeschreiber zukommt, erinnerte er sich im Exil, etwa ums Jahr 1940, an jene Anfänge:

»Er war ein junger Mann, als der erste Weltkrieg zu Ende ging. Er studierte Medizin in Süddeutschland. Zwei Dichter [...] beeinflußten ihn am meisten. In diesen Jahren wurde der Dichter Büchner, der in den [dreißiger] Jahren geschrieben hatte, zum erstenmal aufgeführt, und der Stückeschreiber sah das Fragment *Woyzeck* ...«[19]

Mit diesem lakonischen Bericht legt Brecht, so könnte man sagen, öffentlich Zeugnis davon ab, wie sehr er Büchner verpflichtet war. Als Teil des riesigen Bruchstücks *Der Messingkauf*, jenes Galileischen Gesprächs über das Theater, das den kühnsten und ehrgeizigsten Versuch des Theoretikers Brecht darstellt, faßt dessen Bericht nicht nur die Faszination zusammen, die von *Woyzeck*, von *Dantons Tod* und *Leonce und Lena* und wahrscheinlich auch von *Lenz* zeitlebens auf ihn ausging. Es zeigt sich darin vielmehr zugleich, daß er sich im selben Maß als Stückeschreiber und Naturwissenschaftler fühlte wie deren Verfasser – also als Materialist, dessen Werk nicht der puren Emotion entspringt, ein bloßer Erguß des Herzens oder der Seele, sondern das unlösbar in Denken und Wissen, Beobachtung und Experiment verankert ist. Bezeichnenderweise beginnt der Abschnitt, der Brechts Bericht vorangeht, mit dem Satz: »Bevor der Stückeschreiber sich mit dem Theater befaßte, studierte er Naturwissenschaften und die Medizin.«[20] Das ist zwar ein wenig übertrieben, wie wir wissen, aber gleichwohl grundsätzlich richtig. Brecht, voller Stolz auf sein frühes Studium der Medizin und der Naturwissenschaften, durfte in der Tat den Anspruch erheben, in mehr als nur einer Hinsicht mit Büchner verwandt zu sein. Zugegeben, der ›Stückeschreiber‹ neigte dazu, die Dinge etwas zurechtzustilisieren; aber andererseits war wiederum Büchner – der die auf Umsturz zielende Gesellschaft der Menschenrechte gründete und heimlich die aufrührerische Flugschrift *Der Hessische Landbote* verfaßte und veröffentlichte – auch keineswegs nur Stückeschreiber und Naturwissenschaftler allein. Er war, nicht anders als Brecht, zugleich Stückeschreiber und Revolutionär.

---

19 Vgl. ebd., 599.
20 Ebd.

Nein, es ist sicherlich kein Zufall, daß sich in Leben und Werk Brechts so häufig Hinweise auf Büchner finden. Ich will allerdings gern zugeben, daß sich das, was wir bei Artaud fanden, damit schwerlich vergleichen läßt. Denn dessen Insistieren auf *Woyzeck*, obzwar ebenfalls kein Zufall, steht anscheinend völlig isoliert. Doch wir sollten ihn trotzdem nicht unterschätzen. Das »Théâtre Alfred Jarry« entstammte immerhin den zwanziger Jahren; und schon die schlichte Tatsache, daß ein junger französischer Schriftsteller von Büchner nicht nur wußte, sondern bewußt auf ihn zurückgriff, ist für die damalige Zeit höchst ungewöhnlich. Und dies um so mehr, als Büchners Werk, sosehr es von der Avantgarde begrüßt wurde, selbst in Deutschland noch um seine Anerkennung zu kämpfen hatte, zumindest in akademischen Kreisen. Unter solchen Umständen ist Artauds Absicht, Büchners *Woyzeck* aufzuführen, wirklich äußerst aufschlußreich und verleiht seinem Zeugnis einen Grad von Glaubwürdigkeit, der beinah so eindrucksvoll ist wie im Falle Brechts. Wie dieser sich Büchner gleichgestimmt fühlte, so auch jener, wiewohl auf andere Weise. Und diese doppelte Übereinstimmung, mitsamt ihren Anklängen an Nietzsche, wird durch Vergleiche mit Büchner nur noch bestätigt – ob in Theorie oder Praxis, auf den Druckseiten oder den Brettern der Bühne.

Aber kehren wir noch einmal zu Brechts Notizen und Äußerungen zurück! Denn ist es nicht erstaunlich, wie konsequent er Büchners Stücke mit dem Begriff des Fragmentarischen in Verbindung bringt? Er betont solche Merkmale nicht nur im *Woyzeck*-Fragment (obwohl er es sicherlich als *complete fragment* ansieht, wie Carlyle sich ausgedrückt hätte), sondern er ordnet dieses Stück wie auch *Dantons Tod* mit Vorliebe jenen unvollendeten Werken Kleists, Goethes und Schillers zu. *Woyzeck* wird mit *Robert Guiskard* und dem *Urfaust* verknüpft, *Dantons Tod* mit *Robert Guiskard* und *Demetrius*. Auch zögerte Brecht keineswegs, selbst *Dantons Tod*, so paradox dies klingen mag, als Fragment einzustufen. Einerseits behauptet er, daß Büchners Drama »vergeistigter« sei als ein Stück von Shakespeare; andererseits aber hält er es für »fragmentarisch[er]«. Doch was meint Brecht eigentlich mit »fragmentarisch«? Natürlich mußte Büchner sein Werk in unglaublicher Hast abschließen, es innerhalb weniger Wochen gleichsam hinausschleudern – unter der ständigen Bedrohung, verhaftet und ins Gefängnis geworfen, ja möglicherweise langsam zu Tode gefoltert zu werden. Und trotzdem kann niemand bestreiten, was der Text schon auf den ersten Blick verrät: daß nämlich *Dantons Tod* mit Sicherheit kein Fragment, sondern ein ästhetisches und philosophisches Ganzes ist. Offensichtlich hatte Brecht demnach, als er den Fragmentcharakter hervorhob, gar nicht notwendigerweise – oder jedenfalls nicht in erster Linie – die Vorstellung der Unvollständigkeit im Auge, sondern etwas ganz anderes. Und was ist dieses andere, wenn nicht »die ›offene‹ dramatische Form«, die Büchners Stücke, wie Benn richtig feststellt, »mit den meisten Brechtstücken« gemeinsam haben (vgl. 264)? Hat nicht Brecht dieselbe Form auch dem *Urfaust* zugeschrieben und ebenso, einiger Vorbehalte ungeachtet, Shakespeare und dem elisabethanischen Drama insgesamt? Nach Ansicht des Stückeschreibers weisen sie alle die gleiche lockere, balladenhafte, lose gefügte Struktur auf – oder genauer: eine scheinbar lockere Struktur, die, ganz wie eine Ballade ihre Strophen, eine Reihe von selbständigen Teilen miteinander verbindet. Jeder Einzelteil stellt sozusagen ein unabhängiges Fragment innerhalb des Gesamtfragments dar, das natürlich in gewissem Sinne fixiert ist, jedoch niemals zu fest oder zu eng.

Angesichts der Vorliebe Brechts für Wortspiele darf vielleicht sogar die Bezeichnung ›Stückeschreiber‹, die er sich zulegte, entsprechend gedeutet werden: eben als ›Schreiber von Stücken, die aus Teilen oder Fragmenten bestehen‹. Im *Kleinen Organon* gibt es genügend Hinweise, die diese Vermutung stützen. So heißt es zum Beispiel in § 67: »Die Teile der Fabel sind also sorgfältig gegeneinander zu setzen, indem ihnen ihre eigene Struktur, eines Stückchens im Stück, gegeben wird.«[21] Selbstverständlich stammen Brechts Belege dafür wiederum von Büchner (*Woyzeck*), Goethe (*Faust*) und Shakespeare (*Richard III.*); sie werden allerdings ergänzt durch seinen eigenen *Kaukasischen Kreidekreis*. Umgekehrt ist aber auffällig, daß Schiller und Kleist nicht genannt werden (vgl. § 66).[22] Das hat seinen guten Grund. Obwohl auch ihre Fragmente, wörtlich genommen, unvollendete Werke sind, so gehören sie gleich wohl zur entgegengesetzten Art von Drama: nämlich zu dessen ›geschlossener‹ Form. Und diese wird nicht durch Shakespeare vertreten, das »wüste Genie«, wie Nietzsche in *Ecce homo*[23] höhnte, sondern durch Racine und Corneille, die glanzvollen Meister der *tragédie classique*, für die Nietzsche hier wie auch anderswo eine so ungewöhnliche Liebe und Hochachtung bezeigt. Ihm zufolge hatten die Franzosen zumindest den Versuch unternommen, das Erbe der Griechen anzutreten – jenes herrliche Kunstgebilde der attischen Tragödie, das einst so makellos und vollkommen war, bevor sich der böse Blick des Sokratismus darauf richtete und es zerstörte, bis nichts als das jämmerliche Trümmerwerk des euripideischen Dramas übrigblieb und damit ein Zwitter aus Kunst und Dialektik, der laut Nietzsche auf Grund sowohl seiner ›offenen‹ Struktur als auch seiner ›offenen‹ Ideologie ›dekadent‹ heißen muß. Denn wirklich gelten ließ Nietzsche nur eine ›geschlossene‹, eine genuin tragische Form. Indes – was Euripides in seinem Bestreben, sich von dieser Form zu lösen, an ihrer Statt tatsächlich schuf oder eigentlich in die Zukunft

---

21 Ebd., 694.
22 Vgl. ebd., 693 f.
· 23 Vgl. Friedrich Nietzsche: *Werke in drei Bänden*. Hrsg. von Karl Schlechta. – München 1954 ff., Bd. II, S. 1088.

projizierte, war ja keineswegs ein Produkt der Dekadenz: es war vielmehr ein neues Kunstwerk und als solches nicht weniger zwingend oder bedeutsam als das alte. In Nietzsches *Geburt der Tragödie* wird es, wie widerwillig auch immer, als »dramatisiertes Epos«[24] anerkannt; in Brechts Terminologie erscheint es, wie man weiß, als ›episches Drama‹ oder ›episches Theater‹. Denkt man an frühe Stücke Brechts wie etwa *Baal*, vollends aber an Büchner, so könnte man es ebensogut eine Ballade für die Bühne nennen.

Noch eine ganze Menge ließe sich über derlei Entsprechungen zwischen Brecht und Büchner sagen. Aber wenden wir uns jetzt lieber Artaud zu; denn auch er vertrat das Konzept des Fragmentarischen. Daß sich dieser von Dionysos Besessene auf die Seite des rationalistischen Sokratismus schlug, obzwar nur für eine Weile, mag zunächst verwundern. Doch was Artaud dabei anzog, war nicht einfach bloß das Fragmentarische, sondern schlechthin das Chaos, und was ihn abstieß, war die dramatische Form überhaupt, gleichgültig ob ›geschlossen‹ oder ›offen‹. Sein berüchtigter Slogan »Nie wieder Meisterwerke! Nieder mit ihnen!« (*Pour en finir avec les chefs-d'œuvre* ist ein ganzer Essay von ihm überschrieben) war vermutlich durch den französischen Klassizismus veranlaßt, richtet sich aber ausdrücklich auch gegen Sophokles und Shakespeare. Das gesamte Drama des Abendlandes, »Shakespeare und seine Nachahmer« nicht anders als die Griechen, wird von Artaud verworfen: weil es, wie er knapp und barsch erklärt, »Literatur ist, also fixiert und festgelegt«. Und obschon Artaud einschränkend fortfährt: »festgelegt auf Formen, die nicht mehr den Bedürfnissen der Zeit gemäß sind«[25], so handelt es sich hier gleichwohl um eine völlige Abkehr von jeglicher Form, jeglicher textlichen Geschlossenheit oder künstlerischen Struktur – ja um eine Ablehnung von Kunst und Literatur insgesamt. Mit dürren Worten verfügte der Prophet aus Marseille unerbittlich: »On doit en finir avec cette superstition des textes et de la poésie *écrite*.«[26] Diese Hervorhebung stammt in jeder Hinsicht von Artaud; denn was er verachtete und verabscheute, war – trotz seiner eigenen hektischen Schreiberei – gerade das ›geschriebene‹, will sagen ›festgelegte‹, ›fixierte‹, ›literarische‹ Wort. Literatur, beharrte Artaud, ist aus der Dichtung wie aus dem Theater zu verbannen. Oder zumindest muß sie um jeden Preis und soweit wie irgend möglich eingedämmt werden.

Dennoch ließ Artaud aber einige Ausnahmen gelten. So erwähnt er etwa gewisse »große romantische Melodramen«[27] (wir erinnern uns an Brechts Äußerung über *Dantons Tod*), und natürlich nennt er auch Büchners *Woyzeck*. Dieses Fragment scheint Artaud eine einzigartige

---

24 Vgl. ebd., Bd. I, S. 71.
25 Vgl. Antonin Artaud: *Le Théâtre et son double.* – Paris ²1944, S. 83 u. 81.
26 Ebd., S. 83.
27 Vgl. ebd., S. 81.

Gelegenheit geboten zu haben, das, was er in seinem paradoxen Bekenntnis: »Sous la poésie des textes, il y a la poésie tout court«[28] programmatisch verkündete, konkret zu erproben. Denn zweifellos beruhte diese implizite Wertung einerseits auf der Beschaffenheit des *Woyzeck*, der eben tatsächlich ein Fragment und somit kaum ›festgelegt‹ ist; andererseits aber wurde sie durch die dem Stück eigene strukturelle ›Offenheit‹ ermöglicht, seine balladenhafte Abfolge kurzer, losgelöster Szenen voll visionärer Stimmung und wild erregter Gestik und seinen knappen, doch ungeheuer inhaltsträchtigen Text. Büchners Stück enthielt nicht die geringste Andeutung dessen, was Artaud als »literature« ablehnte; es war, dank seiner fast nichtexistenten Tradition, noch unbefleckt von jenem verhaßten »conformisme bourgeois«, jener widerwärtigen »idolâtrie des chefs-d'œuvre fixes« (wie Artaud sich in dem genannten Essay ausdrückte, dem diese sämtlichen Zitate entnommen sind)[29]. Im Gegenteil, wenn je ein ›geschriebener Text‹ es Artaud erlaubte, »die Sprache zu durchbrechen, um das Leben zu fassen« (*briser le langage pour toucher la vie*), so war es, gerade durch seinen besonderen Bau und Gehalt, der des Büchnerschen *Woyzeck*. Und das, worum es dabei ging, war laut Artauds Vorwort zu *Le Théâtre et son double* nichts Geringeres als »faire ou refaire le théâtre«[30]. Leben, Theater und Dichtung (*poésie*, aber in einem maßlos ausgeweiteten Sinn) erscheinen hier als fast identische Emanationen ein und desselben »tourbillon de forces supérieures«, um noch einmal aus Artauds Essay zu zitieren[31]. Sie sind, mit anderen Worten, Erscheinungsformen des Artaudschen Universalprinzips der ›Grausamkeit‹.

Diese Grausamkeit ist ziemlich in Verruf geraten, wenn auch meist auf Grund von Mißverständnissen. »Il ne s'agit dans cette Cruauté«, mußte Artaud schon 1932 erläutern, »ni de sadisme ni de sang, du moins pas de façon exclusive.« Und weiter heißt es in diesem ersten seiner drei *Lettres sur la Cruauté*: »Je ne cultive pas systématiquement l'horreur. Ce mot de cruauté doit être pris dans un sens large . . .« Seine Grausamkeit, wiederholt Artaud, sei nicht etwa gleichbedeutend mit Blutvergießen, qualvollen Martern und ans Kreuz gehefteten Feinden. »Cette identification de la cruauté avec les supplices est un tout petit côté de la question. Il y a dans la cruauté qu'on exerce une sorte de déterminisme supérieur . . .« Artaud verlangt jedoch, daß dies ein bewußter Determinismus sein müsse, und fügt daher sofort hinzu: »La cruauté est avant tout lucide, c'est

---

28 Ebd., S. 83.
29 Vgl. ebd., S. 81.
30 Vgl. ebd., S. 13. – Artaud hat seinen Hinweis auf *Woyzeck* übrigens mehrmals wiederholt. Besonders aufschlußreich ist eine an Louis Jouvet gerichtete Bemerkung vom Oktober 1931, in der es heißt, keiner von den bereits vorhandenen Dramentexten verlange heute dringender nach einer Aufführung – einer Aufführung durch Artaud, versteht sich – als gerade dieses Stück von Büchner; vgl. Antonin Artaud: *Œuvres complètes*. – Paris 1956ff., Bd. III, S. 229. Zur Ergänzung vgl. auch ebd., Bd. V, S. 33 u. 331f.; außerdem etwa Eric Sellin: *The Dramatic Concepts of Antonin Artaud*. – Chicago and London ²1975, S. 54ff.
31 Vgl. ebd., S. 88.

une sorte de direction rigide, la soumission à la nécessité. Pas de cruauté sans conscience, sans une sorte de conscience appliquée.«[32] Artauds weitere *Briefe über die Grausamkeit*, seine auch in den Sammelband von 1938 aufgenommene dreifache Apologie, entfalten und vertiefen diese philosophischen Aspekte einer »cruauté pure« zusätzlich.

Doch verliert er dabei das Theater keineswegs aus den Augen. Im zweiten Brief, ebenfalls aus dem Jahr 1932 und nur etwa acht Wochen später geschrieben, erklärt er zum Beispiel:

> »J'emploie le mot de cruauté dans le sens d'appétit de vie, de rigueur cosmique et de nécessité implacable, dans le sens gnostique de tourbillon de vie qui dévore les ténèbres, dans le sens de cette douleur hors de la nécessité inéluctable de laquelle la vie ne saurait s'exercer. [. . .] Le dieu caché quand il crée obéit à la nécessité cruelle de la création qui lui est imposée à lui-même [. . .]. Et le théâtre dans le sens de création continue [et] obéit à cette nécessité. Une pièce où il n'y aurait pas cette volonté, cet appétit de vie aveugle, et capable de passer sur tout, visible dans chaque geste et dans chaque acte, et dans le côté transcendant de l'action, serait une pièce inutile et manquée«.[33]

Théâtre stellt für Artaud ein ebenso weitreichendes Konzept dar wie *poésie*. Keine dieser Vorstellungen war für ihn »bloße Zutat«. Wie *cruauté*, so waren auch sie seinem Denken »schon immer vertraut« gewesen; er brauchte sich lediglich der Zusammenhänge voll »bewußt zu werden«[34].

Daher ließ Artaud im letzten seiner drei *Briefe über die Grausamkeit* – er folgte fast unmittelbar – jenen »idées métaphysiques«[35] vollends die Zügel schießen. Nachdem er beiläufig bereits auf die Lehre der Gnosis und deren Demiurgen verwiesen hatte, wandte er sich nunmehr der Hindureligion und -philosophie zu, dem leidenden Brahma, dem Molochskarren des Jaganath (»ein schreckliches Knirschen und Zermalmen«) in aller Schöpfung und allem Dasein. Das gesamte Universum besteht aus Grausamkeit, verkündet Artaud: »Eros est une cruauté [. . .], la mort est cruauté, la résurrection est cruauté, la transfiguration est cruauté [. . .]. C'est avec cruauté que se coagulent les choses, que se forment les plans du créé.«[36] Ist dies auch Mystik, hat es doch Methode. Aber hätten wir nicht außerdem, zumindest im Ansatz, eine andere, eine neuzeitlichere Philosophie als den Hinduismus oder die Gnosis erwarten dürfen? Die Übereinstimmungen sind ja doch offenkundig genug. Was Artaud entwirft, ist nicht nur »un monde circulaire et clos«, sondern auch »[un] espace clos [. . .] nourri de vies, [où] chaque vie plus forte passe à travers les autres, donc les mange dans un massacre qui est une transfiguration et un bien«[37]. Um wieviel düsterer und wilder dieses Universum der Grausamkeit immer sein mag, es weist eine unverkennbare Ähnlich-

---

32 Vgl. ebd., S. 108f.
33 Ebd., S. 110.
34 Vgl. ebd., S. 109.
35 Vgl. ebd., S. 111.
36 Ebd.
37 Vgl. ebd.

keit mit dem dionysischen Universum Nietzsches auf. Beide kreisen sie ewig in sich selbst und fügen jedem Wesen endlose Qualen zu, die mit grenzenlosem Entzücken zusammenfallen; über beiden waltet das gleiche unbeugsame Schicksal, die gleiche Notwendigkeit; und beide sind sie von einer blinden Lebenskraft erfüllt, die sich als Wille zur Macht äußert. Der gleiche *amor fati* (immer wieder begegnet ja der Begriff *nécessité*) und das gleiche bewußte Jasagen zur Welt in ihrer Gesamtheit prägen beider Vorstellungen. Sogar ein so zweifelhafter Anhänger Nietzsches wie Camus, sogar ein als Vorläufer Nietzsches kaum Beachteter wie Büchner scheinen von diesem Lebensgefühl zu zehren. Ist nicht Camus' »seltsame Freude«, die absurde Glückserfahrung seines Sisyphus, mit der Weltanschauung Artauds vergleichbar? Und wird sie nicht auch von Büchner geteilt, obwohl er ihr selten und weit weniger überschwenglich Ausdruck verliehen hat?

Auf jeden Fall gibt es genügend Beispiele für Grausamkeit in seinem Werk, ob im *Woyzeck* oder in *Dantons Tod*, dessen »konkretes Symbol« und inneres Integrationszentrum immerhin die Guillotine ist. Wie Benn zu Recht betont, ist sie vom ersten Augenblick an beklemmend gegenwärtig: »we feel it looming ever nearer, until [...] it actually dominates the stage in all its hideous reality« (vgl. 153). Weitere Belege für solche Grausamkeit – physischer, psychischer, ja selbst metaphysischer Art – lassen sich dem Leid des armen Soldaten Woyzeck entnehmen, der von allen getreten und geschunden wird; sie finden sich sowohl in der wilden Lebensgier Maries, die ihn betrügt und die er umbringt, wie im gemarterten Geist des zum Untergang verurteilten Dichters Lenz, über den sich langsam und qualvoll der Wahnsinn senkt; gar nicht zu reden von *Dantons Tod* mit seinen Orgien, Alpträumen und fieberhaften Zuckungen. Man brauchte diese Artaudschen Vorwegnahmen eigentlich sowenig aufzuzählen wie diejenigen, die nach Struktur oder Ideologie auf Brecht vorausweisen. Die Übereinstimmungen liegen offen zutage und sind beidemal gleich beredt. Auch besteht keinerlei Grund, die erdrückende Menge an dokumentarischem Material, das bekanntlich in *Woyzeck*, *Lenz* und insbesondere in *Dantons Tod* eingegangen ist, zu behandeln. Büchners zahlreiche Quellen sind schon längst untersucht worden. Als er zum Beispiel sein historisches Drama schrieb, übernahm er rund ein Sechstel des gesamten Textes, zum Teil wortgetreu, aus solchen der Französischen Revolution. Büchners Theater, wie er es schuf, ist wahrhaftig ›grausam‹ und ›episch-dokumentarisch‹ zugleich.

Bis zu einem gewissen Grad trifft dies auch auf das Theater Brechts und Artauds zu. Die eben aufgezeigten Parallelen lassen sich – wobei, wenn ich so sagen darf, Nietzsche und Büchner als Katalysator fungieren – gleicherweise zwischen dem überzeugten Marxisten aus Deutschland und dem unberechenbaren Franzosen ziehen, der ja manchmal ziemlich andersartige, abartige Neigungen hegte. (Immerhin widmete er Adolph [*sic*] Hitler eins seiner Gedichte.)[38] Links ist zwar links, und rechts ist rechts; aber gelegentlich kommen sie doch zusammen. Wie nämlich Artaud sich am ›Fragmentarischen‹ weidete und damit an einem Aspekt des Brechtschen epischen Theaters, so schwelgte Brecht, zumindest zeitweilig, im ›Schauerlich-Gräßlichen‹ und damit in einem Element der Artaudschen Grausamkeit (und daneben wären auch noch andere Zusammenhänge zu erwähnen)[39]. Grausame Szenen sind nicht nur in Brechts *Aufstieg und Fall der Stadt Mahagonny* und in seinem *Badener Lehrstück vom Einverständnis* enthalten, sondern auch in Werken wie *Baal* oder *Im Dickicht der Städte,* namentlich aber im *Leben Eduards des Zweiten von England.* Diese von Eric Bentley unter ihrem Originaltitel rückübersetzte Bearbeitung von Marlowes berühmtem Stück gipfelt bekanntlich in der Kloake des Towers, wo der König gefangengehalten und gefoltert wird, um reif oder »mürb« zu werden: will sagen, um endlich in seine Abdankung einzuwilligen. »In einem Loch bis zu den Knieen im Abwasser« und durch unaufhörliches Trommeln »künstlich ermüdet«, »dichtet« er gleichwohl »Psalmen«, wie es heißt. »Wenn man den Falldeckel aufhebt«, sagen seine Henker, »hört man ihn singen.« Denn paradoxerweise führen Jammer und Elend, führt die ganze Qual, die Eduard in seinem »Käfig« erdulden muß, nur dazu, seine »Gliedmaßen zu härten« und ihn mit »maßloser Größe« zu erfüllen. Ekstatisch ruft er aus: »Abwasser härtet meine Gliedmaßen [. . .] Geruch des Abfalls macht mich noch maßlos vor Größe.« Eduard widersetzt sich nicht bloß, sondern er triumphiert geradezu. Nur wenige Augenblicke bevor er erstickt wird, stimmt dieser erbarmungswürdigste aller Könige den allerungewöhnlichsten Lobgesang auf das grausame Leben an:

> »Gut war Regen, Nichtessen sättigte. Aber
> Das Beste war die Finsternis. Alle
> Waren unschlüssig, zurückhaltend viele, aber
> Die Besten waren, die mich verrieten. Darum
> Wer dunkel ist, bleibe dunkel, wer
> Unrein ist, unrein. Lobet
> Mangel, lobet Mißhandlung, lobet
> Die Finsternis.«[40]

Es versteht sich von selbst, daß in einer dermaßen an Artaud erinnernden Szene Bentleys freie Übersetzung von ›Mißhandlung‹ mit »cruelty«[41] völlig gerechtfertigt ist. Worauf Brecht hier abzielt, ist in der Tat äußerste Grausamkeit.

Im übrigen, so darf man gleich folgern, sind dies auch keineswegs nur die Worte einer ungewöhnlichen Gestalt in einem ungewöhnlichen

---

38 Vgl. *Antonin Artaud Anthology.* Hrsg. von Jack Hirschmann. 2nd revised edition. – San Francisco 1965, S. 105.
39 Vgl. meinen Aufsatz in *Studi tedeschi* (s. Anm. 7).
40 Vgl. *GW* 1, 287 ff.; insbes. S. 290.
41 Vgl. Bertolt Brecht: *Edward II. A Chronicle Play.* English Version and Introduction by Eric Bentley. – New York 1966, S. 88 u. pass.

Stück. Durch König Eduards Mund spricht der junge Dichter. In Brechts persönlichstem Bekenntnis aus jenen Jahren, seiner *Hauspostille*, tauchen genau dieselben Gedanken und Bilder auf; ja, sie werden sogar noch gesteigert und verallgemeinert. Sein atheistisches Gebetbuch enthält ein Gedicht, das eine Variation auf Eduards Lobeshymne darstellt und ausdrücklich *Großer Dankchoral* betitelt ist. Und dieser *Große Dankchoral* gipfelt in einer Zeile, die nahezu wörtlich die paradoxe Ekstase des Brechtschen Märtyrerkönigs wiederholt·

>>Lobet die Kälte, die Finsternis und das Verderben!«[42]

Um jedoch das volle Ausmaß solch frommer Blasphemien zu begreifen, muß man sich den Zusammenhang, in dem sie stehen, ins Gedächtnis rufen. Worauf Brecht anspielt, ist ja das allgemein vertraute protestantische Kirchenlied *Lobet den Herren*, das Joachim Neander vor dreihundert Jahren gedichtet hat und das noch heute in Tausenden von deutschen Kirchen gesungen wird. Einzig und allein durch den Kontrast zu Neanders >>Lobet den Herren, den mächtigen König der Ehren«, diesem leidenschaftlichen Ausbruch christlicher Gläubigkeit, wird Brechts jauchzender Nihilismus in seiner finsteren Macht und Herrlichkeit wirklich faßbar.

Erwähnung verdient ferner, daß natürlich Brechts Wort >>Verderben« weit mehr beinhaltet als das von Bentley gebrauchte >>decomposition«. Solche und ähnliche Begriffe neigen, zumindest beim Brecht der frühen zwanziger Jahre, zu beinah derselben umfassenden Allgemeinheit wie ihre Gegenstücke bei Artaud. >Verderben< und >Finsternis< sind zwar keine >>metaphysischen Ideen« – und Brecht hätte ohnehin jede derartige Einstufung empört und angewidert zurückgewiesen. Aber auch er muß sich ein Universum der Grausamkeit vorgestellt haben und hat es zweifellos in bestimmten Werken auch gestaltet. Brechts *Großer Dankchoral* und seine Marlowe-Bearbeitung – die in vieler Hinsicht an Artauds Bearbeitung von Shelleys Melodrama *The Cenci* gemahnt – sind lediglich zwei willkürlich herausgegriffene Beispiele, die beliebig ergänzt werden könnten. Es läßt sich nicht leugnen, daß der junge Dichter und Stückeschreiber einer Weltanschauung, wie sie von Artaud, aber auch von Nietzsche und Camus vertreten wurde, erstaunlich nahekam. Auch Brecht huldigte dem Dionysischen, trotz allem sokratischen Anschein. Selbst nach seiner Hinwendung zum Marxismus ließ seine existenzielle Lust an den >>Schrecken [einer] unaufhörlichen Verwandlung«, wie sie am Ende seines *Kleinen Organon*[43] gefeiert oder in seinem Lieblingsbild vom ewig wechselnden >>Fluß des Geschehens«[44] beschworen wird, nicht nach. Sie wurde einfach nur aufgehoben.

---

42 Vgl. *GW* 8, 216.
43 Vgl. ebd., 16, 700.
44 Vgl. ebd., 9, 588.

Dieses Fließen oder dieser Fluß[45] begegnet übrigens nicht bloß bei Heraklit, sondern ebenso bei Nietzsche. Auch ist nicht zu verkennen, daß Brechts dialektische Aufhebung, obwohl nie ganz ausdrücklich, in einer Vorstellung von Geschichte als linear und zyklisch zugleich resultierte. Immer wieder prallen Fortschritt und Ewige Wiederkehr in seinem späteren Schaffen aufeinander, ja sind schon fast im Begriff, ineinander aufzugehen.[46] Der zum Marxismus gereifte Autor – daß er über die Sachlage nicht im unklaren war, verrät seine lebenslange Mühe, den dionysischen Baal ideologisch zu bändigen – behielt ein Gutteil seiner frühen Ansichten und Auffassungen, die denen Nietzsches und Artauds so sehr ähneln, bis zuletzt bei. Und Camus bietet mit seiner Philosophie des Absurden sogar eine noch viel auffälligere Ähnlichkeit, namentlich eben was jenes Paradox der Geschichte betrifft. Das bezeugt vielleicht am besten die so beredte Symbolik in Brechts *Lied von der Moldau* und in *Le Mythe de Sisyphe*. Camus griff auf die Antike zurück, um seiner modernen Lehre Gewicht zu verleihen:

»Les dieux avaient condamné Sisyphe à rouler sans cesse un rocher jusqu'au sommet d'une montagne d'où la pierre retombait par son propre poids. Ils avaient pensé avec quelque raison qu'il n'est pas de punition plus terrible que le travail inutile et sans espoir.«[47]

Brecht hingegen stützte sich aufs Mittelalter, schrieb aber dafür ein proletarisches Volkslied. Es findet sich, wie man weiß, in seiner Bühnenfassung von Jaroslav Hašeks Roman *Osudy dobrého vojáka Švejka za svědové války (Die Abenteuer des braven Soldaten Schwejk im Ersten Weltkrieg),* und die entscheidende Strophe daraus lautet:

»Am Grunde der Moldau wandern die Steine
Es liegen drei Kaiser begraben in Prag.
Das Große bleibt groß nicht und klein nicht das Kleine.
Die Nacht hat zwölf Stunden, dann kommt schon der Tag.«[48]

Brechts *Lied von der Moldau* – entstanden 1943, nur ein Jahr nach Erscheinen des Essays über Sisyphus – taucht in seinem *Schweyk im Zweiten Weltkrieg* zweimal auf und erweist sich in der Tat als so bedeutsam und wichtig wie der Camus'sche Mythos.

Was beide gemeinsam haben, ist offensichtlich. Beide enthalten, ja wiederholen ein einziges zentrales Bild. Sisyphus, der seinen Felsen den riesigen Berghang hinaufwälzt, bloß um ihn wieder herunterrollen zu sehen und damit gezwungen zu sein, aufs neue von vorn anzufangen; die wandernden Steine am Grunde des Flusses, die sich ruhig drehen und weiterschieben; der regelmäßige Wechsel von Tag und Nacht und Nacht und Tag über Jahrzehnte, Jahrhunderte hin: all dies versinnbildlicht ein und denselben Vorgang, der eine lineare mit einer zyklischen Bewegung

45 Vgl. hierzu die Bemerkungen von Peter Heller und mir, in *Studi tedeschi* 18 (1975), S. 147ff.
46 Vgl. etwa meinen Aufsatz *Brechts Rad der Fortuna.* – In: *German Quarterly* 46 (1973), S. 549ff.
47 Camus: *Le Mythe de Sisyphe,* S. 163.
48 *GW* 5, 1968 u. 1994.

koppelt. Fortschritt und Ewige Wiederkehr fallen zusammen. Camus sah darin eine echte Paradoxie, die er sich mit vollem Bewußtsein zu eigen machte. Die Dynamik aus Vergangenheit und Zukunft ist bei ihm zu einer statischen Gegenwart geworden; und Sisyphus, den wir uns ja als »glücklich« zu denken haben, glaubt, daß auch dies, so wie alles, »gut« sei (*tout est bien*)[49]. »L'homme absurde dit oui«, schließt Camus, »et son effort n'aura plus de cesse.«[50] Das Zyklische gibt den Ausschlag. Bei Brecht indes liegen die Dinge anders. Für ihn gibt die lineare Bewegung den Ausschlag. Seine Worte drücken eher Hoffnung als Glück aus, den Willen zur Änderung und eine Vorahnung der Zukunft statt reiner Hinnahme und absurder Bejahung. In der zweiten Strophe seines Liedes versichert er wiederholt: »Es wechseln die Zeiten.« Anders als Camus, der mahnt »[qu']il faut connaître la nuit«[51], weist Brecht auf die Morgendämmerung und den Tag. Die Dinge, beteuert er, werden sich ändern; denn auch die Zeiten ändern sich stets. Brecht hielt paradoxerweise dafür, daß der Mensch, obwohl er sich im Kreise bewege, dennoch vorankomme (»im Kreise laufend kommen wir weiter«, wie Meti, sein pseudochinesischer Weiser, behauptet, wenn auch nur im Hinblick auf eine enttäuschende Debatte)[52]. Im Gegensatz zu Camus, dem überzeugten Existentialisten, wollte Brecht, der überzeugte Marxist, von pauschaler Absurdität nichts wissen.

Und doch ist das Paradox der Geschichte selbst beim späten Brecht ein wirkliches, nicht nur ein scheinbares. Es kann durch Behauptungen und gute Vorsätze keineswegs erschöpft, geschweige denn gelöst werden. Indem Brecht historische Prozesse in naturhafte Zyklen umbog und einen Wandel ohne Ende postulierte, bejahte auch er stillschweigend – wie schon vor ihm Friedrich Engels in seiner *Dialektik der Natur* – die große Kette des grausamen Daseins, den Zusammenfall unendlichen linearen Fortschreitens mit einer nie endenden zyklischen Wiederkehr. (Und sind nicht beide letztlich miteinander identisch, so wie sich Parallelen im Unendlichen schneiden? Brecht war in Mathematik und den gängigen astrophysikalischen Theorien durchaus beschlagen, wie zum Beispiel das Prosastück »Der gekrümmte Raum«[53], ebenfalls aus der Sammlung *Meti* oder *Buch der Wendungen,* zur Genüge bezeugt.) In seiner Jugend zumindest hat er die zyklische Natur der Geschichte nicht nur hingenommen, sondern sich bewußt zu ihr bekannt, indem er wie Camus Glück und seltsame Freude aus der Absurdität allen Seins schöpfte. Auch hierfür bietet seine Chronik vom *Leben Eduards* den besten Beleg. Das gesamte Drama ist nach Struktur und Ideologie ein sich drehendes Rad

---

49 Vgl. Camus: *Le Mythe de Sisyphe*, S. 168.
50 Ebd.
51 Vgl. ebd.
52 *GW* 12, 461.
53 Vgl. ebd., 542.

der Fortuna, ein dramatisches Emblem von gewaltigen Dimensionen, das den schnellen Wechsel menschlichen Schicksals versinnbildlicht.[54] Eine absurde, unbarmherzige All-Einheit erwächst aus diesem zweiten ›Karren des Jaganath‹ und dem immer rascheren Kreisen seiner Räder. Selbst Geschichte und Zeit als solche, die für eine Chronik so wesentlich sind, werden zu einer amorphen Mischung aus endlosem Wandel und wandelloser Gegenwart zermahlen und zermalmt. Was allein bleibt, ist die Statik der Vergänglichkeit. Je rasender Brechts Glücksrad sich dreht, desto weniger, paradoxerweise, bewegt es sich.

Es nimmt daher kaum wunder, daß alle Hauptgestalten in seinem Stück das Los des Sisyphus teilen. Doch ich muß hier von weiteren Vergleichen Abstand nehmen, obwohl sie, wie auch sonst im Schaffen von Brecht und Camus, durchaus angebracht wären.[55] Man denke nur etwa an Mortimer, den Gegenspieler König Eduards. Indem auch er ein höchst bezeichnendes Bild wählt, erklärt er gegen Ende seines eigenen »Aufstiegs und Falls«:

> »Hochziehend eine kleine Last aus
> Verjährtem Teichschlamm, muß ich
> Im Fleisch obschon matter, hängen sehn an ihr
> Menschliche Algen. Mehr und mehr.
> Hochwindend mich, spür ich stets neues
> Gewicht.
> Und um die Knie des Letzten einen neuen
> Letzten. Menschliche Stricke.
> Und an dem Treibrad dieses Flaschenzugs
> Menschlicher Stricke, atemlos, sie schleppend alle
> Ich.«[56]

Mortimers qualvolle Mühe ist ebenso zweck- und hoffnungslos wie die Arbeit des Sisyphus. Und in der gleichen Szene bricht dann die Königin Anna, einst Marlowes »fair Isabel«[57], in ein absurdes, hysterisches, schier unbändiges Gelächter aus: sie lacht, wie sie selber sagt, »über die Leere der Welt«[58], gesteht jedoch gleichzeitig, voll unersättlicher Gier, ihre Wollust am Leben und ihr Verlangen, es auch ferner bis zur Neige zu genießen. Anna stimmt zwar nicht gerade ›Lobeshymnen‹ auf Finsternis und Grausamkeit an; aber ist sie wirklich so weit von Sisyphus oder dessen älterem Bruder entfernt? Denn was, wenn nicht ein Bruder des Camus'schen Sisyphus, i s t Brechts jauchzender Märtyrerkönig von 1924? Mehr als jede andere Gestalt dieses kraftvollen Dramas bildet König Eduard, der in der Jauchegrube auf seinen Tod harrt und Psalmen singt, eine groteske – aber freilich auch ›dunkle‹ und ›unreine‹ – Vorwegnah-

54 Vgl. hierzu meinen Aufsatz in *German Quarterly* (s. Anm. 46).
55 Einen ersten Versuch unternahm Norbert Kohlhase mit seiner Studie *Dichtung und politische Moral. Eine Gegenüberstellung von Brecht und Camus*. – München 1965; zu Nietzsche und Camus vgl. Bianca Rosenthal: *Die Idee des Absurden. Eine Gegenüberstellung von Friedrich Nietzsche und Albert Camus*. – Bonn 1977.
56 *GW* 1, 268.
57 Vgl. Christopher Marlowe: *Edward II*. Ed. by H. B. Charlton and R. D. Waller. – London 1933.
58 Vgl. *GW* 1, 165 u. 270.

me dessen, was der Franzose später, in seiner Neudeutung des griechischen Mythos, so heroisch und erhaben darstellen sollte. In Brechts frühem Stück werden eine zyklische Geschichtsauffassung und ein im Geist des dionysischen *amor fati* bejahtes Universum der Grausamkeit auf exemplarische Weise miteinander verknüpft. Nihilismus und Absurdität verschmelzen.

Womit wir, ganz unerwartet, wieder bei Büchner wären. Dessen Theater, so hat sich ja gezeigt, ist ›grausam‹ im Sinne Artauds und ›episch-dokumentarisch‹ im Sinne Brechts. (Auf den Namen Erwin Piscator können wir, glaube ich, verzichten.) Aber obschon ein solches Theater auch durchaus ›absurd‹ im Camus'schen Sinne sein kann, so ist es doch kaum, wie gewisse Kritiker wahrhaben möchten, ›absurdistisch‹ nach Art Eugène Ionescos. In dieser Hinsicht wurde eine Vorläuferschaft oder mögliche Verbindung gröblich übertrieben, besonders in bezug auf *Leonce und Lena*. Was in Büchners Komödie herrscht, ist nicht so sehr Absurdität à la Ionesco als vielmehr Verfremdung à la Brecht. Benn betont diese vor-Brechtsche »comic alienation« (vgl. 167) sehr stark, doch auch völlig zu Recht, wenn man die vielen grotesken und satirischen Elemente nicht nur in *Leonce und Lena*, sondern in Büchners Gesamtwerk in Betracht zieht. Die meisten von ihnen sind bisher, jedenfalls in diesem Zusammenhang, ungebührlich vernachlässigt worden[59]. Im übrigen sollte man sich bei der Suche nach einem konkreten deutschen Vorläufer von Ionesco und seinesgleichen weniger an Büchner halten als an den nach ihm zweifellos begabtesten, aber zugleich zuchtlosesten derer, die in jenen Jahren für die Bühne schrieben: nämlich an Christian Dietrich Grabbe. Neben anspruchsvollen Tragödien hat Grabbe bekanntlich eine einzige Komödie mit dem ausladenden Titel *Scherz, Satire, Ironie und tiefere Bedeutung* hinterlassen; aber dieses Stück nimmt in der Tat – über Alfred Jarry und die französischen Surrealisten, mit Einschluß des in Deutschland geborenen Dadaisten Iwan Goll – das gesamte absurde Theater der fünfziger Jahre vorweg.[60] Und diese Vorläuferschaft braucht auch nicht etwa bloß vermutet oder zurechtkonstruiert zu werden. Jarry selber – der wahrscheinlich als erster offen für das Absurde im modernen Theater eintrat – übersetzte das derbkomische bis obszöne »Lustspiel« des Büchnerschen Zeitgenossen und brachte es 1898, unter dem neuen Titel *Les Silènes*, zur Aufführung. Angesichts von Artauds »Théâtre Alfred Jarry« und dessen Programm sowie im Hinblick auf die Rolle, die Silen und die Satyrn (oder Silenen) in Nietzsches *Geburt der Tragödie* spielen, dürfen wir dem Verfasser des *Ubu Roi* ein wahrhaft seltenes Gespür für glückliche Funde attestieren. Was er entdeckt hatte und so ge-

---

59 Vgl. jedoch Henry J. Schmidt: *Satire, Caricature and Perspectivism in the Works of Georg Büchner.* – Den Haag / Paris 1970.
60 Vgl. den Kommentar in Iwan Goll: *Methusalem oder Der ewige Bürger. Ein satirisches Drama.* Text und Materialien zur Interpretation besorgt von Reinhold Grimm u. Viktor Žmegač. – Berlin 1966.

schickt für die Praxis nutzbar zu machen verstand, war in der Tat »une pièce allemande extraordinaire«[61].

Jarrys Satz findet sich in seiner Rede übers Marionettentheater (*Conférence sur les Pantins*) und damit im Zusammenhang mit einem seiner Lieblingsbilder, das ja, wie bekannt, auch Büchner und Artaud sehr schätzten. Offenbar sind diese verschiedenen Formen des Absurden trotz allem eng miteinander verwandt. Aber anstatt sie nun weiter zu differenzieren, kehren wir besser wieder zu Büchners »außerordentlichem Paradox« einer »pessimistischen Weltsicht und eines fortschrittlichen Aktivismus« zurück. Zu fragen ist nämlich, ob es nicht noch der Erweiterung bedürfe. Schließt es nicht auch, gerade in Benns ausgezeichneter Formel, die so stark an Gramsci erinnert, eine ebenso paradoxe Sicht der Geschichte ein? Will sagen: Spiegelt es nicht, freilich nur auf streng begrifflicher und biographischer Ebene, den Zusammenfall von zyklischer Wiederkehr und linearem Fortschreiten? Büchners berühmter Brief an seine Verlobte, der vom 10. März 1834 (oder, was wahrscheinlicher ist, von einem etwas späteren Zeitpunkt) datiert, ist hier wiederum sehr aufschlußreich:

> »Ich studirte die Geschichte der Revolution. Ich fühlte mich wie zernichtet unter dem gräßlichen Fatalismus der Geschichte. Ich finde in der Menschennatur eine entsetzliche Gleichheit, in den menschlichen Verhältnissen eine unabwendbare Gewalt, Allen und Keinem verliehen. Der Einzelne nur Schaum auf der Welle, die Größe ein bloßer Zufall, die Herrschaft des Genies ein Puppenspiel, ein lächerliches Ringen gegen ein ehernes Gesetz, es zu erkennen das Höchste, es zu beherrschen unmöglich.«

Nicht nur diese Zeilen, sondern die meisten von Büchners Schriften wimmeln, wie sich leicht aufzeigen ließe, von solchen Stimmungen und Vorstellungen, eindringlichen Bildern und zwingenden Formulierungen. Man kann der Versuchung, noch viel länger daraus zu zitieren, kaum widerstehen.

Doch es genügt hier, zweierlei zu erwägen. Erstens ist Büchners gesamter Brief – und eigentlich sein ganzes Werk, so wie es uns vorliegt – von einer düsteren Stimmung durchzogen: und zwar auf Grund jener »unabwendbaren Gewalt«, die Natur und Geschichte zu einer »entsetzlichen Gleichheit« werden und den Menschen unter ihrem »gräßlichen Fatalismus« sich wie »zernichtet« fühlen läßt. Wir alle kennen inzwischen dieses »eherne Gesetz«. Was in ihm zum Ausdruck gelangt, ist die gleiche ›Grausamkeit‹, die sich im sinnlosen Kreisen des Brechtschen Rads der Fortuna äußert; und worauf es hinausläuft, ist die gleiche Statik der Vergänglichkeit und der gleiche »wilde Jammer menschlichen Zustands«[62], die in Brechts Stück herrschen. Was allein fehlt, wie so oft beim Dichter des *Woyzeck,* ist die Entsprechung zu einer Brechtschen

---

61 Vgl. Alfred Jarry: *Tout Ubu.* Édition établie par Maurice Saillet. – Paris 1966, S. 493.
62 *GW* 1, 257.

Lobeshymne. Anders als der moderne König Eduard und dessen Autor, scheint Büchner in den meisten Fällen unfähig (oder vielleicht auch nicht willens) gewesen zu sein, ihren verzweifelten Aufschrei zu widerrufen.

Zweitens aber ist die Vorstellung von einem Kreislauf in Büchners Brief nicht nur zwischen den Zeilen, sondern tatsächlich vorhanden. Es besteht in der Tat eine Entsprechung zu jenen Symbolen und Bildern – ob von Brecht oder Camus, Artaud oder Nietzsche –, die eine ähnliche Erfahrung wiedergeben. Nietzsche zum Beispiel nannte den Menschen ein »Stäubchen vom Staube« und sprach von der »ewigen Sanduhr des Daseins«, die unaufhörlich rinnt und immer aufs neue umgedreht wird.[63] Büchner hinwiederum sah den Menschen als bloßen »Schaum auf der Welle«, wählte also ein völlig anderes Bild und erzielte doch fast die gleiche Wirkung. Sie wie alle anderen drücken im wesentlichen ein und denselben Gedanken aus. Oder wäre es wirklich zu weit hergeholt, Büchners »Welle[n]«, die ja als solche in alle Ewigkeit steigen und fallen, als Verbildlichung eines zyklischen Kreislaufs zu deuten, als Symbol oder Zeichen, das die Vorstellung eines absurden Wandels ohne Wandel vermittelt?

So jedenfalls dürfte Brecht, der stets zu den aufmerksamsten Lesern zählte, Büchners Brief verstanden haben. Wahrscheinlich las er ihn schon in den frühen zwanziger Jahren. Und Brechts Eindruck scheint von Dauer gewesen zu sein. Noch 1938, im Rückblick auf seine nicht nur durch Büchner, sondern auch durch Nietzsche geprägten Anfänge[64], sah er, gleich jenen, den einzelnen als bloßen Schaum auf den Wellen eines immerdar wechselnden, niemals sich wandelnden Ozeans. Bei ihm lautet dies freilich:

»Ein weißer Gischt sprang aus verschlammter Woge!«[65]

Brechts Bild ist zwar dynamischer und obendrein kritisch pointiert; doch wer vermöchte seine Ähnlichkeit mit demjenigen Büchners zu bestreiten? Zudem ist Brecht ziemlich genau. Seine Verszeile – die, für sich genommen, einigermaßen dunkel bleibt – ist Teil eines fragmentarischen Sonetts *Über Nietzsches ›Zarathustra‹*. Nicht der Mensch schlechthin, auch kein beliebiger einzelner, ist hier gemeint, sondern der Verkünder der Ewigen Wiederkehr. Das blendende Werk und trübe Schicksal Nietzsches: sie sind der flüchtige Schaum oder »weiße Gischt«, der »aus verschlammter Woge«, d. h. der Welt schmutziger Ausbeutung und fortschreitenden Verfalls, springt. Auf die marxistische Allegorie in Brechts Zeile brauche ich dabei sowenig einzugehen wie auf Rad, Ball und Kugel oder die vielen anderen, kreisförmigen wie zyklischen, Bilder

63 Vgl. Nietzsche: *Werke*, Bd. II, S. 202.
64 Vgl. dazu meinen Band *Brecht und Nietzsche oder Geständnisse eines Dichters. Fünf Essays und ein Bruchstück.* – Frankfurt 1979.
65 *GW* 9, 614.

und Bewegungen in *Also sprach Zarathustra*. Deren Bedeutung und Wichtigkeit sind allgemein bekannt. Desto bemerkenswerter wirkt aber dafür der Umstand, daß Brecht (der seine Worte sorgfältig abzuwägen pflegte) dem tragischen Philosophen und dessen Euphorie das gleiche Bild zuerkannte, das niemand anders als Büchner benutzt hatte, um seiner qualvollen Bedrückung und Verzweiflung Ausdruck zu verleihen.

Büchners »ehernes Gesetz« jedoch, dieser Teufelskreis aus Gleichheit und immerwährender Gegenwart, bildet bloß die eine Hälfte seines Paradoxons der Geschichte. Die andere beruht auf dem Gesetz der ungebrochenen Geraden, die in die Zukunft weist. Wie schon des öfteren, nur noch viel machtvoller, prallen auch hier der Kreis der Wiederholung und der Pfeil des Fortschritts aufeinander oder treffen sich doch zumindest. Und letzten Endes kommen sie abermals zur Deckung; denn beide werden von Büchner buchstäblich verkörpert. Zeugt sein Brief wie kaum etwas anderes von seiner pessimistischen Weltanschauung, so liefert sein Leben, das einer solchen Weltsicht Tag für Tag widersprach, den ständigen Beweis für sein soziales und politisches Engagement. Büchners Erkenntnisse und bittere Einsichten, die seinen lähmenden Nihilismus zur Folge hatten, werden stets aufs neue durch seine unbeugsame Entschlossenheit, sich gegen jedes Elend, jede Ungerechtigkeit und Unterdrückung aufzulehnen, widerlegt. Oder mit Gramsci zu reden: »Pessimismus der Intelligenz, Optimismus des Willens.« Nur wenn beides im wahrsten Sinne des Wortes zusammengeschmiedet ist, historisch wie philosophisch, tritt Büchners Paradoxon voll zutage. Daß jemand, der sich angesichts der Unveränderlichkeit der *condition humaine* »wie zernichtet« fühlte, fast zur selben Zeit eine geheime Gesellschaft der Menschenrechte gründete, die auf radikale Veränderung abzielte, einen gewaltsamen Umsturz plante und das Volk zur Revolution aufzustacheln suchte, ist beinah unvorstellbar – und doch hat Büchner genau das getan! Wenn irgend etwas, so gemahnt dieser Neubeginn nach solch niederschmetternder Erfahrung an die Haltung des Camus'schen Sisyphus, der sich im vollen Bewußtsein, daß sein Los sich niemals ändern wird, niederbeugt, seinen Felsbrocken umklammert und sich gegen ihn stemmt, um ihn erneut den steilen Hang hinaufzuwälzen. Sisyphus läßt nicht ab, so wie auch Büchner nie abließ: selbst nicht nach Verrat und Scheitern seiner kurzlebigen Gesellschaft der Menschenrechte, als deren Mitglieder eingekerkert, gefoltert und hingemordet wurden, falls es ihnen nicht gelang, ins Exil zu flüchten. Wie Camus war er ein unermüdlicher Rebell. »Hoffen wir auf die Zeit«, schrieb er 1835 trotzig.[66] Der ›Nihilist‹ nahm die Niederlage nur »für jetzt« hin; der vermeintliche ›Vertreter des Absurden‹ bereitete sich entschlossen auf die Zukunft vor.[67]

---

66 Vgl. Büchners Fragment eines undatierten Briefs.
67 Vgl. Büchners Brief vom 17. August 1835.

In beider »extraordinary paradox« besteht für Benn Büchners »rare synthesis«. Doch schreibt er derlei nicht nur Camus zu, obschon merkwürdigerweise nur dessen *Pest*, sondern ebenso Ernst Toller. Benn geht sogar so weit, diese Synthese in vager Verallgemeinerung als »peculiar modern attitude« zu bezeichnen und damit als etwas, was sehr wohl die letzte noch taugliche Haltung sein könne (vgl. 262). Doch weder solche Spekulationen noch Benns willkürliche Einschränkungen sind haltbar. Die Wahrheit liegt in der Mitte. Die reinen Pessimisten wie die reinen Optimisten werden stets zahlreicher sein als diejenigen, die beides verkörpern – und wofür Toller sicher ein höchst aufschlußreiches Beispiel bietet. Ihn einzubeziehen scheint mir daher durchaus angebracht. Noch aus der Gefängniszelle heraus, wo er wegen seiner führenden Rolle bei der gescheiterten deutschen Revolution eine fünfjährige Haftstrafe verbüßte, brachte er sein eigenes Paradox aus qualvoller Einsicht und ungebrochenem Willen zum Ausdruck. Und wie Gramsci scheute er sich nicht, es mit einer Nietzscheschen Vorstellung zu verknüpfen, indem er sich an die »Starken« wandte, d. h. an »Menschen, die [. . .] wollen – obwohl sie wissen«, wie er in einem Brief an Stefan Zweig vom 13. Juni 1923 schrieb.[68] Benn zitiert daraus ausführlich, und ganz zu Recht; doch ist dieser Brief beileibe nicht der einzige Beleg für Nietzsche-Anklänge bei Toller oder für dessen Vorwegnahme Gramscis und Camus' und innige Verbindung mit seinem »Bruder« aus dem vorigen Jahrhundert, Büchner[69]. Unmißverständlich lehnte sich der junge Häftling gegen die zyklische Wiederkehr in der Geschichte auf und berief sich auf jenen sprichwörtlichen Mythos, der zwei Jahrzehnte danach zum Kernstück von Camus' Philosophie werden sollte. Toller erhob Klage über die niederdrückende »Wiederkehr«, den »gleichen Kreislauf« aller Dinge und Geschehnisse, und bot ihnen dennoch Trotz; und nicht anders verhielt er sich vor der »Sisyphusarbeit«, der sich jeder Revolutionär gegenübersieht, und namentlich in Deutschland[70]. Schon diese frühen Dokumente verraten die Richtung seines gesamten restlichen Lebens – man erinnere sich nur, wie rücksichtslos er sich während des Spanischen Bürgerkriegs einsetzte –, und sie ließen sich unschwer durch weitere ergänzen, die alle ebenfalls seine Verzweiflung und sein verzweifeltes Ringen, diese zu überwinden, bezeugen. Gar nicht zu reden von Tollers dichterischem Schaffen, insbesondere dem Stück *Hoppla, wir leben!* von 1927, welches, deutlich genug, mit seinen Mitteln dasselbe beweist.

Ungeachtet der historischen Situation ist die menschliche Not jeweils die gleiche und ruft auch die gleiche Antwort hervor, obzwar nur bei jenen wenigen. Dabei steht außer Frage, daß die Philosophien oder Ideolo-

---

68 Vgl. Ernst Toller: *Prosa, Briefe, Dramen, Gedichte*. Mit einem Vorwort von Kurt Hiller. – Reinbek 1962, S. 229.
69 Vgl. den Nachweis bei John M. Spalek: *Ernst Toller and His Critics. A Bibliography*. – Charlottesville 1968, S. 25.
70 Vgl. Toller, S. 216 u. 221.

gien, in die sie sich kleidet, grundverschieden sein können. Beispiele von noch viel größerem Gewicht liefert nicht bloß Brecht, sondern abermals auch Nietzsche, indem er die Wiederkehr aller Dinge verkündete und gleichwohl das Heraufkommen eines neuen Zeitalters begrüßte. Beide trieben, jeder auf seine Weise, das Büchnersche Paradox auf die Spitze. Denn selbst Brecht (natürlich nicht der junge Brecht, sondern der spätere Marxist) bekannte zuweilen, wie sehr er sich überreden mußte, seinen eigenen Sinnen zu mißtrauen – ja, daß er sich mit Wissen und Willen dazu zwang, das Dunkel so zu sehen, als sei es »vielleicht« Licht. In einem fast schon flehentlichen Vierzeiler beschwor er sich und seine Leser:

> »Traue nicht deinen Augen
> Traue deinen Ohren nicht
> Du siehst Dunkel
> Vielleicht ist es Licht.«[71]

Umgekehrt war aber nicht einmal der Lehrer der Wiederkehr des Immergleichen, der freudige Jasager zur Welt in allen ihren Erscheinungsformen, gesonnen, den Glauben an ein Fortschreiten aufzugeben. Obwohl er sich dem eisernen Ring der Notwendigkeit fügte, pries Nietzsche – etwa in *Also sprach Zarathustra* oder in *Götzendämmerung oder Wie man mit dem Hammer philosophiert* – den »Pfeil«, die »gerade Linie« und beider endgültiges »Ziel«, dem er sich in seliger Erwartung entgegensehnte. Sein Zarathustra, durch den er ja den »Übermenschen« vor allem prophezeite, sieht sich wieder und wieder als bebenden »Pfeil«, der »durch sonnentrunkenes Entzücken« fliegt und »hinaus in ferne Zukünfte« strebt, von denen niemand je geträumt hat. In solch verzücktem Flug durchs strahlende Sonnenlicht, wie schon in der Hingerissenheit des Kreisens, meinte Nietzsche das vollkommene Bild für sein dionysisches Glücksgefühl gefunden zu haben. »Formel meines Glücks«, heißt es daher emphatisch in einem seiner zugespitzten Sinnsprüche. Und wahrhaft mit dem Hammer philosophierend, bestimmte er diese Formel dann so: »ein Ja, ein Nein, eine gerade Linie, ein Ziel. . .«[72]

Welch Ende es mit Nietzsche nahm, ist bekannt. Außerstande, ein so gleißendes Licht länger zu ertragen, brach er 1889 zusammen und verdämmerte den Rest seines Lebens in geistiger Umnachtung. Die entsetzliche Spannung zwischen Pessimismus und Optimismus riß ihn buchstäblich auseinander. Doch vergessen wir nicht, daß auch Toller sich als unfähig erwies, diese ständige Spannung zu ertragen und das Paradoxon von Intellekt und Willen auszuhalten. 1939, kurz vorm Zweiten Weltkrieg, zerbrach seine Widerstandskraft, nachdem er jahrelang unermüdlich gekämpft hatte, und er beging Selbstmord. Für seine Freunde kam das zwar nicht völlig unerwartet. Gleich Büchners Danton hatte auch

---

71 *GW* 10, 966.
72 Vgl. Nietzsche: *Werke*, Bd. II, S. 444 u. 949.

Toller sich längst nach einer Zuflucht im Nichts gesehnt. »Ich hab ein tiefes, tiefes Heimweh«, gestand er bereits im Gefängnis. Und er fuhr fort: »Und das Heim heißt: Nichts.«[73] Aber weder Danton noch dessen Dichter, all ihren Äußerungen zum Trotz, legten Hand an sich. Einzig Toller nahm sich das Leben. Büchner hielt stand: wie Camus, wie Brecht, wie Gramsci. Zu unterstellen, daß auch er den Kampf aufgegeben habe, wäre ganz und gar falsch; aber dies gängige Vorurteil, eine Art *regressive fallacy*, ist offenbar dermaßen eingewurzelt, daß sich nur die wenigsten davon zu lösen vermögen. (Das umgekehrte, zwar seltenere, doch nicht minder einseitige Vorurteil einer *progressive fallacy* lasse ich samt seinen Opfern beiseite.) Den einen wirklichen Ausnahmefall, der Erwähnung verdient, bildet höchstens Hans Mayer. Er jedenfalls hat das Büchnersche Paradox von Anfang an erkannt und in seiner ganzen Widersprüchlichkeit ausgesprochen. Mayers Buch *Georg Büchner und seine Zeit*, das im Exil der dreißiger Jahre entstand und 1946 erstmals veröffentlicht wurde, zeigt den Verfasser des *Hessischen Landboten*, den Dichter von *Dantons Tod* und *Woyzeck* zumindest im Ansatz in seiner Doppelheit aus »›optimistischer‹ oder ›pessimistischer‹ Weltsicht, Fortschritt und Freiheit [...] oder Kreislauf und Gebundenheit«. Und es legt auch überzeugend dar, daß in der Tat allein die Liebe – die aber wahrhaftig nicht nur der Natur galt, wie Mayer behauptet Büchner die Kraft gab, standzuhalten und »im Angesicht der Medusa zu leben«.[74]

Die endgültige Fassung dieses Buches erschien 1972. Doch selbst noch 1974 waren Huldigungen für Büchner von jenem alten Mißverständnis geübt. Das folgende Epigramm, so bescheiden es sich anhört, bietet hierfür ein bezeichnendes Beispiel. Obwohl es bloß aus drei lakonischen Zeilen besteht, erhält es besonderes Gewicht dadurch, daß es von einem Schriftsteller stammt, der nun wirklich besser Bescheid wissen sollte. Ich meine den 1929 geborenen DDR-Dramatiker Heiner Müller. Müller, in seinen *Geschichten aus der Produktion*, verfährt zwar ganz ähnlich wie Brecht in seinem Gedicht, gibt sich aber anscheinend völlig damit zufrieden, nur sich selber anzusprechen. Allenfalls wendet er sich an Leser seiner eigenen Generation, wenn er schreibt:

> »ODER BÜCHNER, der in Zürich starb
> 100 Jahre vor deiner Geburt
> Alt 23, aus Mangel an Hoffnung«[75]

Die Zahl 100 stellt natürlich eine poetische Freiheit dar; denn Büchner starb am 19. Februar 1837. Ansonsten aber stimmen die Daten. Der Kerngedanke des Gedichts wirkt freilich um so weniger überzeugend. Während Toller tatsächlich, aller Wahrscheinlichkeit nach, »aus Mangel

---

73 Vgl. Toller, S. 216.
74 Vgl. Hans Mayer: *Georg Büchner und seine Zeit*. – Frankfurt 1972, S. 23 u. 380.
75 Heiner Müller: *Geschichten aus der Produktion 1. Stücke. Prosa, Gedichte, Protokolle*. – Berlin ²1975, S. 83.

an Hoffnung« starb, kann davon bei Büchner gar keine Rede sein. Er, wie sich zeigte, verzweifelte einerseits ›immer‹ und gab andererseits ›nie‹ die Hoffnung auf. Büchner entwarf auch weiterhin Pläne für die Zukunft und hielt jenem lähmenden Paradox, in fast übermenschlicher Anstrengung, bis an sein Lebensende stand.

Müllers Kurzepigramm ist indes bei weitem nicht sein einziger Text, der hier Aufschlüsse gibt. Es gehört vielmehr zu einer ganzen Reihe, einem ganzen Zyklus von Gedichten. Müller nennt sie sehr richtig *Lektionen*. In den meisten dieser »Lektionen« denkt er über Leben und Werk älterer Dichter nach, insbesondere eben solcher, die sich der Revolution verschrieben hatten. Er untersucht ihre Hoffnungen und Verzweiflungen, ihre Errungenschaften und ihre Fehlschläge, namentlich aber die letzte und endgültige ›Lösung‹, die sie jeweils fanden. Selbstmord, Wahnsinn oder Widerstand gegen jedwede Anfechtung: dies sind die Möglichkeiten, die in Frage kommen. Zwei der Gedichte sind dabei besonders aufschlußreich. Das erste ist Brecht gewidmet, das zweite, den Zeilen auf Büchner unmittelbar vorausgehend, Wladimir Majakowski. Zugegeben, wir hätten auch aus dem Schicksal Tollers die entsprechende Lehre ziehen können (oder vollends aus dem Sergei Jessenins, der sich ja ebenfalls aus Verzweiflung erhängte). Zumindest Müllers *Majakowski*, wie der lapidare Titel lautet, kreist um das gleiche brennende Problem. Ein und dieselbe Frage drängt sich angesichts der zwei Russen wie auch des Deutschen auf: Was bewog diese Männer dazu, Selbstmord zu begehen? Warum wählte ein Autor wie Majakowski, der Dichter der russischen Revolution, die tödliche Kugel? Oder wie Müller es in einem großartigen Zweizeiler ausdrückt:

> »Majakowski, warum
> Der bleierne Schlußpunkt?«[76]

Diese Frage ließe sich ohne Zweifel noch nach Belieben variieren, ja endlos weiterverfolgen. Doch das Problem bliebe nach wie vor das gleiche.

Es wird sogar noch beklemmender im Hinblick auf Majakowski in der Sowjetunion. Waren sein Leben und seine Arbeit denn nicht – und das gilt auch für Jessenin – von einer erfolgreichen Revolution getragen? Was also, um alles in der Welt, war die Ursache? Sollte wirklich, wie dies ja auch von Toller behauptet wird, Liebeskummer (»Herzweh, Wladimir?«) Majakowski veranlaßt haben, sich zu töten? Und falls derlei stimmt, müssen wir dann nicht wieder auf Büchner blicken? Bieten nicht seine Gefährdung und sein Ausharren, mehr als alles andere, ein Gegenbild zu Majakowski? Fordern sie nicht zu einem Vergleich geradezu heraus? Müller jedoch fährt beinah schon witzelnd fort:

---

76 Ebd.

> »Hat sich
> Eine Dame
> Ihm verschlossen
> Oder
> Einem andern
> Aufgetan?«

Er scheint Majakowski nichts weiter einräumen zu wollen als eine unbedeutende Liebesaffäre mit ihren sexuellen Komplikationen, die er aufgreift, spielerisch hin- und herwendet und rasch beiseite wischt. Oder besser gesagt: Müller hält unvermutet inne, um dann unter der Hand seine eigentliche Antwort zu geben. Nachdem er nämlich, wie wir zumindest annehmen müssen, den Gedanken ans »Herzweh« gänzlich verworfen hat, stellt er ein machtvolles Zeichen unhemmbarer Revolution und Siegeszuversicht (Majakowskis Bajonett in den Fäusten seiner Genossen) und ein ebenso zwingendes der Stagnation, Schwäche und bitteren Niederlage nebeneinander. Das letztere aber entnahm er dem Schicksal von Büchners deutschem Vorläufer Hölderlin, der – wie auch Alexander Blok, der dritte Russe, der hier genannt werden muß – einst im Wahnsinn zusammengebrochen war. Ohne jeden Kommentar zitiert Müller die Schlußzeilen eines der ergreifendsten Bruchstücke Hölderlins, *Hälfte des Lebens*. Diese vier (in Müllers Gedicht kursiv gedruckten) Zeilen bilden auch den Schluß von *Majakowski*:

> »Die Mauern stehn
> Sprachlos und kalt
> Im Winde
> Klirren die Fahnen.«

Jahrzehntelang sind solche Zeilen als ›rein poetisch‹ und/oder ›geheimnisvoll existentiell‹ gerühmt und gedeutet worden. Verknüpft mit dem Schicksal Majakowskis aber und der Symbolik, die sich dabei enthüllt, tritt auch in ihnen das konkrete Paradox der Revolution zutage. Dieses Paradox ist, Müller zufolge, so permanent wie die Revolution selbst und damit wahrhaftig Ursache genug.[77] Nichts sonst, so scheint es, ist notwendig. Müllers Gedicht muß daher trotz jenes Anflugs von gutmütiger Ironie als genauso ernsthaft und bedeutungsschwer verstanden werden wie sein Epigramm (oder Epitaph) auf Büchner. Der Anfang »ODER BÜCHNER« macht beider Zusammenhang unzweideutig klar. Müller denkt nicht im entferntesten daran, die zerreißenden Widersprüche derer, die wie er Dichter und Revolutionär zugleich sind, zu bagatellisieren oder lächerlich zu machen; ganz im Gegenteil.

Und doch schließt er, wenn auch nicht ausdrücklich, gerade das aus, was für Büchner von lebensentscheidender Wichtigkeit war. Müller läßt es unbesehen liegen: nicht nur bei Büchner, sondern auch bei Hölderlin; und selbst Majakowskis ›Nöte‹ werden, obwohl unbestreitbar, achsel-

---

77 Vgl. auch Gleb Struve: *Geschichte der Sowjetliteratur.* – München o. J., S. 225 ff.

zuckend als belanglos abgetan. Mit einem Wort: Liebe und Glück dürfen bestenfalls eine untergeordnete Rolle spielen. Aber Müller sieht sie zudem auch in anderem Licht. Was er befürwortet, ist weder die Hingerissenheit Nietzsches noch die flüchtige Freude Camus', weder die Güte Hölderlins noch die mehr weltlichen Empfindungen Majakowskis. (Sogar mit dessen Verlangen und Vergnügungen wird ja kurzer Prozeß gemacht.) Nein, was Müller an ihrer Statt propagiert, ist ein »neuer Glücksbegriff«. In einer 1966 veröffentlichten Diskussion hat er ihn prägnant zusammengefaßt. »Es gibt da«, verfügte Müller, »kein privates, unverbindliches, kein Rentner- und Konsumentenglück mehr.«[78] Gemeint ist der Sozialismus – und derlei hört sich ja auch, zugegeben, vielversprechend genug an. Doch worauf es hinausläuft, fürchte ich, ist eine alte und weidlich abgedroschene Dichotomie, die jenem ›Neuen‹ ihrerseits einen recht bläßlichen, recht idealistischen Anstrich verleiht. Glück, das nicht gleichzeitig eine zutiefst persönliche Erfahrung des einzelnen ist, muß mit Notwendigkeit vage und blutleer bleiben. Oder ganz unverblümt gesprochen: Ideologie als solche, so leidenschaftlich sie auch umarmt wird, ist eine kalte Bettgefährtin. Doch die meisten Gestalten in Müllers Werk strafen sein eigenes Postulat ohnehin glücklich Lügen: sie zeugen von keinerlei Mangel an privater Erfüllung, aber dafür von reichlich Liebe und Wollust und einem oft ›Baalischen‹ Drang nach purem Konsum. Müller mußte, bei der Diskussion seines Dramas *Der Bau* von 1963-1966, diesen grundlegenden »Fehler im Stück« selber zugeben. Sein Eingeständnis bedarf keiner Erläuterung: »Der neue Glücksbegriff wird vorausgesetzt, nicht formuliert.«[79] Das Umgekehrte ist allerdings ebenso wahr. In der Theorie mag zwar der neue Begriff dominieren; in der Praxis aber bleibt alles ungeniert beim alten.

Fast alle revolutionären Schriftsteller geraten vor diesen Zwiespalt, vor die gleiche Dichotomie. Und je nach der historischen Situation (die freilich nicht allein den Ausschlag gibt) scheinen zweierlei Antworten möglich. Worum es in einer schon sozialistischen, zumindest sich sozialistisch nennenden Gesellschaft immer wieder geht, ist die schwierige Aufgabe einer Synthese. Stückeschreiber aus der DDR wie Peter Hacks oder Volker Braun (mit *Moritz Tassow* bzw. *Kipper Paul Bauch*) liefern Beispiele; doch auch Hartmut Lange (mit dem vor seiner Übersiedlung nach West-Berlin abgeschlossenen Drama *Marski*) wäre zu nennen. Das Hauptziel solcher Schriftsteller besteht darin, jenen wild dionysischen Baal, den selbst Brecht, trotz unentwegter Bemühung, nicht wirklich zu zähmen vermochte, durch den Sozialismus gleichsam zu ›erlösen‹. Solange dagegen der Kampf noch andauert – und vollends dann, wenn er als permanenter begriffen wird –, neigen sozialistische Schriftsteller um-

---

78 Vgl. Müller: *Geschichten aus der Produktion 1*, S. 145.
79 Vgl. ebd.

gekehrt dazu, ihr Dilemma zu unterdrücken, auf den Versuch, es zu lösen, zu verzichten und sich statt dessen um so ernsthafter und eindringlicher mit ihrem grundsätzlichen Paradox der Revolution zu befassen. Beides zugleich, also ein Lösungsversuch unter Beibehaltung der Paradoxie, begegnet höchst selten. Doch gerade diese Doppelheit ist es, die Müller auszeichnet. Er versprach zwar feierlich: »Das muß korrigiert werden«[80], und er ging auch daran, den »Fehler« in seinem Werk zu beheben. Aber was er gleichzeitig lernte und lehrte, war etwas völlig anderes.

In dieser Hinsicht (wie in so mancher) darf Müller als »Bertolt Brecht's most consequential and important successor«[81] betrachtet werden. Denn daß bei Brecht stets beides zugleich gegenwärtig ist, steht außer Zweifel. Zerrissen von Widersprüchen, die er unmißverständlich zum Ausdruck brachte, zögerte er trotzdem nicht im geringsten, ebenfalls seine Auffassung von Glück zu verkünden. Kategorischer noch als selbst sein glühendster Jünger erklärte Brecht in einer Unterredung mit dem Komponisten Paul Dessau: »Das Glück ist der Kommunismus.«[82] Brecht hat immer wieder, in seinen Stücken wie anderswo, den Versuch unternommen, seine ›neue‹ Theorie mit der ›alten‹ Praxis zu versöhnen. Die folgenden Zeilen aus seiner Parabel vom *Guten Menschen von Sezuan* sind in diesem Sinne programmatisch:

> »Keinen verderben zu lassen, auch nicht sich selber
> Jeden mit Glück zu erfüllen, auch sich, das
> Ist gut.«[83]

Wie eine zärtliche Schwester Baals preist Shen Te hier die Liebe und die Natur, obzwar noch umwuchert vom Dickicht ihrer Stadt (man vergleiche dazu die 4. Szene)[84]. Und nicht allein sie, die »Gute«, sondern eine ganze Anzahl von Brechtschen Gestalten schwelgt in solchem Glücksgefühl – wohingegen der Dichter sich dazu verpflichtet glaubte, ein Gutteil nicht nur seines Schaffens, sondern auch seines Lebens zu verleugnen. Er tat dies in einer Elegie, die nicht minder ergreifend ist als Hölderlins *Hälfte des Lebens*:

> »Der Liebe pflegte ich achtlos
> Und die Natur sah ich ohne Geduld.«[85]

Jedoch schon das bloße Faktum, daß ganze Anthologien aus Brechts Gedichten *Über die irdische Liebe und andere gewisse Welträtsel* (1972)[86] zusammengestellt werden konnten, beweist zur Genüge, wie wesentlich, ja

---

80 Ebd.
81 Vgl. Helen Fehervary, in: *New German Critique* 2 (1974), S. 105.
82 Vgl. Brecht / Dessau: *Lieder und Gesänge*. Neue, erweiterte Auflage. – Berlin 1963, S. 20.
83 *GW* 4, 1553.
84 Ebd., 1531 ff.
85 *GW* 9, 724.
86 Vgl. *Über die irdische Liebe und andere gewisse Welträtsel in Liedern und Balladen von Bertolt Brecht*. Auswahl und Vorwort von Günter Kunert. – Frankfurt 1972.

lebenswichtig derlei dem ›grimmigen‹ Dichter war. Sein Leben und Werk enthalten eine Überfülle solch »irdischer« Erfahrungen (und nicht etwa nur der Liebe, sondern auch der Freundlichkeit). Brecht »pflegte« ihrer schwerlich »achtlos«[87], sowenig er der Natur »ohne Geduld« oder mit Gleichgültigkeit begegnete. Jedes dieser Themen darf vielmehr als »unifying theme« in seinem Lebenswerk[88] gelten – obschon, zugegeben, seine Haltung zur Natur im großen und ganzen komplexer war.

Im übrigen dürfte wohl auf der Hand liegen, warum Müller in der folgenden »Lektion« sein Stichwort nicht nur der genannten Elegie entnahm, sondern auch Brechts früher zitiertem Vierzeiler über Dunkel und Licht. *An die Nachgeborenen* beginnt ja mit dem wahrhaft elegischen Ausruf:

> »Wirklich, ich lebe in finsteren Zeiten!«

Und dasselbe düstere Bild liegt auch, wie man sich erinnert, jenem Vierzeiler zugrunde:

> »Traue nicht deinen Augen
> Traue deinen Ohren nicht
> Du siehst Dunkel
> Vielleicht ist es Licht.«

Müller, der Brecht hier uneingeschränkt zustimmt, verbindet beide Texte miteinander, zum Teil beinahe wörtlich:

> »Wirklich, er lebte in finsteren Zeiten.
> Die Zeiten sind heller geworden.
> Die Zeiten sind finstrer geworden.
> Wenn die Helle sagt, ich bin die Finsternis
> Hat sie die Wahrheit gesagt.
> Wenn die Finsternis sagt, ich bin
> Die Helle, lügt sie nicht.«[89]

Wahrlich, Brecht lebte in finsteren Zeiten. Sind sie heute zu Ende? Worin unterscheiden sie sich von der unsrigen? Es herrscht nun mehr Licht, sagt Müller, doch auch mehr Dunkelheit. Wenn also das Licht versichert, Dunkel zu sein, muß es die Wahrheit sagen; und wenn das Dunkel behauptet, Licht zu sein, kann es nicht der Lüge bezichtigt werden. Hat sich überhaupt irgend etwas geändert?

Nichts, erklärt Müller, und gleichwohl alles. Mit anderen Worten: Müllers Gedicht *Brecht* – wie es so lakonisch wie das über *Majakowski* heißt – ist der vollkommenste, der prägnanteste lyrische Ausdruck jenes zentralen Paradoxons der Revolution wie der Geschichte insgesamt. Aller persönlichen Gefühle und Stimmungen entkleidet, vermitteln Müllers Zeilen den nackten, nie endenden historisch-revolutionären Prozeß in

---

87 Einzelheiten enthält Klaus Völkers reichlich klatschsüchtige Biographie *Bertolt Brecht* (München 1976) sowie die Dissertation von Aija Kuplis: *The Image of Woman in Bertolt Brecht's Poetry*. – University of Wisconsin 1976.
88 Vgl. Keith A. Dickson: *Brecht's Doctrine of Nature*. – In: *Brecht-Jahrbuch* 3 (1973), S. 106ff.
89 Müller: *Geschichten aus der Produktion 1*, S. 82.

seiner wechselseitigen Austauschbarkeit von Bewegung und Stillstand, Weiterdrängen und Zurückfluten, Fortschritt und Wiederkehr. Sie tun dies, durchaus zutreffend, mit Hilfe einer Bildlichkeit, in der die Dialektik der Aufklärung buchstäblich zum Vorschein kommt – jene unauflösliche Dialektik, die uns, gleichgültig in welcher Form, zwischen Hoffnung und Verzweiflung schwanken läßt, aber auch oft genug aus dem Optimismus in einen Pessimismus stürzt, den nur ein nahezu absurder Willensakt noch zu überwinden vermag. Selbst der Verfasser des *Kleinen Organon* von 1948, der doch die Schrecken einer unaufhörlichen Verwandlung feierte und uns riet, sie »als Unterhaltung« zu genießen[90], war solchen Prüfungen nicht ganz oder nicht immer gewachsen. Sein Vierzeiler, ebenfalls aus den späten vierziger Jahren stammend, verrät einen Grad von Unsicherheit, der kaum noch Spielraum gewährt, kaum noch der Finsternis erlaubt, Licht zu werden, oder dem Licht, als *Lux in tenebris* (um eine von Brechts eigenen Parodien zu parodieren) in der Finsternis zu scheinen. Anders dagegen Müller, der diese Kräfte, brechtischer als Brecht selber, als unlösbar ineinander verstrickt und verflochten empfindet, ja seine Einsicht zum allgemeinen Gesetz erhebt. Nur gehen ihm dabei die Heiterkeit und Ausgewogenheit, die im *Kleinen Organon* herrschen, ab; und zudem sind die Keime solcher Aufklärung, die sozusagen eine dunkle, düstere ist, keineswegs bloß bei Brecht, sondern auch bei Nietzsche zu entdecken. Müllers Gedicht in seiner Gesamtheit erinnert an beide: mit seinen frappierenden Antithesen und Chiasmen ebenso wie mit seinen (scheinbar) monotonen Parallelismen und Wiederholungen. Was Müller Brecht verdankt, ist unermeßlich; aber er dichtet – oder vielmehr: er philosophiert – in gewissem Maß auch mit einem Nietzscheschen Hammer. Hier zumindest, so scheint es, besteht nicht der geringste Unterschied zwischen einer vor- und einer nachrevolutionären Situation.

Gibt es aber wirklich keinen Unterschied? Wenn wir den Text aufmerksam lesen, werden wir, glaube ich, unser Urteil berichtigen müssen. Müllers »Lektion« drückt dennoch Veränderung aus, wenn auch mit rein formalen, strukturellen Mitteln. Ihr Aufbau deutet eine leichte, fast unmerkliche Entwicklung vom Dunkel zum Licht an; denn jenes (vgl. die »finsteren Zeiten« in Zeile 1) bestimmt den Anfang, dieses (vgl. die »Helle« in Zeile 7) den Schluß. Der Fortschritt setzt sich in Müllers Zeilen trotz der übermächtigen Dunkelheit (die nicht weniger als viermal erwähnt wird) durch. Und wieder einmal bietet Brecht dafür ein höchst einleuchtendes Muster: nämlich mit dem Schluß seines Stückes über Galilei, so wie er ihn 1956 am Berliner Ensemble inszenierte. (Nach Brechts Tod übernahm bekanntlich Erich Engel die Regie.) Die Dunkel-

---

90 Vgl. *GW* 16, 700.

heit, die sich zuletzt, im eigentlichen wie im übertragenen Sinne, über die Bühne senkte, und die letzten Worte der Szene wie des Stückes überhaupt widersprachen einander aufs schärfste; doch die Art dieses Widerspruchs, seine Anlage und sprachliche Fügung, ließ gleichwohl Hoffnung aufscheinen. Man erinnert sich: Galileo sitzt im Hintergrund der Bühne; Virginia ist eben zum Fenster hinübergegangen. Und nun:

> »Galilei: Wie ist die Nacht?
> Virginia: Hell.«[91]

Es ist durchaus denkbar, daß Müller auch von diesem Schluß eine Anregung empfangen hat, zumal sein Gedicht – wie übrigens der Großteil seines Zyklus – im selben Jahr 1956 entstand. Und könnte sich nicht der doppelte Schock, den Brechts unvermuteter Tod am 14. August und Ereignisse wie der glücklose ungarische Aufstand vom November bedeuteten, ebenfalls in Müllers Versen niedergeschlagen haben?

Daß zusätzliche Erwägungen nicht ganz unangebracht sind, lehrt auch dessen zweiteiliges Gedicht *Zwei Briefe*[92]. Diese Episteln, wesentlich lockerer gehalten als die meisten anderen »Lektionen«, führen nach und nach den Verfasser des *Galilei*-Dramas ein und stellen ihn, aufschlußreich genug, dem Dichter von *Dantons Tod* an die Seite. Während aber Büchners Qual zwar betont, doch nicht weiter kommentiert wird, erfährt die Arbeit Brechts – dessen Tod natürlich als verfrüht bezeichnet wird – eine eingehende Beurteilung. Trotz der aufrichtigen Bewunderung, die Müller für sie hegt, wird sie nämlich als vorläufig eingestuft, obwohl es von Brecht gleichzeitig heißt, daß er nicht nur persönlich »große Zähigkeit« bewiesen habe, sondern auch bei seiner lebenslangen Suche nach einer »Möglichkeit, den Nächsten nicht zu töten«. Erst kurz vor seinem Tod, hören wir, habe Brecht eine solche Möglichkeit, Frieden für die Menschheit, wahrgenommen. Ganz zuletzt erst sei ein Hoffnungsschimmer vor ihm aufgetaucht, wenn auch nur »von weitem« und »halbverdeckt von einem blutigen Nebel«.

Doch in Wahrheit hatte Brecht Begriffe und Bilder dieser Art längst schon selber verwendet; und mit gutem Grund begegnen sie entweder in seinem Stück über die Geburt der neuzeitlichen Wissenschaft oder in seiner Elegie über den Dämmerschein des Sozialismus. »Das Ziel«, so bekennt er in *An die Nachgeborenen*,

> »Lag in großer Ferne
> Es war deutlich sichtbar, wenn auch für mich
> Kaum zu erreichen.«[93]

Und ganz ähnlich äußert sich auch sein Galilei (und zwar bereits in Charles Laughtons Version von 1947, die eigentlich eine zweite Fassung

---

91 Ebd., 3, 1342.
92 Müller: *Geschichten aus der Produktion 1*, S. 81 f.
93 *GW* 9, 724.

darstellt): »This age of ours turned out to be a whore, spattered with blood. Maybe, new ages look like blood-spattered whores.«[94] Oder wie Brecht/Galilei sich 1938, noch in der ersten Fassung des Stückes, ausdrückte:

»Ich bleibe [...] dabei, daß dies eine neue Zeit ist. Sollte sie aussehen wie eine blutbeschmierte alte Vettel, so sähe eben eine neue Zeit so aus.«[95]

Müller und Brecht bedienen sich beide einer Bildlichkeit des Blutes, um die neue Zeit oder deren allmählichen Anbruch zu kennzeichnen; und für beide liegt das endgültige »Ziel« in großer Ferne und ist unerreichbar – obwohl es für Brecht, im Gegensatz zu Müllers Behauptung, immerhin »deutlich sichtbar« war. Aber wie unter Zwang läßt Brecht Galilei unmittelbar nach den eben zitierten Sätzen verkünden: »Der Einbruch des Lichts erfolgt in die allertiefste Dunkelheit.« Kein Zweifel, die ›Dialektik der Aufklärung‹ darf auch hier nicht fehlen.

Doch verlagert sie offenbar gern ihr Gewicht. Denn klingt nicht das, was Müller sagt, viel pessimistischer als die Brechtschen Texte, auf die es anspielt? Müller beharrt aber trotzdem darauf, daß wenigstens »etwas Hoffnung« vorhanden gewesen sei, nicht einfach nur »Mangel an Hoffnung«, wie er dem jungen Rebellen aus Hessen zugeschrieben wird. In den *Zwei Briefen* beginnt ja das Mittelstück über Brecht mit Zeilen, die unweigerlich an Müllers eigenes Epigramm auf Büchner, mitsamt dem darin enthaltenen Mißverständnis, gemahnen:

»Oder der mißverstandene Bertolt Brecht
Mit großer Zähligkeit und etwas Hoffnung
Mehr als den Bogen spannen konnte auch er nicht
Wieviele Strohköpfe überlebten ihn.
Sein Leben lang suchte er eine Möglichkeit
Den Nächsten nicht zu töten. Gegen Ende
Hatte er sie von weitem gesehen
Halb verdeckt von einem blutigen Nebel.«[96]

Brechts Utopie – in welch »fernen Zukünften« auch immer, wie Nietzsche hinzufügen würde – hat ihren Platz in der Geschichte, obzwar allein für die »Nachgeborenen«. Den heute Lebenden aber ist nicht mehr zugemessen als die winzige »Spanne zwischen Nichts und Wenig« – selbst noch in einer sozialistischen Gesellschaft.[97] So jedenfalls lautet, schlicht und bescheiden, Müllers endgültige Botschaft: die »Lektion«, die er gelernt hat und die zu lehren er entschlossen ist.

Dennoch erklärt der Held in Müllers *Bau* völlig widersprüchlich, doch voller Stolz und Eifer: »Ich bin der Ponton zwischen Eiszeit und Kommune.«[98] Und diese Botschaft, aus dem gleichen Band wie die vorherige, ist

94 Bertolt Brecht: *Galileo.* English Version by Charles Laughton. Ed. and with an Introduction by Eric Bentley. – New York ⁶1966, S. 124
95 Zitiert nach Käthe Rülicke: *Leben des Galilei. Bemerkungen zur Schlußszene.* – In: *Sinn und Form.* Zweites Sonderheft Bertolt Brecht (1957), S. 273.
96 Müller: *Geschichten aus der Produktion 1*, S. 82.
97 Ebd.
98 Ebd., S. 134.

gewiß nicht weniger endgültig. Auch sie richtet sich an die revolutionären Erbauer des Sozialismus und wird von ihnen selber verkündet. Obwohl diese nur »wenig«, ja vielleicht »nichts« während der kurzen Spanne ihres Lebens zu ändern vermögen, wissen sie doch, daß sie lebendige Brücken sind, die den ungeheuren Abstand von der »Eiszeit« zur »Kommune«, von der Horde zum Kollektiv überspannen und mithin alles und jedes verändern. Graue Vorzeit und ferne Zukunft – Vorgeschichte und gleichsam Nachgeschichte – müssen laut Müller zusammengeschweißt werden, wenn konkrete Utopie entstehen soll. Was nichts Geringeres besagt, als daß dem einen Paradox, paradoxerweise, ein anderes entgegengesetzt wird. Doch das Los der Menschheit wird darum nicht leichter.

Es mag willkürlich wirken, daß Müller hier unmittelbar mit Nietzsche verknüpft wird, obschon die Bildlichkeit von Pfeil und Bogen ja unzweifelhaft in seinem Gedicht enthalten ist. Ihn mit Camus zu verknüpfen, ist aber jedenfalls alles andere als willkürlich. Denn wie der französische Existentialist Anfang der vierziger Jahre den Mythos von Sisyphus aufgriff, um seine innerste Überzeugung auszusprechen, so tat dies auch der ostdeutsche Marxist, als er 1955/61/74 sein Stück *Traktor* schrieb und mehrfach wiederschrieb. Der Zusammenhang ist freilich jeweils ein völlig anderer; denn Müllers breit ausgeführtes Bild, eingeschoben in ein Stück über landwirtschaftliche Produktivität unter ungünstigsten Bedingungen, darf in der Tat, trotz der von Camus ererbten ›Absurdität‹, »poetic material for and within the building of socialism« heißen[99]. Darüber hinaus vermeidet Müller sorgfältig, den Namen Sisyphus zu erwähnen. Aber der alte Mythos und der moderne Sinn, mit dem er inzwischen befrachtet ist, sind darum nur um so deutlicher spürbar:

»Immer den gleichen Stein den immer gleichen Berg hinaufwälzen. Das Gewicht des Steins zunehmend, die Arbeitskraft abnehmend mit der Steigung. Patt vor dem Gipfel. Wettlauf mit dem Stein, der vielmal schneller den Berg herabrollt als der Arbeitende ihn den Berg hinaufgewälzt hat. Das Gewicht des Steins relativ zunehmend, die Arbeitskraft relativ abnehmend mit der Steigung. Das Gewicht des Steins absolut abnehmend mit jeder Bergaufbewegung, schneller mit jeder Bergabbewegung. Die Arbeitskraft absolut zunehmend mit jedem Arbeitsgang (den Stein bergauf wälzen, vor neben hinter dem Stein her bergab laufen). Hoffnung und Enttäuschung. Rundung des Steins. Gegenseitige Abnutzung von Mann Stein Berg. Bis zu dem geträumten Höhepunkt: Entlassung des Steins vom erreichten Gipfel in den jenseitigen Abgrund. Oder bis zum gefürchteten Endpunkt der Kraft vor dem nicht mehr erreichbaren Gipfel. Oder bis zu dem denkbaren Nullpunkt: niemand bewegt auf einer Fläche nichts. STEIN SCHERE PAPIER. STEIN SCHLEIFT SCHERE SCHERE SCHNEIDET PAPIER PAPIER SCHLÄGT STEIN.«[100]

Von allen Belegen für das Paradox der Revolution und Geschichte ist diese Darstellung die zwingendste und zugleich komplexeste, die je veröffentlicht wurde, zumindest von einem marxistischen Autor. So dunkel sie zunächst auch wirken mag, so überaus erhellend ist sie doch, insbesondere im größeren Zusammenhang. Müllers Text ist wirklich ein Dokument. Und er bietet auch nicht bloß eine Fülle von Variationen auf

99 Vgl. Fehervary, in: *New German Critique*, S. 104 (s. Anm. 81).
100 Heiner Müller: *Geschichten aus der Produktion 2*. – Berlin 1974, S. 21.

sein Thema, indem er schildert, wie Sisyphus unentwegt seine Last hochwälzt und hilflos zusehen muß, wie der Stein wieder hinunterrollt. Vielmehr wird das schreckliche Los des Verdammten, der nicht umsonst »der Arbeitende« heißt, den Mühen und Schrecken derer gleichgesetzt, die am Aufbau des Sozialismus arbeiten. Stets aufs neue vertieft sich Müller in die paradoxe Einheit aus Vorwärtsbewegung und Rückwärtsbewegung, Aufstieg und Fall, Fortschritt und Wiederkehr, die dieser Symbolik innewohnt, wie auch in deren Kreislauf aus »Hoffnung und Enttäuschung«. Man könnte sogar versucht sein, im Hinblick auf seine Wortwahl zu folgern, er verstehe ›Revolution‹ so buchstäblich wie nur irgend möglich: eben als Inbegriff nicht bloß des Fortschreitens, sondern auch einer Kreisbewegung. Jedenfalls ist Müllers Vorliebe für das Wort »wälzen« ganz offenkundig. (Daß »Umwälzung« anstelle von »Revolution« bereits ein Lieblingsausdruck Brechts war, soll hier ebensowenig unerwähnt bleiben.)

Erst recht aber dürfte einleuchten, daß Müller Mythos und Geschichte miteinander verbindet. Und seine Neigung dazu beschränkt sich beileibe nicht auf *Traktor*, sondern fällt auch in anderen Werken auf. In *Zement* zum Beispiel, Müllers Bühnenversion von F. W. Gladkows gleichnamigem Roman, schießt ein wahrer Geiser von Mythen und Legenden hoch, werden Odysseus, Achill und Medea, neben Prometheus und Herakles, in wütenden Bildern herausgeschleudert. Und dabei spielt *Zement* am Herzpunkt aller Historie: nämlich im Rußland der Revolution! Da Müllers Bearbeitung erst 1972 entstand und erst vor wenigen Jahren vom Berliner Ensemble uraufgeführt wurde, kann man derlei wohl kaum einer Jugendphase seiner Entwicklung zurechnen. Es bestimmt vielmehr im Grunde sein gesamtes Schaffen. Ich vermag bei Müller keinerlei Widerspruch zwischen seiner »production of history« und einem angeblichen »incest of myth« zu erkennen.[101] Im Gegenteil, die Verbindung von Mythos und Geschichte entspricht bei ihm aufs genaueste der Mischung aus mythischem Theater der Grausamkeit à la Artaud und dialektischem Theater der Geschichte à la Brecht. Man braucht nur Stücke wie *Schlacht* oder *Germania Tod in Berlin*[102], *Leben Gundlings Friedrich von Preußen Lessings Schlaf Traum Schrei* oder *Hamletmaschine*[103] zu betrachten, um zu erkennen, daß Müller, nicht anders als Peter Weiss, einer der konsequentesten Nachfolger beider ist.

Dieses eigentümliche Amalgam spiegelt sich deutlich auch im Stil wider, worin ja, wie die zitierten Sätze aus *Traktor* belegen, dichterische und wissenschaftliche Sprache auf einzigartige Weise verschmelzen.

101 So Helen Fehervary: *Enlightenment or Entanglement. History and Aesthetics in Bertolt Brecht and Heiner Müller.* – In: *New German Critique* 8 (1976), S. 80 ff.; insbes. S. 87.
102 Heiner Müller: *Germania Tod in Berlin.* – Berlin 1977, S. 35 ff.
103 Ders.: *Leben Gundlings Friedrich von Preußen Lessings Schlaf Traum Schrei.* – In: *Spectaculum 26. Acht moderne Theaterstücke.* – Frankfurt 1977, S. 149 ff.; ders.: *Mauser.* – Berlin 1978, S. 89 ff.

Einerseits redet Müller fast wie ein Physiker, indem er exakt die Zu- oder Abnahme im Gewicht des Steins erörtert und ferner darlegt, wie sich dies auf die Kraft und Ausdauer des »Arbeiters« auswirkt – andererseits aber wird von ihm die Bildlichkeit des Ganzen zusätzlich ausgestaltet und dadurch das Mythisch-Metaphorische, mit all seinen Bedeutungsschichten, geradezu potenziert. So greift Müller etwa aufs Schachspiel und auf den Sportkampf zurück, wenn er vom »Patt« zwischen Sisyphus und dem Felsen spricht, ehe beide den Gipfel erreichen, sowie dann vom anschließenden »Wettlauf« zwischen ihnen den Berg hinunter. Doch er erwägt auch ganz sachlich und nüchtern, was diesem ständigen Ringen ein Ende setzten könnte. Drei Möglichkeiten sind nach Müller denkbar: der »Höhepunkt«, der nichts Geringeres als den endgültigen Sieg des Menschen über sein Schicksal bedeuten würde; der »Endpunkt«, der umgekehrt die endgültige Niederlage anzeigen würde; oder eben ein »Nullpunkt«, der letztlich auf eine Art Entropie hinauslaufen würde. Ein solches Denken ist natürlich nicht nur diskursiv, sondern auch ›linear‹, da es aus dem Teufelskreis auszubrechen sucht; aber es wird sofort von einer weiteren »eruptiven Kaskade von Metaphern« überschüttet und verdeckt[104], die das ›zyklische‹ Denken aufs neue bestätigt. Müllers »STEIN SCHERE PAPIER« spielt ja unverkennbar auf das bekannte Knobeln an und damit auf ein Spiel, das seinem Wesen nach aleatorisch in sich selber kreist. Wir brauchen nur fortzufahren, wo Müller einhält, und seine Aufzählung – SCHERE PAPIER STEIN PAPIER STEIN SCHERE – zu vervollständigen, bis sich der Kreis geschlossen hat. Nicht zufällig wird im Text die »Rundung des Steins« ausdrücklich und von vornherein hervorgehoben.

Und doch trifft hier abermals auch die Gerade auf den Kreis und der Pfeil auf den Ring. Denn trägt nicht die Rundung des Steins zugleich zu dessen Bewegbarkeit bei? Anders gefragt: Ist nicht der Stein um so einfacher zu handhaben, je glatter er wird? Wir müssen sehr achtsam sein, wollen wir Müllers Aussage nicht verfehlen. Sein doppelsinniger Mythos erfordert in jeder Hinsicht unsere Aufmerksamkeit. Das gilt insbesondere auch für Müllers »Knobeln«. Jedem, der mit dem Spiel vertraut ist, wird beim erneuten Lesen jener Sätze auffallen, daß auch in ihnen die Worte höchst bewußt gewählt sind. Anstatt nämlich die üblichen Ausdrücke zu verwenden, die eine wechselseitige Zerstörbarkeit und ein Unbrauchbarmachen von »Stein, Schere, Papier« beinhalten und so den gesamten Abschnitt einheitlich negativ überformt hätten, scheint Müller nach produktiven Alternativen gesucht zu haben, um so seinem Bild eine positivere Bedeutung zu verleihen. Das ist in »STEIN SCHLEIFT [also »wetzt« oder »schärft«] SCHERE«, wo kaum eine Spur des gewöhnlichen

---

104 So Wilhelm Girnus in dem oben erwähnten *Gespräch mit Heiner Müller*; vgl. Müller: *Geschichten aus der Produktion 1*, S. 145.

Zertrümmerns oder Zerstörens noch bleibt, ganz unverkennbar; aber selbst mit »SCHERE SCHNEIDET PAPIER« assoziieren wir nicht so sehr ein destruktives ›Zerschneiden‹ als vielmehr ein produktives ›Ausschneiden‹. Kurzum, das rücksichtslose »Zerschneiden« wird durch eine Art »[Zu]schneiden« ersetzt. Durch all das wird der Erwartungshorizont gesprengt, der Leser stutzig gemacht und ein Doppelsinn angebahnt, der dann zum Schluß vollends offenkundig wird. Denn das gebräuchliche Verb in den letzten drei Worten wäre ja »einwickeln« gewesen. Müller hat jedoch ein Synomym, »[ein]schlagen«, gewählt; und er bringt natürlich durch die Weglassung der Vorsilbe auch dessen ursprüngliche Bedeutung zur Geltung: nämlich ›schlagen‹ – und damit unter anderem ›besiegen, überwinden, übertreffen‹. Die Folge ist, daß »PAPIER SCHLÄGT STEIN«, obwohl in einer endlosen Kreisbewegung verfangen, gleichzeitig aus ihr ausbricht und zu einer linearen, nach vorwärts gerichteten Bewegung wird. Fortschritt und Produktivität, wie doppelsinnig auch immer, setzen sich gegen die unfruchtbare Wiederkehr des Immergleichen durch.

Und dieser paradoxe Durchbruch hat im Stück selber seine genaue Entsprechung. Denn an dessen Ende erinnert sich – ohne alle Gewissensbisse – ein »Traktorist« und ehemaliger Soldat Hitlers, wie er und seine Kameraden einst einen alten russischen Bauern, Mitglied einer Kolchose, vor einem riesigen Maisfeld erschossen. Da sie betrunken und also großzügig waren, waren sie so gnädig, ihm eine letzte Gunst zu gewähren. Er durfte sein eigenes Grab in seinem eigenen Grund und Boden schaufeln:

> »Wir hatten Schnaps, der Leutnant war bei Laune
> Er sagte: sagt dem Bolschewiken, weil mir
> Sein Bart gefällt, erlaub ich ihm, daß er
> Sein letztes Loch auf seinem eignen Feld schippt.«[105]

Doch der Bauer, aufgefordert, ihnen ›sein‹ Feld in diesen Tausenden von Morgen Mais zu zeigen, antwortet lediglich: »HierallesmeinFeld.« Der alte Mann hat überhaupt keine Ahnung mehr, wo sein eigenes Stück lag, bevor die Kolchose gegründet wurde. Seine einzige Antwort ist eine große, allumfasende Geste:

> »Wir fragten, wo sein Feld ist. Sagt der Alte:
> HierallesmeinFeld. Wir: wo sein Feld war
> Eh alles kollektiv war. Der zeigt bloß
> Wie ein Großgrundbesitzer ins Gelände
> Wo kilometerbreit brusthoch der Mais stand.
> Der hatte wo sein Feld war glatt vergessen.«[106]

Dies sind die Schlußzeilen von Müllers Stück. Ihre Aussage, sollte man meinen, sei eindeutig. Sie muß jedoch vor dem doppelten Hintergrund der düsteren Sisyphusmythe und einer durch Krieg und Terror, Verwü-

---

105 Ders.: *Geschichten aus der Produktion 2*, S. 24.
106 Ebd.

stung und Völkermord gekennzeichneten Geschichte gelesen und verstanden werden. Ein und derselbe »blutige Nebel« umgibt nicht nur den, der jenen Mord berichtet – er ist ein Erbauer des Sozialismus –, sondern hängt drohend auch jetzt noch über der ganzen Erde. In Versen, die der Szene vorausgehen und deren Aussage oder Botschaft bereits vorwegnehmen, stellt Müller unmißverständlich klar, daß die Schlachten auch nach Hitlers Krieg noch angedauert haben – und, so steht zu befürchten, noch lange Zeit andauern werden:

> »UND ALS VERLOREN WAR DIE SCHLACHT
> SIE GINGEN HEIM DAS SCHLACHTFELD IN DER BRUST
> UND WURDE MANCHER NOCH ZU FALL GEBRACHT
> SICH SELBER WAFFE UND SICH SELBER FEIND!
> UND SIEGTE MANCHER DER SCHON NICHT MEHR WAR
> WIE GRAS WÄCHST AUS DEN TOTEN FRÜH IM JAHR.«[107]

Obschon er zum Schluß Hoffnung artikuliert, in der Geschichte wie in seiner Version des Mythos, erhält Müller dennoch sein prekäres Gleichgewicht aufrecht. Auch er beharrt auf seinem außerordentlichen Paradox bis zuallerletzt. Und er, der Deutsche, könnte daher ebenfalls, nicht unähnlich Jean Genet, dem Verfasser des wohl zweideutigsten Stücks über Revolte und Revolution in der französischen Literatur, ausdrücklich verkünden: »Il faut tenir l'équivoque jusqu'à la fin.«[108] *Le Balcon* und *Traktor* wurden beide etwa zur gleichen Zeit geschrieben; und ihre Verfasser haben seither ihre ursprüngliche Ansicht keineswegs geändert, sondern eher vertieft.

Genet zwar, dieser andere Jünger Artauds, ist ein erbitterter Gegner Brechts und hat sich zudem als fanatischer Reaktionär entpuppt.[109] Unser flüchtiger Hinweis soeben war mithin rein formaler Natur – obwohl er sich, in abweichender Richtung verfolgt, alsbald als höchst bedeutsam enthüllen würde.[110] Mehr als nur formal jedoch treten Müllers Einstellung, Haltung und Denken zutage, wenn man ihn zum Beispiel an seinen Kollegen Reiner Kunze und Volker Braun mißt. Denn sie markieren genau jene verderblichen Lockungen, denen sich Müller zu entziehen verstanden hat. Weder hat er (der doch nicht nur Artaud, sondern auch Camus verpflichtet ist) jemals die Möglichkeit effektiver Veränderung geleugnet, auch nicht für sich selbst; noch auch plätschert er je (der doch, wie so viele DDR-Dramatiker, Brecht ›aufheben‹ möchte) in flachem, seichtem Optimismus. Reiner Kunze hingegen gestand in einem Interview mit der *Zeit* ohne Zögern, daß er sich von Camus viel stärker angezogen fühle als von Karl Marx. Wie die Reporterin berichtet, glaubt er

---

107 Ebd.
108 Jean Genet, *Le Balcon*. Édition définitive. – Décines 1966, S. 7.
109 Man lese etwa Genets jüngste Expektorationen nach, die unter dem Titel *Ich erlaube mir die Revolte* in der *Zeit* erschienen; vgl. Overseas Édition 8 (20. Februar 1976). Es handelt sich dabei um ein Interview mit dem umstrittenen Romanschriftsteller Hubert Fichte.
110 Vgl. dazu meine Beiträge *Spiel und Wirklichkeit in einigen Revolutionsdramen* und *The Play Within a Play in Revolutionary Theatre*. – In: *Basis* 1 (1970) bzw. *Mosaic* IX/1 (1975).

nicht, irgend etwas ändern zu können; ja, er glaube vielleicht überhaupt an keine Veränderbarkeit.[111] Kunze zufolge ist es die *condition humaine* als solche, die den unlösbaren, hoffnungslosen ›antagonistischen‹ Widerspruch bildet. Es gelte, erklärte er wörtlich,

»Auge in Auge mit dem Nichts zu leben und im Bewußtsein der Absurdität dieses Daseins Mensch sein zu wollen, sich als Mensch zu erweisen«.[112]

Umgekehrt erklärte Volker Braun, Brecht längst hinter sich gelassen und das von Marx verheißene Gelobte Land schon betreten zu haben. Für ihn ist der »aufwühlendste Widerspruch«, der den revolutionären Erbauer des Sozialismus noch bedrängt, »der neuartige«, welcher »zwischen den politischen Führenden [...] und den Geführten« klafft. Obwohl Braun einräumt, daß wir in einer Zeit des Übergangs leben, die auch in der DDR noch herrscht, ist er der Überzeugung, daß solch neue Widersprüche »offenbar« mehr und mehr Gewicht und Bedeutung erlangen. Aber sie sind natürlich ›nichtantagonistisch‹. Der Brechtschen nach Stil und Methode täuschend ähnlich, wird von ihm eine neue Dramaturgie postuliert, die inhaltlich, ihren Regeln und Richtlinien nach, das Brechtsche Modell ein für allemal übertreffen soll.[113]

Es ist zwar richtig, daß Braun einige Vorstellungen mit Müller teilt; auch ist er sicher einer der talentiertesten ostdeutschen Schriftsteller – so wie auf andere Art Kunze, der Verfasser eines Buchs mit dem bitter ironischen Titel *Die wunderbaren Jahre*. Doch keiner der beiden scheint fähig oder willens zu sein, das bedrückende Paradox der Revolution und Geschichte zu ertragen und durchzuhalten. Einzig und allein Müller tut dies; und darin unterscheidet er sich von allen seinen Kollegen, ob aus der DDR oder aus anderen sozialistischen Ländern. Seine Dramen wurden als »Optimistic Tragedies«[114] bezeichnet; aber in Wirklichkeit und trotz aller Versuche, Abstand zu gewinnen, stehen sie Brecht und Büchner sehr viel näher als Wsewolod Wischnewski, der 1932 die ursprüngliche *Optimistische Tragödie* veröffentlichte. Aus Müllers ›Optimismus‹ spricht die gleiche ›absurde Fortschrittlichkeit‹, die gleiche *coincidentia oppositorum* wie aus Brechts Worten im *Leben des Galilei*: »Der Einbruch des Lichts erfolgt in die allertiefste Dunkelheit.« Denn worauf sonst läuft Müllers These, in seiner *Traktor*-Fassung des Camus'schen Mythos, schließlich hinaus? Zu behaupten, Sisyphus werde um so stärker und mächtiger, je mehr er arbeitet und sich abschinden muß (*Die Arbeitskraft absolut zunehmend mit jedem Arbeitsgang*), ist wohl schwerlich weniger paradox. Kein Zweifel: Brecht und Müller zehren von ein und demselben absurden und bewundernswerten Glauben an den Fortschritt,

---

111 Vgl. Marlies Menge: *Pfarrer für Heiden. Eine Begegnung mit dem DDR-Schriftsteller Reiner Kunze*. – In: *Die Zeit*. Overseas Edition 48 (26. November 1976).
112 Ebd.
113 Vgl. Volker Braun: *Es genügt nicht die einfache Wahrheit. Notate.* – Frankfurt 1976, S. 19 f.
114 Vgl. Wolfgang Schivelbuschs gleichnamigen Artikel, in: *New German Critique* 2 (1974), S. 105 ff.

dessen früheste Wurzeln im Leben und Schaffen Büchners zu finden sind. Man könnte ihn gut und gern ein modernes *credo quia absurdum* nennen, eine dialektische Mystik im Gewand des Materialismus.

Ich hätte mich bei dieser Zusammenfassung ebensogut auch noch einmal auf die paradoxe Formel Gramscis berufen können. (Weiß man übrigens, daß er 1937, genau hundert Jahre nach Büchners Tod, in einem faschistischen Kerker umkam?) Gramscis Glaube, wie der von Brecht und Müller, ja sogar von Camus, ist meilenweit von der selbstgefälligen Absurdität eines Ionesco entfernt, die manche bereits in Büchner wittern möchten. Gemessen an ihm, diesem Riesen, erscheinen mir Ionesco und seinesgleichen, mit ihren schalen und abgestandenen Hervorbringungen, geradezu als lächerliche, beinah schon alberne Zwerge.[115] Aber trotzdem kann man gerechterweise nicht umhin, etwas zuzugeben, was in der Tat letztlich nur billig ist: daß nämlich alle, ob Schreibende oder Leser, jeweils ihren eigenen Büchner entdeckt und sich anverwandelt haben, seitdem der junge Dramatiker Ende des 19. Jahrhunderts allmählich wieder ins Bewußtsein zu treten begann. Diese Art der Aneignung ist ja der Prüfstein für jede große historische Gestalt, in der Dichtung wie in den Künsten insgesamt. Denn gewinnen nicht solche Werke durchwegs mythische Dimensionen? Jeder echte Bewunderer, er sei nun selber schöpferisch oder nicht, übernimmt, was er am meisten braucht und ihm am gemäßesten ist. Das war schon so, als die jungen Naturalisten, Gerhart Hauptmann und Frank Wedekind, zum Grab ihres Abgotts nach Zürich wallfahrteten, nachdem Karl Emil Franzos Büchners Werk erstmals in einer Ausgabe, die diesen Namen verdient, vorgelegt hatte. Und kann nicht auch heute noch, ja heute mehr denn je, ähnliches beobachtet werden, innerhalb wie außerhalb der deutschen Sprachgrenzen? Man denke etwa an die (obzwar nicht unkritischen) Bemühungen des deutschschreibenden Chilenen Gastón Salvatore, dessen Stück *Büchners Tod* 1972 veröffentlicht wurde, oder vollends an die ehrfürchtige Verehrung eines Mannes wie Adamov, der bereits 1963 den *Woyzeck* als »cette pièce« pries, »qui me touche si profondément«[116]. Und ebenfalls schon vor etlichen Jahren erschien bekanntlich Peter Schneiders vieldiskutierte Erzählung *Lenz*, eine Variation auf die Büchnersche Novelle im Lichte der Neuen Linken.

Doch weder waren die Naturalisten die ersten, die der Faszination durch Büchner erlagen, noch werden die zeitgenössischen Schriftsteller die letzten sein – ganz zu schweigen von zahllosen Lesern und Theaterbesuchern. Zwischen jenen gab es zum Beispiel die expressionistische

---

115 Damit soll die historische Rolle, die Ionesco einst gespielt hat, keineswegs bagatellisiert werden; vgl. zum Beispiel *Sinn oder Unsinn? Das Groteske im modernen Drama*. Hrsg. von Reinhold Grimm u. a. – Basel/Stuttgart 1962. Bezeichnenderweise erschien eine tschechische Übersetzung unter dem gleichen Titel: *Smysl nebo nesmysl? Groteskno v moderním dramatu*. – Praha 1966.
116 Vgl. seine bereits zitierten Bemerkungen (s. Anm. 10).

Generation, um nur die lauteste und sichtbarste der einschlägigen Bewegungen zu nennen. Noch 1929 schrieb einer ihrer Vertreter ein ›Stück um Büchner‹ (so der Untertitel); doch diesem Stück, Franz Theodor Csokors *Die Gesellschaft der Menschenrechte*, war längst schon das ›Lyrische Flugblatt‹ von Fritz Groß aus dem Jahre 1919, *Georg Buechner* (sic), mit dem Zusatz *Stationen eines Lebens*, vorausgegangen[117]. Im deutschen Sprachraum zumindest hat nahezu jede moderne Bewegung, ja fast jeder individuelle Künstler Büchner als Ahnherrn für sich beansprucht oder doch in dessen Werk Bestätigung gefunden. Einzig Nietzsche macht hier, so sonderbar dies klingt, eine Ausnahme. Die Wiederentdeckung der tragischen Welt Georg Büchners, kurz nachdem Nietzsches *Geburt der Tragödie* herausgekommen war und ihren Skandal entfesselt hatte, scheint von diesem begeisterten Liebhaber jedweder Umwertung der Vergangenheit gänzlich unbemerkt geblieben zu sein. Die Tatsache, daß er einen seiner bedeutsamsten Vorläufer dermaßen übersehen konnte, stellt ihrerseits eine bemerkenswerte Laune und ironische Volte der Geistesgeschichte dar. Aber freilich nicht der Geistesgeschichte allein: denn war nicht Nietzsche dafür berüchtigt, daß er alles, was mit der Französischen Revolution zusammenhing, von Grund auf haßte?

Immerhin, *les extrêmes se touchent*; und die »Dialektik der Aufklärung« hat seither immer weiter um sich gegriffen. Nirgends kommt dies in seiner paradoxen, inzwischen fast lähmend wirkenden Widersprüchlichkeit klarer zum Ausdruck als in einer Äußerung Heiner Müllers von 1977. Sie begegnet als Faksimile in einer Anthologie mit dem Titel *Stücke der Zwanziger Jahre*, die schon allein durch ihr Auswahlprinzip recht lehrreich ist. Das Erbe Brechts und Artauds wie dasjenige Nietzsches sind in dieser »Notiz« des ostdeutschen Stückeschreibers auf gedrängtem Raum vereinigt; doch auch der Schatten Büchners (obwohl dessen Name nicht fällt) zeichnet sich deutlich darin ab. Mit Fug und Recht darf Müllers Äußerung daher als krönendes, wenngleich allzu düsteres und zweifelsohne ganz einseitiges Fazit dessen zitiert werden, was ich hier von Anfang an zu entwickeln versucht habe:

»Artaud, die Sprache der Qual. Schreiben aus der Erfahrung, daß die Meisterwerke Komplicen [sic] der Macht sind. Denken am Ende der Aufklärung, das mit dem Tod Gottes begonnen hat, sie der Sarg, in dem er begraben wurde, faulend mit dem Leichnam. Leben, eingesperrt in diesen Sarg.

DAS DENKEN GEHÖRT ZU DEN GRÖSSTEN VERGNÜGUNGEN DER MENSCHLICHEN RASSE läßt Brecht Galilei sagen, bevor man ihm die Instrumente zeigt. Der Blitz, der das Bewußtsein Artauds gespalten hat, war Nietzsches Erfahrung, es könnte die letzte sein. Artaud ist der Ernstfall. Er hat die Literatur der Polizei entrissen, das Theater der Medizin. Unter der Sonne der Folter, die alle Kontinente des Planeten gleichzeitig bescheint, blühen seine Texte. Auf den Trümmern Europas gelesen, werden sie klassisch sein.«[118]

---

117 Vgl. dazu ergänzend Gerhard P. Knapp: *Georg Büchner*. – Stuttgart 1977, S. 40 ff. und insbes. auch Dietmar Goltschnigg: *Csokors Drama ›Gesellschaft der Menschenrechte‹. Zur Rezeption und Wirkung Georg Büchners im Expressionismus.* – In: *Jahrbuch des Freien Deutschen Hochstifts 1974.* – Tübingen 1975, S. 344 ff.
118 Vgl. *Faksimile einer Notiz von Heiner Müller zu Antonin Artaud.* – In: *Stücke der Zwanziger Jahre.* Hrsg. von Wolfgang Storch. – Frankfurt 1977, S. 132.

Also sprach Heiner Müller. Und sein Hinweis aufs *Leben des Galilei* ist ja in der Tat höchst erhellend. Aber ebendadurch wird auch erkennbar, worin sich sein Fazit von dem von mir vorgetragenen unterscheidet. Denn während der Wissenschaftler Galilei trotz seines Widerrufs an seinem Fortschrittsglauben festhielt und seinen Kampf weiterführte, scheint der Marxist Müller nunmehr endgültig widerrufen zu haben. Was sich in seinen Worten äußert, ist nicht länger ein weltliches *credo quia absurdum* und damit ein echtes Prinzip der Revolte, wie es, zum erstenmal in der Geschichte, im Leben und Schaffen Büchners seine Verkörperung fand; weit eher enthüllt sich in jenen Worten Verzweiflung, nackte Absurdität, ja selbst finstere Lust an Absurdität und Verzweiflung. Wäre es wirklich möglich, daß Heiner Müller, dem wir nicht nur die überzeugendste Formulierung, sondern auch den ergreifendsten lyrischen Ausdruck des modernen Begriffs der Revolte verdanken, zugleich als erster dessen unwiderrufliches Scheitern ankündigte?[119]

Indes – kann man einem solchen Glauben überhaupt je entsagen? Sogar die bloße Frage wird noch zum Paradox:

>»Der Text bricht ab, und ruhig rotten die Antworten fort.«[120]

---

119 Ich darf hier noch einmal auf Müllers Text *Hamletmaschine* in seinem Band *Mauser* verweisen (s. Anm. 105); was *Mauser* selbst betrifft, so stellt dieser Text wohl Müllers radikalste Formulierung des Paradoxons der Revolution und Geschichte in dramatischer Form dar (doch vgl. auch das Nachwort zum vorliegenden Aufsatz).

120 Hans Magnus Enzensberger: *Mausoleum. Siebenunddreißig Balladen aus der Geschichte des Fortschritts.* – Frankfurt 1975, S. 117. So lautet die Schlußzeile nicht nur der Ballade auf Ché Guevara, sondern des gesamten Bandes, der ausschließlich von der Dialektik der Aufklärung und dem Paradox des Fortschritts handelt. Vgl. inzwischen außerdem Enzensbergers ›Epos‹ *Der Untergang der Titanic. Eine Komödie*, Frankfurt 1978.

Nachwort zur deutschen Fassung

Der Großteil dieses Essays wurde, mit wenigen Ausnahmen, 1976/77 in englischer Sprache geschrieben und erstmals 1979 – jedoch mit der Jahreszahl 1978 – in Heft XXI/2 der Zeitschrift *Studi tedeschi* (Neapel) veröffentlicht. Zur Ergänzung des hier Ausgeführten darf ich daher auf meine zwei weiteren Beiträge *Cœur und Carreau. Über die Liebe bei Georg Büchner* sowie *Fragments of a Dirge. On Georg Büchner, Gottfried Benn, and Others* verweisen: ersterer ist im Sonderband *Georg Büchner I/II* der Zeitschrift *Text + Kritik* (München 1979) enthalten, letzterer in der im Erich Schmidt Verlag, Berlin, in Vorbereitung befindlichen Gedenkschrift für Edgar Lohner, die wohl noch 1981 erscheinen wird. Dazu kommt inzwischen noch meine Eröffnungsrede auf der Darmstädter Büchner-Tagung vom Juni 1981, mit dem Titel *Abschluß und Neubeginn. Vorläufiges zur Büchner-Rezeption und zur Büchner-Forschung heute*. Mit allem Nachdruck sei ferner auf Heiner Müllers in der Zeitschrift *Sinn und Form* gedrucktes Stück *Der Auftrag. Erinnerung an eine Revolution* hingewiesen, das mir dankenswerterweise schon im Manuskript zugänglich gemacht wurde; denn mehr noch als seine *Notiz zu Artaud* stellt dieser bemerkenswerte Text nunmehr eine Zusammenfassung nicht nur der Entwicklung des modernen Begriffs der Revolte, sondern auch der Entfaltung der modernen Gattung des Revolutionsdramas dar. Die Anklänge an *Dantons Tod*, womit dieses Genre ja eröffnet wird (vgl. dazu die Einleitung zu dem von Jost Hermand und mir herausgegebenen Band *Deutsche Revolutionsdramen* [Frankfurt, o. J.]), sind zahlreich und unverkennbar, ebenso aber diejenigen an Brecht und Artaud, an Müllers eigenes Schaffen (etwa *Mauser*) und an andere Revolutionsdramatiker (etwa Peter Weiss). Freilich, von Büchners vierfachem Revolutionsbegriff (vgl. meinen Beitrag *Cœur und Carreau*) ist hier kaum noch die Hälfte vorhanden. Die metaphysische wie die ästhetische Revolte fehlen völlig; geblieben sind allein die soziale und die sexuelle – doch sogar deren Einheit ist nicht mehr selbstverständlich, sondern bereits zutiefst erschüttert. Sie wird von Müller allenfalls noch, tastend und zweifelnd, postuliert. In gewissem Sinne könnte darum sein Stück *Der Auftrag* (das Motive aus den *Karibischen Geschichten* der Anna Seghers verwendet) in der Tat auch ›Erinnerung an ein Denkmodell und eine Gattung‹ heißen. Es gehört jedoch trotzdem zum Stärksten, was Müller bisher geleistet hat, und würde unbedingt eine Untersuchung für sich erfordern, die in ein paar Sätzen anzudeuten gänzlich unmöglich ist (vgl. aber bereits den wichtigen Aufsatz von Hans-Thies Lehmann in dem »Theaterlesebuch« zu *Dantons Tod*, das unter dem Titel *Die Trauerarbeit im Schönen* 1980 vom Schauspiel Frankfurt veröffentlicht wurde, sowie meine ergänzenden Bemerkungen in der genannten Rede).

Die Verbreitung und Wirkung
des *Hessischen Landboten*

Von Thomas Michael Mayer (Marburg/Lahn)

Ein ›Fiasko‹ bei den ›Adressaten‹? 68 – Konkretion des neuen Quellenmaterials: 70 – Weidigs Verbreitungs-Plan: 71 – Minnigerode und Schütz holen die Druckexemplare in Offenbach: 72 – Zwischenstation bei einem ›Bauern‹ in Bergen-Enkheim: 73 – ›Verpackung‹ und Wege nach Butzbach und Gießen: 74 – Schütz munitioniert die Darmstädter ›Gesellschaft der Menschenrechte‹: 75 – Schütz geht über Petterweil, und Büchner warnt die Beteiligten: 76 – Butzbacher Orientierungsversuche, Schütz' Verstecke und Flucht: 78 – Weidig im ersten Schrecken: 81 – Die Gießener Sektion besorgt sich umgehend doch Druckexemplare in Friedberg und vielleicht Dorheim: 82 – Weitere größere Depots in Frankfurt, Offenbach bzw. Rödelheim; Aktivitäten und Pläne zwischen Frankfurt und Marburg: 83 – Auflagenhöhe und Quellenlage zur tatsächlichen Verbreitung: 88 – Verbreitung der Juli-Auflage in und um Darmstadt? 88 – Aktenkundige Fälle in Friedberg (Mitte August): 89 – In Butzbach und Umgebung im September: 90 – Ein Bäckergeselle liest die Flugschrift Tagelöhnern vor: 91 – Verbreitung von Gießen aus: 92 – Freiwillige Ablieferungen an die Behörden? 93 – Die November-Auflage und ihre Wege nach Gießen und Darmstadt: 95 – Nach Ober-Gleen zu Weidig: 96 – Der Bauer Seipp: 97 – Weitere Verbreitungen durch Weidig im Alsfeldischen, Fuldischen und im nördlichen Vogelsberg: 97 – Verbreitung im Biedenköpfer Hinterland: 99 – Von Gießen aus: 99 – Gießener Sektionäre bedrängen die ängstlichen Butzbacher: 100 – Nächtliche Wege um Butzbach: 101 – Resümee und statistische Daten zu den namhaften Verbreitungsorten: 102 – Mutmaßungen über die Wirkung und noch einmal zur Frage freiwilliger Ablieferungen: 104 – Reaktionen der liberalen Partei: 104 – Georgi über Fortschritte der ›üblen Gesinnung‹: 105 – Weitere Urteile der Behörden: 106 – Die Frage des Bündnisses zwischen Stadt und Land und der oberhessische Anachronismus bis 1918: 107

Zu den fragwürdigsten Angelpunkten der Biographien Georg Büchners, aber auch der Geschichtsschreibung zur revolutionär-demokratischen Agitation im frühen deutschen Vormärz gehört das gefühlig und mit einiger Phantasie ausgemalte »Fiasko«[1], das die Flugschrift von Büchner und Weidig im Sommer 1834 bei ihren »Adressaten« erlebt habe:

»Als Probe aufs Exempel der oberhessischen Verhältnisse – und so hat Büchner die Flugschrift selbst verstanden – wird sie ein Fehlschlag.«[2] »Die Appellstruktur ist [. . .] bei weitem zu komplex, um von den angesprochenen Rezipienten verstanden zu werden.«[3] »[. . .] sie geht am diffusen Bewußtsein der Bauern und Tagelöhner, das allen auch noch so falschen Identifikationen eher zugänglich ist als richtigen Analysen, vorbei.«[4] »Teils liefern die verschreckten Bauern das Pamphlet, oft ungelesen, den Behörden ab, teils wird es vor der Verteilung konfisziert.«[5] »So viel Mühe und Gefahr umsonst angewendet!«[6] »Der Traum der Revolution war

---

1 Werner R. Lehmann: *Georg Büchner* [Nachwort]. – In: *WuB*, S. 558. – Differenzierter (und die bereits vorhandenen Quellen richtig deutend) auch hier allein Gerhard Schaub, in: *HL*, S. 142ff.
2 Gerhard P. Knapp: *Nachwort.* – In: Büchner, 1978, S. 301.
3 Ders., 1977, S. 49.
4 Raimar St. Zons, 1976, S. 177.
5 Knapp (Anm. 2), S. 301f. – Das »oft ungelesen« (1977, S. 23, hatte Knapp, bevor er sich dann anscheinend selbst überredete, noch etwas vorsichtiger »vielleicht sogar ungelesen!« geschrieben) ist auch und gerade gegenüber Beckers betr. taktischer Verhöraussage (vgl. noch unten S. 104) frei hinzuerfunden; es handelt sich dabei nur um ein besonders typisches Beispiel unter Hunderten solcher Fälle in der Forschung; in der Masse wirkt die Lektüre dieser teilweise komischen Ausschmückungen und ihrer kombinationsreichen Wiederholung jedoch eher verärgernd. – Modell in diesem speziellen Punkt scheint nicht zuletzt die Dichtung Treitschkes: »die Bauern, die den ›Landboten‹ vor ihren Haustüren fanden, brachten die unheimliche Schrift meist selbst erschrocken der Obrigkeit« (Bd. IV, S. 311).
6 Ernst Johann, 1958, S. 71.

ausgeträumt! [...] Aber man muß sich darüber klar sein: Nicht die Verräter hatten ihn enttäuscht [...], sondern die Aussichtslosigkeit, vorerst die Masse aus ihrem dumpfen Schlummer aufzuwecken.«[7] »Es folgt [...] die Einsicht in die Wirkungslosigkeit dieser Agitation«[8], der »Katzenjammer«[9].

Ob jene Bauern und Handwerker, Gesellen, Tagelöhner und Dienstboten, die in der neueren, an ›rezeptionsästhetischen‹ Modellen und Termini[10] orientierten Forschung wahrscheinlich nicht nur in Ermangelung konkreterer Vorstellungen, um was für Leute es sich bei ihnen handelte, sondern auch reichlich von oben herab als derart ignorante ›Rezipientenmasse‹ fungieren, wirklich »nahezu unaufgeklärt[e] und zum äußersten verschreckt[e]«[11] Dorftölpel waren, dies kann und muß schon mit einer einzigen, schlichten Überlegung in Frage gestellt werden. Mag immerhin sein, daß jene maximal ein, zwei Tausend Dörfler – allenfalls vielleicht jeder Hundertste auf dem flachen Land –, die eine der beiden Auflagen des *Hessischen Landboten* zu Gesicht bekamen und ihn auch lesen konnten, die Kampfbereitschaft der städtischen (i. e. überhaupt Druckwerke erzeugenden) Opposition ähnlich gering veranschlagten wie Büchner, der sich über deren strategisch »knabenhafte« und sozial »egoistische« ›Berechnungen‹[12] ziemlich im klaren war, – mag also sein, daß die oberhessischen Bauern wenig Lust hatten, Hals über Kopf, und ohne alle positiven Bündnisbeweise, ›Unternehmungen‹ zu riskieren, wie sie ihnen 1525, 1830 (und dann wieder 1848/49) oft genug den Kopf gekostet haben. Aber vor allem natürlich: Die Geschichte kennt kein Beispiel einer Revolution, ja auch nur einer Revolte (und gar einer ländlichen!), die durch eine einzige oder überhaupt durch Flugschriften wäre verursacht worden. Die Verfasser des *Hessischen Landboten* haben dies zweifellos besser gewußt als spätere politische und wissenschaftliche Dichter. »Revolutionen« lassen sich »nicht *machen*«, schrieb Büchners Freund Wilhelm Schulz später zu dieser Frage, »am wenigsten durch Flugschriften, selbst wenn diese die Nothzustände noch so treffend *schildern*.«[13] Ebensowenig aber war der *Landbote* etwa für Büchner »ein reines Gesinnungs-Experiment«, wie Wolfgang Wittkowski[14] es neuerdings – als letzte im Klartext noch fehlende irrige Auslegungsvariante – unter Bezug auf August Beckers bekannte Verhöraussage beurteilt, nach der Büchner

»sich durch diese Flugschrift überzeugen [wollte], in wie weit das *deutsche Volk* geneigt sei, an einer *Revolution* Antheil zu nehmen. [...] Mit der von ihm geschriebenen Flugschrift woll-

---

7 Martin Greiner: *Nachwort.* – In: Büchner, 1974, S. 70.
8 Lehmann (wie Anm. 1).
9 Walter Hinck, 1969, S. 204.
10 Nicht nur, aber gerade bei der hier vorliegenden Thematik würde man diese Diktion besonders gerne missen, die sich sogar bei Volker Klotz (»adressierte Bauern«, 1975, S. 403, was nicht etwa undomestizierte, ungezogene, sondern einfach angesprochene / – geschriebene Bauern heißen soll) und Gerhard Schaub findet (»intendierte Adressatengruppe«; 1976, S. 145).
11 Knapp (Anm. 3), S. 44.
12 Vgl. Nö, 420; Schäffer, 1839, S. 46; *GB I/II,* S. 244.
13 Schulz, 1851, S. 233.
14 Wittkowski, 1978, S. 104f.

te er vor der Hand nur die Stimmung des Volks und der deutschen Revolutionärs erforschen. Als er später hörte, daß die Bauern die meisten gefundenen Flugschriften auf die Polizei abgeliefert hätten, als er vernahm, daß sich auch die Patrioten gegen seine Flugschrift ausgesprochen, gab er alle seine politischen Hoffnungen in Bezug auf ein Anderswerden auf.«[15]

Allerdings bemühte sich Büchner noch während des Herbstes und Winters 1834/35 energisch um eine eigene Druckerpresse für weitere Flugschriften, die selbstverständlich zugleich ›untersuchendem‹ und agitatorischem Zweck dienen sollten.[16]

Was die Wirkung des *Landboten* betrifft, so hat – um zunächst von allen sonstigen, mehr oder weniger begründeten Spekulationen in der einen oder anderen Richtung abzusehen – Klaus Immelt behauptet,

der geringe »praktische Einfluß« der Schrift habe »in erster Linie« daran gelegen, »daß ihre Verbreitung in größerem Umfange zweimal [. . .] verhindert wurde. Gleich die ersten Exemplare kamen nur in geringer Zahl unter das Volk, da Kuhls Verrat nicht nur zur Verhaftung Minnigerodes und zu Büchners Flucht führte, sondern weil auch die Druckerei bekanntgeworden war. Und als dann mit viel Mühe eine neue Druckerei gefunden worden war und die ersten Exemplare der 2. Ausgabe verbreitet wurden, erfolgte Clemms Verrat [. . .]; jegliche Verbreitung von Flugschriften hörte auf.«[17]

Für die zweite Auflage ist dies ganz unzutreffend, denn Clemms Verrat datiert mehr als vier Monate nach deren Fertigstellung, zu einem Zeitpunkt als die 400 Exemplare längst verbreitet waren. Ob und inwieweit es für die erste Auflage vom Juli zutrifft, soll im folgenden an Hand der neu aufgefundenen Akten und Verhörprotokolle geprüft werden.

Diese Untersuchung ist ein weiterer, gekürzter Vorabdruck aus meiner umfangreichen Darstellung[18], deren Abschluß unter den gegebenen Umständen noch nicht möglich war. Wie der Abschnitt zu Weidigs großer Organisationsreise (im Frühsommer 1834 zur Vorbereitung des *Landboten*-Projekts) und die Darlegung der Textverhältnisse der Flugschrift mag auch dieses Kapitel, das thematisch hieran anschließt, in etwa verdeutlichen, welche Konkretion das neue Material gegenüber dem bislang erreichbaren Kenntnisstand bedeutet, welche Menge an Irrtümern ausgeräumt, an Leerstellen gefüllt werden kann. Um ein verdeutlichendes Bild zu gebrauchen: War bisher die demokratische Bewegung Oberhessens und die Konspiration um den *Hessischen Landboten* eher schemenhaft in entferntem Nebel auszumachen, so rückt sie jetzt wie durch ein brauchbares Fernglas oder als farbiger Film plastisch bis in kleine und sogar private, dennoch höchst aufschlußreiche Details ins Licht. Und dies betrifft nicht nur die vorgelegten Kapitel, sondern auch alle anderen wichtigen Bereiche: Vorgeschichte, Hintergründe und Aktivitäten der ›Gesellschaft der Menschenrechte‹ jeweils in Gießen und Darmstadt, die Versammlung auf der Badenburg, Weidigs Tätigkeit in

---

15 Aussage A. Becker, 1. November 1837, Nö, 425; vgl. *GB I/II*, S. 104 f.
16 Vgl. *GB I/II*, S. 106 ff., 385-389; sowie unten S. 95.
17 Immelt, 1967, S. 72.
18 Vgl. auch *GB I/II*, S. 159-287 u. 138, Anm. 1.

Butzbach wie in Ober-Gleen, den Marburger Zirkel um Leopold Eichelberg und so fort.

Da nunmehr die Hoffnung besteht, daß diese Arbeit in größerem Rahmen zügig fortgesetzt und zugleich die zugrundeliegende Dokumentation[19] allgemein zugänglich gemacht werden kann, gebe ich hier in den Fußnoten bereits alle Verweise auf die Bände des »Prozesses« und die übrigen Archivalien in extenso wieder. Vielleicht kann die dichte Fügung dieser Belege auch andeuten, welche Schwierigkeiten der Abschluß des bereits seit Jahren zu großen Stücken ausgearbeiteten Projekts im Alleingang und ohne einen solchen Rahmen bereitete. –

Ebenso wie in größerem Maßstab seine vorausgegangene ›Pfingstreise‹, mit der er die geplante Flugschrift in einen auf diese Weise zugleich wiederzubelebenden Zusammenhang der südwestdeutschen Oppositionsbewegung einpassen konnte, zeigen auch Weidigs Vorkehrungen in Oberhessen zur Verbreitung des *Landboten* – zunächst ist hier nur von der ersten, der Juli-Auflage, die Rede – eindrucksvoll die weitgespannten Beziehungen und die organisatorische Umsicht des eben amtsenthobenen Butzbacher Rektors.

»Sämtliche Exemplare des Landboten [...] hatten nach einer Idee Weidig's, wie von verschiedenen Seiten behauptet wird, entweder an Einem Tage, oder doch möglichst gleichzeitig, an mehreren Orten des Großherzogthums verbreitet werden sollen, damit die Polizei in ihren Nachforschungen nach den Thätern irregeführt und hierdurch die Gefahr vor Entdeckung vermindert werde. Die Verhaftung Minnigerode's hatte aber die Ausführung dieses Plans vereitelt.«[20]

Die abschließende Bemerkung des Gießener Hofgerichtsrats Schäffer, von dem diese Zusammenfassung stammt, trifft nun nicht in vollem Umfang zu, denn selbst nach der Verhaftung Minnigerodes lassen sich wesentliche Stationen dieses Unternehmens nicht nur als Plan rekonstruieren, sondern es wurden von ihnen aus auch tatsächlich Exemplare des *Landboten* verbreitet. Die Hauptknoten des Verteilernetzes sollten offensichtlich Butzbach, Darmstadt, Offenbach bzw. Frankfurt, Rödelheim, Petterweil, Friedberg, Gießen (und via Gießen Marburg) bilden. Eine chronologische Schilderung anhand aller vorliegenden Dokumente soll zeigen, welche Teile dieser wohlvorbereiteten Reißbrettstrategie dann selbst nach der zunächst lähmenden Verhaftung Minnigerodes noch verwirklicht werden konnten.

Nachdem Weidig, auf welchem Wege auch immer, von Preller über die Fertigstellung der *Landboten*drucke informiert worden war, verständigte er die Gießener ›Gesellschaft der Menschenrechte‹. Nach Clemms

---

19 *Der Prozeß gegen die oberhessische Demokratie* (im folgenden zit. als: *Prozeß*).
20 Schäffer: *Vortrag*, in: *Prozeß* 34/94; einen vollständigen Abdruck dieser gegenüber der gedruckten Version (vgl. hier Schäffer, 1859, S. 51) erheblich ausführlicheren handschriftlichen Fassung des abschließenden Untersuchungsberichts, aus dem auch Noellner in seinen referierenden Passagen (Nö, bes. S. 61-118) ausgiebig zitiert, ohne dies immer ausdrücklich anzugeben, bereitet die Marburger Büchner-Forschungsstelle im Rahmen eines Bandes mit politischen Untersuchungsberichten für die neue *Hessen-Bibliothek* des Insel-Verlags vor.

Aussage[21] gab er hierzu einigen Butzbachern, die am 29. Juli 1834 ein Scheibenschießen am Gießener Schießhaus[22] besuchten, einen anscheinend an Schütz adressierten Brief zur Besorgung, »in dem die Aufforderung gestellt gewesen, es sollten einige von uns nach Butzbach zu Dr. Weidig kommen. Unter dem Ausdruck ›von uns‹ waren natürlich nur solche verstanden, die zu den Vertrauten des Dr. Weidig gehörten und die davon Kenntnis hatten, daß der Hessische Landbote solle gedruckt und verbreitet werden«. In der Annahme, die fertigen Drucke seien nur noch von Butzbach abzuholen[23], gingen also Schütz und Minnigerode am Morgen des folgenden Tages (Mittwoch, 30. Juli) dorthin. Sie trafen Weidig in Butzbach auf der Straße und wurden »mit ihm im Gespräche« von einem Rittmeister namens Sommerlad beobachtet, den Weidig dann zunächst als Denunzianten verdächtigte.[24] Tatsächlich wurde die letzte Weiche für den Verrat des Johann Conrad Kuhl jedoch anders gestellt: Im Laufe des Tages instruierte Weidig die beiden Gießener Studenten über den gesamten Umfang ihres Unternehmens – sie sollten die Drucke ja nicht schon in Butzbach erhalten, sondern sie noch an einem von Weidig vorbereiteten ersten Zwischenlager einige Kilometer nördlich von Offenbach, etwa zwischen Bergen und Enkheim, wohin sie von Preller zunächst gelangen sollten[25], abholen und erst von dort aus an weiteren Orten deponieren. Offensichtlich überrascht von dieser weitläufigen Aufgabe und vielleicht auch in Unkenntnis der näheren Lokalitäten um Offenbach, erbaten sich Minnigerode und Schütz den Butzbacher Spritzenmacher Carl Zeuner, einen der engeren Schüler Weidigs, zu ihrer Begleitung.[26] »Am Abend« trafen sich Schütz, Minnigerode und Zeuner dann im Zellischen Wirtshaus in Butzbach unter anderen mit Carl Braubach und eben Kuhl. Nach dem Verlassen des Wirtshauses standen die fünf

»auf dem Marktplatze noch eine Zeitlang zusammen und sprachen über die Reise, und allem Vermuten nach auch über ihren Zweck, die Minnigerode, Schütz und Zeuner nach Offenbach [...] anzutreten im Begriff standen. Kuhl sagte bei dieser Gelegenheit zu den Reisenden: ›Kommt jetzt nicht mehr in meine Wohnung, es fällt zu sehr auf, wenn Studenten bei mir ab- und zugehen.[‹]«[27]

In Wirklichkeit dürfte Kuhl bereits an diesem Abend die entscheidende Anzeige vorbereitet haben. Noch in der selben Nacht gingen Schütz, Minnigerode und Zeuner von Butzbach nach Bergen/Enkheim zu dem Torfstichbesitzer und »Oekonomen« Friedrich Meyer, wo sie am Don-

---

21 Verhör vom 8. Mai 1835, *Prozeß* 7/115ff.
22 Clemm selbst war bei dieser Gelegenheit mit einem Darmstädter Theologiestudenten heftig aneinandergeraten, was ihm noch im September – wie schon häufiger – vor dem Universitätsgericht vier weitere Tage Karzer einbrachte (Justus-Liebig-Universität Gießen, Universitätsarchiv: Allg. L Nr. 9 Disziplinargericht. Sitzungs-Protokolle, 1825-1841, p. 103).
23 Clemm in *Prozeß* 7/117; vgl. auch Nö, 428.
24 Clemm, a.a.O., 117f.
25 Vgl. unten Anm. 29.
26 Schäffer: *Vortrag*, in: *Prozeß* 34/91; Schäffer, 1839, S. 50.
27 Aussage Carl Braubach, 16. Juni 1837, *Prozeß* 3/326f. Vgl. auch die Aussage Zeuners, daß Kuhl neben Weidig und Braubach der einzige Butzbacher Mitwisser des Unternehmens gewesen sei; später erhaltene *Landbote*nexemplare habe Kuhl »als sehr gut« gebilligt (Nö, Anhang, S. 28).

nerstagmorgen (31. Juli) angekommen sein dürften.[28] Weil sie jedoch »dort die Flugschrift [. . .] nicht vorfanden«[29], gingen Schütz und Minnigerode sogleich weiter nach Offenbach, um sie bei Preller bzw. bei dem zusammen mit Preller wohnenden Lederhändler Hausmann selbst zu holen, während Zeuner bei Meyer

»auf dem s. g. Mönchshofe bei Enkheim zurück[blieb]« und »die Rückkunft des Minnigerode von Offenbach bis an den späten Abend erwarte[te]. Dieser brachte, mit zweien Leuten des Hausmanns, die Druckschriften dahin und entschuldigte, wie behauptet wird, sein langes Ausbleiben damit, daß die Hausmannischen Leute durch ungewöhnlich vielfaches Lederverpacken wären gehindert gewesen, früher für die Verbringung der Schriften mitzuwirken.«[30]

Auffallend an dieser informierten Schilderung Georgis ist der Umstand, daß ihrzufolge Schütz nicht mit aus Offenbach nach Enkheim zurückkam. Es kann vielmehr als sicher gelten, daß Schütz Druckexemplare des *Landboten* nach Darmstadt brachte, wovon noch die Rede sein wird.

Doch zunächst bleiben wir noch etwas bei dem von Weidig vorbereiteten konspirativen Quartier, d. h. jenem von Clemm irrtümlich als ein »Wirtshaus«[31] charakterisierten »s. g. Münchhof« (oder: Mönchshof?) zwischen Bergen und Enkheim, bei dessen Besitzer noch im Januar 1835, offensichtlich nach einer weiteren entsprechenden Anzeige, eine ergebnislose Hausdurchsuchung nach Exemplaren des *Hessischen Landboten* vorgenommen wurde. Immerhin wurden in einer Bücherkiste Meyers, der weniger selbst »Torfgraber« als vielmehr Besitzer eines größeren Torfstichs war[32], eine Flugschrift von Friedrich Funck (die 1832 bei Brede in Offenbach gedruckten *Zeitlosen*[33]), eine *Offene Erklärung* gegen die Bundestagsbeschlüsse vom 28. Juni 1832 sowie drei Exemplare des in Straßburg erscheinenden *Constitutionellen Deutschland* von 1831 gefunden. Der Bauer und »Torfgräber«, dessen Haus eine Gesindestube angegliedert war und der in seiner Wohnung ein besonderes Schreibpult besaß, war – vermutlich ebenfalls aus politischen Gründen – bereits 1830 in Hanau acht Tage lang in Untersuchungsarrest genommen worden.[34] Da Meyer, der dann spätestens 1837 nach den Vereinigten Staaten emigrierte, auch mit einem der engeren Vertrauten Weidigs, dem Nauheimer Salineninspektor und Leutnant der dortigen Bürgergarde, Heinrich Wilhelmi[35], bekannt war, wird nicht nur das Sozialprofil dieses Bauern deutlich, der Weidig gewissermaßen als ›Landstützpunkt‹

28 In seinem ersten Verhör gab Minnigerode selbst an, er sei mit Schütz Mittwochs gegen 22 Uhr von Butzbach abgegangen und Donnerstags zwischen 10 und 11 Uhr in Offenbach angekommen (Diehl, 1920, S. 8).
29 »Nach einer vorliegenden Anzeige«, d. h. offensichtlich Kuhls Denunziation, in einem Schreiben von Landgerichtsassessor Wagner, Friedberg, 31. Dezember 1834, in: *Prozeß* 33/74.
30 Aus einer Anfrage Georgis an das Peinliche Verhöramt Frankfurt/M., 19. Januar 1838 (*Prozeß*, Supplementband), die wahrscheinlich auf der Nö. 431, gekürzten Aussage Carl Zeuners beruht. Vgl. ähnlich Schulz/Welcker, 1845, S. 358f. – Von der Zwischenstation bei Bergen (bzw. Enkheim) waren die Behörden in Darmstadt schon am 2. August informiert (vgl. das Schreiben du Thils von diesem Tag, in: *Prozeß* 33/102).
31 *Prozeß* 7/119.
32 Gemeinschaftlich mit den Gebrüdern Henschel in Kassel, d. h. den Besitzern einer der größten Maschinenbauanstalten des südwestdeutschen Vormärz, und mit Wilhelmi aus Nauheim (vgl. *Prozeß* 33/218).
33 Vgl. Ruckhäberle, 1975, S. 354.
34 Zu Meyer (oder Mayer) vgl. *Prozeß* 2/178f.; 33/202, 211-219.
35 Vgl. vorläufig *GB I/II*, S. 180; ausführlich in *Prozeß* 31.

diente, sondern man kann vor allem davon ausgehen (ähnlich wie später bei dem Bauern Seipp aus der Ober-Gleener Gegend[36]), daß Weidig selbst derartige Zwischenstationen mit äußerster politischer Bedachtsamkeit auswählte. Dies sollte sich dann auch schon sehr bald als richtig erweisen, als nämlich in Folge von Kuhls Verrat und Minnigerodes unvorsichtiger Teilaussage Meyer, den Weidig »als sehr zuverlässig« und »zu einem falschen Eidschwure« bereit bezeichnete[37], tatsächlich einvernommen wurde und beschwor, die drei fraglichen Männer seien »wirklich *nicht* bei ihm eingekehrt.«[38]

Nach einer Nacht im Eilmarsch und einem nicht ungefährlichen Tag blieben also Minnigerode und Zeuner die Nacht von Donnerstag auf Freitag bei Meyer in Bergen bzw. Enkheim, wo dann offenbar noch die letzten Vorbereitungen für den größeren Teil der Rückreise getroffen wurden. Drei Mann, Minnigerode und die beiden Gehilfen des Lederhändlers Hausmann, die Handlungsdiener Friedrich Gebhard und Johann Landauer[39], hatten die *Landboten*drucke – wahrscheinlich als Lederpacken deklariert bzw. in solchen versteckt – aus Offenbach herausgeschmuggelt; zwei mußten sie jetzt weitertransportieren. Wie das aussah, ist aus dem Protokoll von Minnigerodes Verhaftung bekannt, der die Exemplare unter Weste und Hosenträger bzw. unter Hemd und Hose, in einer Rocktasche eingenäht und in beiden Stiefeln versteckt hatte.[40] (Das Einnähen vermutlich zur doppelten Sicherheit, denn bei früherer Gelegenheit waren Carl Braubach ähnlich versteckte *Leuchter und Beleuchter* »am Leibe herunter[gerutscht] und drohten [aus] den Hosen hervor zu fallen«[41]). Unter Berücksichtigung von Umfang und Papierstärke des *Hessischen Landboten* kommt man übrigens rechnerisch und experimentell immerhin auf eine Zahl von maximal rund 250 bis 300 Exemplaren, die ein Mann auf diese Weise unbemerkt transportieren konnte. Daß Minnigerode bei seiner Ankunft in Gießen nur genau 139 Stück bei sich trug[42], läßt es – zusammen mit Schäffers Formulierung von »dem *noch* bei ihm gefundenen Pack Flugschriften«[43] – nicht ausgeschlossen erscheinen, daß auch Minnigerode, ähnlich wie Schütz und Zeuner, schon auf dem Weg von Bergen an einem oder mehreren Orten, möglicherweise besonders in Dorheim[44], *Landboten*drucke abgeliefert hatte.

Frühmorgens am Freitag (1. August) jedenfalls gingen Minnigerode und Zeuner – zunächst gemeinsam bis Niederwöllstadt, wo sie sich an-

---

36 Vgl. noch unten Text und Anm. 232f.
37 Aussage Clemm, 8. Mai 1835, *Prozeß* 7/119.
38 Aussage Zeuner, Nö, 336f.; vgl. noch unten Text und Anm. 104-107.
39 Vgl. vorläufig Schulz/Welcker, 1845, S. 547ff.
40 Vgl. Diehl, 1920, S. 7f.
41 Prozeß 2/238.
42 Nö, 221. – Die Widersprüche in der Literatur über diese Zahl erklären sich daraus, daß man nur z. T. diesem präzisen, auch von Franzos (F, S. CXXIX) zitierten Referat des Verhaftungsprotokolls folgte, häufiger dagegen aus Ludwig Büchners ausdrücklich approximativer Angabe »ungefähr einhundert und fünfzig« (*N*, S. 17) die genaue Zahl 150 gemacht hat.
43 Schäffer: *Vortrag*, in: *Prozeß* 34/93; ders., 1839, S. 50 (Hervorhebung von mir, T. M. M.).
44 Prozeß 3/331f.

scheinend aus Sicherheitsgründen trennten[45] – zu Fuß von Bergen[46] nach Friedberg[47]. Zeuner begab sich dort zu dem bei Apotheker Trapp beschäftigten Gehilfen Ernst Frölich, der in seinem Verhör später berichtete:

>»An dem selben Tage, an welchem der Student Minnigerode verhaftet worden ist, [kam Abends 4 Uhr] ein gewisser Zeuner zu mir. Wir gingen zusammen auf mein Zimmer hinauf und hier übergab er mir viele Schriften; welchen Inhalts sie waren, kann ich mich nicht mehr genau erinnern[48], mit der Bemerkung, selbige wohl zu verschließen und bei guter Gelegenheit mehre[re] Exemplare in der Stadt zu verbreiten. Er erzählte mir damals, daß eben dieser [. . .] [Minnigerode] nötig eine Chaise miete, um nach Gießen zu fahren, indem er zu müde sei.«[49]

Minnigerode hielt sich unterdessen in Friedberg nach eigener Aussage – und dies ist eine tatsächlich denkbare Alibizwischenstation – bei Hofgerichtsadvokat Wilhelm Trapp III, einem Bruder des Apothekers Theodor Trapp[50], auf, um dann mit einem Einspänner nach Gießen zu fahren, wo er (vielleicht nach einer kurzen Zwischenstation in Butzbach[51]), gegen 18.45 Uhr bei der Einfahrt am Selzertor verhaftet wurde.[52] Zeuner dagegen erreichte mit dem sicher überwiegenden Rest seiner *Landboten*exemplare unbehelligt Butzbach.[53] August Becker »war gerade in seinem [Zeuners] Haus, als er zurückkehrte«, und brachte die Schriften in Weidigs Wohnung.[54]

Der Transport von *Landboten*drucken durch Jacob Friedrich Schutz nach Darmstadt läßt sich eindeutig aus folgenden Zeugnissen erschließen: Minnigerode selbst gab an, Schütz sei von Offenbach aus nach Darmstadt gegangen.[55] Schütz, der Offenbach, wie bereits gezeigt, jedenfalls nicht zusammen mit Minnigerode verließ, war auch in der Nacht vom 1. auf den 2. August, als Georg Büchner die Nachricht von Minnigerodes Verhaftung nach Butzbach brachte, von Weidig weder dort noch in Gießen bereits zurückerwartet.[56] Vielmehr wies Weidig sofort Büchner an, »da er doch einmal auf dem Weg sei, so müsse er nothwendig seine Reise fortsetzen, namentlich nach Offenbach, um den *Schütz*, wo mög-

45 Vgl. noch unten Text und Anm. 116.
46 Ein Apotheker (der »scheppe Apotheker«), den Zeuner an diesem Ort noch kannte (*Prozeß* 5/330f.), scheint mit dieser ganzen Sache nichts zu tun zu haben.
47 Minnigerode gab dagegen in seinem ersten Verhör vor den Gießener Behörden an, er sei – allein – am Freitag um 5 Uhr morgens von Offenbach aufgebrochen und über Bergen und Vilbel nach Friedberg gegangen, wo er sich für den Rest der Strecke bis Gießen einen Einspänner gemietet habe (Diehl, 1920, S. 8f.).
48 Dies war natürlich eine Schutzbehauptung, die Frölich in seinen späteren Verhören nicht aufrechterhalten konnte; es waren Druckexemplare der Juli-Auflage des *Hessischen Landboten*, und Frölich kannte ihren Inhalt sehr wohl; vgl. bes. seine Aussage vom 9. September 1837, *Prozeß* 16/237f.
49 Aussage Frölich, 9. November 1836, *Prozeß* 16/27f.
50 Vgl. zur ganzen Familie Trapp nach Waas, 1963, jetzt Hoferichter, 1974.
51 Die diesbezügliche Aussage Zeuners (Nö, 431) ist insofern widersprüchlich, als jedenfalls der zugleich genannte Schütz zu diesem Zeitpunkt noch nicht wieder in Butzbach war.
52 Diehl, 1920, S. 9. u. 7.
53 Aussage Clemm, 8. Mai 1835, *Prozeß* 7/121f., und Nö, 431, die Bestätigung durch Zeuner selbst.
54 Nö, 423.
55 Diehl, 1920, S. 8. – Minnigerode, der (nach den Umständen seiner eigenen Verhaftung zu schließen) davon ausgehen mußte, daß auch Schütz bereits arretiert sei, oder aber anderenfalls sicher von Butzbach und die kürzeren Wegstrecke seine Pakete längst in Darmstadt abgegeben hätte, konnte diese Aussage deshalb machen, ohne Schütz zu denunzieren, weil der Kreis der oberhessischen Demokraten in immer mehr die Taktik verfolgte, jedem konspirativen Unternehmung zugleich ein unverfängliches und auch nachprüfbares Alibi zu unterlegen (vgl. *GB* I/II, S. 379f., 383 u. 424, Anm. 10), was für Schütz' Darmstadt-Reise in gleicher Weise gelten mußte).
56 Carl Braubach gab an, schon bei der Abreise Minnigerodes, Schütz' und Zeuners habe festgestanden, daß Schütz »einige Tage länger ausbleiben [werde] als die Andern.« (Aussage Braubach, 21. Juli 1836, *Prozeß* 2/104).

lich, zeitig zu benachrichtigen, damit er nicht in die gleiche Falle gera-
the, sodann auch den *Hausmann,* damit dieser etwa vorräthige Schriften
wegthun könne«.[57] Carl Braubach sagte aus, Schütz habe ihm selbst berichtet, daß er von Preller in Offenbach aus zunächst »nach Darmstadt
gegangen« sei.[58] Außerdem habe Braubach erfahren – von wem wisse er
nicht –, »daß Büchner zur Zeit der Verhaftung Minnigerodes nach Offenbach und Darmstadt zu ging, um dem Schütz entgegen zu gehen und ihn
von Minnigerodes Verhaftung zu benachrichtigen.«[59] Zuletzt gab Clemm
ausdrücklich an, »ein Teil Exemplare« der bei Preller gedruckten *Landboten* sei »zur Verbreitung nach Darmstadt bestimmt gewesen.«[60] Wem
Schütz in Darmstadt die *Landboten*drucke übergab, ist in den erhaltenen
Verhörprotokollen nicht belegt, der ausführliche Untersuchungsbericht
Schäffers bestätigt jedoch, daß es sich natürlich um ein Mitglied der von
Büchner dort im April 1834 gegründeten Darmstädter Sektion der ›Gesellschaft der Menschenrechte‹[61] handelte, die also keineswegs passiv
und »ohne die höheren Leiter der Gesellschaften zu kennen«, wie Ludwig Büchner es darstellt[62], auf die Wiederkunft ihres Meisters wartete,
sondern bereits jetzt ihren Platz im Zusammenhang der gesamten Konspiration ausfüllte.

Mit einem Teil seiner Druckexemplare »hatte sich Schütz nach Darmstadt begeben, – wo er
mit dem Studenten Wiener verkehrt und diesen zur Verbreitung von Landboten in der Umgegend von Darmstadt bestimmt haben soll«[63].

Schütz mußte sehr vorsichtig gewesen sein oder Glück gehabt haben,
denn am 31. Juli war dem Ministerium in Darmstadt ja schon durch
Kuhls Anzeige bekannt,

»daß eine angeblich in Offenbach gedruckte revolutionäre Schrift in diesen Tagen von den
Studenten *Minnigerode* und *Schütz* [. . .] in Bergen bei Offenbach abgeholt und zu weiterer
Verbreitung von denselben nach Gießen und Darmstadt verbracht werden solle«[64].

Während der ungestörte Abschluß dieser Etappe jedoch eher als zufällig erscheint, bietet Schütz' weiterer Weg, seine geheime Unterbringung
und schließlich seine erfolgreiche Flucht nach Frankreich ein glänzen-
des Beispiel konspirativer Umsicht. Von Darmstadt aus begab sich
Schütz zunächst zu Pfarrer Heinrich Christian Flick in Petterweil (nördlich Frankfurts auf halbem Wege nach Friedberg), den Weidig vermutlich auf diesen Besuch vorbereitet hatte.[65] Der Tag, an dem Schütz bei

---

57 Aussage Carl Zeuner, Nö, 431 f.
58 Aussage Carl Braubach, 21. Juli 1856, *Prozeß* 2/108.
59 Aussage Carl Braubach, 23. August 1856, *Prozeß* 2/254.
60 Aussage Clemm, 8. Mai 1835, *Prozeß* 7/118 f.
61 Vgl. vorläufig *GB I/II*, S. 377, 386 ff.
62 *N,* S. 8.
63 Schäffer: *Vortrag,* in: *Prozeß* 34/93; in der gedruckten Fassung (Schäffer, 1839, S. 50) nur: »mit einem anderen
Theile derselben hatte sich *Schütz* nach Darmstadt begeben.«
64 Zit. nach Diehl, 1920, S. 5.
65 Vgl. *GB I/II,* S. 179, 189. Flick selbst gestand lediglich ein, »daß Dr. Weidig einige Zeit nach dem Erscheinen des
Hessischen Landboten bei mir in Petterweil war, mit mir über diese Schrift sprach und [. . .] auch Exemplare davon bei sich hatte.« Den Verfasser habe Weidig ihm nicht genannt, »obwohl er sonst in solchen Dingen kein Geheimnis vor mir hatte.« (Verhör vom 20. August 1835, *Prozeß* 15/151). Da Weidig jedoch nach Flicks Geständnis

Flick eintraf, um ihm einen weiteren Teil seiner *Landboten*drucke zu übergeben, läßt sich nicht ganz sicher bestimmen; es war nach Flicks Geständnissen jedenfalls vormittags

»zwischen 10 und 11 Uhr«[66], »als ein junger Mann, der einem Studenten ähnlich sah, und den ich mich nicht erinnere, weder früher noch später gesehen zu haben, bei mir ansprach, und mir ein Päckchen Exemplare des Hessischen Landboten überbrachte. Ich meine, er habe gesagt, er käme von Offenbach, doch kann ich dies nicht mit Bestimmtheit behaupten, da es leicht sein könnte, daß ich dies nur so vermutet hätte. Verfasser und Druckort nannte er nicht.«[67]

Nach Erledigung dieser Station sollte Schütz nun unmittelbar nach Gießen gehen[68]; tatsächlich aber ging er unprogrammgemäß nach Butzbach. Dies scheint auf Büchners erfolgreichen Gang zwischen dem 1. und 5. August zur Warnung der Beteiligten zurückführbar, dessen nähere Umstände bereits dargestellt wurden. Daß Büchner während seiner minuziös mit Alibis unterlegten Reise von Gießen über Butzbach und dann – »[t]heils zu Fuß, theils fahrend mit Postillonen und sonstigem Gesindel«[69] – nach Offenbach und Frankfurt noch weiter bis Darmstadt gegangen wäre, ist unwahrscheinlich. Schütz hätte er jedenfalls dort auch nicht mehr angetroffen. Die einzige Möglichkeit, diesen noch rechtzeitig zu warnen, bevor auch er bei der Rückkehr nach Gießen ahnungslos in die Hände der Behörden fallen würde, bestand darin, ihm auf dem Weg, den er nach Weidigs Planung gehen sollte, entgegen zu kommen; und dieser Weg führte in gerader Strecke – jedoch vermutlich »von der Landstraße ab«[70] – von Darmstadt über Frankfurt, Petterweil, Wöllstadt, Dorheim, Wisselsheim, Rockenburg, Griedel usw. nach Gießen; zumindest war Büchner nach eigener Angabe vor Georgi diesen Weg dann am 4. August auf seiner Rückkehr von Frankfurt bzw. Vilbel nach Butzbach gegangen.[71] In Gießen wäre Schütz, nachdem er seine *Landboten*-Pakete in Darmstadt und Petterweil abgegeben hatte, zwar ohne eindeutig belastende Exemplare, aber dennoch als zweiter namentlich bekannter Hauptverdächtiger angekommen. Wenn Schütz' Weg also von Petterweil nicht nach Gießen, sondern nach Butzbach führte, dann sieht es so aus, als sei es Büchner tatsächlich gelungen, ihn entweder noch in der

---

ohnehin in der fraglichen Zeit bei anderer Gelegenheit (etwa Ende Juni/Anfang Juli mit dem Manuskript des Spottlieds *Herr Du-Thil...* auf dem Weg zum Drucker Preller nach Offenbach sowie auch bei der Rückkehr) zweimal bei Flick übernachtete (*Prozeß* 15/161f.), ist auch eine Verständigung über den *Landboten* mehr als wahrscheinlich.

66 Aussage Flick, 30. Oktober 1835, *Prozeß* 15/327.
67 Aussage Flick, 24. Juni 1835, *Prozeß* 14/307. – Flick gab immer den »Nachsommer« bzw. »Spätherbst« 1834 als Datum dieses Ereignisses an (*Prozeß* 14/180 u. 15/307), was er jedoch zugleich indirekt oder auf näheres Befragen korrigierte (vgl. schon *Prozeß* 14/180 und bes. 15/326f.). Es steht daher außer Frage, daß Schütz, von Offenbach und Darmstadt kommend, bei Flick eintraf, und zwar vermutlich am Samstag, den 2. August. Auch die Identität Schütz' ist hinreichend gesichert, denn nachdem Flick in seinen Verhören zunächst immer von einem Unbekannten gesprochen hatte – und Schütz war ihm ja tatsächlich unbekannt –, dann aber in Erwägung gezogen hatte, es könnte einer der Gehilfen des Lederhändlers Hausmann gewesen sein, der Flick schon einmal die Druckexemplare seiner eigenen Flugschrift *An die hessischen Stände* überbracht hatte (vgl. *Prozeß* 15/150), gab er zuletzt doch an, er habe bei sich selbst »unterstellt, es möge gerade Schütz derjenige gewesen sein, der mir die Schriften [d. h. die *Hessischen Landboten*, T. M. M.] brachte« (*Prozeß* 15/327).
68 Vgl. oben Text u. Anm. 57.
69 *HA* II/430, Z. 12f.
70 Vgl. die folgende Anm.
71 Diehl, 1920, S. 15; vgl. *GB I/II*, S. 384.

Nacht vom 1. auf den 2. August auf der Chaussee abzufangen oder aber noch rechtzeitig Pfarrer Flick in Petterweil zu instruieren[72], bevor Schütz bei diesem eintraf. Jedenfalls ging Büchner dann weiter bis Offenbach und informierte dort Preller und Hausmann über Minnigerodes Verhaftung. Die folgerichtig notwendige Warnung auch der Darmstädter Verteilerstelle scheint dann Preller übernommen zu haben, der sich, wie es ein bisher nicht beachtetes Reskript Du Thils an Georgi vom 4. August 1834 formulierte, »wahrscheinlich von Gießen aus schon von der Arretirung des Studenten Minnigerode [...] benachrichtigt«, »unter Verdacht erregenden Umständen, kurz vor der Haussuchung nach Darmstadt begeben« hatte.[73] Da die erwähnte Haussuchung bei Preller bereits am 2. August (und ohne Ergebnis) stattfand[74], darf Büchners geheimer Mission äußerste Schnelligkeit, Präzision und Erfolg bescheinigt werden. Außerdem blieb ja auch die Darmstädter Verteilerstelle unentdeckt.

Auf welche Weise auch immer gewarnt, kam Schütz dann, wie es scheint, am 2. August in Butzbach an.[75] Mit diesem Moment begann ein abenteuerliches Unternehmen, dessen Schilderung wenn auch nicht den Alltag, so doch beispielhaft für viele andere eine nicht ungewöhnliche Episode der oberhessischen Demokratenbewegung vor Augen führt. Schon kurz nach Schütz' Ankunft in Butzbach – einer Aussage Valentin Kalbfleischs zufolge noch am Samstag oder am Sonntag, dem 3. August[76] – versuchten sich die Butzbacher Beteiligten, die bis jetzt, was für sie selbst sicher merkwürdig war, von den Behörden noch unbehelligt geblieben waren[77], einen Überblick über die Lage in Gießen zu verschaffen. Vor allem auch Schütz mußte es interessieren, ob und was dort gegen seine Person oder gegen seine Sachen bereits unternommen worden war. Weidig bestimmte den Instrumentenmacher Georg Marguth dazu, Schütz mit einem Fuhrwerk[78] in Richtung Gießen zu bringen. Während sich Schütz kurz vor Gießen bei Kleinlinden in einem Chausseegraben versteckt hielt, fuhr Marguth nachts weiter bis zu dem Gießener Medizinkandidaten Weyprecht.[79] Was er dort hörte – immerhin waren am

72 Flicks relativ ausführliche Geständnisse stellten letzteres allerdings in Abrede, denn Flick gab an, erst im Zusammenhang mit der Flucht Schütz' von der Verhaftung gehört zu haben (vgl. Aussagen Flick, 20. Juni u. 30. Oktober 1835, Prozeß 14/259f. und 15/326f.).
73 Prozeß 33/106.
74 Ebd. – Carl Braubach berichtete, Weidig habe ihm von dieser Hausdurchsuchung »in der Wohnung des Preller oder des Hausmann« erzählt: »beinahe hätten sie die Presse gefunden, denn sie (nämlich die Beamten) sind als auf dem Versteck herumgegangen, in dem sie sich befand, wenn sie nur eine Diele aufgehoben hätten, so hätten sie die Presse gefunden« (Prozeß 3/160f.).
75 Carl Braubach berichtete ausdrücklich, er habe Schütz »[e]in oder zwei Tage« nach Minnigerodes Verhaftung in Butzbach »aus dem Steinhäuserischen Haus kommen [sehen], in welchem er sich Cigarren gekauft hatte. Ich sprach ein paar Worte mit ihm. Minnigerodes Verhaftung war ihm schon bekannt.« (Aussage Braubach, 21. Juli 1836, Prozeß 2/104f.).
76 Aussage Kalbfleisch, 5. Mai 1837, Prozeß 18/227; nach Marguths eigener, allerdings beiläufiger Aussage war es »[e]inige Tage« nach Minnigerodes Verhaftung (Nö, 329), nach Braubachs Aussage noch am Abend des Tages, an dem er Schütz im Steinhäuserschen Hause und anschließend bei Weidig gesehen hatte (Prozeß 2/105).
77 Entgegen verbreiteten Angaben in der Literatur (vgl. etwa Jancke, 1975, S. 58f.) wurde außer Minnigerode von August bis Oktober 1834 weder Zeuner noch ein anderer der Butzbacher und Gießener verhaftet. Lediglich zu einigen Verhören vgl. noch unten Text u. Anm. 108.
78 Vorhalt an Braubach, Prozeß 3/525.
79 Vgl. gerichtliche Vorhalte und Aussage Kalbfleisch, 5. Mai 1837, Prozeß 18/220-226. Vgl. zu Weyprecht vorläufig GB I/II, S. 378.

2. August bereits Schütz' gesamte Habseligkeiten unter Siegel gelegt worden[80], wie dies am 4. August dann auch mit Büchners Sachen geschah[81] –, ließ es nicht geraten scheinen, daß Schütz die Stadt selbst betrat; er fuhr stattdessen mit Marguth zurück nach Butzbach. Marguth brachte Schütz, der sich inzwischen zur Sicherheit seinen Schnurrbart abrasiert hatte[82], zu Carl Flach, wo er sich zwei Tage und Nächte lang in einer kleinen Dachstube verborgen hielt.[83] Am ersten Tag des Aufenthalts bei Flach wurde Schütz schon von Weyprecht besucht, der mit einigen Gießener Studenten nach Butzbach gekommen war[84] und Schütz vermutlich von der Haussuchung am 4. August unterrichtete. Nach seiner eigenen Aussage vor dem Universitätsrichter war auch Georg Büchner in der Nacht vom 4. auf den 5. August in Butzbach. Er will um 10 Uhr abends dort angekommen sein und bei Zeuner genächtigt haben.[85] Es gibt keine Aussagen darüber, was er Weidig und den anderen berichtete und was er seinerseits über den Stand der Dinge in Gießen erfuhr. Wußte man in Butzbach zu diesem Zeitpunkt schon von der Haussuchung bei Büchner am 4. August? Daß Schütz, der freilich durch bereits in seiner Wohnung gerichtlich versiegelte burschenschaftliche Papiere direkter belastet war, sich zum Untertauchen und zur Flucht entschlossen hatte, erfuhr Büchner sicherlich, und dennoch entschied er sich selbst nicht für die Illegalität, sondern für den kaltblütigen ›staatsbürgerlichen‹ Protest.[86] Schütz wurde nach den zwei Tagen bei Flach vier Tage lang im Haus der Braubachs versteckt[87], bis auch dies Weidig nicht mehr sicher genug erschien[88] und Carl Braubach Schütz zu dem Konrektor und Kantor Eckhard führte, mit dem Weidig – und dies war ihm nicht ohne weiteres gelungen – die Aufnahme Schütz' bereits abgesprochen hatte.[89] Gleichzeitig traf Weidig die intensivsten Vorbereitungen für Schütz' Flucht. Er organisierte hierfür eine Geldsammlung, zu der auch die Gießener Freunde sowie die Marburger Gruppe beitrugen[90], plante zunächst eine vorübergehende Unterbringung bei Flick in Petterweil[91] und bestimmte einen Mainzer Gerichtsboten namens Heck als denjenigen, der Schütz

80 Bericht Georgis an das Ministerium, Gießen, 7. August 1834, *Prozeß* 33/100. – Am 4. August fand dann noch eine regelrechte Haussuchung bei Schütz statt, bei der auch seine Papiere beschlagnahmt wurden (Bericht Noellners an Trygophorus, Gießen, 5. März 1838, *Prozeß* 33/58f.).
81 Diehl, 1920, S. 14.
82 Der Steckbrief, der in Darmstadt bereits am 2. August gegen Schütz erlassen wurde, erhielt denn auch tatsächlich das folgende Signalement: »Größe: 6¼ Fuß./Alter: 24-26 Jahre./Schwarzer Schnur[r]bart./Nase etwas gebogen./Kleidung: grüner Oberrock, graugefleckte Sommerhosen, dunkle Tuchkappe.« (Hess. Staatsarchiv Darmstadt, Kreisamt Alsfeld, Konvolut 65; auch *Prozeß* 33/188).
83 Aussage Flach, 18. Juli 1837, *Prozeß* 13/247f.; vgl. *Prozeß* 2/250.
84 Ebd. 249. Auch August Becker war »gleich nach Minnigerodes Verhaftung« nach Butzbach gekommen (*Prozeß* 2/249).
85 Diehl, 1920, S. 15.
86 Vgl. vorläufig Lehmann/Mayer, 1976, S. 182ff.; *GB I/II*, S. 384.
87 *Prozeß* 2/271ff. – Der Bruder Flachs, ein Gerber, hatte »in dem Hause, in welchem Schütz verborgen gehalten wurde, eine Baureparatur vornehmen [lassen]. Ein Zimmermann hatte, wie mir Karl Flach sagte, den Schütz bei der Gelegenheit gesehen, und es entstand die Besorgnis, Schützens Aufenthalt möge verraten werden. Aus diesem Grunde geschah es, daß Schütz des Abends so gegen zehn Uhr in mein elterliches Haus gebracht wurde.« (Aussage Braubach, 23. August 1836, *Prozeß* 2/251).
88 Ebd., 3/213.
89 Ebd., und *Prozeß* 13/247ff.
90 Aussage Clemm, 21. Januar 1836, *Prozeß* 8/125f.; Eichelberg, 1853, S. 60f.
91 *Prozeß* 15/325f. u. ö.

zuletzt über die französische Grenze oder wenigstens nach Rheinbayern geleiten sollte.[92] Vermutlich noch vor dem 10. August[93] wurde dann das Haus des Dr. Schmall in Rödelheim als Zwischenstation gewählt. »Jacob Steinhäußer ledig von Butzbach« ließ sich auf seinen Namen beim Butzbacher Bürgermeister »eine Sicherheitskarte zu einer angeblichen Reise nach Frankfurt ausstellen« und gab sie Schütz, damit dieser »bis nach Rödelheim nicht ohne Legitimation wäre«[94]. Carl Flach erhielt von Weidig rund 100 Gulden für den Flüchtling und informierte die Stationen von Schütz' weiterem Weg vor. Weidig selbst brachte Schütz, der aus Angst, vielleicht doch noch verhaftet zu werden, »fast nicht reden« konnte, mitten in der Nacht bis vor ein Butzbacher Stadttor, von wo aus er unter wechselndem Geleit und mit mehreren hinderlichen Zwischenfällen von Conrad Kuhl jun., dem Mitglied der Darmstädter ›Gesellschaft der Menschenrechte‹ Ludwig Nievergelter, der auch die Gießener Fluchtgeldsammlung nach Butzbach gebracht hatte[95], Carl Braubach und zuletzt von Carl Zeuner durch den Wald weggebracht wurde.[96] Vom Bonameser Haus des Majors Neuhof aus, wo sich Zeuner und Schütz zunächst einfanden, wurde Schmall benachrichtigt, der Schütz dort abholte und etwa eine Woche lang bei sich beherbergte.[97] Schmall, den wir in diesen Dingen bereits als auf seinen Ruf sehr bedacht kennen[98], scheint jedoch Unannehmlichkeiten mit Schütz gescheut zu haben; heimlich eine Person bei sich beherbergend, wurde Schmall anscheinend nachgesagt, er habe »ein Frauenzimmer bei sich gehabt«[99]. Dies wollte Schmall nicht auf sich sitzen lassen und versuchte daher mittels eines verschlüsselten Briefes, Schütz zunächst zu Flick nach Petterweil abzuschieben[100], schaltete dann aber beschleunigend den schon in den Wachensturm verwickelten und an den damaligen Fluchthilfen beteiligten Dr. Bunsen aus Frankfurt ein, der Schütz weiteres Geld und einen falschen Paß verschaffte. Über Frankfurt und Mainz gelang Schütz schließlich auf einem Feldwagen die Flucht nach Straßburg[101], »wo er am 20. August völlig mittellos, ›en état de vagabondage‹ am Steintor«[102] auch von den bürgerlichen französischen Behörden erst einmal prophylaktisch arretiert wur-

---

92 *Prozeß* 3/323f., 344. Heck half auch einer Anzahl anderer Flüchtlinge des Weidig-Kreises, vgl. z. B. *Prozeß* 2/123, 209 u. passim.
93 *Prozeß* 2/271; auch aus Flachs Aussagen ergibt sich, daß Schütz relativ bald Schmall bereits wieder verlassen hatte (*Prozeß* 13/244, 246).
94 Aussage Braubach, 21. Oktober 1836, *Prozeß* 3/117.
95 *Prozeß* 8/126.
96 Vgl. bes. Aussage Flach, 18. Juli 1837 (*Prozeß* 13/249ff.) und Aussagen Braubach, 21. Juli, 24. Aug. u. 2. Sept. 1836 (*Prozeß* 2/106ff., 258ff., 331ff.). – Die nicht beschlagnahmten und aus einem Bruder Schütz' in Gießen geordneten Sachen (vgl. *Prozeß* 8/122f.) wurden von Flach zu Alexander Sarasin in Frankfurt geleitet und gelangten von dort zu Dr. Bunsen (vgl. auch Verhör Sarasin, *Prozeß* 26/88ff.).
97 Aussage Schmall, *Prozeß* 26/291ff. u. passim.
98 Vgl. *GB I/II*, S. 178f.
99 *Prozeß* 13/246.
100 Schmall schrieb Flick, »›dem Kranken sei es zuträglicher, wenn er ins Freie komme[‹], und ich unterstellte, Dr. Schmall wünsche den Schütz, den ich unter dem Kranken verstand, los zu sein«. (Aussage Flick, 30. Oktober 1835, *Prozeß* 15/330).
101 *Prozeß* 26/353ff. und Supplementband.
102 Bräuning-Oktavio, 1976, S. 14, nach der Série M III/441 (Réfugiés allemands . . .) der Archives départementales du Bas-Rhin, Strasbourg.

de. Erst am 4. September konnte er in einem Brief an Clemm den Gießener Freunden von seiner Ankunft im Elsaß berichten.[103]

Um jedoch zur Situation vor allem in Butzbach und Gießen unmittelbar nach Minnigerodes Verhaftung zurückzukehren, bleibt nun die Frage zu klären, ob und wie die Verbreitung der *Landboten*drucke auch unter den verschärften Bedingungen doch noch in die Wege geleitet wurde. Nachdem Büchner am 5. August das Kunststück gelungen war, das Haus des Gießener Universitätsrichters als freier Mann wieder zu verlassen, und nachdem auch keine weiteren Verhaftungen stattgefunden hatten, dürfte der erste Schock langsam gewichen sein, für den es indes gerade in Butzbach einige deutliche Belege gibt; so schickte Weidig »am 2. oder 3. August«[104] den Tagelöhner Ludwig Grebing[105] zu jenem Bauern und ›Torfgräber‹ Meyer, bei dem Minnigerode, Schütz und Zeuner auf dem Weg nach und von Offenbach Station gemacht hatten, um ihm ausrichten zu lassen, er solle diese Unterkunft in jedem Fall und selbst unter Eid in Abrede stellen; als Meyer dies dann wie erwähnt auch tat, widersprach es den Aussagen Minnigerodes, der vermutlich der Meinung war, gerade dieses Quartier als Alibi angeben zu können, und der Weidig auch durch einen Kassiber, der von einem bestochenen Soldaten[106] befördert wurde, diese Aussage wissen ließ.[107] Während dieser Vorfall aber noch mehr den Charakter einer Panne trägt und die auffallend häufige Umquartierung des versteckten Schütz tatsächlich der Sicherheit dienen mochte, zumal spätestens seit dem 11. August bereits einige Butzbacher Beteiligte in der Sache gerichtlich verhört wurden[108], scheint Weidig in den ersten Augustwochen angesichts der multiplizierten Gefahr doch von generellen Zweifeln am weiteren Sinn des Unternehmens nicht unberührt geblieben zu sein. So sagte u. a. Carl Braubach aus, Weidig habe ihn »so ungefähr Mitte Augusts« aufgefordert, etwa 50 Exemplare des *Hessischen Landboten*, die Braubach entweder von Zeuner oder von Schütz erhalten hatte, zu verbrennen. Dies habe er denn »auch sofort« in der Küche seiner Eltern getan. Am gleichen Tag, einem Sonntag, unternahm Braubach dann

»mit vielen Butzbachern eine Vergnügungsreise nach Gießen. Auf der Rückkehr traf ich die Studenten Clemm und Nievergel[t]er in Großenlinden. Ich erzählte ihnen, daß ich jene Flugblätter empfangen und im Feuer vernichtet hätte, worüber beide sehr unwillig wurden.«[109]

103 Vgl. unten S. 277f.
104 *Prozeß* 33/202 (Landgerichts-Assessor Wagner an Justizamt Bergen, Friedberg, 9. November 1834).
105 Vgl. Konfrontation Grebing/Clemm, *Prozeß* 8/73, und Aussage Grebings; Nö, Anhang S. 20.
106 Die Bestechung des Soldaten hatten Clemm und Nievergelter übernommen, die an einem Sonntag (»nicht lange auf Minnigerodes Verhaftung, dieser war schon einige Zeit in Friedberg«, d. h. vermutlich am 3. oder 10. August) von Gießen über Butzbach nach Friedberg fuhren; am gleichen Sonntag schickte Weidig auch in Anwesenheit Clemms Grebing nach Bergen, vgl. *Prozeß* 8/69ff.
107 Vgl. zum Ganzen Aussage Clemm, 8. Mai 1835; *Prozeß* 7/119f., und Nö, 327, 336f.
108 Am 11. August wurde Valentin Kalbfleisch vom Friedberger Landgerichtsassessor Wagner in Butzbach über Schütz' Anwesenheit vernommen. Wie die »im August« ebenfalls verhörten Georg Marguth und Carl Braubach stellte Kalbfleisch nach Absprache mit Weidig jedes Wissen unter Eid in Abrede (vgl. *Prozeß* 18/227ff., 269, und Nö, 526, 330).
109 Aussage Braubach, 21. Juli 1836, *Prozeß* 2/109f. Vgl. dazu auch seine spätere Aussage, 21. Oktober 1836, *Prozeß* 3/116f., und *Prozeß* 2/112f., 327ff. – Wie aus Anm. 106 im Vergleich mit dem folgenden hervorgeht, dürfte der genaue Zeitpunkt dessen allerdings schon der 3. oder der 10. August gewesen sein.

Clemm sagte: »Das hättest du nicht tun sollen, wer weiß, wo man nun Landboten wieder herkriegen kann!«[110]

Die ›Gesellschaft der Menschenrechte‹ scheint solcherart Defätismus also nicht gebilligt zu haben, auch wenn Weidig nach Aussage mehrerer Beteiligter zur Vernichtung der *Landboten*exemplare nur deshalb geraten hatte, »um den Verdacht gegen Minnigerode durch die Verbreitung nicht zu verstärken und so zu dessen Überführung nicht beizutragen.«[111] In der Tat konnte gerade das Gegenteil – nämlich die Verbreitung der *Landboten*, obgleich Minnigerode verhaftet war – zu dessen teilweiser Entlastung beitragen, wie es später bei der Verbreitung der November-Auflage auch ausdrücklich erwogen wurde.[112]

Die Gießener selbst hatten sich schon sehr bald nach Minnigerodes Verhaftung *Landboten*exemplare von Frölich in Friedberg besorgt. Die verschiedenen Aussagen von Frölich, Clemm und Braubach, aus denen nicht eindeutig hervorgeht, ob jeweils ein und dieselbe oder zwei getrennte Reisen Clemms gemeint sind[113], lassen zwar den Zeitpunkt dieses Unternehmens nicht genau erschließen, es kommen jedoch nur die Sonntage am 3., 10. oder 17. August in Frage. Frölich jedenfalls berichtet, an einem dieser Sonntage seien Clemm und der Student Appiano aus Gießen in einer Chaise zu ihm nach Friedberg gekommen: »Diese beiden Studenten nahmen mir einen großen Teil der mir von Zeuner überbrachten Schriften ab und packten dieselben in 2 Pakete.«[114] Bevor sie nach einem kleinen Umweg über Dorheim[115] – wo sie möglicherweise bei dem jungen Jaup weitere Exemplare mitnahmen oder diesen wenigstens über den Stand der Dinge instruierten[116] – nach Gießen zurückfuhren, versahen Clemm und Appiano die Pakete für alle Fälle noch mit den Adressen des Gießener Appellationsrates Hellmuth und eines ebenfalls honorigen Advokaten, um bei einer eventuellen Polizeikontrolle angeben zu können, »sie hätten das Paket von einem Boten übernommen und mit Rücksicht auf d[ie] Adressaten die Sache für unverdächtig gehal-

---

110 *Prozeß* 2/185 f.
111 Nö, 446, Anm. 53.
112 Vgl. unten Text u. Anm. 258.
113 Vgl. *Prozeß* 16/28 f., 80 f.; 8/69 ff. und 3/295 ff.
114 Aussage Frölich, 9. November 1836, *Prozeß* 16/28. Zu Franz Joseph Amandus Appiano vgl. vorläufig *GB I/II*, S. 378.
115 Von einem solchen Umweg nach Dorheim berichtet auch Carl Braubach, der etwa um dieselbe Zeit Clemm und Nievergelter auf einer Fahrt Butzbach-Friedberg-Butzbach begleitete (*Prozeß* 3/297); auch diese Reise soll an einem Sonntag stattgefunden haben (ebd., 295).
116 Die Hinweise darauf, daß der Weidig/Büchner-Kreis in Dorheim (unmittelbar bei Friedberg) eine nicht unwichtige konspirative Kontaktstelle hatte, sind zahlreich. Im Dezember 1831 war es der Senatsassessor Wilhelm Karl Halberstadt aus Dorheim, der an dem von Weidig in Butzbach veranstalteten »Constitutionsfest« teilnahm (Ilse, 1860, S. 290 f., vgl. Waas, 1963, S. 62, und Nö, 320) und an den sich im Dezember 1834 kurioserweiser die Hanauer Behörden amtshilfeersuchend wenden, als sie wegen der hessen-darmstädtischen Flugschriften (auch von vermuteten *Landboten*) »so sehr nahe« ihrer Grenze in Bergen und Dorheim beunruhigt sind (*Prozeß* 2/119; 7/198). Wahrscheinlich Jaup war es auch, über den die sofort nach Minnigerodes Verhaftung einsetzenden Collusionen, d. h. der Kassiberwechsel, abgewickelt wurden (vgl. insbesondere *Prozeß* 3/329 f.). Gerade in diesen Zusammenhängen ist mehr als wahrscheinlich, daß Büchner am 4. August nicht zufällig den Weg über Dorheim nahm (vgl. oben Text u. Anm. 71).

82

ten.«[117] Am selben Sonntag hinterließ Clemm Frölich für die geplanten Collusionen mit Minnigerode einen Chiffreschrift-Code, der später bei Frölich beschlagnahmt wurde und im Original erhalten ist.[118] Die ungebrochene Initiative der Gießener ›Gesellschaft der Menschenrechte‹ in Sachen des *Landboten* scheint sich dann auch auf Butzbach übertragen zu haben. Es ist anzunehmen, daß die Sektionäre – und vielleicht gerade Büchner[119] – gegen die Vernichtung der Druckexemplare in Butzbach intervenierten, denn in der zweiten Augusthälfte wurde die weitere Verbreitung offensichtlich wieder gemeinsam von Butzbachern und Gießenern organisiert.

Dabei kam es zunächst darauf an, sowohl nach Butzbach, wo im ersten Schrecken das Zeunersche Paket dezimiert worden war, als auch nach Gießen, wo statt der eingeplanten Lieferung von Minnigerode nur die zwei oder drei eben erwähnten kleineren Pakete angekommen waren, genügend Exemplare zu transportieren. Zu diesem Zweck unternahmen August Becker und der Butzbacher Weidig-Schüler Carl Flach vom 25. bis 27. August eine Reise mit zumindest den folgenden Stationen: Butzbach – Friedberg zu Frölich – Frankfurt zu dem Papierhändler Daniel Theisinger, einem Bekannten Weidigs, der nach Clemms Aussagen am Projekt zur Befreiung der Friedberger Gefangenen, d. h. insbesondere Minnigerodes, beteiligt war[120], ferner zu Dr. Jucho – Rödelheim zu Dr. Schmall – Bonames zu Major Neuhof und seiner Tochter Wilhelmine[121] – Petterweil zu Pfarrer Flick – Friedberg zu Frölich – Butzbach.[122] Diese Reise, die insgesamt spärlich, aber eindeutig dokumentiert ist, verfolgte mehrere Ziele: nach den Stationen zu schließen, diente sie sowohl der Instruktion der bisher und künftig an der Verbreitung des *Landboten* und an den Collusionen mit Minnigerode beteiligten Verbindungen in südlicher Richtung und zur Absprache des gesamten weiteren Vorgehens mit der Frankfurter ›Union‹ (Dr. Jucho), als vor allem eben zum Transport von *Landboten* selbst.

Um dies beurteilen zu können, muß zunächst daran erinnert werden, daß das *Landboten*-Projekt für Weidig ja keineswegs eine auf Oberhessen beschränkte Regionalunternehmung bedeutete, sondern in Form einer exemplarischen Initiative auf den gesamten Bereich Südwest- und Mitteldeutschlands berechnet war.[123] Und das hieß natürlich für ihn

---

117 Aussage Frölich, 11. November 1836, *Prozeß* 16/66 f.
118 *Prozeß* 35/225, vgl. Aussage Frölich, 26. November 1836, *Prozeß* 16/80 f., sowie vorläufig *GB I/II*, S. 233, 375. – Abbildung des Codes nach Theodor Körners »Bundeslied vor der Schlacht« demnächst in meiner großen Büchner-Chronik.
119 Daß Büchner um die Zeit, als die Collusionen mit Minnigerode begonnen hatten, also um Mitte August, zusammen mit Clemm bei Weidig in Butzbach war, ist belegt durch Aussage Clemm, 22. Mai 1835, *Prozeß* 7/142. Auch Carl Braubach erinnerte sich an eine Anwesenheit Büchners bei Weidig zusammen mit Nievergelter, der ja gerade in der fraglichen Zeit häufig in Butzbach war (Aussage Braubach, 23. August 1836, *Prozeß* 2/252 f.); allerdings wußte Braubach selbst, der noch angab, sein Bruder sei damals gerade in Butzbach gewesen, nicht mehr den Zeitpunkt dieser Anwesenheit Büchners, »nicht einmal, ob es vor, oder nach Minnigerodes Verhaftung war« (ebd.).
120 *Prozeß* 8/36 ff.
121 *Prozeß* 2/255; vgl. auch vorläufig *GB I/II*, S. 180 u. 182, Anm. 72.
122 Aussage Flach, 18. Juli 1837, *Prozeß* 13/244-247; vgl. auch 1/109 ff. u. 33/208 ff.
123 Vgl. ausführlich *GB I/II*, S. 159-182.

selbst, daß es zuvörderst auch eine gewissermaßen ›gesamthessische‹ Angelegenheit war. Der Beteiligung der kurhessischen, d. h. der Marburger und wahrscheinlich auch der Nauheimer und Hanauer[124] Demokraten hatte er sich schon während seiner großen ›Vergnügungsreise‹ im Mai/Juni und dann insbesondere am 3. Juli 1834 auf der Badenburg[125] versichert. Über diese Zusammenhänge sind wir nun vor allem wegen der zahlreichen Verhaftungen und der entsprechenden Geständnisse in Kurhessen so detailliert informiert. In der Freien Stadt Frankfurt und im Herzogtum Nassau, ebenfalls hessischen Gebieten, zu denen Weidigs organisatorische Fäden im Frühsommer ja auch ganz deutlich reichten[126], wurden dagegen Ende 1834/Anfang 1835 weniger und vor allem weniger gesprächige, da zumeist hafterprobte und juristisch informierte Beteiligte arretiert. Friedrich Siegmund Jucho, der damalige Leiter des Frankfurter ›Männerbundes‹, mit dem Weidig ebenso kritische wie praktische Solidarität in einer ganzen Reihe von Projekten verband und den er im Juni in Frankfurt nicht zuletzt deshalb aufgesucht hatte, um durch den Entwurf des *Hessischen Landboten* Juchos Vorwurf konkret zu entkräften, er, Weidig, betreibe mit seinen *Leuchtern und Beleuchtern* hessen-darmstädtischen Lokalkonstitutionalismus[127], – dieser Jucho etwa hat vor dem Peinlichen Verhöramt in Frankfurt nicht die geringsten substantiellen Aussagen gemacht. Obgleich Weidigs Verbindungen in der Angelegenheit des *Landboten* nach Frankfurt sachlich und über persönliche Beziehungen wenigstens so plausibel, ja sicher näher auf der Hand liegen als diejenigen nach Kurhessen, obgleich überhaupt der gesamte Weidig/Büchner-Kreis personell und organisatorisch viel enger als bisher bekannt mit der Bewegung um die Frankfurter ›Union‹ verknüpft war[128] und dies nicht zuletzt in der Herstellung praktisch aller oberhessischen Flugschriften bei den Druckern der ›Union‹ – Preller und Schneider[129] – seinen Ausdruck fand, sind wir also über die tatsächlichen Auswirkungen gerade in diesem Punkt weniger konkret informiert. Dabei ist aus mehreren Gründen äußerst wahrscheinlich, daß sich die Frankfurter ›Union‹ als der trotz einer Verhaftungswelle im März/April noch bei weitem personalstärkste Zirkel in ganz Hessen, dessen letzte eigene Flugschrift zur Agitation der Landbevölkerung (die fünfte Lieferung des fingierten *Bauern-Conversationslexikons* mit dem Artikel »Soldat«) im März 1834 erschienen und von den Handwerkern des Geheimbundes an der

---

124 Ebd., S. 180 u. 379 (zu Juni 1.).
125 Ebd., S. 380 ff.
126 Ebd., bes. S. 166 ff. zur Frankfurter ›Union‹, sowie zur Versammlung in Wiesbaden S. 170 ff.
127 Ebd., S. 166; zu Jucho auch S. 174 ff.
128 Vgl. vorläufig ebd., S. 377 f., sowie etwa oben Anm. 96. Nach Aussagen des in Preußen verhafteten Frankfurter Schlossergesellen Wecker hatte die ›Union‹ unter ihren mehr als 100 Sektionen mit insgesamt rund 1 400 bis 1 500 Mitgliedern auch Außensektionen in Darmstadt, Mainz, Hanau und Höchst (Zentrales Staatsarchiv der DDR, Abt. II, Merseburg, Rep. 77, Tit. 6, Lit. W Nr. 67, Vol. I, fol. 106 u. ö.). Gerade Weidigs Interesse an allen Fragen der ›Union‹ ist im übrigen explizit belegt. Hierüber ausführlich und mit zahlreichen neuen Quellen dann in den Kapiteln über den Butzbacher Zirkel und beide Sektionen der ›Gesellschaft der Menschenrechte‹.
129 *GB I/II*, S. 58 u. 166.

Peripherie der Stadt ausgestreut worden war[130], auch an der Verbreitung der *Hessischen Landboten* beteiligen sollte, wie sie das etwa schon bei Flicks Flugschrift *An die Hessischen Wahlmänner* getan hatte.[131]

In der Tat gibt es ein wenn auch nicht restlos eindeutiges, so doch im geschilderten Zusammenhang hinreichend aussagekräftiges Dokument, das dies zu bestätigen scheint. Es handelt sich um ein Schreiben des durch den Darmstädter Regierungsrat Bechtold informierten Offenbacher Kreis-Secretärs v. Jungenfeld mit Offenbacher Poststempel vom 1. August 1834, demzufolge sich ein

>»gewisser Silberarbeiter [Julius] Möller von Gotha«, der ein Mitglied der Frankfurter ›Union‹ mit engerem Kontakt zu deren Leitern war[132] und auch über Beziehungen nach Bockenheim und Hanau verfügte, am Vortag – also am 31. Juli – in Offenbach mit dem Gießener Studenten v. Haxthausen getroffen habe, »wahrscheinlich, um eine neue revolutionäre Schrift, die mehrerer Anzeigen zu Folge hier gedruckt werden soll, in Empfang zu nehmen u[nd] alsdann weiter zu verbrei[t]en.«[133]

Während Möller »im Wagen« zusammen mit einem »Frauenzimmer« – vielleicht Wilhelmine Neuhof?[134] – bereits nach Frankfurt entkommen war, konnte der Offenbacher Kreis-Secretär »mit Hülfe der [Frankfurter] Polizei« nur des Studenten v. Haxthausen noch »habhaft [...] werden«, ohne indes bei ihm etwas »Verdächtiges« zu finden.[135] Obgleich über die Identität des angeblich in Gießen geborenen v. Haxthausen[136], der dort jedenfalls zwischen 1832 und 1835 nicht immatrikuliert war, bislang nichts näheres festgestellt werden konnte, so deuten doch alle Umstände darauf hin, daß er – möglicherweise im Auftrag der Gießener ›Gesellschaft der Menschenrechte‹ – dem Bijouterie-Handwerker Möller auf irgendeine Weise, sei es den Kontakt vermittelnd oder als rückenstärkende Sicherheit, dabei helfen sollte und auch tatsächlich half, ein Paket *Hessischer Landboten* vom Drucker Preller zur Zentrale der Frankfurter ›Union‹ zu transportieren. Zur Verbreitung von Frankfurt aus scheint es dann nach Minnigerodes Verhaftung vor allem eben deshalb nicht mehr gekommen zu sein, weil die Butzbacher und Gießener sich nun erst selbst mit einer ausreichenden Zahl von Exemplaren versorgen mußten, was Becker und Flach auf ihrer erwähnten Reise Ende August erledigten.

Doch bevor diese Reise etwas genauer verfolgt werden kann, bedarf es

130 Vgl. vorläufig ebd., S. 371, sowie Kowalski, 1962, und Ruckhäberle, 1975, S. 99 ff.; ausführlich kommentierter Abdruck des gesamten *Bauern-Conversationslexikons* demnächst in meinem Flugschriftenband.
131 Vgl. vorläufig Kowalski, 1962, S. 165.
132 Zu Möller, geb. am 18. Juli 1807 als Sohn eines Gothaer Advokaten (*Prozeß* 33/196) und mit den »Frankfurter Verdächtigen, Freieisen, Funck, Ro[tt]enstein«, d. h. den Spitzen der ›Union‹, »genau« bekannt (ebd., 191), näher noch im Kapitel über die Frankfurter ›Union‹. Zwischen dem 11. und 26. Juli 1834 hatte sich Möller in Hanau aufgehalten (*Prozeß* 33/194), wo die Gießener ›Gesellschaft der Menschenrechte‹ ja Anfang Juni ebenfalls Vorkehrungen in Sachen des *Landboten* getroffen – und der Weidig-Schüler Carl Flach, der zur selben Zeit auch in Frankfurt noch einmal mit Jucho über den *Landboten* konferierte (*Prozeß* 1/307), »einen Goldarbeiter besucht hatte« (Aussage A. Beckers, *Prozeß* 1/298; vgl. zu den Hanau-Reisen *GB I/II*, S. 379 f.). Gut denkbar, daß es sich bei diesem ›Goldarbeiter‹ und dem »Silberarbeiter« (i. e. Bijouterie-Handwerker) Möller um ein und dieselbe Person handelte.
133 *Prozeß* 33/191 ff.; vgl. ebd., 103.
134 Vgl. oben Text und Anm. 121.
135 *Prozeß* 33/191 f. u. 195. Am folgenden Nachmittag bekam v. Jungenfeld auch Möller noch zu fassen – ebenfalls ohne weiter greifbares Ergebnis.
136 Ebd., 195. – Den Verbindungen zur Droste müßte noch im einzelnen nachgegangen werden.

der Erwähnung noch eines weiteren Umstandes. Wurde bislang erst der Weg von vier größeren Paketen des *Landboten*-Drucks rekonstruiert (die drei von Minnigerode, Schütz und Zeuner sowie das Frankfurter), so gibt es doch noch Hinweise auf ein weiteres Hauptdepot und wenigstens zwei sekundäre Abzweige. Ein Teil der von Preller gedruckten Exemplare sollte zunächst wohl im selben Haus bei dem Lederhändler Hausmann bleiben, worauf Zeuners bereits zitierte Aussage deutet, dieser habe gewarnt werden müssen, damit er »etwa vorräthige Schriften wegthun könne«[137]. Direkt aus dieser Quelle dürfte auch der Frankfurter Handelsmann und Buchhändler Johann Valentin Meidinger eine größere Menge der Drucke erhalten haben. Meidinger, der Anfang 1834 u. a. den Druck von Flicks Flugschrift *An die Hessischen Wahlmänner* in Frankfurt vermittelt hatte[138], der auch Preller persönlich kannte[139] und selbst in Rödelheim ein Haus besaß[140], brachte »im August 1834« dem Rödelheimer Dr. med. und praktischen Arzt Carl Schmall drei Päckchen mit *Landboten*, »das einzelne von der Dicke von 2 Fingern«[141], d. h. insgesamt etwa 200 Stück. Carl Schmall sagte dazu aus: »Er [Meidinger, T. M. M.] bemerkte mir ausdrücklich, die Schriften würden bei mir abgeholt werden«.[142] Allem Anschein nach war also dieser vorgeplante Transport Meidingers zu Schmall[143] nun bereits in Reaktion auf die Verhaftung Minnigerodes abgewandelt worden, denn als endgültige Zielorte dieser Pakete, die Schmall ursprünglich selbst in der Gegend von Rödelheim verbreiten sollte, wurden jetzt Butzbach[144] und wahrscheinlich Gießen bestimmt. Und Gießen war nicht nur mit Sicherheit als eine der Hauptverteilerstellen gedacht, sondern zugleich als Zwischenstation für die Weiterlieferung nach Marburg. Der Marburger Student Franz Carl Weller, ein Vertrauter Leopold Eichelbergs, übernachtete jedenfalls unmittelbar vor der Abreise Schütz' und Minnigerodes nach Butzbach und Offenbach bei diesen, die zusammen im gleichen Hause wohnten.[145] Augenscheinlich war Weller dazu bestimmt gewesen, einen Teil der in Gießen ja schon am 31. Juli erwarteten *Landboten*drucke[146] für die Marburger Sektion des auf der Badenburg gegründeten Preßvereins mitzunehmen. Eichelberg erhielt denn auch das erste Exemplar des *Hessischen*

---

137 Nö, 432.
138 Vgl. u. a. Aussage Meidinger, 20. Juli 1835, *Prozeß* 25/38.
139 Ebd., 17.
140 Ebd., 14. Zu Meidinger vgl. auch *GB I/II*, S. 179.
141 Aussage Schmall, 8. Oktober 1836, *Prozeß* 26/452. Nach einer früheren Aussage Schmalls (*Prozeß* 26/273f.) waren es 4 Päckchen von je 3 Fingern Stärke, d. h. ca. 400 Stück.
142 Aussage Schmall, 8. Oktober 1836, *Prozeß* 26/498.
143 Vgl. *GB I/II*, S. 178f.
144 Weidig schickte seinerseits (sei es daß er von der bereits eingeleiteten Umdisposition noch nichts wußte, oder zur doppelten Sicherheit) den in solchen Angelegenheiten häufiger bemühten Tagelöhner Grebing (s. oben Text u. Anm. 105) zu Schmall, um ihm auszurichten, er solle die Pakete aufbewahren, bis sie bei ihm abgeholt würden (*Prozeß* 26/241 ff., 275).
145 Georgi an Geh. Justizrat Hein in Marburg, Darmstadt, 22. Mai 1837, *Prozeß* 35/119, vgl. ebd., 108 u. 231.
146 Nach Aussage Clemms (vgl. oben Text u. Anm. 21 u. 23), der sich auch am Abend des 31. Juli noch ganz unbefangen bei Schütz' und Minnigerodes Hausleuten erkundigt hatte, ob die beiden nicht schon zurückgekommen seien, und – als dies verneint wurde – erklärt hatte, »sie müßten auf alle Fälle [an diesem] Abend noch hier eintreffen« (Diehl, 1920, S. 7). Dies mußte man in Gießen auch annehmen, da man ja irrtümlich davon ausging, Schütz und Minnigerode müßten die Drucke nur in Butzbach abholen (vgl. oben Text u. Anm. 23).

Landboten im August, wenngleich sicher erst gegen Ende des Monats, von Weller.[147] Eine Verbreitung des *Landboten*, dessen Inhalt ja nicht nur auf das Großherzogtum zutraf[148], ist übrigens auch in kurhessischem Gebiet sowohl für die Juli- als auch für die November-Auflage bezeugt.

Damit sind jetzt auch die Voraussetzungen wie die Ziele der Reise August Beckers und Carl Flachs deutlich, die am 26. August – aus Frankfurt kommend, wo sie bei Jucho waren[149] – mit einer Empfehlung Weidigs bei Dr. Schmall in Rödelheim eintrafen, um die bei ihm liegenden *Landboten*-Exemplare abzuholen.[150] Schmall gibt an, man habe

»de[n] Versuch gemacht, die Päcke der Schriften so zu verteilen«, daß Becker und Flach sie »ohne Anstand mit sich nehmen könnten, und bei dieser Gelegenheit wurden denn einige der Paquets auseinandergelegt und mit teils weißen, teils blauen Umschlägen versehen. Indessen fand es sich, daß die Leute die Schriften nicht alle gut bei sich stecken konnten –, ich weiß wirklich nicht einmal, ob sie ein oder einige Päckchen mit sich nahmen«.[151]

Daher erbot sich Schmall, den Rest oder auch alle Pakete auf einer ohnedies geplanten Reise nach Laubach in der Kutsche mitzunehmen und bei Frölich in Friedberg abzugeben, was er dann auch »kurz danach« tat[152], d. h. etwa eine Woche nachdem Weidig Frölich, der ihn in Butzbach besucht hatte, die Ankunft Schmalls angekündigt hatte.[153] Daß Becker und Flach selbst *Landboten*drucke mit nach Butzbach brachten – gleich ob von Frankfurt, Rödelheim oder auch von Friedberg –, ist zwar nicht direkt belegt, aber doch sehr wahrscheinlich. Die Masse der Exemplare lag jedoch jetzt, nämlich Anfang September, sicher bei Frölich in Friedberg, der ja mit Schmalls Paketen bereits die zweite Sendung erhalten hatte. Frölich gab die zuletzt angekommenen Pakete verschnürt (und, wie er wahrscheinlich zu deren Entlastung aussagte, ohne Angabe des Inhalts) der Tochter[154] eines Friedberger Metzgers und Gastwirts zur Aufbewahrung, bei dem die Trappsche Apotheke häufiger Waren lagerte, die für das Umland bestimmt waren.[155] An diesem sicheren Aufbewahrungsort blieben die *Landboten* jedoch nicht lange, denn bereits am 4. September abends kam Carl Braubach, der mit seinem Vater zu Meßgeschäften in Frankfurt gewesen war, auf der Durchreise mit der

147 Aussage Eichelbergs vom 1. Juni 1835, *Prozeß* 21/359. In seinen späteren autobiographischen Darstellungen dagegen berichtet Eichelberg von einem Treffen zwischen ihm, Heß und den beiden Gießener Advokaten Briel und Rosenberg in Bellnhausen (zwischen Gießen und Marburg), bei dem sie von den Gießenern, die ja auch an der Badenburger Versammlung teilgenommen hatten, »einige Exemplare des kurz vorher gedruckten ›Hessischen Landboten‹« erhalten hätten (Eichelberg, 1853, S. 61, vgl. *Prozeß* 35/401).
148 Von den großherzoglich-hessischen Behörden über das Erscheinen des *Leuchters und Beleuchters*, des Spottlieds *Herr Du-Thil...* und der Juli-Auflage des *Landboten* benachrichtigt, schloß denn auch das Konzept eines Hanauer Amtsschreibens vom 7. Oktober 1834 mit bemerkenswerter Einsicht, »daß der Geist der Unzufriedenheit u. des Mißtrauens gegen die Regierungen nur zu sehr ansteckt, sich über die Grenze hinaus verbreitet, und daß alle jene revolutionairen Schriften mutatis mutandis auf jeden Staat passen u. deshalb auch auf jeden Staat angewendet werden.« (*Prozeß* 33/198).
149 Becker vielleicht auch diesmal wie jedenfalls Anfang Juni (vgl. oben Anm. 132) vor der Türe bleibend, »weil ich mich in meinem Bart bei Jucho sehen lassen wollte« (*Prozeß* 1/307).
150 Vgl. Verhör und Aussagen Schmall, *Prozeß* 26/245, 287f., 455, 498f.
151 Aussage Schmall, 11. August 1836, *Prozeß* 26/287f.
152 Ebd., 289ff., vgl. Aussagen Frölich, *Prozeß* 16/30, 47f.
153 *Prozeß* 16/91f., 41.
154 Frölich hatte auf die Metzgerstochter auch sonst ein Auge geworfen und besuchte sie häufig (*Prozeß* 29/321f.).
155 *Prozeß* 16/70f.

Schnellpost eilig bei Frölich vorbei, der ihn bis vor das Haus des Metzgers Vogt[156] führte und ihm dort die Flugschriften übergab.[157] Da Braubach nur etwas mehr als 20 Exemplare erhalten haben will, die er einstweilen in der Scheune seines Butzbacher Elternhauses[158] verbarg, während Schmall die an Frölich gelangte Sendung sehr viel umfangreicher beschrieb, als daß Frölich sie hätte allein in und um Friedberg verbreiten können, ist zu vermuten, daß ein weiterer Teil der »Waren«pakete im Haus des Friedberger Metzgers dann auf irgendeinem Wege noch nach Gießen und von dort z. T. etwa auch nach Marburg gelangte.

Wenn man den bisher beschriebenen Weg der fünf oder sechs Hauptpakete des *Hessischen Landboten* rekapituliert und deren ungefähren Umfang zugleich als Minimalschätzung der Gesamtauflage annimmt[159], dann war von insgesamt doch etwa 1200 bis 1500 gedruckten Exemplaren[160] erst rund ein Zehntel in der Hand der Behörden und nur ein kleiner Teil vernichtet, während der weit überwiegende Rest noch versteckt in Darmstadt, Petterweil, Friedberg, Butzbach, Gießen und vermutlich einigen anderen Orten lagerte.

Die Quellenlage zur eigentlichen Verbreitung der Juli-Auflage des *Hessischen Landboten* ist aus mehreren Gründen problematischer als die zu den vorbereitenden Transporten. Was die Geständnisse der Verhafteten betrifft, so befand sich der Transport im Auftrage meist Weidigs sozusagen noch im Vorfeld des ›Hochverrats‹[160a], die unmittelbare Verbreitung an die Bauern, Tagelöhner und Handwerker jedoch bedeutete dessen Vollendung und wog entsprechend schwerer; ferner sind auch die lokalen hessen-darmstädtischen Polizei- und Zensurakten, die Berichte über einzelne aufgefundene oder abgelieferte Exemplare enthalten mußten, im Unterschied zu den entsprechenden, relativ umfangreichen kurhessischen Akten nicht mehr vorhanden; zuletzt und vor allem brauchte die erfolgreiche Verbreitung ja keineswegs aktenkundig zu werden: Die bekannte und bislang überwiegend als Indiz für die Verbreitung und Wirkung herangezogene Aussage August Beckers, »daß die Bauern die meisten gefundenen Flugschriften auf die Polizei abgeliefert hätten«[161], kann und wird also noch in Frage gestellt werden.

Über die Verbreitung von Exemplaren der Juli-Auflage des *Landboten*

---

156 Vgl. die in der Sache erfolglose Vernehmung der Familie Vogt, die immerhin ergab, daß Vogt Clemm gut kannte, dessen Vater ein Schulkamerad Vogts war (*Prozeß* 51/465ff., bes. 467f.). Trapp sagte aus, Vogt sei »auch ein bißchen ein exaltierter Mann« gewesen (*Prozeß* 29/321).
157 Vgl. Aussage Braubach, 21. Oktober 1836, *Prozeß* 5/95ff., und Aussagen Frölich, *Prozeß* 16/49, 73ff.
158 Vgl. auch *GB I/II*, S. 183.
159 Ob und wieviele Exemplare außerdem noch von Preller und Hausmann aus andere Wege gingen, ist nicht belegt. Es ist jedoch wahrscheinlich, daß die oben anhand der erhaltenen Geständnisse und – im Falle des Frankfurter Pakets – doch relativ zufällig überlieferten sonstigen Dokumente (vgl. Text u. Anm. 133ff.) rekonstruierten Wege und Pakete nicht die einzigen waren. Gerade angesichts der intensiven Vorbereitungen Weidigs und der Gießener etwa in Mainz, Nauheim (vgl. *GB I/II*, S. 169, 180) und Hanau (vgl. oben Text u. Anm. 132) könnten zumindest kleinere Pakete auch dorthin gelangt sein.
160 Meine frühere Schätzung (*GB I/II*, S. 106) basierte noch auf einem geringer beurteilten Umfang der einzelnen Pakete (vgl. jedoch jetzt oben Text u. Anm. 42f.).
160a Nö, 109; vgl. Schaub, *HL*, S. 144.
161 Nö, 425; bei Becker nicht spezieller auf eine der beiden Auflagen bezogen.

in oder in der Umgebung von Darmstadt und Petterweil ist nichts Näheres bekannt, es sei denn man entnähme einer offensichtlich ablenkenden Aussage Frölichs, Weidig selbst habe die Flugschrift im Hof der Darmstädter Artillerie-Kaserne »ausgestreut«[162], immerhin die Möglichkeit, daß dort tatsächlich Exemplare verbreitet wurden.[163] Pfarrer Flick will die ihm von Schütz übergebenen Drucke vernichtet und auch sonst »nie etwas davon gehört« haben, »daß diesclbe[n] in meiner Gegend bekannt geworden wäre[n].«[164] Es ist zwar unwahrscheinlich, daß der *Landbote* in Darmstadt und Petterweil in größeren Mengen ›ausgestreut‹ wurde, denn sonst hätten Noellner und Schäffer dies in ihren zusammenfassenden Berichten vermutlich doch angemerkt; andererseits erwähnen die beiden Hofgerichtsräte auch die nun aktenmäßig nachgewiesenen Verbreitungen der Juli-Auflage in Friedberg mit keinem Wort. Letztlich macht also der Verlust der betreffenden Polizei- und Zensurakten ein sicheres Urteil über die Verbreitung in Darmstadt und Petterweil unmöglich – dies allerdings in beiden Richtungen.

Das erste Auftauchen des *Landboten* ist aus Friedberg belegbar – belegbar deshalb, weil der württembergische Kriminalsenat in Eßlingen, der gegen Ernst Frölich verhandelte und dessen Akten erhalten sind, solche Unterlagen in Amtshilfe aus Friedberg zugesandt bekam. Der Friedberg, den 16. August 1834 datierte Bericht ist in verschiedener Hinsicht aufschlußreich. Auf dem Friedberger Gericht erschien an diesem Tag der Polizeidiener Dambmann mit einem Exemplar des *Hessischen Landboten* und erklärte:

»Heute Morgen 6 Uhr stand ich bei Wirth Seyp und Louis Mann vor dem Seypschen Hause, als mein Kind von 8 Jahren zu mir kam, um mich nach Hause zu rufen. Wir standen noch zusammen, als mein Kind nach dem, an dem Seypschen Hause befindlichen Laden des Kammacher Mai zulief[,] ein Papierchen[,] das unter dem Laden lag, aufhob, und mir überreichte. Aus der Überschrift sah ich gleich, daß es eine verbotene Flugschrift war, weshalb ich mich beeilte, dasselbe [!] sogleich abzuliefern. Wie es dahin gekommen, kann ich nicht angeben, ich habe auch bis jetzt noch nichts über den Verbreiter desselben ausfindig machen können.«[165]

Es war danach deutlich ein Zufall, wenn die Friedberger Behörden überhaupt von der Verbreitung des *Landboten* erfuhren. Daß Frölich in der Nacht vom 15. zum 16. August, auch wenn er dies vor Gericht mit guten Gründen leugnete, auf diese auch für die Verbreitung des Spottlieds *Herr Du-Thil . . .* und des *Leuchters und Beleuchters* schon charakteristische Weise[166] noch weitere der von Zeuner oder von Schmall erhaltenen

162 Aussage Frölich, 29. April 1837, *Prozeß* 16/170f.
163 Frölich versuchte im angeführten Verhör den bereits toten Weidig auch mit den offensichtlich von ihm selbst in Friedberg verbreiteten Exemplaren zu belasten, aber möglich ist doch, daß er tatsächlich von der genannten, besonders exponierten Verbreitung in Darmstadt gehört hatte (was jedenfalls einem Fundort des vermutlich ebenfalls von der Darmstädter ›Gesellschaft der Menschenrechte‹ verbreiteten Spottlieds *Herr Du-Thil mit der Eisenstirn* entsprechen würde, deren erstes Exemplar am 20. Juli auch vor der Darmstädter Kaserne gefunden wurde; vgl. Diehl, 1915, S. 312, Anm. 4) und mit der konstruierten Brücke zu Weidig auch die fraglichen Friedberger Verbreitungen plausibler auf diesen abzuwälzen versuchte.
164 Aussagen Flick, 25. Mai und 24. Juni 1835, *Prozeß* 14/110, 308, die wenig glaubhaft klingen.
165 *Prozeß* 33/110.
166 Vgl. dann die betr. Kommentare in meinem Flugschriftenband.

Landboten unter die Fensterläden von Friedberger Einwohnern gesteckt hatte, ist also mit Sicherheit anzunehmen. Von freiwilligen Ablieferungen an die Behörden aber wurde aus Friedberg nichts bekannt, obgleich sich dann auch noch der allerdings erst Ende September 1834 kurzzeitig haftentlassene Apotheker Trapp an der weiteren »Verbreitung [. . .] beteiligt« zu haben scheint[167].

In größerem Umfang wurde die Juli-Auflage des *Landboten* dann auch in Butzbach und Umgebung verbreitet. Dies geht allein daraus hervor, daß sich »in der oberen Stube« des Braubachschen Hauses im Auftrag Weidigs August Becker und Carl Braubach zu zweit an die »Verbesserung unbedeutender Druckfehler« machten[168], wie man das auch bei verschiedenen Nummern des *Leuchters und Beleuchters* schon getan hatte[169]. Bei der ersten Auflage des *Landboten* dürften vor allem die fehlerhafte Paginierung der Seiten 2-4 und möglicherweise die falschen Berechnungen in der Budgetsummierung korrigiert worden sein.[170] Eine Woche nachdem ihr bisheriger Prinzipal sie, strafversetzt, in Richtung Ober-Gleen verlassen hatte, gingen in der Nacht von Samstag, den 13., auf Sonntag, den 14. September 1834 dennoch unverdrossen Carl Braubach und sein Vetter Christoph Rumpf – einem gerichtlichen Vorhalt zufolge auch Carl Flach und Zeuner[171] – in die bei Butzbach liegenden Dörfer Pohlgöns und Kirchgöns, wo sie nach Carl Braubachs Aussage die *Landboten* in die »Gehöfte der Bauern ausgeworfen« haben.[172] Auch in Langgöns und in den südlich Butzbachs gelegenen Orten wie »namentlich in Ostheim« wurden am Morgen des 14. September Exemplare des *Landboten* gefunden.[173] Braubach gestand außerdem, er habe

»auch in der Stadt Butzbach selbst Exemplare des Hessischen Landboten verbreitet. Ich warf die Schriften in Häuser und Höfe von Butzbacher Einwohnern. Unter ander[em] habe ich dies getan in der Behausung des Andreas Steinhäuser zu Butzbach. Die Frau dieses Mannes hatte, soviel ich mich erinnere, die Schrift aufgefunden und sie ist deswegen auch von dem Herrn Assessor Wagner[174] gerichtlich vernommen worden. Aus dieser Vernehmung wird ja wohl die Zeit ersehen werden können, um welche ich die Tat beging.«[175]

In der Nacht vom 13. auf den 14. September legte Braubach noch

»dem damals bei Apotheker Seyfried in Butzbach conditionierenden Gehülfen Siebeneicher ein Exemplar des Hessischen Landboten auf die Fensterbrüstung desjenigen Zimmers, das Siebeneicher bewohnte. Siebeneicher hat mich bei der Tat nicht bemerkt, auch sonst Nichts darüber von mir erfahren«.[176]

---

167 Hier zit. nach Ilse, 1860, S. 428.
168 Aussage August Becker, 26. Oktober 1837, *Prozeß* 1/294 f.
169 Vgl. u. a. Aussage Braubach, 31. August 1836, *Prozeß* 2/306; Aussage Clemm, 25. März 1836, *Prozeß* 8/189 f.; sowie erhaltene, derart korrigierte Exemplare des *Dritten* und *Vierten Blattes* in *Prozeß* 36/176 ff., 184 ff.
170 Die betr. Seiten liegen zwar innerhalb des Bogens in der richtigen Reihenfolge des Textes, sind aber irrtümlich mit den Seitenzahlen 3, 4, 2 versehen (vgl. die beiden Exemplare in *Prozeß* 36/193-195 u. 202-204 sowie das erste Faksimile bei Büchner/Weidig, 1973); zu den Rechenfehlern – Büchner war in Mathematik zeugniskundig schwach (vgl. Schaub, 1975, S. 125) – siehe jetzt Schaub, 1976, S. 67 ff. u. bes. ders., 1977, S. 360 ff.
171 *Prozeß* 2/187.
172 Aussage Braubach, 29. Juli 1836, *Prozeß* 2/189.
173 *Prozeß* 2/200 f.
174 Christoph Wagner, 1834 Landgerichtsassessor in Friedberg, führte die frühen Untersuchungen vor Beginn des eigentlichen Hochverratsprozesses; vgl. u. a. *Prozeß* 16/2 ff.; 30/60 ff.
175 Aussage Braubach, 12. Juni 1837, *Prozeß* 3/322 f.
176 Ebd., 324.

Die ausdrückliche Erwähnung der Frau Steinhäuser im ersten Zitat erklärt sich möglicherweise daraus, daß hier tatsächlich ein Exemplar zur Polizei getragen worden war[177], während der Hinweis auf Siebeneicher[178] offensichtlich entlastende Zwecke verfolgte, denn Siebeneicher war selbst angeklagt, »ein oder einige Exemplare« der Juli-Auflage dem Marburger Bäcker und Wirt Creuzer überlassen zu haben, bei dem er auf einer Reise eingekehrt war.[179] Der in Marburg nur zufällig namhaft gemachte Siebeneicher, der selbst – dem Vorbericht des *Landboten* entsprechend – angab, er habe das bewußte Exemplar »auf der Landstraße gefunden«[180], dürfte nicht der einzige auch aus der Peripherie des engeren Butzbacher Zirkels gewesen sein, der bei gelegentlichen Reisen von Butzbach aus einige Exemplare mit auf den Weg bekam und sie an geeigneten Stellen verbreitete. Und das waren u. a. gerade Wirtshäuser, wo die Flugschrift (wie es von anderen oberhessischen Blättern im Herbst 1834 berichtet wird) z. B. in den Löchern der Billardtische unauffällig deponiert werden und dann von Hand zu Hand gehen konnte.

Das eindrucksvollste Zeugnis über die direkte Volksagitation mit der Juli-Auflage des *Hessischen Landboten* liefert jedoch eine Aussage Clemms vom 13. Juni 1835:

> »Carl Zeuner [erzählte] mir nicht lange vor seiner Verhaftung, als ich gerade in Butzbach war [...], er habe dem Arnold Wendel ein Exemplar des Hessischen Landboten gegeben, der es Dreschern vorgelesen hätte, und es habe auch schon ein Drescher darüber ausgesagt, und daß er glaube, die Übrigen würden sich bewegen lassen, nichts davon auszusagen und selbst einen falschen Eid auf das Nichtwahr zu schwören.«[181]

Diese syntaktisch etwas wirr protokollierte Aussage bedarf einiger Erläuterungen. Zunächst kann es sich, da Carl Zeuner fast gleichzeitig mit dem Erscheinen der November-Auflage verhaftet wurde[182], nur um ein Exemplar der Juli-Auflage gehandelt haben, das er dem 19jährigen Butzbacher Bäckergesellen Arnold Wendel gab. Wendel, obgleich sonst in den Verhören nur selten erwähnt[183], gehörte sicher zum engeren Weidig-Kreis. Er wurde »wegen Verbreitung« des *Landboten* verhaftet und wanderte später nach Amerika aus.[184] Als Büchners Freund Hermann Wiener, Mitglied der Darmstädter ›Gesellschaft der Menschenrechte‹, im

---

177 Allerdings ist auch ein Steinhäuser aus Butzbach gelegentlich unter den Vertrauten Weidigs genannt (vgl. *Prozeß* 33/156); ein Jacob Steinhäuser wird von Braubach erwähnt (*Prozeß* 3/108, 117; vgl. oben Text u. Anm. 75, 76 u. 94). Immerhin denkbar also, daß die Polizei von sich aus bei Nachforschungen dem Steinhäuser in das Haus gerückt ist, worauf dann dessen Frau sich nicht zurückhalten konnte.
178 Alexander Theodor Siebeneicher, geb. 1810 in Großbreitenbach als Sohn eines Hofapothekers, seit 1832 als Apothekergehilfe in verschiedenen Stellungen, mit Braubach bekannt (*Prozeß* 3/307) und Anfang Mai 1834 an der Fluchthilfe der Gefangenen des Frankfurter Wachensturms beteiligt (*Prozeß* 7/195). In Gießen u. a. wegen »Verbreitung revolutionärer Schriften« zu 3 Monaten Zuchthaus verurteilt (Friederichs, 1948, Sp. 50).
179 *Prozeß* 33/118, 123.
180 Ebd., 123.
181 *Prozeß* 7/194f. – Die indikativische Formulierung in *GB I/II*, S. 385, ist nach diesem Zitat zu korrigieren.
182 Am 27. November 1834 (*Prozeß* 2/245; vgl. u. a. W. Schulz, 1846, S. 60).
183 Vgl. etwa *Prozeß* 18/168; gelegentlich wird als sein Beruf irrtümlich »Bauer« angegeben.
184 Wendel hatte zwar ein (vermutlich diplomatisches) Geständnis abgelegt, doch wurde er gegen Stellung von 400 Gulden Kaution freigelassen und seine Untersuchung am 8. Dezember 1858 eingestellt. Wendel ging dann nach Amerika, wo er mit Carl Zeuner und Georg Marguth verkehrte; später nach Deutschland zurückgekehrt, wurde er als Vertreter Oberhessens in den Reichstag des Norddeutschen Bundes gewählt (vgl. Friederichs, 1948, Sp. 53; *Prozeß* 34/5; *Butzbacher Zeitung* vom 26./27. 4. 1969).

Revolutionsjahr wieder nach Hessen kommt, erwähnt er in seinem Schreibkalender unter dem 20. September 1848 bei einem Treffen u. a. mit Zeuner und Flach auch den »heroische[n] Weltumfahrer Arnold Wendel«[185]. Was zuletzt die agitierten Drescher betrifft, so ist zwar nicht ganz auszuschließen, daß Clemm hier einem Irrtum unterlegen ist und den Eigennamen eines im Weidig-Kreis bekannten Butzbacher Kutschers[186] als Pluralis der Berufsbezeichnung mißdeutete, aber mehr spricht doch für das richtige, geschilderte Verständnis. Die Jahreszeit paßte auf Ernte, und es ist bekannt, daß gerade von den Großbauern in der fruchtbaren Wetterau saisonale Landarbeiter beschäftigt wurden[187], was für Butzbach und die umgebenden Fluren um so mehr galt, als es dort selbst ja nur eine verschwindende ortsansässige Agrarbevölkerung gab.[188] Insbesondere aber ist nicht anzunehmen, daß Clemm und Zeuner, die selbst beide am meisten eben für die Verbreitung des *Landboten* tätig und deswegen von Verhaftung bedroht waren, über eine so wichtige Tatsache wie den unmittelbaren Erfolg von Büchners und Weidigs Flugschrift unter denen, an die sie vor allem gerichtet war – über eine Wirkung, die die Landarmut vielleicht sogar zum politischen Meineid bereit sah – nur ganz beiläufig und mißverständlich gesprochen hätten. Zuletzt waren Landarbeiter eher Analphabeten als ein städtischer Bedienter. Daher also das Vorlesen der Flugschrift. Dieser Modus war außerdem beim reduzierten Bestand an noch vorhandenen Druckexemplaren gewissermaßen ›ökonomischer‹ als beispielsweise die Art und Weise, mit der das Frankfurter *Bauern-Conversationslexikon* mitunter verbreitet wurde, das etwa der dortige Bierwirt Zöller »den Bauern auf der Straße unversehens in die Körbe warf«.

Über die Verbreitung von Gießen aus sind kaum Verhöraussagen erhalten, was auf bestimmte Besonderheiten der Überlieferung gerade zur ›Gesellschaft der Menschenrechte‹ zurückführbar ist[189], die im übrigen spätestens im September nach Büchners »Abgang [. . .] von Gießen«[190] als formelle Organisation aufgelöst wurde und nur noch in lockeren persönlichen Verbindungen mit Weyprechts ›Bürgerverein‹ und mit dem (ebenfalls nur schlecht dokumentierten) studentischen ›Korps der Rache‹[191] fortbestand. Tatsächlich berichtet Schäffer, daß der mit der Gießener ›Gesellschaft‹ schon vorher eng liierte, geheime Verein Weyprechts die Juli-Auflage des *Landboten,* »übereinstimmenden Angaben nach, hier

---

185 Nachlaß H. Wiener (Hess. Landes- u. Hochschulbibliothek Darmstadt, Nachlaß Nr. 16).
186 Heinrich Drescher, in der 2. Hälfte der 30er Jahre nach Amerika ausgewandert, vgl. etwa *Prozeß* 13/267 f.; 31/336, 341.
187 Nach Katz, 1904, S. 5 f., bereits seit Ende des 18. Jahrhunderts.
188 Mayer, 1980, S. 384. Ausführlicher demnächst in meiner angekündigten Sozial- und Wirtschaftsgeschichte des hessischen Vormärz.
189 Besonders ist hierbei zu nennen die Tatsache, daß eine ganze Reihe der studentischen Mitglieder rechtzeitig fliehen konnte und die Verhafteten sich über die gefährlichsten Punkte soweit möglich im eigenen Interesse zurückhielten; ausführlicher über diese Quellenfragen demnächst einleitend zum ersten Band meiner größeren Publikation.
190 Aussage A. Beckers, *Prozeß* 1/157; vgl. *GB I/II*, S. 105.
191 Vgl. vorläufig Mayer, 1980, Falttafel nach S. 378.

und in der Umgebung durch junge Bürger verbreiten ließ«[192]. Die einzigen ausdrücklichen Indizien, daß auch die ›Gesellschaft‹ selbst – oder doch ihr Nahestehende – *Landboten* verteilten, liefert eine Aussage des Physikatsarztes Borck, der auf dem Lauterbacher Jahrmarkt im Herbst 1834 von Theodor Sartorius ein Exemplar, wie er sagte, »bloß als eine Neuigkeit« zu sehen bekam.[193] Sartorius selbst gab an, »nach den Herbstferien 1834 ein Exemplar des Hessischen Landboten – irre ich nicht, von dem Kandidaten Weyprecht – erhalten« zu haben.[194] Ferner war, nach Angaben der Bundeszentralbehörde, auch Küfer Schneider, der militanteste unter den Gießener Sektionären, »[d]er Verbreitung dieser Schrift [...] oder der Beteiligung bei dieser [...] geständig«.[195] Die Aktivitäten der Gießener reichten jedenfalls hin, daß nach Wilhelm Briels Bericht sogar öffentlich in einer Gaststätte über den *Landboten* debattiert wurde. Briel will

»nämlich gehört [haben], daß i[n] dem Weinhaus des Heß in der Brand[?]gasse zu Gießen in einer Gesellschaft über dieses Blatt in den heftigsten Ausdrücken sich geäußert und hierbei in Demonstrationen sich ausgelassen worden war, aus welchen Anwesende kombiniert haben wollten, daß Weidig als der vermeinte Verfasser zu halten sei[;] seines Namens soll übrigens nicht erwähnt worden sein. Von der Mitteilung ist mir nur erinnerlich, was zunächst wohl die Ursache der Mitteilung war, daß Postmeister Kempff der Ältere bei dieser Veranlassung auf naive Weise gefragt haben soll, ob die Schrift im Heyerischen Buchladen zu erhalten sei. Et was Weiteres erinnere ich mich nicht mehr mitgeteilt erhalten zu haben. Ich hielt mich verpflichtet, Weidig, der zufällig zu mir kam, hierauf aufmerksam zu machen. [...] Ich erklärte ihm ohne Rückhalt, daß auch nach meiner Überzeugung und Ansicht nach der Inhalt dieses Schandblattes den heftigsten Tadel verdiene, daß die dort gepredigten Ansichten abscheulich seien und kein rechtlicher Mann mit jesuitischen Grundsätzen einverstanden sich erklären könne. [...] Seine Antwort war ablehnend und legte Ingrimm darüber, daß das Gerücht ihn mit diesem Blatte in Verbindung bringe, an den Tag.«[196]

Versteht sich, daß auch die mit der Sache befaßten Amtspersonen zu solch gefährlichem Tratsch das ihre beitrugen, wie der von Geheimrat Knorr auf »einer Abendgesellschaft« informierte Stadtgerichtsassessor Limpert[197], der seinerseits mit Briel auf Spaziergängen »[n]ach dem Mittagessen« »öfter« über den *Landboten* sprach. »Das Gerücht war [...] allgemein verbreitet«[198].

Damit sind die gesicherten Hinweise auf Verbreitungen der Juli-Auflage erschöpft. Aus den genannten Gründen belegen diese Hinweise jedoch sicher nur einen Bruchteil der wirklich vorgekommenen Fälle. Auch wenn es neben dem angeführten, zudem unsicheren Indiz aus Butzbach, dem Verhör der Frau Steinhäuser, und zwei weiteren Hinweisen[199] vereinzelt noch andere freiwillige Ablieferungen an die Behörden

192 Schäffer, 1859, S. 51, vgl. *Prozeß* 34/94.
193 Aussage Johannes Borck, 17. Mai 1838, *Prozeß* 2/38f.
194 Aussage Sartorius, 1. Juni 1835, *Prozeß* 26/161 f.; desgl. 181.
195 Ilse, 1860, S. 351.
196 Aussage Briel, 7. Oktober 1835, *Prozeß* 5/278-281; zum Schluß des Zitats vgl. Nö, 310.
197 Hermann Theodor Limpert, vgl. Hofgerichter, 1974, Register.
198 Briel, a.a.O. (s. Anm. 196), 277. Die Geschichten sind auch dann glaubhaft, wenn ihnen Briel offenkundig entlastende Zwecke beimißt.
199 Vgl. noch unten Text u. Anm. 244 (Großenbuseck) sowie Text u. Anm. 245 u. 271 zu der von Carl Vogt berichteten Episode.

gegeben haben sollte, die aus den selben Gründen nicht dokumentiert sein könnten, so spricht doch allein die Herausgabe der zweiten Auflage des *Landboten* gegen Beckers scheinbar resignierte, im Zusammenhang seines eigenen Verhörs jedoch den Erfolg des »hochverräterischen« Unternehmens deutlich herabspielende Aussage, die Bauern hätten »die meisten gefundenen Flugschriften auf die Polizei abgeliefert«[200]. Wieder in Freiheit nannte denn Becker auch später, 1843, die »übrigens sehr verdammungswürdige Flugschrift Georg Büchners« die einzige »deutsche politische [. . .] Flugschrift, die zum Verständnis und Herz des Volkes gelangt« sei.[201] In der Tat kam schon Schäffer zu dem Schluß, Weidig scheine sich von dem *Landboten* »einen guten Erfolg versprochen zu haben und dadurch mag er wohl auch bestimmt worden seyn, eine neue Auflage de[s]selben zu veranstalten. Aug. Becker versichert wenigstens[202], daß Weidig Bauern gesprochen haben wolle, auf welche der Landbote einen ungewöhnlichen Eindruck gemacht habe.«[203] Auch Leopold Eichelberg, der später vor Gericht zu seiner eigenen Verteidigung beteuerte, er habe die erste Auflage des *Landboten* strikt verurteilt, weil sie »vollständige Anarchie« predige und »zu allgemeiner Zügel- und Gesetzlosigkeit« auffordere[204], hatte ja selbst eine direkt an die »Erste Botschaft« anknüpfende »Zweite Botschaft« des *Landboten* verfaßt und war dann an Abfassung und Druck der aufs Ganze gesehen nur unwesentlich ›entschärften‹ November-Auflage maßgeblich beteiligt gewesen.[205] Und als Clemm im Verhör vom 9. Oktober 1835 diese Verteidigung Eichelbergs in allen Punkten nahezu wörtlich zur Beurteilung vorgetragen wurde (Eichelberg hatte weiter ausgesagt, er habe bei einem Treffen mit Clemm und Weidig Ende September 1834 in Marburg den *Landboten* deshalb für verwerflich erklärt, weil dieser »gerade die Klasse des Volkes, um die es am ersten zu tun, die Eigentumsbesitzer und Gewerbtreibende, den wahren Kern des Volkes, vielmehr von uns abwehren und der Part[ei], die wir zu bekämpfen gesonnen, in die Armee führen [müsse]. Blätter wie der Landbote könnten nur für die Proletarier, die Hefe des Volkes berechnet sein. Bei diesen wären aber selbst solche Blätter überflüssig, da, wenn man anders eine künstliche Revolution durch diese bewirken wolle, solche auch ohne dieses jeden Augenblick bei der Hand seien«[206]) – da antwortete Clemm, mit der Perfidie des Denunzianten, aber dennoch angesichts von Eichelbergs widersprüchlichem Verhalten in der Sache sicher glaubhaft:

---

200 Wie Anm. 161.
201 August Becker: *Die Volksphilosophie unserer Tage.* – Neumünster bei Zürich: Heß 1843, S. 29 (ohne die Hervorhebung im ersten Teil des Zitats).
202 Die betreffende Aussage ist nicht erhalten.
203 Schäffer: *Vortrag, Prozeß* 34/100; vgl. Schäffer, 1839, S. 54.
204 Aussage Eichelberg, 1. Juni 1835, *Prozeß* 21/362f.
205 Vgl. *GB I/II*, S. 386, 588.
206 Wie Anm. 204, p. 363f.

»Dem ist Allem nicht so. Wir haben allerdings mit Verwunderung davon gesprochen, daß sich bei Leuten aus der gebildeten Klasse, und die überdies zu der liberalen Parthie[207] gehörten, hie und da Mißbilligungen über den Landboten äußern könnten. Eichelberg hielt dies für gleichgültig, grade weil der Landbote für Gebildete nicht, sondern für die Bauern bestimmt sei, und er sprach selbst von der guten Wirkung, die der Landbote unter den kurhessischen Bauern der Umgegend schon erzeugt habe. Er meinte, die habe man schon am Schnürchen.«[208]

All dies belegt eindeutig, daß die Verbreitung der Juli-Ausgabe des *Landboten* keineswegs ein Desaster war, sondern durchaus – auch im instrumentellen Sinne der bürgerlich-radikalen ›Drahtzieher‹ – ein Erfolg. Daß einige hundert verteilte Flugschriften allerdings unmittelbar eine bäuerliche und handwerklich-plebejische Insurrektion direkt hätten auslösen sollen – von einer solch naiven Vorstellung war man in beiden Lagern gleich weit entfernt. Büchner wollte mit der Flugschrift ja »vor der Hand nur die Stimmung des Volks und der deutschen Revolutionärs erforschen«[209], was wie gesagt ihre agitatorische Absicht nicht ausschloß, sondern implizierte[210]; auch Weidig war der Ansicht, man müsse das »Landvolk« unter anderem durch Flugschriften »immer und immer belehren, in welchem Zustande es lebe und in welchem es leben könne, um es auf solche Weise geneigt zu machen, gegen seine Regierungen aufzustehen.«[211] Und dies hielt er nach den negativen Erfahrungen des Frankfurter Wachensturms sicher für einen langwierigeren Prozeß als er anscheinend nur Leopold Eichelberg in seiner voluntaristischen »Zweiten Botschaft« des *Hessischen Landboten*[212] vorschwebte.

Die aufgrund der vollständig erhaltenen kurhessischen Polizeiakten und Verhörprotokolle besser belegte Verbreitung der November Auflage des *Landboten* vervollständigt das Bild der aufwendig verschlungenen konspirativen Unternehmungen; vielleicht spiegelt sie in ihrer letzten Phase, der weit gestreuten Verbreitung an die Bevölkerung, auch einige Details, die bei der Verteilung der Juli-Auflage schon ähnlich waren, für diese aber nicht ausdrücklich dokumentiert sind.

Als Eichelberg im November 1834 von Faktor Rühle erfuhr, daß er einen größeren Teil der rund 400 fertig gedruckten Exemplare der November-Auflage demnächst erhalten würde, benachrichtigte er Weller, der sie zusammen mit von Stockhausen bei ihm übernehmen sollte. Weller und Stockhausen kamen auch gleich am Abend des Tages, an dem Eichelberg die Schriften in Händen hatte.[213] Mit den noch druckfrischen und feuchten Exemplaren[214], die er (in vier Bündeln verschnürt) in seine

207 Obsolet für: Partei.
208 Aussage Clemm, 9. Oktober 1835, *Prozeß* 7/296. Eichelberg hielt dagegen auch in seiner Autobiographie daran fest, daß aufgrund der »völlig destruktive[n] Tendenz« des *Hessischen Landboten* die »diesseitige [d. h. kurhessische, T. M. M.] Verbreitung« der Juli-Auflage »unterblieb« (*Prozeß* 35/401).
209 Nö, 425.
210 Vgl. oben Text u. Anm. 16.
211 Aussage Ernst Frölich, 9. November 1836, *Prozeß* 16/35; vgl. Schäffer, 1839, S. 45; *Prozeß* 34/85, und Nö, 304. Vgl. auch *GB I/II*, S. 244.
212 Vgl. ebd., S. 254, 386.
213 Aussage Eichelberg, 15. Mai 1835, *Prozeß* 21/181f.
214 Aussage Stockhausen, 15. August 1835, *Prozeß* 23/191, und Aussage Sartorius, 1. Juni 1835, *Prozeß* 26/176.

Rocktaschen und seine unten zusammengebundenen Mantelärmel verstaute[215], ritt von Stockhausen noch am folgenden Tag[216] nach Gießen, wo er die Schriften entweder bei Clemm, dem Medizinstudenten Theodor Sartorius oder bei Advokat Wilhelm Briel abliefern sollte. Stockhausen gibt als Zeitpunkt dieses Ritts die letzten 10 Tage des November bzw. drei bis vier Wochen vor Weihnachten an, während Sartorius von ca. 14 Tagen vor Weihnachten spricht.[217] Nach Clemms Angabe war es der 26. November.[218] Zunächst traf Stockhausen weder Clemm, der an diesem Morgen im Liebigschen Laboratorium beschäftigt war[219], noch Briel und Sartorius an. Als er Clemm nach Mittag dann endlich vor dessen Wohnung erreichte[220], gingen sie zusammen zu Sartorius, wo Stockhausen die Bündel oder Rollen[221] mit den *Landboten* aufschnürte und Sartorius und Clemm an einigen Exemplaren demonstrierte, wie die auf einem Einzelblatt gedruckte 9. Seite an den Bogen geheftet werden mußte.[222] Diese Heftung sämtlicher Exemplare besorgte August Becker dann auf Sartorius' Stube[223], der die Bündel ein oder zwei Tage später in Clemms Auftrag zu Weyprecht brachte.[224] Weyprechts Verein, in den sich August Becker und Clemm nach der praktischen Auflösung der Gießener ›Gesellschaft der Menschenrechte‹ mehr und mehr integriert zu haben scheinen, übernahm auch jetzt wieder die direkte Verbreitung in Gießen und Umgebung.[225] Einen anderen, kleineren Teil der nach Gießen gelangten Exemplare übergab Clemm noch Advokat Briel, der sie durch eine Schwester an seinen in Darmstadt lebenden Bruder, den pensionierten Seminarlehrer Hans Ludwig Theodor Briel, befördern ließ.[226]

Doch nicht nur nach Gießen und Darmstadt – und später nach Butzbach – gelangten Exemplare der November-Auflage des *Landboten*. Einen anderen Teil der Marburger Auflage brachte August Becker im Auftrag Weidigs nach Ober-Gleen. Becker war noch vor Beendigung des Drucks nach Marburg gekommen und mußte einige Tage lang darauf warten, bis von Breidenbach die Exemplare direkt bei Rühle abholte und dann bei Weller für den Transport verpackte. Von Ober-Gleen aus brachte Weidig am 16. Dezember einen Teil der Schriften nach Alsfeld zu dem damals dort bei einem Fabrikanten namens Koch als Hauslehrer tätigen Ludwig (Louis) Becker[227], der Mitglied der Gießener ›Gesellschaft der Menschenrechte‹ gewesen war.[228] Weidig hatte die in einzel-

---

215 Aussage Stockhausen, 15. August 1835, *Prozeß* 23/199.
216 *Prozeß* 21/182.
217 Aussage Stockhausen, 17. August 1835, *Prozeß* 23/212; Aussage Sartorius, 1. Juni 1835, *Prozeß* 26/174.
218 Vorhalt im Verhör vom 4. August 1837, Nö, Anhang, S. 39.
219 Aussage Clemm, 2. Juni 1835, *Prozeß* 7/161.
220 *Prozeß* 7/162; *Prozeß* 23/199f.
221 Aussage Sartorius, 1. Juni 1835, *Prozeß* 26/176f.
222 Aussage Clemm, 2. Juni 1835, *Prozeß* 7/163f.
223 Aussage August Becker, 6. Juli 1837, *Prozeß* 1/170.
224 Aussage Sartorius, 1. Juni 1835, *Prozeß* 26/174; ausführlicher: Verhör Clemm, 4. August 1837, Nö, Anhang, S. 39ff.
225 Schäffer, 1839, S. 52; vgl. *Prozeß* 34/95.
226 Aussage Clemm, 21. Januar 1836, *Prozeß* 8/153f.
227 Zu Louis Becker vgl. Aussage Zeuner, 26. Mai 1835, *Prozeß* 31/337.
228 Aussage August Becker, 6. Juli 1837, *Prozeß* 1/168f.; leicht gekürzt auch Nö, 424.

ne, adressierte Pakete versiegelten *Landboten* unter seinen Kleidern versteckt und beauftragte Ludwig Becker und den offensichtlich auf Verabredung ebenfalls in Alsfeld eingetroffenen Physikatsarzt Johannes Borck aus Altenschlirf mit deren weiterem Versand[229], wobei dann durch Borcks »Unvorsichtigkeit« einige Schriften vermutlich in falsche Hände gelangten. Einen anderen Teil des Ober-Gleener *Landboten*-Pakets deponierte August Becker – nachdem Weidig diesen Kontakt vorbereitet hatte[230] – bei dem Bauern und Gemeinderat Johannes Seipp in Heimertshausen, wenige Kilometer von Ober-Gleen entfernt. Von dort wurde das Paket durch Ludwig Becker abgeholt.[231] Der Bauer Seipp, der noch im Januar 1839 in Gießen »wegen Verbreitung gesetzwidriger Schriften« zu vier Wochen Gefängnis verurteilt wurde[232] und dessen Name auch 1848 wieder unter den revolutionären Demokraten auftauchte, war übrigens keineswegs einer der ärmlichen ›Adressaten‹ des *Hessischen Landboten*, sondern der größte Bauer des Dorfes und vielleicht der ganzen Umgebung. Mit rund 100 Morgen Land und Waldbesitz und einem außergewöhnlich stattlichen und geräumigen Hof mit reichen Intarsienschränken und Truhen, hatte er bei seinem radikal antifeudalen und antibürokratischen Engagement, mit dem er als Gemeinderat auch die Dorfarmen angeleitet zu haben scheint, durchaus etwas aufs Spiel zu setzen. 1848 sogar als Wilderer bestraft, mußte er später aus im einzelnen nicht belegbaren Gründen seinen Hof verkaufen, den die Nachkommen, nachdem Seipps cleverer Sohn wieder die Tochter des Käufers geheiratet hatte, heute noch bewohnen.[233]

Wenn man sich nun die Zeugnisse der eigentlichen Verbreitung der Novemberausgabe vor Augen führt, dann dürfte deren Auflage von Eichelberg und Rühle mit 400 Exemplaren vermutlich doch etwas zu niedrig angegeben worden sein. Den allgemeinsten Bericht liefert Georgi, der Anfang September 1835 an das Landgericht Marburg schrieb:

»Was die Frage betrifft, ob die in Marburg gedruckten revolutionairen und Schmähschriften, nemlich das 5. Blatt des Leuchters und die 2. Auflage des Landbotens in den diesseitigen Landesgebieten wirklich zur Verbreitung gekommen seien, so beweisen die vorliegenden Acten durch Berichte der Localbeamten, durch unzählige Vernehmungen derer, denen diese Schriften heimlich gelegt, anonym durch die Post zugesendet worden, oder die sie auf Heerstraßen und gangbaren Wegen gefunden haben, daß die Verbreitung allerdings in den Großhzgl. Hessischen Landgerichtsbezirken Lauterbach, Alsfeld, Schlitz, Altenschlirf, Schotten, Gießen, Grünberg, Büdingen – kurz in allen Theilen der Provinz Oberhessen und zum Theile auch in der Provinz Starkenburg zur Verbreitung gekommen sind.«

Weiter spricht Georgi von dem »dringendsten Verdacht«, daß von Ober-

---

229 Aussage Borck, 17. Mai 1838, Nö, 433. – Zu Borck vgl. *GB I/II*, S. 168f., 176. Borck war während der ersten Oppositionswelle zusammen mit den Gebrüdern Follen in der Gießener ›Teutschen Lesegesellschaft‹ und der ›Germania‹, ohne aber ›Schwarzer‹ gewesen zu sein. Sein Nur-halb-bei-der-Sache-Sein reicht also weit zurück.
230 Vgl. Aussage Seipps, Nö, Anhang, S. 20.
231 Aussage August Becker, 6. Juli 1837, *Prozeß* 1/169, vgl. Nö, 424. Bei Schäffer: *Vortrag*, S. 5 (= *Prozeß* 34/5) ist Seipp im Verzeichnis der Angeklagten als »Bürgermeist[er], Beigeordneter u. Landmann« angeführt.
232 Friederichs, 1948, Sp. 50. – Seipp ist etwa 1804 aus Einartshausen gebürtig.
233 Persönliche Besichtigung des Hofes im August 1975 und briefliche Mitteilung von Wolfgang Engel, Heimertshausen 7. 8. 1975, dem ich hierfür herzlich danke. – Ausführlicher über Seipp im Kapitel über Weidigs Tätigkeit in Ober-Gleen.

Gleen aus »und selbst durch Weidig persönlich die Verbreitung ins Werk gesetzt worden sei, indem mit [August] Beckers und seiner Anwesenheit am 23. Decbr. 1834 in Alsfeld Exemplarien jener Schriften vielfach zum Vorschein gekommen sind.«[234] Auch in den Ortschaften um Ober-Gleen verbreitete August Becker »bei hellem Tage« den *Landboten* und das Fünfte Blatt des *Leuchters und Beleuchters*.[235] Was weitere einzelne Verbreitungen betrifft, so ist zunächst eines der vermutlich von Borck in Alsfeld übernommenen Pakete zu nennen, das 22 Exemplare der November-Auflage enthielt und an den Physikatsarzt Dr. Neuschäffer in Romrod, Kreis Alsfeld, adressiert war. Die zusammengerollte, verklebte und versiegelte Sendung, die Fuldaer Poststempel trug, war offensichtlich auf dem Versandweg aufgerissen oder geöffnet und im Dezember an den Alsfelder Kreisrat abgeliefert worden.[236] Nachdem ähnliche Pakete auch in den großherzoglichen Kreisen Altenschlirf und Lauterbach abgefangen worden waren, schickte die Fuldaer Provinzial-Polizei-Direktion im Januar 1835 einen Spitzel namens Runckel an die betreffenden Orte, der neben mehreren ihm verdächtig erscheinenden Reisen großherzoglich-hessischer Einwohner nach Fulda unter anderem mitteilte, daß der Lauterbacher Postmeister Rausch, »ein äußerst freisinniger Mensch [. . .], noch täglich Exemplare [des *Landboten*, T. M. M.] ausgebe«. Ferner hätten ein Schullehrer Kuß[237] in Hosenfeld (Kreis Fulda) und ein Wirt Post in Mühs, letzterer von einem Herbsteiner Einwohner namens Wiegand, Exemplare des *Landboten* erhalten. Weidig selbst war als Hauptverdächtiger schon Ende Dezember/Anfang Januar vom Alsfelder Landrichter verhört worden. Es konnte ihm freilich nichts nachgewiesen werden, sondern Weidig – ein für ihn typischer Zug – ging sogar zur Gegenoffensive über, indem er den Landrichter, »eine(n) in seinem Bezirke hochgeachteten Mann« durch eine entsprechende Personenbeschreibung »selbst als den Ausbreiter« der Flugschriften auszugeben versuchte[238], wovon er bei Gelegenheit dann Clemm »mit Lachen [. . .] erzählte«[239]. Doch immerhin waren dem Alsfelder Kreisrat schon einige der neuen Vertrauten Weidigs namhaft geworden, die als Zwischenträger in Frage kamen, so neben Borck und Ludwig Becker der 21jährige Hauslehrer Heinrich Becker, ferner der wegen des Frankfurter Wachensturms schon einmal in Untersuchung gestandene Kandidat der Kameralwissenschaften Wilhelm Schmidt und zwei junge Kaufmannssöhne namens Bücking, alle wohnhaft in Alsfeld.[240] Die Fuldaer Behörden, die aufgrund

---

234 *Prozeß* 33/112 ff.
235 *Prozeß* 3/289.
236 Großhzgl. Kreisrat an kurfürstl. Polizeidirektion in Fulda, Alsfeld, 25. Dezember 1834, *Prozeß* 33/142 f.
237 Vgl. hierzu auch *Prozeß* 33/165 ff.
238 Nö, 197.
239 Aussage Clemm, 21. Mai 1835, *Prozeß* 7/136 f
240 Bericht Runckels an die Polizei-Direktion Fulda, 19. Januar 1835, *Prozeß* 33/152-162; vgl. zu diesem Kreis, der »einen Pack Flugschriften« noch zu einem Doktor in Kirtorf weitergeleitet zu haben scheint, auch *Prozeß* 1/171; 3/292 f.; 17/282 ff.

des Romroder Pakets den Drucker und Versender der November-Auflage des *Landboten* in ihrer Stadt vermuteten, erwogen im Februar 1835 eine regelrechte Überwachung aller in Fulda aufgegebenen Postsachen, ein Plan, über dessen Ausführung jedoch keine weiteren Berichte vorliegen.[241] – Die Hausdurchsuchung bei Friedrich Meyer in Bergen-Enkheim im Januar 1835, vielleicht eine weitere Station auch dieses erneuerten Verteilernetzes, wurde oben schon erwähnt.[242]

Auf die Verbreitung der November-Auflage durch die Reste der Gießener ›Gesellschaft der Menschenrechte‹, das ›Korps der Rache‹ und vor allem den geheimen ›Bürgerverein‹ Weyprechts, der die Verbreitung nach Schäffers Bericht ja, »soweit eine solche in Gießen und den benachbarten Orten stattgefunden hat«[243], organisierte, weist eine anschauliche Schilderung aus kurhessischen Akten hin. Am 3. Januar 1835 erschien auf dem Landratsamt in Biedenkopf der Bürgermeister von Bromskirchen, Steuber, und erklärte:

»Auf Weihnachten vorigen Jahres war ich bei dem Schullehrer Rumpf in Großenbuseck, der früher als Schullehrer in Bromskirchen angestellt war, zu Besuch. Während meiner Anwesenheit dorten wurden in der Nacht vom 1ten auf den 2ten Weihnachtsfeiertag viele Exemplare einer Flugschrift betitelt ›Der Hessische Landbote‹ auf der Straße zerstreut gefunden, theils aber auch mehreren Einwohnern wie namentlich dem Schullehrer Rumpf, dem Bürgermeister u.s.w. in ihre Wohnungen gebracht. Bei dem Bürgermeister zu Großenbuseck habe ich ein Exemplar mitgenommen und will nun dasselbe jetzt hier übergeben, damit einer etwaigen Verbreitung in dem hiesigen Kreise, wovon ich übrigens noch nichts gehört habe, in Zeiten vorgebeugt werden könnte.«

Der Bürgermeister des wenige Kilometer nordöstlich von Gießen liegenden Dorfes Großenbuseck, der im Dezember 1834 selbst ein *Landboten*exemplar an die übergeordnete Behörde gesandt hatte, bestritt auf Anfrage, Steuber selbst ein zweites Exemplar übergeben zu haben, welches dieser vielmehr »vielleicht bei Schullehrer Rumpf, der Exemplare, die Schulkinder gefunden, solchen abgenommen, erhalten haben könne.«[244]

Möglicherweise ist auch eine von Carl Vogt überlieferte Episode auf die Verbreitung der November-Auflage in der Umgebung von Gießen zu beziehen. Vogt, Mitglied der ›Palatia‹, berichtete davon, man habe in einer Sitzung dieser burschenschaftlichen Tarnverbindung die Frage diskutiert, »ob die Mitglieder sich von Korpswegen an den Umtrieben beteiligen sollten«. Da Vogt »durchaus keine Lust dazu [hatte], [s]eine Zeit durch Umherlaufen zwischen Butzbach, Gießen, Gladenbach, Marburg, wo Zentralgruppen miteinander in Verbindung zu halten waren, zu verzetteln oder in den Dörfern und Nachts in der Stadt umherzuschweifen, um die Drucksachen an den Mann zu bringen«, sprach er sich gegen eine solche Verpflichtung aus. Seine Erklärung

241 Vgl. *Prozeß* 35/173ff.
242 Vgl. oben Text u. Anm. 32.
243 Schäffer, 1839, S. 52.
244 Zitiert nach Akten des Staatsarchivs Marburg (180 L. A. Biedenkopf, Nr. 680) bei Alfred Höck: *»Der hessische Landbote« in Biedenkopf. Georg Büchners streitbare Flugschrift auf der Straße.* – In: *Hinterländer Geschichtsblätter.* Mitteilungen aus Geschichte und Heimatkunde des Kreises Biedenkopf 45 (1966), Nr. 3.

»fand zwar keinen Beifall, aber man stand doch von Versuchen ab, [. . .] mich in die Umtriebe zu verwickeln. Doch wäre dies beinahe ohne mein Vorwissen geschehen. Ein Sonntagsspaziergang durch einige Dörfer in der Umgegend wurde verabredet und ausgeführt. Einige Freunde bildeten, namentlich in den Dörfern, die Nachzügler. Sie beschäftigten sich, ohne daß der Vortrab, zu welchem ich gehörte, es bemerkte, mit der Verteilung verpönter Schriften. Wir hatten einen Bauern getroffen, der öfter bei meinem Vater im Garten arbeitete und auch von ihm ärztlich behandelt worden war. Ich hatte mit dem Manne einige freundliche Worte gewechselt. Als unser Trupp aus Sicht war, machten einige hyperloyale Bauern den Vorschlag, eine Anzeige zu erstatten und die verteilten Schriften der Polizei als Beweisstücke zu übergeben. Sie rechneten auf eine Belohnung; man bezahlte in der That solche Gaunereien. Mein Bekannter drohte, denjenigen, welcher sich zu solcher Schandthat teilhaftig mache, niederzuschlagen wie einen tollen Hund. Die Polizei, die nichtsdestoweniger Wind von der Sache bekommen hatte, konnte keinen Thatbestand feststellen.«[245]

Ob dieser Vorfall die Verbreitung der von Vogt ausdrücklich erwähnten *Leuchter und Beleuchter*[246] oder auch des *Landboten* beschreibt, ist nicht eindeutig klärbar. Zwar wurde die ›Palatia‹ förmlich bereits am 21. Februar 1834 aufgelöst[247], Vogt sprach jedoch selbst im Sommer 1835 noch wie selbstverständlich von einem Zusammenhang des »Korps« bzw. der »Palatia«[248], und August Becker bezeichnete Schütz' burschenschaftliche Verbindung als eine direkte Nachfolgeorganisation der ›Palatia‹[249]. Vogts Erinnerung an Marburg als den Ort einer der »Zentralgruppen« scheint außerdem für einen Zeitpunkt nach der Badenburger Versammlung zu sprechen. Daß gerade die Verbreitung der Juli-Auflage des *Landboten* in der geschilderten, relativ sorglosen Weise wäre vorgenommen worden, ist unwahrscheinlich, doch im Winter 1834/35 ist ein derartiger Spaziergang von Freunden der ›Palatia‹ gut denkbar, den etwa Clemm, Johann Baptist Müller, Alexander Winther[250] oder Sartorius zur Verbreitung der November-Auflage nützten.

In Gießen selbst ist aktenmäßig nur noch eine sehr späte Verbreitung belegt, und zwar in der Nacht vom 18. auf den 19. März 1835, als dem von Gießen »in die Schweiz abziehenden Professor Dr. Vogt eine Nachtmusik gebracht wurde.«[251]

Von den übrigen, direkt nicht belegten, aber durch den Verein Weyprechts in Gießen und Umgebung sicher häufiger vorgenommenen Verbreitungen abgesehen, drängten Weyprecht, Clemm und August Becker insbesondere die Butzbacher Handwerker, die jetzt nach der Strafversetzung des Organisators Weidig und nach der Verhaftung Carl Zeuners[252] offensichtlich etwas desorientiert und auch verängstigt waren, eindringlich zur erneuten Verbreitung nun auch der November-Auflage. Ungefähr Anfang Dezember schickte Carl Flach Valentin Kalbfleisch mit ei-

---

245 Vogt, 1896, S. 134 f.
246 Ebd., S. 135 f., jedoch ohne direkten Bezug auf die zitierte Schilderung der Flugschriftenverbreitung.
247 BL, S. 54, 81.
248 Vogt, 1896, S. 141; zur Datierung »im Sommer 1835«: Vogt war erst im SS 1835 zu v. Buri gezogen (*Verz. Stud. Gießen*); auch die weiteren als gleichzeitig berichteten Ereignisse (neue Untersuchungen Georgis und Flucht Nievergelters, S. 142 ff.) fallen in das Frühjahr und den Sommer 1835.
249 Verhör vom 27. Oktober 1837, *Prozeß* 1/309 ff., vgl. auch Mayer, 1980, Falttafel nach S. 378.
250 Alle ehemalige Mitglieder der ›Palatia‹; vgl. ebd.
251 Hess. Staatsarchiv Marburg, 270 Marburg Acc. 1871/55, No. 20, Vol. II, fol. 73.
252 Vgl. oben Text u. Anm. 182.

nem Brief zu Weyprecht, in dem die Gießener zu ihrem Beitrag für den Ankauf einer Druckerpresse in Darmstadt aufgefordert wurden[253] und zugleich Details über die geplante Befreiung Minnigerodes angesprochen waren. Weyprecht zog Clemm hinzu, und während man für die Presse im Moment keinen Beitrag leisten konnte, sich aber darauf einigte, daß Kalbfleisch in Friedberg mit den bereits instruierten Soldaten weiter verhandeln würde[254], holte Clemm noch »einen Pack« von *Landboten*, die in Butzbach verbreitet werden sollten. Kalbfleisch beschreibt in seinen Verhören vom 24. Juni 1836 und 1. März 1837, wobei immer sein eigenes Verteidigungsinteresse zu berücksichtigen ist, die anschließende Unterredung und deren Konsequenzen folgendermaßen:

»Ich sträubte mich, sie [die *Landboten*exemplare, T. M. M.] anzunehmen, Weyprecht schalt aber und sagte: die Butzbacher hätten keine *courage* mehr, es wären schlechte Kerl! Ich entgegnete: meine Behausung in Butzbach sei zur Verbergung der Schriften nicht geeignet, und jene erwiderten mir: ich möge sie dem Carl Braubach, oder dem Carl Flach geben. So ließ ich mich dann bereden und nahm das Paquet Landboten, welches Clemm mir behändigte, steckte es in meine Rocktasche und trug es nach Butzbach. Es mögen 30-40 Exemplare dieser Schrift gewesen sein[255], die ich mitnahm. Ich setzte an demselben Abend noch den Braubach von dem, was ich mitgebracht, in Kenntnis, er erbot sich, die Schriften in Verwahrung zu nehmen, und ich brachte sie ihm am andern Morgen in seine Strumpfweberwerkstätte. [. . .] Auch dem Carl Flach gab ich noch denselben Abend von dem Mitgebrachten Nachricht. Es vergingen mehrere Wochen über dem Zweifel, der unter mir, Braubach und Flach obwaltete, ob man die Landboten verbreiten solle, oder nicht.«[256] »Während der Zeit dieses Zweifels kam August Becker nach Butzbach, er wußte, daß die Schriften da wären, und ich war eines Sonntags mit ihm bei dem Carl Flach; ich glaube, Carl Braubach war gleichzeitig zugegen. Sonst war wenigstens Niemand außer den Genannten anwesend. Die Frage über die Verbreitung jener Schrift kam bei diesem Zusammensein zur Sprache und man redete darüber hin und her. Becker drang auf die Verbreitung, oder um gelind zu reden, er war der Meinung, daß die Schriften verbreitet werden müßten, und als geäußert ward, wie gefährlich dies sei und wie leicht man auf der Tat ertappt werden könne, sagte er: ›Ei steckt den tot, der euch aufhält.‹ Ich will gerne glauben, daß Becker diesen Rat nicht ganz ernstlich gemeint hat. So viel ist gewiß, daß bei der Besprechung über die Vorsichtsmaßregeln und über die Verpackung der einzelnen auszustreuenden Exemplarien Becker riet, diese mit Umschlägen von dunkelm, von blauem Papier zu versehen, damit, wenn dem nächtlicher Weile Verbreitenden etwa Jemand nachgehe, das Weiße des Papiers nicht so in die Augen falle.«[257] »Zuletzt drang Braubach an einem Sonntage um Neujahr mit der Vorstellung auf die Verbreitung, daß sie, da der Abdruck wohl mit großer Gefahr geschehen wäre, nun auch erfolgen und um so mehr erfolgen müsse, als Minnigerode noch sitze und die Behörde sonst glaube, der habe alles allein getan.«[258] An diesen Besprechungen über die Verbreitung des Landboten nahm Karl Flach auch Anteil, er war aber durch einen bösen Fuß gehemmt, an der Verbreitung selbst zu partizipieren. Braubach und ich teilten die vorhandenen Exemplare des Landboten, welche Braubach des Sonntags über in Löschpapier einzeln[n] eingeschlagen hatte, und nun gingen wir des Abends auf die Verbreitung aus. Braubach hieß mich nach Langgöns, Kirchgöns und Po[h]lgöns gehen und die einzelnen Blätter des Landboten an Häusern verbreiten. Ich habe nun auch wirklich in Po[h]lgöns und Kirchgöns vielleicht zehen einzel[n]e Exemplare auf der Straße ausgeworfen, nach Langgöns bin ich aber nicht mehr hingegangen, und den Rest der Schriften habe ich bei meiner Rückkehr durchs Feuer vernichtet.«[259]

253 Vgl. vorläufig *GB* I/II, S. 389.
254 Aussage Kalbfleisch, 26. Februar 1836, *Prozeß* 17/341 ff.
255 Nach der tatsächlichen Verbreitung dann in Butzbach und Umgebung müssen es jedoch erheblich mehr gewesen sein.
256 *Prozeß* 18/75 ff.
257 *Prozeß* 18/276 ff.
258 Als Georgi am 12. September 1836 Braubach diese Aussage Kalbfleischs entgegenhielt, leugnete er sie noch energisch (*Prozeß* 5/21 f.), räumte den Vorhalt später aber doch ein (*Prozeß* 5/119).
259 *Prozeß* 18/77 f.

Später ergänzte Kalbfleisch noch, daß auch Georg Marguth mit ihm in Kirchgöns und Pohlgöns an der Verbreitung beteiligt gewesen sei.[260] Carl Braubach schilderte dieselben Verbreitungen ebenfalls in zwei Verhören:

»An einem Sonntag Abend [. . .] verbreitete ich die Schriften teils in Butzbach, teils in Hochweisel, teils in Ostheim auf dieselbe Weise, wie ich früher den Leuchter ausgeworfen hatte.[261] An demselben Abend ging Valentin Kalbfleisch nach Po[h]lgöns und Kirchgöns [. . .], Karl Flach aber ging nach Griedel in gleicher Absicht; in Hinsicht des Gangs des Flach aber bin ich nicht ganz sicher und kann ihn mit Gewißheit nicht behaupten.«[262]

Am 21. Oktober 1836 bestätigte Braubach dann Kalbfleischs Geständnisse erneut in den wesentlichen Punkten und fügte hinzu,

»daß diese Verbreitung am Abend des Sonntags des 4. Januar 1835 erfolgte und daß der Johannes Grüninger (Hirschgasse) auf meine dringendste Aufforderung mich nach Hochweisel, Ostheim und Niederweisel begleitete und die Landboten verbreiten half. An demselben Abend sind ebenfalls andere junge Butzbacher nach Griedel gegangen, um dort von denselben Landboten Exemplare zu verbreiten. Das weiß ich gewiß; ich glaube aber auch mit einiger Sicherheit sagen zu können, daß die Täter der Christoph Rumpf und der Johannes Krauß von Butzbach waren.«[263]

Alle diese Geständnisse und die übrigen Zeugnisse zur Verbreitung beider Auflagen des *Hessischen Landboten* zusammengenommen, sind nun immerhin rund 20 Orte im Großherzogtum und Kurfürstentum[264] namhaft, in die Büchners und Weidigs Schrift tatsächlich gelangte. Wenn man sich die betreffenden oberhessischen Orte anhand der *Statistisch-topographisch-historischen Beschreibung des Großherzogthums Hessen* von G. W. J. Wagner, deren dritter Band etwa den Stand von 1830 wiedergibt, etwas näher betrachtet, dann waren mit Ausnahme des katholischen Herbstein im Landratsbezirk Lauterbach alle kleineren Verbreitungsorte evangelische und überwiegend zum Domanialgebiet gehörende Pfarrdörfer. Die Einwohnerzahlen der in der Nähe von Butzbach und Gießen gelegenen Dörfer, von denen drei Standes- oder Gerichtsherrschaften unterstanden (Großenbuseck der Herrschaft der Freiherrn von Buseck, die das Patrimonialgericht selbst jedoch 1827 an den Staat abgetreten hatten; Niederweisel der Solms-Lichschen und Griedel der Solms-Braunfelsischen Standesherrschaft), waren nach Wagner um 1830 die folgenden: Hochweisel: 643, Niederweisel: 1596, Ostheim: 476, Griedel: 692, Pohlgöns: 369, Langgöns: 1151, Kirchgöns: 482 und Großenbuseck: 1360, wobei je nach der Größe des Orts auf jedes Wohnhaus durchschnittlich 4,7 (Pohlgöns) bis 7,1 (Niederweisel) Einwohner kamen. Alle diese Dörfer hatten überwiegend agrarisches Gepräge (so nennt Wagner selbst etwa für das relativ große Niederweisel 107 Bauern, 56 Handwerker und 72 Tagelöhner), und sowohl für die meisten der Wetterauer Orte

---

260 *Prozeß* 18/278.
261 Die *Leuchter und Beleuchter* hatte Braubach ebenfalls abends verbreitet, indem er »die einzelnen Exemplare in Häuser und Höfe warf« (Aussage Braubach, 21. Juli 1836, *Prozeß* 2/100).
262 Aussage Braubach, 21. Juli 1836, *Prozeß* 2/114.
263 *Prozeß* 3/119 f.
264 Kurhessisch – jedoch jeweils nahe der Grenze zum Großherzogtum – waren neben Marburg Hosenfeld und Mühs (Müs), beide im Kreis Fulda, sowie Enkheim bei Frankfurt.

als auch für die im Alsfeldischen und Lauterbachischen liegenden Dörfer (wie das zur Riedeselschen Gerichtsherrschaft gehörende Lauterbach selbst, Herbstein und Romrod) erwähnt Wagner ausdrücklich eine verbreitete häusliche Leinwandproduktion vor allem während der Wintermonate. In Pohl-, Kirch- und Langgöns wurde auch Gänsezucht »um der Federn willen in ausgedehntem Maße« betrieben.[265]

Die belegten Verbreitungsorte des *Hessischen Landboten* waren also in Größe und Sozialstruktur durchaus typisch für die ländliche Situation Oberhessens[266], auch wenn in die eigentlichen Zentren der Standes- und Gerichtsherrschaften im Vogelsberg und dessen Ausläufern, wo sich im Herbst 1830 die vehemente antifeudale Volksbewegung spontan ausgebreitet hatte, weniger Exemplare gelangt zu sein scheinen. Insbesondere die offensichtlich von Weidig organisierten Paketsendungen in die Bezirke Alsfeld, Lauterbach und Altenschlirf – und Georgi erwähnte ja u. a. auch die überwiegend standesherrlichen Bezirke Schlitz, Schotten und Büdingen – lassen jedoch darauf schließen, daß auch in diesen Gebieten, so weit es unter den erschwerten Bedingungen nach Minnigerodes Verhaftung und Weidigs Strafversetzung eben möglich war, über einzelne lokale Vertraute *Landboten* verbreitet wurden oder doch verbreitet werden sollten.

Welche Wirkung die Verbreitung der beiden Auflagen bei den erreichten Bauern, Handwerkern und Tagelöhnern zeigte, läßt sich nur schwer abschätzen; die Butzbacher Episode mit den Dreschern kann jedenfalls nicht einfach verallgemeinert werden.

Zunächst versteht es sich ja von selbst, daß keine Flugschrift je eine nichtrevolutionäre Situation unmittelbar in eine revolutionäre umzukehren vermag. Außerdem liefert auch die detaillierter belegte Verbreitung der November-Auflage keinen direkten Beweis, daß Handwerker oder Bauern *Landbote*nexemplare freiwillig zu den Behörden getragen hätten. Zwar ist, wie erwähnt, gerade derjenige hessen-darmstädtische Aktenbereich, der in dieser Hinsicht einschlägig sein mußte, nicht erhalten; zwar schrieb Georgi von »unzählige[n] Vernehmungen derer, denen diese Schriften heimlich gelegt, anonym durch die Post zugesendet worden, oder die sie auf Heerstraßen und gangbaren Wegen gefunden haben«[267] – doch dies dürfte sich noch zu einem guten Teil auf das Fünfte Blatt des *Leuchters und Beleuchters* bezogen haben, das relativ wahllos gerade auf diesem Postweg verbreitet worden war[268] und damit sicher häufig auch an die falschen, von Weidig ohnehin als die »Schwachen«[269] bezeichneten Empfänger geraten sein mochte. Ganz besonders in die-

265 Carl Vogt, 1896, S. 27.
266 Vgl. vorläufig Mayer, 1980, S. 362-364.
267 Wie Anm. 234.
268 Vgl. demnächst den betr. Kommentar in meinem Flugschriftenband.
269 Nö, 313; vgl. *GB I/II*, S. 162.

sem, aber auch in anderen Fällen dürfte der zweite Teil einer Beurteilung des einschlägig erfahrenen Zeitgenossen Wilhelm Schulz sicher zutreffen, der 1851 in seiner Rezension der *Nachgelassenen Schriften* Büchners die Aussage Beckers über freiwillige Ablieferungen der Flugschriften durch die Bauern mit folgenden Vermutungen kommentierte:

»Viele derselben hatten gewiß den ›Landboten‹ mit Lust, vielleicht sogar mit einigem Nutzen gelesen, und wollten nun der Polizei die gleiche Freude gönnen; Andere meinten wohl in ihrem bekannten und gerechten Mißtrauen gegen alle Staatsbeamten, daß ihnen die Polizei selbst eine Falle gestellt habe, und wollten *kluge Leute* sein.«[270]

Indessen ist nach allen vorliegenden Quellen mit Ausnahme von Carl Vogts Bericht über »einige hyperloyale Bauern«, deren Bestechlichkeit sich mit ihrer Angst vor Prügeln einigermaßen die Waage gehalten zu haben scheint[271], gar nicht ausdrücklich von solch ländlichen Ablieferern die Rede, vielmehr von einem Schullehrer, zwei Bürgermeistern (Bromskirchen, Großenbuseck[272]), mehreren Kindern (Friedberg[273] und ebenfalls Großenbuseck), sowie einer nicht näher bezeichneten Butzbacher Kleinbürgersfrau, möglicherweise einer Zigarrenhändlerin[274]. Dies deckt sich – von den ahnungslosen Schülern abgesehen – nicht nur mit den von Weidig bevorzugten postalischen Adressen, sondern auffällig gerade mit dem in dieser Schicht generell bezeugten Entsetzen vor Büchners und Weidigs Fanal »an die untersten Volks-Classen« und zu »Aufruhr und Umkehrung der bürgerlichen Ordnung«[275], wie es ja »auch die Patrioten«[276], d. h. »Leute aus der gebildeten Klasse«, die »zu der liberalen Partei gehörten«[277], übereinstimmend geäußert haben: »Um noch einmal auf die Flugschrift *Büchner's* zurückzukommen, so kann ich nicht angeben, ob sie den beabsichtigten Zweck erreicht hat«, sagte Becker denn auch zunächst am 1. September 1837 noch viel unbestimmter, bevor er am 1. November die natürlich auch ihn selbst einbeziehende Frage nach »Aufreizung des Volkes« mit der weitaus häufiger zitierten Antwort über die ›aufgegebenen politischen Hoffnungen‹[278] abtat; »so viel« wisse er aber,

»daß, wie mir *Weidig* gesagt hat, Professor *Jordan* sich *mißbilligend* über dieselbe ausgesprochen; auch Dr. *Hundeshagen* soll sie, wie ich von *Weyprecht* erfahren, heftig getadelt haben«.[279] Jordan »äußerte sich im höchsten Grade mißbilligend über den Inhalt und tadelte na-

---

270 Schulz, 1851, S. 232f. – Vgl. auch Ludwig Rosenstiels Bemerkung über die »erbärmlichen Wische«: »Man sollte fast meinen, es hätte sie ein verkappter Aristokrat geschrieben.« (S. noch unten S. 285.)
271 Vgl. oben Text u. Anm. 245. Dabei ist keineswegs sicher, ob die »hyperloyalen Bauern« tatsächlich *Landboten* und nicht etwa an sie gar nicht gerichtete *Leuchter* »der Polizei [. . .] zu überliefern« trachteten. Jedenfalls aber handelt es sich bei dieser Episode um eine besonders schöne Bestätigung von Büchners anscheinend auch empirischer Erkenntnis, daß die Bauern, »traurig genug, fast an keiner Seite mehr zugänglich sind, als gerade am *Geldsack*« (Nö, 421) und daß »[j]ede Parthei, welche diese Hebel anzusetzen versteht, [. . .] siegen« werde (*HA* II/455).
272 Vgl. oben Text u. Anm. 244.
273 Vgl. oben Text u. Anm. 165.
274 Vgl. oben Text u. Anm. 175, 177 u. bes. Anm. 75.
275 Vgl. *GB I/II*, S. 24.
276 Aussage A. Becker, Nö, 425.
277 Vgl. oben Text u. Anm. 208.
278 Vgl. oben Text u. Anm. 15.
279 Aussage Becker, 1. September 1837, Nö, 422. Vgl. auch die in *GB I/II*, S. 24, zitierte Aussage Beckers vom 10. November 1837 (*Prozeß* 1/342).

mentlich, daß darin vollkommene Anarchie gepredigt werde.«[280] Nach Bansas Aussage habe »Dr. Hundeshagen [. . .] den Hessischen Landboten als die Ausgeburt eines verbrannten Gehirn's geschildert und ihn an die Seite der wüthendsten Schriften der französischen Schrekkenszeit gestellt.«[281] Sogar Carl Zeuner will gegenüber Weidig geäußert haben, »die Schrift sei zu *scharf* und *wahrhaft ekelhaft*.«[282]

Daß also jedenfalls Bürgermeister, Schullehrer und andere Angehörige dieser Schicht, die vielleicht noch nicht einmal der »liberalen Partei« angehörten, Exemplare des *Landboten,* die ihnen auf welchem Wege auch immer zugekommen waren, ungesäumt »auf die Polizei abgeliefert hätten«, läßt sich leicht vorstellen.

Das deutlichste Indiz aber dafür, daß solche Ablieferungen gerade von Bauern und Angehörigen der »untersten Volks-Classen« nicht in einem für die Behörden eben schmeichelhaften Ausmaß vorkamen, scheint mir in der Tatsache zu liegen, daß weder die offiziösen und amtlichen Berichte (in erster Linie also Noellner, Schäffer und Nover[283]), noch die internen Amtsschreiben an einer einzigen Stelle die selbst im Herbst 1830 noch beschworenen ›biederen Oberhessen‹[284] in dieser Richtung lobend erwähnen. Als er sich in dem bereits zitierten Schreiben an das Marburger Landgericht vom 3. September 1835 zu dieser Frage äußert, kommt Georgi vielmehr zu einer deutlich skeptischen Einschätzung:

»Eine positive Aeußerung über die weitere Frage, welchen Anklang beide Blätter [d. h. das Fünfte Blatt des *Leuchters* und die November-Auflage des *Landboten,* T. M. M.] im Volke gefunden und welche Wirkungen sie erzeugt haben, ist, wenn sie Gewißheit umfassen soll, nicht allein höchst schwierig, sondern beinahe unmöglich. Denn sie müßte mit dem Beweise zusammenfallen, daß grade die erzeugten Eindrücke Thaten unmittelbar hervorgerufen hätten. Durch Schriften können zwar Zweifel sträfliche Ideen und Ansichten angeregt werden, aber der juristische Beweis, daß die Schriften mit die Ursache verbrecherischer Handlungen gewesen, wird immer höchst schwierig sein. Unverkennbar ist es übrigens, daß die fraglichen und ähnliche Schriften, die gewöhnlich keine directe Widerlegung der Regierung oder der besser Gesinnten finden können und deren Eindrücke unmerklich fortwährend und in allen Uebelgesinnten kräftige Unterstützung findend, nur nach und nach wirken, auch zu dem Widerstand Vieles beigetragen haben, den die Regierung, namentlich in landständischen Angelegenheiten der That nach gefunden hat, und daß sie, ganz geeignet, den gesunden Sinn des Volks, die Achtung vor seinen Behörden und der gesetzlichen Ordnung zu schwächen und zu vergiften, mit dahin gewirkt haben, gesetzwidrige, diese Ordnung störende, hier und da, wie in Gießen und Butzbach, erkennbar gewordene Erscheinungen hervorgerufen haben.«[285]

280 Spätere Aussage Eichelbergs, Hess. Staatsarchiv Marburg 270e Marburg Acc. 1871/35, No. 21, Fasz. II, p. 534f.; Bestätigung durch Jordan, ebd., p. 537.
281 Wie Anm. 20.
282 Nö, 431.
283 [Lorenz] Nover: *Pro Memoria über die politisch-revolutionären Verbindungen in den Jahren 1815-1852.* – Gießen [1852?] (Hess. Staatsarchiv Darmstadt, IIs Nr. 189/10).
284 Vgl. *GB I/II,* S. 216 u. 280, Anm. 230.
285 Wie Anm. 234. – Die bei Noellner, S. 110f., von Schäffer (*Prozeß* 34/157) übernommene Beurteilung der Wirkung vor allem von Weidigs und Flicks Flugschriften erscheint demgegenüber eher vage und übertrieben: »Sie enthalten zwar zunächst nur die bestimmte Aufforderung, nach einer gewissen Richtung hin eine Opposition gegen die Landesregierung zu bilden, aber die Art und Weise, wie dieses feindselige Auftreten motivirt und wie bei Anderen dazu angeregt wird, die Fassung dieser Schriften, die boshafte und entstellende Beurtheilung von Regierungshandlungen, die mannigfachen Lästerungen und Verdächtigungen der höchsten Staatsbehörde sowohl, als einzelner Beamten, womit jene Blätter angefüllt sind, – Alles läßt mit Sicherheit auf die *Absicht* der Verfasser schließen, das Volk glauben zu machen, daß der bestehende politische Zustand ein heilloser, empörender und unerträglicher, und eine Umgestaltung desselben nothwendig und unvermeidlich sei. Bei dem vielen Zündstoffe, welcher sich damals in der großen Masse vorfand, waren jene Flugschriften ganz dazu geeignet, wenigstens hier und da Unzufriedenheit zu erregen, Ungesetzlichkeiten zu veranlassen, sogar tumultuarische Auftritte herbeizuführen.« (Nö, 110f.).

Überhaupt macht die in allen behördlichen Beurteilungen[286] der Jahre 1834 bis 1844 übereinstimmend hohe Meinung vom revolutionären Charakter beider Auflagen des *Hessischen Landboten* nicht den Eindruck grundloser Hysterie:

»Die Flugschrift: ›Der hessische Landbote‹ ›Erste Botschaft‹ ist rein revolutionärer Natur. Datirt von Darmstadt aus, im Nov. 1834, stellt sie unter dem Motto: ›Friede den Hütten! Krieg den Palästen‹! die Bürger u[nd] Bauern unter den entwürdigendsten Bildern als eine Heerde Lastthiere dar, deren Bestimmung bis jetzt einzig gewesen seye, geschunden zu werden, u[nd] durch den Schweiß seiner [sic] Mühen den Fürsten u[nd] deren Helfershelfern, den Beamten, welche Treiber und Schinder des Volkes genannt werden, die Mittel zu einem üppigen Leben zu liefern. / Diesen Zustand nenne man in den Staaten in Ordnung leben; in Ordnung leben aber heiße hungern u[nd] geschunden werden. Die Bilder zu der ganzen Darstellung werden zwar aus der großherzogl[ich] hessischen Staatsverwaltung genommen [...]. Aber der Aufsatz selbst ist keineswegs nur gegen die Regierung des Grosherzogthums Hessen u[nd] dessen Fürsten gerichtet; vielmehr werden durch denselben alle Fürsten Deutschlands unter groben Schmähungen angegriffen. Hiezu [sic] dienen dem Verfasser jene Bilder gleichsam nur als Folie.«[287]

Die Flugschrift »war aus derselben Richtung, der der [Frankfurter] Männerbund folgte, vorzugsweise auf das Landvolk abgesehen. Dem Motto: ›Friede den Hütten, Krieg den Palästen‹ entsprach der Inhalt. Unter Mißbrauch biblischer Sprache wurde der Unterschied zwischen Begüterten und Nichtbegüterten als Unrecht dargestellt, zum Kampfe gegen die ersteren aufgerufen, und Aufruhr in einer Weise gepredigt, als ob er ein heiliges Werk sey. Es ergab sich hier in einem praktischen Beispiel, daß die Revolution nicht allein einzelne, ihren Anhängern verhaßte Rechte, sondern, ihrem consequent verfolgten Principe nach, jedes Recht schlechthin zu vernichten strebt.«[288]

»Der Inhalt dieser Schrift ist nicht nur geeignet, Unzufriedenheit hervorzubringen, sondern umfaßt die gröbsten Schmähungen gegen die teutschen Regierungen; es wird deren Rechtmäßigkeit und Rechtlichkeit darin mit einer zügellosen Frechheit angegriffen, zur Verweigerung des Gehorsams, zu offener Gewaltthätigkeit dagegen aufgefordert; der Inhalt dieser Schrift erscheint also als revolutionair.«[289]

»Die Schrift gehört zu den bösartigsten und gefährlichsten, ist nicht allein für die besonderen Verhältnisse des Großherzogthums Hessen berechnet, sondern überhaupt den Unterthan gegen seine Obrigkeit aufzuwiegeln und das landesherrliche Ansehen durch die gröbsten Schmähungen herabzusetzen.«[290]

»Dieses im Tone des frechsten Sansculottismus geschriebene Blatt, mit dem Motto: ›Friede den Hütten, Krieg den Pallästen‹ [...]«[291].

»Die aus diesem Blatt vorgelesenen Stellen tragen wirklich ein Gepräge, welches an die Diatriben Marats und seiner Genossen erinnert.«[292]

»Der s. g. *Hessische Landbote* [...] ist eine *unzweifelhaft revolutionäre Flugschrift*, was wohl auch ohne weitere Begründung aus den früher mitgetheilten Bruchstücken zu entnehmen sein wird. Nur ist hierbei noch an den ganz besonders rücksichtslosen und gemeinen Ton dieser Schrift, welche alle andern an ehrverletzenden Aeußerungen überbietet und als der *Ausfluß der verwerflichsten Gesinnung*, als das *Product* des *frechsten, zügellosesten Republikanismus* erscheint, ausdrücklich aufmerksam zu machen.«[293]

Die Flugschrift »›Der Hessische Landbote‹ [sucht] in den ungemessensten, aufrührerischsten Ausdrücken die bestehenden Regierungen, insbesondere aber jene des Großherzogthums Hessen-Darmstadt der öffentlichen Verachtung preis zu geben [...]. Sie ist vorzüglich

---

286 Die folgenden Auszüge sind der vollständigen Zusammenstellung solcher Urteile im Dokumentenband meiner angekündigten größeren Arbeit entnommen.
287 Entscheidungsgründe in der Untersuchungssache gegen den ApothekerGehülfen Ernst Frölich aus Ellwangen [...] 27. März 1838; *Prozeß* 55/255ff.
288 [Mathis], 1859, S. 63.
289 Obergericht Marburg, Kriminalsenat, 1857 (wie zu Anm. 280, jedoch No. 39, p. 22).
290 Schreiben der Bundeszentralbehörde (v. Wagemann), Frankfurt, 1. Oktober 1857; *Prozeß* 55/229.
291 Relation des Obergerichts Marburg; *Prozeß* 55/240.
292 Protokoll der Bundestagssitzung vom 10. 10. 1834, Präsidiumserlaß; Bayer. Geh. Staatsarchiv München, MA 1922, Lit. H 6 (nach freundlicher Mitteilung von Hans-Joachim Ruckhäberle).
293 Nö, 114.

106

an die Bauern und Handwerker gerichtet, und scheut sich nicht, zu offenbarem Aufruhr und Umkehrung der bürgerlichen Ordnung aufzufordern.«[294]

»Der Hessische Landbote ist nicht das Werk eines Studenten, sondern unverkennbar eines erfahrnen, gewandten und geübten demagogischen Schriftstellers, der die Studenten nur zur Verbreitung der Flugschriften benutzt haben wird.«[295]

»Diese Schrift, welche [. . .] den Volksleidenschaften auf eine ansprechende Weise schmeichelt, das materielle Interesse des Bürgers u[nd] Landmanns als Hebel gebraucht, u[nd] in ihre Ausführung verschiedene ebenso zur Herabwürdigung der Fürsten, als zur Aufregung des Volks dienende Bibelstellen geschickt verwebt, ist nach allen Beziehungen für die Ruhe des Staats gefährlich zu praediciren.«[296]

Es soll am Rande nicht unerwähnt bleiben, daß sich eine ganze Reihe solcher Formulierungen und ihr Grundtenor noch bis in die jüngste Forschung fortsetzen.[297]

In der Tat scheint Büchners und Weidigs Flugschrift ihre »für die Ruhe des Staats gefährlich[e]« Virulenz auch später ungefähr in dem Maße bewahrt zu haben, in dem die in ihr geschilderten Verhältnisse fortdauerten. Ob es in diesem Rahmen zutrifft, daß die oppositionelle Einheits- und Freiheitsbewegung des frühen Vormärz »vorerst erfolglos [blieb], weil die bäuerlich-handwerkliche Unzufriedenheit, die oft noch in altständischen Traditionen befangen war, mit der revolutionären Intelligenz keine Aktionseinheit bildete« (»Das Schicksal Büchners, der 1834 fliehen mußte, zeugt davon.«)[298], bleibe dahingestellt. Die Tatsache, daß der *Hessische Landbote* trotz seines nunmehr in Umrissen erkennbaren, relativen Erfolgs das Exil Büchners (und den Tod Weidigs!) nicht verhindern konnte, ist allerdings mit Sicherheit kein Indiz hierfür. Beider Schrift und ihre bis unmittelbar vor die drohende oder vollzogene Verhaftung unverminderten Anstrengungen, den eingeschlagenen Weg weiterzugehen, dokumentieren vielmehr den fortgeschrittensten Versuch, aber auch den weitesten tatsächlichen Schritt dazu, jene soziale Differenz zu überwinden und damit die entscheidende Klassenfrage jeder gegen den Feudalbürokratismus gerichteten Oppositionsbewegung *revolutionär*, d. h. durch die »*Gewalt*«[299] der »große[n] Masse des Volkes«, und »auf eine durchgreifende Art«[300], d. h. mit Aussicht auf eine dauerhaft erfolgreiche Umwälzung der bestehenden politischen Machtverhältnisse zu lösen.

Immerhin bezeugten ja, wie bereits erwähnt, sowohl Eichelberg als auch Weidig, daß der *Landbote* unter oberhessischen Bauern eine »gute

294 Instruction an sämtliche Distrikts-Polizei-Behörden, Würzburg, 31. Januar 1835; *Prozeß* 33/128.
295 Bundeszentralbehörde (v. Wagemann) an Landgericht Marburg, Frankfurt, 16. April 1835; *Prozeß* 33/231.
296 Wie Anm. 287.
297 W. R. Lehmann (wie Anm. 1, bes. S. 566-570): »Es kommt dem Demagogen darauf an, die Gedanken und Emotionen in eine Richtung zu lenken.« »Die demagogische Argumentation schreitet zielsicher fort und gipfelt in einem fanatisierenden Aufruf zur Empörung und Gewaltanwendung«; »martialische[s] Bild«; »ideologische Lüge«; »Demagogie des ›Hessischen Landboten‹«.
298 Reinhard Koselleck: *Die Julirevolution und ihre Folgen bis 1848.* – In: L. Bergeron, F. Furet, R. Koselleck: *Das Zeitalter der europäischen Revolution 1780-1848.* – Frankfurt a. M. u. Hamburg 1969 (= Fischer Weltgeschichte, Bd. 26), S. 275.
299 Büchner an die Familie, nach dem 6. April 1833, *HA*, II/416.
300 Büchner nach der Aussage Beckers, *Nö*, 421.

Wirkung [. . .] erzeugt« bzw. auf sie »einen ungewöhnlichen Eindruck gemacht habe«.[301]

Im Herbst 1834 richtete die Darmstädter ›Gesellschaft der Menschenrechte‹ einen erheblichen Teil ihrer Aktivitäten darauf, selbst in den Besitz einer Druckerpresse zu gelangen, mit der die begonnene, bisher aber nur unter Zugeständnissen an die bürgerlich-radikalen Gruppen mögliche Flugschriftenagitation nunmehr in eigener Regie fortgesetzt werden sollte.

Wie richtig die Strategie generell war, anstelle (sich selbst und andere mit Enthusiasmus täuschender) Aufstandsversuche wie des Frankfurter Wachensturms[302] »vor der Hand«, d. h. unter den gegebenen Verhältnissen der Illegalität und einer nichtrevolutionären Situation, mit Flugschriften »die große Masse des Volkes [. . .] zu gewinnen«[303], – und wie richtig die gewählten ›Mittel‹ waren, nämlich mit dem »Hebel« der »materiellen Interessen« die Bauern »aus ihrer Erniedrigung hervor[zu]ziehen«[304] und dabei die »Ueberzeugungsgründe aus der Religion des Volkes her[zu]nehmen«[305], dies zeigt auch die spätere Entwicklung und ›Wirkungsgeschichte‹, die hier nur noch in ganz knappen Andeutungen gestreift werden kann.[306]

Ebenso wie sich die in Darmstadt gebliebenen Reste der ›Gesellschaft der Menschenrechte‹ noch um 1840 als Mitglieder des ›Bundes der Geächteten‹, der ersten Organisation der deutschen Arbeiterbewegung im Lande selbst, auf Programmpapiere Büchners stützen konnten[307], so hat auch einer der früheren Auslandsvereine, das ›Junge Deutschland‹ in der Schweiz, schon 1836 nach dem Vorbild des *Hessischen Landboten* ein erstes Flugblatt zur Agitation der Bauern in Deutschland herausgegeben. Sogar der inzwischen geflüchtete Drucker von Büchners und Weidigs Schrift, Preller, war hierbei mit Rat und Tat beteiligt.[308]

Während diese Etappe der Wirkungsgeschichte weder mit Kunst noch mit dem Nimbus des Autors Büchner zu tun hatte (Wilhelm Schulz und Emil Ottokar Weller waren im Vormärz überhaupt die einzigen Autoren, die den Verfasser des *Hessischen Landboten* und von *Dantons Tod* öffentlich als ein und dieselbe Person vorstellten[309]), war die noch weitgehend unerforschte Resonanz der Flugschrift während der Revolution von 1848/49 zumindest in Gießen direkt durch enge Vertraute Büchners bestimmt: seine Brüder Ludwig und Alexander, seinen aus der Schweiz

---

301 Vgl. oben Text u. Anm. 208 u. 203.
302 Vgl. vorläufig Mayer, 1980, S. 370 ff.
303 Aussage Beckers, Nö, 421.
304 *HA* II, S. 455; Nö, 421; vgl. zu den Formulierungen *GB* I/II, bes. S. 223.
305 Ilse, 1860, S. 428; vgl. *GB* I/II, bes. S. 217-228.
306 Vgl. aber G. Schaub, in: *HL*, S. 142-150.
307 Vgl. *GB* I/II, S. 44-46.
308 Ebd., S. 54-58. Vollständiger Abdruck der Flugschrift im 2. Bd. dieses Jahrbuchs sowie demnächst in einer ausführlich kommentierten Quellenpublikation zur Schweizer Handwerkerbewegung von Hans-Joachim Ruckhäberle.
309 Schulz/Welcker, 1845, S. 12; zu Weller vgl. *GB* I/II, S. 157, Anm. 913.

kurzfristig heimgekehrten Freund August Becker und den Kenner seines Werks und in vieler Hinsicht Fortsetzer seiner politischen Bemühungen, den Jurastudenten und ›Bauernanwalt‹ Rudolf Fendt.

Nach der gescheiterten Revolution aber durfte in der von Ludwig Büchner herausgegebenen Sammlung der *Nachgelassenen Schriften* seines Bruders die Flugschrift nur als *Der* .....*sche Landbote* unter drastischer Eliminierung aller auf das Großherzogtum Hessen bezüglichen Passagen erscheinen[310], obgleich diese Ausgabe schwerlich vom Frankfurter Verleger in die Hände der oberhessischen Landarmen gelangen konnte. Diese verstanden indes den *Hessischen Landboten* auch noch zwei, drei weitere Generationen später, als er ihnen gegen Ende der Weimarer Republik in dieser nach wie vor industriell unterentwickelten Provinz, die jetzt vom geradezu junkerlichen Großgrundbesitz der ehemaligen Standes- und Gerichtsherren dominiert war, von dem kommunistischen Agitator Bruno von Salomon vorgelesen wurde.[311] Ja die Bauern selbst scheinen sich, wie wenigstens aus der oberhessischen Herrschaft derer von Nordeck zur Rabenau berichtet wird, schon 1918 beim Sturm der Herrensitze auf das mehr als achtzig Jahre alte Manifest berufen zu haben.

Über noch jüngere, mehr oder weniger authentische Bezüge bzw. Reaktionen auf den *Hessischen Landboten* – ein nicht uninteressantes Thema[312] – zu handeln, ist hier nicht der Ort; und zumal über allerjüngste Tendenzen, die mit den unten in der (Vier-)Jahresbibliographie aufgeführten Fällen keineswegs erschöpft sind, soll ganz der Mantel des Schweigens gebreitet werden.

Abgekürzt zitierte Literatur

BL = Burschenschafterlisten [. . .]. Hrsg. von Paul Wentzke. Bd. 2: Straßburg – Gießen – Greifswald. – Görlitz 1942

Bräuning-Oktavio, Hermann: *Georg Büchner. Gedanken über Leben, Werk und Tod.* – Bonn 1976 (= Abhdll. z. Kunst-, Musik- u. Literaturwissenschaft, Bd. 207)

Büchner, Georg: *Lenz – Der Hessische Landbote.* Mit e. Nachwort von Martin Greiner. – Stuttgart 1974 (Reclam 7955)

Büchner, Georg: *Gesammelte Werke.* [. . .] hrsg. von Gerhard P. Knapp. – München 1978 (Goldmann Klassiker 7510)

Büchner, Georg/Weidig, Friedrich Ludwig: *Der Hessische Landbote 1834.*

---

310 *N*, S. 295-302.
311 Vgl. Ernst Bloch: *Gespräch über Ungleichzeitigkeit.* – In: *Kursbuch* 39 (April 1975), S. 2. – Zum oberhessischen Anachronismus und zu den Differenzen der beabsichtigten, der möglichen und der tatsächlichen Wirkung des *Landboten* vgl. auch *GB I/II*, S. 24f., 273-276.
312 Vgl. wieder *HL*, bes. S. 145ff.

Neudruck beider Ausgaben m. e. Nachwort von Eckhart G. Franz. – Marburg 1973

Diehl, Wilhelm: *Ein politisches Gedicht auf Minister du Thil.* – In: *Hessische Chronik* 4 (1915), S. 311 f.

Diehl, [Wilhelm]: *Minnigerode's Verhaftung und Georg Büchners Flucht.* – In: *Hessische Chronik* 9 (1920), S. 5-18

Eichelberg, Leopold: *Nachtrag zum Jordan'schen Criminalprozeß, zugleich als Beitrag zur Zeitgeschichte.* – Frankfurt a. M. 1853

Friederichs, Heinz F.: *Das »Schwarze Buch« der Bundes-Zentralbehörde über revolutionäre Umtriebe 1838-42.* – In: *Hessische Familienkunde* 1 (1948), H. 2/3, Sp. 29-54

Hinck, Walter: *Georg Büchner.* – In: Benno von Wiese (Hrsg.): *Deutsche Dichter des 19. Jahrhunderts. Ihr Leben und Werk.* – Berlin 1969, S. 200 bis 222

Hoferichter, Carl Horst: *Das Untersuchungsverfahren gegen den Hofgerichtsadvokaten Wilhelm Trapp III zu Friedberg. Zur politischen Prozeßpraxis im hessischen Vormärz.* – In: *Archiv f. hess. Gesch. u. Altertumskunde,* N. F. 32 (1974), S. 403-476

Ilse, L. Fr.: *Geschichte der politischen Untersuchungen* [...]. – Frankfurt a. M. 1860 [Neudruck: Hildesheim 1975]

Immelt, Kurt: *Der »Hessische Landbote« und seine Bedeutung für die revolutionäre Bewegung des Vormärz im Großherzogtum Hessen-Darmstadt.* – In: *Mitteilungen des Oberhessischen Geschichtsvereins,* N. F. 52 (1967), S. 13-77

Johann, Ernst: *Georg Büchner in Selbstzeugnissen und Bilddokumenten.* – Hamburg 1966 (rowohls monographien 18)

Katz, Eugen: *Landarbeiter und Landwirtschaft in Oberhessen.* – Stuttgart u. Berlin 1904 (= Münchener Volkswirtschaftliche Studien, 64. St.)

Klotz, Volker: *Agitationsvorgang und Wirkprozedur in Büchners »Hessischem Landboten«.* – In: Helmut Arntzen u. a. (Hrsg.): *Literaturwissenschaft und Geschichtsphilosophie.* Festschrift f. Wilhelm Emrich. – Berlin/New York 1975, S. 388 ff.

Knapp, Gerhard P.: *Georg Büchner.* – Stuttgart 1977 (= Sammlung Metzler, Realien zur Literatur, Abt. D, Bd. 159)

Kowalski, Werner: *Die Volksagitation in der Freien Stadt Frankfurt nach dem Wachensturm vom April 1833.* – In: *Die Volksmassen. Gestalter der Geschichte.* Festgabe f. Leo Stern. – Berlin/DDR 1962, S. 154-174

Lehmann, Werner R. / Mayer, Thomas Michael: *Ein unbekannter Brief Georg Büchners. Mit biographischen Miszellen aus dem Nachlaß der Gebrüder Stoeber.* – In: *Euphorion* 70 (1976), S. 175-186

[Mathis, Ludwig Emil]: *Darlegung der Haupt-Resultate aus den wegen der revolutionären Complotte der neueren Zeit in Deutschland geführten Untersuchungen.* – Frankfurt a. M. [1839]

Mayer, Thomas Michael: *Georg Büchner und »Der Hessische Landbote«. Volksbewegung und revolutionärer Demokratismus in Hessen 1830-1835. Ein Arbeitsbericht.* – In: Otto Büsch u. Walter Grab (Hrsg.): *Die demokratische Bewegung in Mitteleuropa im ausgehenden 18. und frühen 19. Jahrhundert. Ein Tagungsbericht.* – Berlin 1980, S. 360-390

Prozeß = *Der Prozeß gegen die oberhessische Demokratie (1833-1838). Eine Sammlung von Akten und Verhörprotokollen gegen die Zirkel um Friedrich Ludwig Weidig in Butzbach, Georg Büchner in Gießen und Leopold Eichelberg in Marburg.* Mit finanzieller Unterstützung der Historischen Kommission für Hessen als Arbeitsexemplar zusammengestellt von Thomas Michael Mayer. 36 Bde in fol. – Marburg/Lahn 1973 [Unveröff. Sammlung, vgl. *GB I/II*, S. 288 u. 358]

Ruckhäberle, Hans-Joachim: *Flugschriftenliteratur im historischen Umkreis Georg Büchners.* – Kronberg/Ts. 1975

[Schäffer, Martin]: *Actenmäßige Darstellung der im Großherzogthume Hessen in den Jahren 1832 bis 1835 stattgehabten hochverrätherischen [. . .] Unternehmungen.* – Darmstadt 1839

Schaub, Gerhard: *Georg Büchner und die Schulrhetorik. Untersuchungen und Quellen zu seinen Schülerarbeiten.* – Bern, Frankfurt/M. 1975 (= Regensburger Beitrr. z. dt. Sprach- u. Literaturwissenschaft, Bd. 3)

Schulz, Wilhelm: *Ein wichtiges Zeugniß von Karl Zeuner in Nordamerika über die Nichtswürdigkeit des heimlichen deutschen Gerichts [. . .].* – Belle-Vue, bei Constanz 1846

Schulz, Wilh[elm]: *Nachgelassene Schriften von G. Büchner* [Rezension]. – In: *Deutsche Monatsschrift für Politik, Wissenschaft, Kunst und Leben* 2 (1851), H. 2, S. 210-233

Schulz, Wilhelm / Welcker, Carl: *Geheime Inquisition, Censur und Kabinetsjustiz im verderblichen Bunde. Schlußverhandlung mit vielen neuen Actenstücken über den Prozeß Weidig.* – Carlsruhe 1845

Treitschke, Heinrich von: *Deutsche Geschichte im Neunzehnten Jahrhundert.* Neue Ausg. 5 Bde. – Leipzig 1927

Verz. Stud. Gießen = *Verzeichniß der Studirenden auf der Großherzogl. Hessischen Landes-Universität zu Gießen nebst Angabe ihrer Wohnungen* [Semesterhefte]. – Gießen 1829ff.

Vogt, Carl: *Aus meinem Leben. Erinnerungen und Rückblicke.* – Stuttgart 1896

Waas, Christian: *Theodor Trapp von Friedberg, der Freund Weidigs.* – In: *Wetterauer Geschichtsblätter* 12 (1963), S. 49-106

Wittkowski, Wolfgang: *Georg Büchner. Persönlichkeit, Weltbild, Werk.* – Heidelberg 1978 (= Reihe Siegen, Bd. 10)

Zons, Raimar St.: *Georg Büchner. Dialektik der Grenze.* – Bonn 1976 (= Abhdll. z. Kunst-, Musik- u. Literaturwissenschaft, Bd. 208)

Büchners *Leonce und Lena*
Komödie des status quo*

Von Henri Poschmann (Berlin/DDR)

1

Büchners »Lustspiel« hat bei den Interpreten gegensätzlichster Richtungen bis heute nicht wenig Irritation und Verlegenheit ausgelöst. »Größerer Mißklang ist nicht denkbar als jener hier zwischen Büchners ganzer sonstiger Lehre, der Gesamtanlage seines Werkes – und diesem ironisch-romantischen Spiel von den beiden Königskindern«, ist der Eindruck Hans Mayers, der deshalb am ehesten dazu neigt, das Stück als zwielichtiges Produkt »gelegentlicher Laune« und, mehr noch, »eines zeitweiligen Konformismus [...] aus Geld- und Karrieregründen« aus der Reihe der authentischen Werke Büchners auszurangieren.[1] Mehr noch als jeder andere Text Büchners scheint dieser wie geschaffen zu sein, der Spekulation weite Gefilde zu öffnen und alle Versuche eindeutiger Sinnbestimmungen immer wieder in Widersprüchen enden zu lassen. Nicht wie in den Märchenspielen Shakespeares, dessen Schule gerade dieses Stück Büchners am offenkundigsten verrät, mündet hier alles am glücklichen Ende, in die gewisse, erfaßbare Wahrheit, die sich erst nach dem Weg durch vielerlei Irrungen und Verwirrungen in schöner Klarheit auftut. In dem komischen Drama um den Prinzen und die

---

* Vorabdruck aus Henri Poschmann: *Georg Büchner. Dichtung der Revolution – Revolution der Dichtung* mit freundlicher Genehmigung des Aufbau-Verlags, Berlin und Weimar, bei dem das Buch erscheint.
1 Hans Mayer: *Georg Büchner und seine Zeit.* – Berlin (1947), S. 304. – Es darf wohl als ein Symptom der Verunsicherung in der Forschung angesehen werden, daß Hans Mayer seiner Einschätzung von *Leonce und Lena* als »romantisch-ironisches Zwischenspiel«, die er unverändert in die neue Ausgabe seines Buches, *Georg Büchner und seine Zeit.* Frankfurt a. M. 1972, übernahm, noch eine andere, dem weitgehend entgegengerichtete Deutung der Komödie an die Seite setzte: *Prinz Leonce und Doktor Faust. Büchners Lustspiel und die deutsche Klassik.* – In: Hans Mayer: *Zur deutschen Klassik und Romantik.* – Pfullingen 1963, S. 306–314. Abgesehen vom Festhalten an der alten, jetzt noch mehr an Karl Viëtors Auffassung vom heldischen Pessimismus Büchners angenäherten These von dem Fatalismus-Klage des Dichters, die eine »geistige Gemeinschaft zwischen Danton, Leonce und Woyzeck« stifte (S. 313), und dem bleibenden Unbehagen an der Komödie, die sich Mayers normativem Begriff von Büchners Realismus entzieht, treten darin zwei neue Momente hervor, von denen besonders das zweite seither zu Unrecht wenig Beachtung fand: Zunächst, trotz der unübersehbaren zahlreichen romantischen Reminiszenzen (»Leonce hat allen Monologen Manfreds, Child Harolds, Don Juans zugehört, dazu den Tiraden der Helden Tiecks und Brentanos«, S. 307), der Widerruf des Vorwurfs epigonaler Abhängigkeit von der Romantik durch die nun umgekehrte Würdigung des Werkes als ein originäres »Gebilde, das mit der deutschen Romantik in seiner eigentlichen Substanz gar nichts mehr zu tun hat« (S. 308); sodann die Antithese, daß Büchner mit *Leonce und Lena* nicht, wie von Mayer selbst behauptet, aus Opportunismus auf das Preisausschreiben des Cotta-Verlages für das beste deutsche Lustspiel eingegangen war, sondern daß er mit dem Stück, das er dem Verlag der deutschen Klassik eingereicht hatte, »insgeheim gar nichts anderes anstrebte, als eine Demolierung der klassischen deutschen Literatur« und ihrer »philosophischen Grundlage, des philosophischen Idealismus« (S. 508). – Die Basis, auf der H. Mayer seine Vermutung verifiziert, ist gewiß zu schmal, wenn er nunmehr in Leonce nur das komische Vehikel eines »hämischen Spiels mit Faust-Motiven« (S. 311) sieht und das Stück allzu bündig auf die Formel »Hegelparodie plus Faustparodie« (S. 314) reduziert. Dennoch macht er mit der Aufdeckung dieses Bezugsfeldes auf einen bislang übersehenen Aspekt aufmerksam, der bei einer Gesamtanalyse der Komödie nicht übergangen werden sollte.

Prinzessin, die sich auf der Flucht voreinander unbekannterweise ineinander verlieben und sich am Ende, ohne zu wissen wie, als verheiratetes Paar wiederfinden, führt eher das simple Spiel unversehens auf die Spur hintergründiger Bedeutung.

Als Lustspiel geht das Stück, wie es scheinen will, nur oberflächlich auf. Das Lachen, das es erregt, macht nicht recht froh, die vielberufene Heiterkeit, die es ausbreitet, hat etwas Künstlich-Gezwungenes an sich. Zu auffällig ist die artistische Perfektion, die Verwicklung und Lösung der dürftigen Handlung auszeichnet. Und nachhaltiger noch als die Betroffenheit von Leonce und Lena am erreichten, offensichtlich aber doch fragwürdigen Ziel ihrer Wünsche, ist der Eindruck der Befremdung, den der Zuschauer über dem Spaß an der Komödie nicht los wird.

Anders als im Falle von *Dantons Tod*, der wie eh und je im Brennpunkt der Auseinandersetzung um Büchner steht, ohne daß Relevanz und Geltung des Stückes noch von irgendeiner Seite ernsthaft in Zweifel gezogen wird, besteht über den Stellenwert von *Leonce und Lena* noch keineswegs Einhelligkeit. Das Urteil über Rang und Stellung der Komödie schwankt. Einerseits behaftet mit dem Stigma einer epigonalen Produktion »aus zweiter, wenn nicht dritter Hand«, steht sie doch andererseits im Ansehen besonderer Ausgefallenheit und unverkennbarer Originalität.[2]

Zu einem guten Teil erklärt sich diese Unsicherheit aus der Geschichte der Bühnenrezeption des Stücks. Es ist wenig bekannt, daß die verspätete Entdeckung Büchners für das Theater durch die sogenannte Moderne noch vor *Dantons Tod* und *Woyzeck*, noch vor dem Triumph, den die Bühne des Expressionismus und Reinhardt ihrem vermeintlichen Ahnherren bereitete, mit *Leonce und Lena* (Münchner Uraufführung 1895) begann. Das geschah im Kontext der frühen Dramen Hofmannsthals, im Zeichen der ersten Ansätze einer neuromantischen Bühnenkunst, die, als Kunst für Künstler, aus einem esoterischen Kreis heraus eine Mode des dekadenten ästhetischen Geschmacks stimulierte.[3] Während dann im Berlin der beginnenden 20er Jahre im Großen Schauspielhaus Max Reinhardts *Dantons Tod* allabendlich ein Massenpublikum von einigen Tausend Menschen faszinierte, wurde wenige Häuser weiter »hinter romantisch gerafften Gardinen leicht gespielt« mit *Leonce*

---

2 Hans Mayer, a.a.O., S. 305; im Gegensatz zu Hans Mayer – und jetzt auch Maurice B. Benn: *The drama of revolt. A critical study of Georg Büchner.* – Cambridge 1976, S. 157-185 – kommt Gerhard P. Knapp: *Georg Büchner. Eine kritische Einführung in die Forschung.* – Frankfurt am Main 1975, zu der Auffassung, »daß die Bedeutung des Lustspiels für sich und in bezug auf die anderen Werke, von der Forschung [...] grob unterschätzt wurde« (S. 106); Knapp stützt sich in seiner Auffassung auf Jürgen Schröder: *Georg Büchners ›Leonce und Lena‹. Eine verkehrte Komödie.* – München 1966, und Herbert Anton: *Die ›mimische Manier‹ in Büchners ›Leonce und Lena‹.* – In: *Das deutsche Lustspiel. Erster Teil.* Hrsg. Hans Steffen. – Göttingen 1968. Während es Schröder jedoch um eine begründete genauere Bestimmung des bislang unsicheren Platzes von *Leonce und Lena* innerhalb der Dramatik Büchners geht, zielt Anton darauf ab, das Stück, in dem er »ein Lustspiel im Bewußtsein transzendentaler und ästhetischer Freiheit« sieht, als »überlegenes« und quasi widerlegendes Gegenstück gegen *Dantons Tod* und *Woyzeck* auszuspielen (S. 240).

3 Vgl. Wilhelm Hegeler: *Intimes Theater.* – In: *Neue deutsche Rundschau* 1895, S. 724.

und Lena ein anderer Büchner für ein auf raffinierten Kunstgenuß eingestelltes anderes Publikum vorgeführt.[4]

Friedrich Gundolfs absprechendes Urteil, *»Leonce und Lena*, neuerdings im guten wie im argen überschätzt, ist ein Rückfall in die bloße Literaturkomödie der Romantik nach Shakespeares Muster«, konnte aus eben diesem Zusammenhang heraus einen so starken und nachhaltigen Einfluß ausüben.[5] Die positivistische Forschung hatte zudem eine Fülle von Belegen zusammengetragen, die eine so weitgehende Abhängigkeit von Musset, Brentano, Tieck, Hoffmann und anderen Romantikern (von Shakespeare nicht zu sprechen) konstatierten[6], daß lange Zeit nichts näherzuliegen schien, als dem Stück jede Eigenständigkeit abzusprechen und es demzufolge aus dem Sinn- und Funktionszusammenhang von Büchners Schaffen herauszulösen.

Eine andere Ursache für die schwankende Beurteilung und verbreitete Reservehaltung liegt zweifellos in der Ungesichertheit der Kriterien, die der Eigenart des Stückes wirklich angemessen wären. Von daher ist es erklärlich, daß die heute zunehmend im Zeichen der Polarisierung in konservative und progressive Positionen stehende Diskussion der prinzipiellen Streitpunkte der Büchner-Forschung, soweit sie am Gegenstand der Komödie ausgetragen wird, notwendigerweise eine besondere Akzentuierung des ästhetischen Aspekts erfahren muß. Denn läßt die inhaltlich-politische, soziale und weltanschauliche Problematik von *Dantons Tod* und *Woyzeck* sich, wie es scheinen mag, einigermaßen unbeschadet von den spezifischen Fragen ihrer literarischen Strukturierung abtrennen, so versagt bei *Leonce und Lena* eine solche losgelöste Betrachtung von vornherein. Eine Inhaltsanalyse, der es um das Stück als ein aufführbares Ganzes zu tun ist, stößt sehr rasch an die Grenze ihrer methodischen Mittel.

Die Fabel der Komödienhandlung an sich, ohne das künstlerisch vermittelte Bezugssystem, sagt nur wenig. Figur und Handlung, Dialog und Szene streben vielfach auseinander. Die Themen, die sich auf dem mit irrlichternden Wortspielen, vielerlei sprachlichen Leerformeln und dunklen Lyrismen durchwirkten Textgrund abzeichnen, greifen über den engen, streng in sich geschlossenen Rahmen des dramatischen Geschehens hinaus. Je mehr man sich darauf versteift, sich ganz an den

---

4 Vgl. Alfred Döblin zu *Leonce und Lena*. Inszenierung von Reinhard Bruck, Staatliches Schauspielhaus Berlin, 16. Dezember 1921, und *Dantons Tod*. Inszenierung von Max Reinhardt, Großes Schauspielhaus Berlin, 17. Dezember 1921. In: Dietmar Goltschnigg (Hrsg.): *Materialien zur Rezeptions- und Wirkungsgeschichte Georg Büchners*. – Kronberg/Ts. 1974, S. 241-243; s. auch Axel Bornkessel: *Georg Büchners ›Leonce und Lena‹ auf der deutschsprachigen Bühne*. – Diss. Köln 1970 (zur Inszenierung von Bruck S. 121-126).
5 Friedrich Gundolf: *Romantiker*. – Berlin 1930, S. 390. Anders als bei H. Mayer, für den das Lustspiel unvereinbar mit seinem Begriff des büchnerschen Realismus war, lag für Gundolf der Grund für die Aburteilung des Stücks darin, daß es sich seinem irrationalistischen Bild Büchners als »Genie«, d. h. als »Träger von geheimnisvollen Mächten über- oder unterpersönlicher Herkunft« nicht fügte (S. 595). War Mayer die Affinität des Komödienschreibers zur Romantik verdächtig, so vermißte Gundolf an Büchners Komödie das ursprüngliche, vermeintlich echt Romantische der anderen Stücke, die er als »Stimmungsdramatik« auffaßte (S. 386).
6 Heinz Lipmann: *Georg Büchner und die Romantik*. – München 1923; Armin Renker: *Georg Büchner und das Lustspiel der Romantik. Eine Studie über ›Leonce und Lena‹*. – Berlin 1924 (= Germanische Studien 34).

greifbaren Vorgang und den unmittelbaren Wortlaut zu halten, um so
mehr gilt, was Ingeborg Strudthoff aus der Erfahrung der Bühnen-Re-
zeption des Stücks und Jürgen Schröder im Hinblick auf literaturwissenschaftliche Interpretationsversuche feststellen: »Wenn man ganz nahe
herangeht, löst sich einem alles auf in einem Hauch von Witz, Melancholie und zarter Lyrik«[7], denn es gehört (so Schröder) zum »proteischen
Wesen dieses Lustspiels, sich jedem direkten Zugriff launisch zu entziehen«, so daß, »wer etwa seine ›Handlung‹ zu referieren‹ versucht, schon
unversehens zum Fälscher« werde; greife man hingegen »nach einzelnen Sätzen und Sentenzen, so verstummen sie, beginnen falsch auszusa-
gen oder verwelken zu romantischen Zitaten«[8].

Tatsächlich stellt sich immer wieder die Frage nach der Verbindlichkeit der jeweiligen Aussagen. In den wortreichen Wechselreden zwischen Leonce und Valerio mit all ihren Verdrehungen, sprachlichen
Spitzfindigkeiten und logischen Eskapaden blüht der Unsinn. Was sie sagen, scheint mehr auf die witzige, oft gesucht originelle Pointe abzuzie-
len als darauf, einen wirklichen Sachverhalt zu treffen. Aus einem Mittel
realitätsbezogener Kommunikation wird die Sprache für sie zum bloßen
Spielball, den sie mit virtuoser Schlagfertigkeit in nutzloser Bewegung
halten, während König Peters unbeholfene, höchst autoritäre Anstrengungen des Begriffs sich im aussichtslosen Kampf mit der Tücke des vor
selbständigten sprachlichen Objekts erschöpfen, stets nur gesteigerte
Konfusion hinterlassend. Bei Lena hingegen, die sich in ihrem traumhaf-
ten Einssein mit der Natur mühelos und unmittelbar mitteilt, geschieht
es dem Zuhörer leicht, daß ihm von den Worten nur der Klang, die Stimmung, die sie erzeugen, haften bleibt. Kurt Tucholsky, der schrieb, »die
Melodie von ›Leonce und Lena‹ ist mir in Fleisch und Blut«, hat zuerst
diesen Eindruck des Übergangs von gesprochener Sprache in Musik
ausgesprochen.[9]

Es ist aus solchen Übergängen der Figuren-Aussage ins inhaltlich Un-
verbindliche geschlußfolgert worden, man habe es hier mit dem »vor-
weggenommenen Akt einer ›poésie pure‹« zu tun, mit einem Modellfall
dafür, wie, aus einer Art sprachlicher Urzeugung sozusagen, »grund-
und folgenlos« eine hermetische Schöpfung entsteht«.[10] Da wird Büchner
in den ganz auf die sprachlichen Mikrostrukturen eingestellten Augen
eines Verfechters der strukturalistisch ausgerichteten immanenten In-

---

7 Vgl. Ingeborg Strudthoff: *Die Rezeption Georg Büchners durch das deutsche Theater.* – Berlin (West) 1957, S. 84.
8 Jürgen Schröder, a.a.O., S. 13.
9 Kurt Tucholsky: *Büchner.* – In: *Die Schaubühne* 9/1913, S. 997; abgedruckt in: Dietmar Goltschnigg (Hrsg.), a.a.O., S. 211.
10 Gerhart Baumann: *Georg Büchner. Die dramatische Ausdruckswelt.* – Göttingen 1961, S. 101; ebenso schon Helmut Krapp: *Der Dialog bei Georg Büchner.* – Darmstadt 1958, S. 163: »Das ›Sprachorgan‹ dieser Komödie bestätigt sich selber seine Priorität [. . .]. Der Dialog wird selbst die Spielweise des Dramas. Diese Struktur verlagert den Akzent vom regulierten und ereignishaften Entwicklungszusammenhang [. . .] auf die in sich erfüllte Spracheinheit.« – Vgl. auch Herbert Anton, a.a.O., S. 229: »Einer solchen Wortkunst geht es nicht mehr um ein pragmatisch begrün-detes Verhältnis von *res* und *verbum*, sondern um eine Möglichkeit der Sprache, eine eigene Wirklichkeit zu erzeugen, wenn sie sich von ihrer pragmatischen Funktion losgesagt und der Bewegung ihrer emanzipierten Bilder und Bedeutungen überläßt.«

terpretationsmethode zum Kronzeugen für einen »Kunstbegriff [...],
dem *Herz und Gefühl* stilistische Aufgaben und Stilqualitäten sind, deren
biographische Entsprechungen noch nicht einmal anekdotische Bedeutung haben«.[11] Unter Zurückweisung des alten Vorwurfs epigonaler Abhängigkeit kann Büchners Stück nun aus dieser Sicht gleichermaßen zur
genialen Antizipation des absurden Theaters[12] oder zur modernen »Vollendung der romantischen Komödie«[13] werden.

Bei alledem wird es – da die Interpretationen dieser Art sich prononciert einseitig der sprachlich-stilistischen Textstruktur des Werkes zuwenden – unterlassen, überhaupt nach einem bestimmten Realitätsbezug sowie nach einem übergeordneten, vom Autor im Textganzen
hergestellten Funktionszusammenhang zu fragen. Was künstlerisches
Mittel ist, wird als Zweck seiner selbst aufgefaßt, die Elemente des Inhalts werden zu bloßem wertfreiem Spielmaterial. Es entgeht, daß das
freie zweckentbundene Spiel, das die Figuren des Stücks aufführen, im
Stück so zur Schau gestellt wird, daß es sich selbst verrät. Die Frage nach
der kritischen Intention, die gerade der betont hermetische Abschluß des
künstlichen Sprachraums, in dem sie sich produzieren, nahelegt, kommt
so gar nicht auf. Nur unter der Voraussetzung, daß man die Verbindungen zu dem als außerliterarisch abgewiesenen Bezugsfeld abschneidet
und sich so des wichtigsten Schlüssels auch für die innere Strukturierung des Stücks begibt, kann es aber geschehen, daß als Apologie und
»Vollendung« für bare Münze genommen wird, was in Wahrheit Parodie
und spöttisch nachahmende Abrechnung ist.[14]

Gegenwärtig zeigt sich, daß die Rezeption von *Leonce und Lena* eine
zunehmende Bedeutung für die Auseinandersetzung um das Gesamt-

---

11 Ebd., S. 226; analog dazu J. Schröder, a.a.O., S. 12.
12 Vgl. dazu Wilhelm Emrich: *Von Georg Büchner zu Samuel Beckett. Zum Problem einer literarischen Formidee.* – In: *Aspekte des Expressionismus.* Hrsg. von Wolfgang Paulsen. – Heidelberg 1968, S. 11-32 – ferner Werner R. Lehmann: ›*Geht einmal Euren Phrasen nach . . .‹ Revolutionsideologie und Ideologiekritik bei Georg Büchner.* – Darmstadt 1969, S. 11, unter Berufung auf Arthur Adamov: »Il n'y a rien entre Shakespeare et le Don Juan de Molière jusqu'à Brecht que Büchner.‹ Das sagt ein Repräsentant der europäischen Avantgarde. Büchner erweist sich unversehens auch als Ahnherr des absurden Theaters [...]. Büchner hat das erste Drama des absurden Theaters von hohem künstlerischen Range geschrieben: ›Leonce und Lena‹, die Tragikomödie des menschlichen Sinnverlustes, die absurde Komödie der Langeweile.«
13 H. Anton, a.a.O., S. 228. – Karl S. Guthke: *Geschichte und Poetik der deutschen Tragikomödie.* – Göttingen 1961, S. 186f.
14 Die solchermaßen die Rezeption der Komödie Büchners weithin beeinflussende Forschungsrichtung hält sich mit ihrer strengen Beschränkung auf den vermeintlich allein spezifisch literarischen, nämlich sprachkünstlerischen, Aspekt des Stückes nicht wenig auf die Entideologisierung zugute, die der Garantieausweis ihrer wissenschaftlichen Authentizität sein soll. Wie es aber tatsächlich selbst im besten Falle um die vorgebliche ideologische Voraussetzungslosigkeit und Tendenzfreiheit ihrer Interpretationsansätze bestellt ist, macht Gustav Beckers (*Georg Büchners ›Leonce und Lena‹. Ein Lustspiel der Langeweile.* – Heidelberg 1961) deutlich, der das Stück vordergründig auf eine behauptete geistige Verwandtschaft Büchners mit Kierkegaard hin auslegt und ihm direkt dessen Denk- und Kategorienschema überzustülpen sucht. Schröder (s. Anm. 2) hebt sich zwar methodisch entschieden von diesem Vorgehen ab, bleibt aber gerade durch seine erklärte Ablehnung inhaltsbezogener Fragestellungen an den Text unter der Hand letztlich ebenfalls dem alten Grundschema derselben existenzialistischen Prämisse verhaftet, die Büchner dem sogenannten europäischen Nihilismus des 19. Jahrhunderts (sprich Kierkegaard bzw. Nietzsche) subsumiert, nur mit dem Unterschied, daß diese präjudizierende Ausrichtung bei ihm auf indirekte Weise, transponiert ins Ästhetische, über den angesetzten Kunstbegriff erfolgt. Denn nichts anderes bedeutet es schließlich, wenn der Kategorienapparat, den Schröder anwendet, dem poetologischen System Gottfried Benns entliehen ist, und wenn die Anschauungsweise, die der Analyse zugrunde liegt, insgesamt erklärtermaßen von vornherein eingefärbt ist durch die spätbürgerliche Sicht »des absurden Theaters und seines bodenlosen Sprachulks, der Stücke eines Ionesco, Adamov, Beckett, Genet, Hildesheimer, Grass, Eich u. a.« (Jürgen Schröder, a.a.O., S. 14.) – Jürgen Sieß (*Zitat und Kontext bei Georg Büchner. Eine Studie zu den Dramen* Dantons Tod *und* Leonce und Lena. – Göppingen 1975) und Jan Thorn-Prikker (*Revolutionär ohne Revolution. Interpretationen der Werke Georg Büchners.* – Stuttgart 1978) belegen den anhaltenden, allerdings insgesamt ergebnisarmen Einfluß des »textur«-analytischen Verfahrens von Schröder.

werk Büchners gewinnt. Zudem liegt in der Tatsache der Aufwertung der Komödie Büchners als Sprachkunstwerk durch die formalästhetische Interpretationsrichtung einerseits und ihrer Unterschätzung aufgrund eines zu engen Realismusverständnisses andererseits eine methodologische Herausforderung. Dies um so mehr, als die im einzelnen vielfach aufschlußreichen Untersuchungen zur sprachlich-stilistischen Struktur des Stücks vornehmlich da ihre Ansatzpunkte finden, wo ideologische und soziologisch-historische Gehaltsanalysen, soweit sie die ästhetische Spezifik des Gegenstandes übergehen, bislang erfolglos blieben. Namentlich der normative Realismusbegriff, dem Georg Lukács zur Geltung verholfen und den auch Hans Mayer aus den poetologischen Äußerungen Büchners herausgelesen hatte, war, in Verbindung mit einer vordergründigen mechanistischen Widerspiegelungsauffassung, wenig geeignet, den Zugang zu einem Schein und Sein so irritierend ineinander auflösenden künstlerischen Phänomen wie *Leonce und Lena* zu erleichtern.[15]

Am Präzedenzfall der Komödie Büchners erweist sich auch, daß für die Sache wenig gewonnen ist und man die Probleme der notwendigen Entwicklung einer gegenstandsgerechten materialistischen literaturwissenschaftlichen Methode nur umgeht, wenn man etwa, wie jüngst Peter Mosler, dem Stück unvermittelt »mit der theoretischen Armatur der Kritik der politischen Ökonomie« zuleibe zu rucken trachtet – zumal wenn dieser Vorsatz noch von einer abstrakten phänomenologischen Auffassung durchkreuzt wird.[16] Man muß auch nicht wie Lienhard Wawrzyn nach einer »Rechtfertigung« des »ästhetischen Hermetismus Büchners« durch ausschließlich äußere Faktoren (Zensur) suchen[17], wenn man versucht, diese vielmehr in ihrer künstlerischen Funktionalität zu verstehen. *Leonce und Lena* ist zweifellos mehr als eine listig an die äußeren literarischen Kommunikationsbedingungen angepaßte Übersetzung des *Hessischen Landboten* in die Sprache der Komödie.[18] Die literarische Form ist hier nicht lediglich Tarnung oder bloßes geliehenes Transportmittel oppositioneller Ideen – das unterscheidet Büchners Stücke deutlich genug von der Dramatik der jungdeutschen Autoren –, sie ist die spezifische, Spielcharakter tragende Organisationsweise eines bestimmten Verständigungsprozesses und als solche nicht austauschbar, nicht von den vermittelten Inhalten und Impulsen abtrennbar.[19] Die kommu-

15 Georg Lukács: *Der faschistisch verfälschte und der wirkliche Georg Büchner.* – In: *Deutsche Realisten des 19. Jahrhunderts.* – Berlin 1955; vgl. auch Alexander Dymschitz: *Die ästhetischen Anschauungen Georg Büchners.* – In: *Weimarer Beiträge*, H. 1 (1962), S. 108-123.
16 Peter Mosler: *Georg Büchners ›Leonce und Lena‹. Langeweile als gesellschaftliche Bewußtseinsform.* – Bonn 1974.
17 Lienhard Wawrzyn: *Büchners ›Leonce und Lena‹ als subversive Kunst.* – In: *Demokratisch revolutionäre Literatur in Deutschland: Vormärz.* Hrsg. von Gert Mattenklott und Klaus R. Scherpe (Literatur im historischen Prozeß 3/2). – Kronberg/Ts. 1974, S. 85-115, (hier S. 100).
18 Ebd., S. 97.
19 Wolfgang Rabe: *Georg Büchners Lustspiel ›Leonce und Lena‹.* – Diss. Potsdam 1967, übersieht das. Indem er das Stück durch die Brille einer diesem fremden, der klassischen Dramaturgie liest, sieht er irrtümlicherweise in Valerio den positiven Helden des Stücks, der für die »gesunden Kräfte des Volkes« steht und »am Ende nicht nur über Leonce, sondern über die ganze im Stück vorgeführte abgelebte Gesellschaft‹ triumphiert, S. 177 u. 355.

nikative Potenz, bei einem Publikum mit entsprechender Interessenlage kritisches Bewußtsein zu mobilisieren, mystifizierte Klassenverhältnisse zu durchschauen, überlebte Zustände der falschen Würde des Bestehenden zu entkleiden, sie in ihrer Widersinnigkeit bloßzustellen und damit den Willen zur Veränderung zu ermuntern, ist funktional an jenen Kunstcharakter des Werkes gebunden, der alles das als Möglichkeit präsent hält, aber, wie die Rezeptionsgeschichte zeigt, nicht zwangsläufig vermittelt.

2

Weit mehr noch als bei den anderen beiden Stücken hat man sich bei *Leonce und Lena* darauf einzustellen, daß der Aussagegehalt nicht im Wortlaut der gesprochenen Texte aufgeht. Nichtsdestoweniger findet der Dramatiker Büchner Mittel, die verbale Selbstdarstellung der Figuren kritisch zu objektivieren, sie in das Licht wirklicher Interessen und Verhältnisse, auf die sie bezogen sind, zu rücken. Und nicht selten überführt die hinter den Worten zum Vorschein gebrachte Realität den Sprachgebrauch eklatant der sozial motivierten Täuschung und Sinnverkehrung.

Freilich geschieht das nicht immer in so greller, bittersatirischer Direktheit wie in der Szene vor dem Schloß, wo die zur Prinzenhochzeit zum Spalier aufgestellten ausgemergelten, in ihre elenden Lumpen gehüllten, apathisch gehorsamen Bauern durch ihren bloßen erbärmlichen Anblick die protokollarische Unterstellung einer verordneten Wunschwirklichkeit entlarven: »*Landrat*. Gebt Acht, Leute, im Programm steht: ›Sämmtliche Unterthanen werden von freien Stücken, reinlich gekleidet, wohlgenährt und mit zufriedenen Gesichtern sich längs der Landstraße aufstellen.‹ Macht uns keine Schande!«[20] Landrat und Schulmeister, die den stumpfen, in Unmündigkeit gehaltenen Untertanen zufriedene Gesichter befehlen und stupide Vivat-Rufe einüben, ergänzen überdies die verbale Vergewaltigung der Tatsachen, indem sie in einer zynischen Farce dazu noch das Rezept einer optischen Verfälschung der Wirklichkeit vorführen, die den Augen des Duodezherrschers schmeicheln soll: »*Schulmeister*. Courage, ihr Leute! Streckt eure Tannenzweige grad vor euch hin, damit man meint ihr wärt ein Tannenwald und eure Nasen die Erdbeeren und eure hirschledernen Hosen der Mondschein darin, und merkt's euch, der Hinterste läuft immer wieder vor den Vordersten, damit es aussieht als wärt ihr ins Quadrat erhoben.«[21] Menschen werden in dieser grotesken Schau dressierter Treuebekundung zu bloßen Dekorationselementen einer lebenden Kulisse.

---

20 *HA* I, S. 127.
21 Ebd.

Für ihre Mitwirkung als vivatrufende Statisten dürfen die Bauern zuschauen, wie »das hohe Paar vorbeifährt«, und sich am Duft laben, der aus der Küche zu ihnen herüberweht, so daß sie auch einmal im Leben einen Braten zu riechen bekommen.[22] Dies korrespondiert direkt mit einer Stelle im *Hessischen Landboten,* in der Büchner die hessischen Bauern als die arbeitenden und steuerzahlenden Träger des großherzoglichen Staatswesens auffordert: »Geht einmal nach Darmstadt und seht, wie die Herren sich für euer Geld dort lustig machen«, und sich dafür krummzubücken, daß ihre »Kinder auch einmal hingehen können, wenn ein Erbprinz mit einer Erbprinzessin für einen anderen Erbprinzen Rath schaffen will, und durch die geöffneten Glasthüren das Tischtuch sehen, wovon die Herren speisen, und die Lampen riechen, aus denen man mit dem Fett der Bauern illuminirt.«[23] Was ursprünglich die Form der rhetorischen Aufforderung des Agitators hatte, wird vom Dramatiker jetzt szenisch realisiert, als ausgeführt gegenständlich auf der Bühne vorgestellt. Der Standpunkt, von dem aus die Komödie um die Bestimmung eines solchen Erbprinzen und die Verlegenheiten, die sie auslöst, geschrieben ist, und die Sicht auf die Welt, die sie vorführt, stimmen, durch solchen Textvergleich belegbar, mit dem Standpunkt und der Sicht des sozialrevolutionären Flugschriftenverfassers überein. Beide Male, auf dem Felde der politischen Praxis von 1834 und im Bereich der Literatur des Jahres 1836, handelt es sich um die in ihrer Art bis dahin radikalste Kritik des absolutistischen Systems vom fortgeschrittensten zeitgenössischen Standpunkt aus. Eine Kritik des überständigen status quo in Deutschland, die diesen Standpunkt einholt, artikuliert sich, erstmals in die Öffentlichkeit dringend, während des vorrevolutionären Aufschwungs des folgenden Jahrzehnts 1844, in Marx' Ausführungen *Zur Judenfrage* und *Zur Kritik der Hegelschen Rechtsphilosophie* sowie in den damit zusammen erscheinenden satirischen *Lobgesängen auf König Ludwig* von Heine und schließlich im gleichen Jahr in Heines *Deutschland. Ein Wintermärchen.*[24]

Es ist angebracht, sich dieses Zusammenhangs der Komödie Büchners hier zunächst von der historisch-biographischen Ebene her zu vergewissern.

Wie Heine und Marx im Exil aus der Perspektive des fortgeschritteneren Standards der bürgerlichen Gesellschaft Frankreichs die deutschen Zustände nach dem strengsten geschichtlichen Maßstab zu beurteilen

22 Ebd.
23 *HA* II, S. 44, 46.
24 Siehe *Deutsch-Französische Jahrbücher.* Hrsg. von Arnold Ruge und Karl Marx. 1. und 2. Lieferung. – Paris, 1844; Heinrich Heines *Lobgesänge auf König Ludwig* leiteten den Hauptteil des ohne Fortsetzung gebliebenen Eröffnungsdoppelhefts der *Deutsch-Französischen Jahrbücher* ein, in dem die genannten Aufsätze von Marx erschienen, die erstmals aus der revolutionär-demokratischen Sammlungsbewegung heraus auf die neue Perspektive vorauswiesen, die weitere vier Jahre danach das *Manifest der Kommunistischen Partei* eröffnete. – Zum Zusammenhang zwischen Heines *Deutschland. Ein Wintermärchen* und den von Marx zu der Zeit entwickelten Positionen s. Hans Kaufmann: *Politisches Gedicht und klassische Dichtung.* – Berlin 1958.

lernten, so hatte Büchner schon von seinem ersten Straßburgaufenthalt, der in die Zeit der ersten offen ausgebrochenen modernen Klassenkämpfe zwischen dem sich formierenden Proletariat und der mittels der monarchistischen Staatsform herrschenden Bourgeoisie gefallen war, ein Vergleichsmaß für das Duodezformat der Verhältnisse diesseits des Rheins mit nach Hessen zurückgebracht.»Hier ist alles so eng und klein. Natur und Menschen, die kleinlichsten Umgebungen, denen ich auch keinen Augenblick Interesse abgewinnen kann«, schrieb er damals seinem Straßburger Freund August Stöber.[25] Von dieser Erfahrungsgrundlage her erhielt die *Leonce und Lena*-Taschenformatwelt ihren Zuschnitt. In dem mit dem Reich Pipi benachbarten Reich Popo gestattet die Aussicht aus den Fenstern eines Saales des königlichen Schlosses rundum die »strengste Aufsicht« über die Landesgrenzen.[26]

Vier Monate nach dem Brief an Stöber erläuterte er diesen auf die ganze räumliche Umwelt, einschließlich der natürlichen Landschaft übertragenen Eindruck der Enge, unter dem er stand, da er gezwungen war, seine abschließende Ausbildung an der großherzoglich-hessischen Staatsuniversität zu absolvieren: »[...] dabei engten mich die politischen Verhältnisse ein, ich schämte mich, ein Knecht mit Knechten zu sein, einem vermoderten Fürstengeschlecht und einem kriechenden Staatsdiener-Aristokratismus zu Gefallen. Ich komme nach Gießen in die niedrigsten Verhältnisse, Kummer und Widerwillen machen mich krank.«[27] Und in demselben Erlebniszusammenhang taucht das Bild des zum Automaten werdenden Menschen auf, das dann von Büchner in *Leonce und Lena* zu einem tragenden Motiv entwickelt wird. »Seit ich über die Rheinbrücke ging [von Straßburg nach Gießen kommend, H. P.], bin ich wie in mir vernichtet, ein einzelnes Gefühl taucht nicht in mir auf. Ich bin ein Automat; die Seele ist mir genommen.«[28] Damit ist eine unzweifelhafte Angabe des auslösenden Zusammenhangs der Krise Büchners gegeben. Es verdient dabei – nicht nur im Hinblick auf Büchners Komödie – Beachtung, daß dies in dem viel, aber stets nur in der bekannten, aus dem Kontext herausgelösten Passage zitierten sogenannten »Fatalismus«-Brief steht. Das deprimierte: »Ich fühlte mich wie zernichtet unter dem gräßlichen Fatalismus der Geschichte [...]«, das sich wörtlich ausschließlich auf das Resultat des Studiums der französischen Revolutionsgeschichte

---

25 An August Stöber, Darmstadt, 9. Dezember 1833. *HA* II, S. 421.
26 *HA* I, S. 129.
27 *HA* II, S. 429.
28 *HA* II, S. 426; vgl. auch am 9. Dez. 1833 an Stöber, daß »die widrigen Verhältnisse, unter denen ich hier lebe, mich in die unglückseelige Stimmung setzen«, und *HA* II, S. 424: »Ich erschrak vor mir selbst. Das Gefühl des Gestorbenseins war immer über mir. Alle Menschen machten mir das hippokratische Gesicht, die Augen verglast, die Wangen wie von Wachs, und wenn dann die ganze Maschinerie zu leiern anfing, die Gelenke zuckten, die Stimme herausknarrte und das ewige Orgellied herumtrillern hörte und die Wälzchen und Stiftchen im Orgelkasten hüpfen und drehn sah, – ich verfluchte das Conzert, den Kasten, die Melodie.« Valerios Kommentar zu dem von ihm inszenierten komödienhaften Auftritt des als Automaten maskierten Brautpaars greift unmittelbar auf diese Briefstelle zurück. Hier im Brief an die Braut vom März 1834 wendete Büchner das Bild aus dem Makabren ins Komische, indem er sich über sich selbst lustig machte (»Ich hätte Herrn Callot-Hoffmann sitzen können, nicht wahr meine Liebe? Für das Modelliren hätte ich Reisegeld bekommen. Ich spüre, ich fange an, interessant zu werden.«). In der Komödie läßt Büchner dann umgekehrt durch das lustige Maskenspiel das Makabre durchblicken.

120

bezieht, ist danach in seiner Relation zu der (primär durch den Druck der feudalen deutschen Kleinstaatverhältnisse und die nahe Zukunftsaussicht auf eine Rolle als großherzoglich-hessischer Untertan ausgelösten) seelischen Krise zu sehen. Das bringt überdies schon der Anfang desselben Briefes mit dem unüberwindlichen Abscheu davor, in dieser Umwelt leben zu sollen, zum Audruck. Die knappen expressiven Auslassungen Büchners über das Fazit seiner Befragung der geschichtlich weitgesteckten Erfahrungen der bürgerlichen Revolution in der gegebenen krisenhaften aktuellen politischen und biographischen Situation stehen in dem Brief unmittelbar zwischen den Bekundungen der äußersten Betroffenheit durch eben diese Situation. Sie mußte von Büchner als um so niederdrückender empfunden werden, je weniger der geschichtliche Modellfall der Französischen Revolution dazu angetan war, der Suche nach einem realen Ausblick für die Gegenwart einen befriedigenden Anhalt zu geben. Das Verhältnis der Wechselwirkung des einen mit dem anderen ist unverkennbar. Erst aus ihm ergibt sich, welcher konkrete Gehalt und welcher wirkliche Stellenwert der Anwandlung von Verzweiflung über das Versperrtsein eines revolutionären Auswegs auf absehbare Zeit und dem damit verbundenen momentanen Eindruck des Fatalismus in der Geschichte zukommt.

Die Methode nahezu aller inhaltlichen bürgerlichen Büchner-Interpretationen fußt wesentlich darauf, die aus dem angegebenen konkreten Zusammenhang herausgelöste, kurzschlüssig und abstrakt auf das Verhältnis zur Revolution schlechthin bezogene Äußerung Büchners über den niederschmetternden Eindruck des »gräßlichen Fatalismus der Geschichte« zu einer absoluten Seinshaltung zu ontologisieren und so zum mehr oder weniger gewaltsam gehandhabten Universalschlüssel zu den Werken zu machen. Vornehmlich *Dantons Tod* schien geeignet, ein solches Vorgehen zu rechtfertigen. Das Revolutionsstück ohne zufriedenstellendes Lösungsangebot und ohne optimistischen Ausblick wurde auf diese Weise in Anspruch genommen zur Stützung der These vom resignierenden Revolutionär, der sich von der Politik abkehrt und zur Literatur hinwendet – wobei es dann nahelag, *Leonce und Lena* als signifikanten Beleg der vollzogenen Ablösung des politischen durch ein rein ästhetisches Interesse anzusehen.[29] Hat die krisenhafte Stimmung Büchners ihren primären Bezug aber, wie sich zeigt, in der unversöhnlichen Opposition gegen die Lebensverhältnisse im hessischen feudalbürokra-

---

29 So z. B. Erwin Scheuer: *Akt und Szene in der offenen Form des Dramas, dargestellt an den Dramen Georg Büchners.* – Berlin 1929: »Hier aber wird alles Leid überwunden durch die Schöpfung einer besseren und schöneren Welt« (S. 82). »[. . .] es ist die Welt der zwecklosen Schönheit, der ungehemmten Lebensfreude« (S. 83). – Dagegen Henri Plard: *Apropos de* Leonce und Lena. *Musset et Büchner.* – In: *Etudes Germaniques* 9 (1954), S. 26-36; deutsch in: Martens, S. 289-304. Plard, der die Wirkungsspuren der Komödien Mussets (besonders *Fantasio*) präzisiere, betont den spezifischen satirischen Charakter von Büchners Komödie und weist auf deren Zusammenhang mit der revolutionären Intention von *Dantons Tod* und *Woyzeck* hin: »Wie in seinen Dramen, so ist auch hier die Literatur (mit den ihr eigenen Mitteln) gewissermaßen eine Fortführung des Krieges zwischen den ›leeren und den vergoldeten Bäuchen‹« (S. 304).

tischen Staatswesen, statt in einer abstrakten geschichtspessimistischen Abkehr von jeglichem Gedanken einer Revolution, so verändert das auch im Hinblick auf den Werkzusammenhang den vorauszusetzenden Sachverhalt. In ganz umgekehrtem Sinne fällt dann von der im sogenannten »Fatalismus«-Brief angesprochenen Problematik gerade auf *Leonce und Lena* ein erhellendes Licht, und zudem auch auf die in *Dantons Tod* eingegangenen depressiven Stimmungen, die demnach differenzierter auf ihre wirklichen Grundlagen zurückzuführen sind.

Was sich in dem Gefühl der Bedrohung der seelischen Existenz, in der Vision der Entpersönlichung zu einer Art lebendem Automaten verdichtet, das heißt der Verurteilung zu einem Leben, das zum abstumpfenden mechanischen Ablauf wird, dem Sinn und Eigenwert genommen sind (wie sich in Büchners Erzählung tragisch am klinischen Fall von Lenz erfüllt), das war aus seinem tiefsten Grund zuerst ein Substrat der Erfahrung des unheilbaren Zerfallenseins mit den anachronistisch fortbestehenden restaurativen deutschen Duodezverhältnissen. Der Sache nach kennzeichnet dies eine extrem vorgeschobene revolutionäre Position, die eine Umkehr oder ein wie immer geartetes Sicharrangieren ausschloß. Das unterschied Büchners Situation zu diesem Zeitpunkt des Endes der ersten Welle vormärzlicher revolutionärer Bewegungen während der äußersten Eskalation konzertierter Repressionen der Staaten des deutschen Bundes markant von der jener politisierten bürgerlichen Schriftsteller, die einige Jahre lang die nun zunächst zerfallende literarische Opposition in Deutschland gebildet hatten.

Dem subjektiven Ausdruck nach war das davon abgehobene unversöhnliche Verhältnis Büchners zum äußerlich konsolidierten status quo wandelbar. Tendierte es in dem zitierten Brief und analog dazu in dem kurz vor der Flucht ins Ausland geschriebenen Drama *Dantons Tod* aus der Stimmung tiefer Niedergeschlagenheit heraus eher zum tragischen Ausdruck, so transponierte Büchner das Thema der augenscheinlichen Unwandelbarkeit des Bestehenden, das sich nur im aushöhlenden mechanischen Kreislauf ständiger Wiederholung erhält, in *Leonce und Lena* auf die Ebene des Komischen bzw. Satirischen.

Die Märchenwelt, die die Szenerie des Stückes bildet, gibt sich leicht als ironisch stilisierte Nachbildung des Systems des vorgeblich aufgeklärten, modernen deutschen Duodezabsolutismus zu erkennen. Man darf dabei nicht die Künstlichkeit dieser Märchenhaftigkeit übersehen, den Ausweis des Gemachten, den es trägt, wie im Ganzen die Betonung des Spielcharakters, den Darstellung und Dargestelltes gleichermaßen tragen, denn dies weist die besondere Qualität des Unwirklichen aus, die der vorgeführten Welt vom Autor zugesprochen wird. Es ist eine Welt, die aus der Geschichte herausgefallen zu sein scheint, eine Wirklichkeit, die nur noch als Parodie ihrer selbst aufgefaßt werden kann.

Die komische Verfremdung, mit der Büchner arbeitet, indem er das sinnfällig macht, unterscheidet sich wesentlich vom Spiel mit dem Spiel im Sinne der romantischen Dramaturgie, das fließend ins willkürliche Spiel mit der Wirklichkeit übergehen konnte, da dort allein das autonome Subjekt des Dichters zum Maß aller Dinge geworden war. Auch Grabbes Komödie *Scherz, Satire, Ironie und tiefere Bedeutung* bedient sich dessen noch, während Büchner das komische Verfremdungsspiel letztlich in den Dienst einer vermittelt realitätsbezogenen geschichtlichen Objektivierung stellt.

Darüber hinaus wird noch zu sehen sein, daß die eigentümliche, mit Hilfe von märchenhaften Elementen aufgebaute Unwirklichkeitsstruktur des Stücks noch auf einer anderen Bezugsebene eine wichtige Funktion erfüllt.

Die Freiheit, mit der Büchner seinen Gegenstand behandelte, wäre ihm vor seiner Flucht kaum möglich gewesen. Die Distanz, die der Standort im Exil schuf, ermöglichte es, daß an die Stelle des Gefühls des Ausgeliefertseins ein selbstsichereres überlegeneres Überschauen treten konnte. Ein Brief an die Eltern aus Straßburg vom 15. März 1836 gibt Auskunft über den Wechsel der Perspektive, der stattgefunden hat und jetzt, dank der neugewonnenen Selbstgewißheit, eine neue Ausdrucksweise zuläßt. Den Gerüchten und Verleumdungen über die jungen Revolutionäre im Ausland wie in den Gefängnissen tritt der Briefschreiber aus der Solidarität der Verfolgten heraus mit der Bemerkung entgegen: »Uebrigens sind wir Flüchtigen und Verhafteten gerade nicht die Unwissendsten, Einfaltigsten oder Liederlichsten! Ich sage nicht zuviel, daß bis jetzt die besten Schüler des Gymnasiums und die fleißigsten und unterrichtetsten Studenten dieß Schicksal getroffen hat, die mitgerechnet, welche von Examen und Staatsdienst zurückgewiesen sind.« Und er fügt die den ganzen Unterschied und Abstand abmessende Betrachtung hinzu: »Es ist doch im Ganzen ein armseliges, junges Geschlecht, was eben in Darmstadt herumläuft und sich ein Aemtchen zu erkriechen sucht!«[30]

Das ist die Sicht auf die hessische Kleinstaatmisere mitsamt ihrer bürgerlichen Angepaßtheit, aus der Büchners Komödienwelt entworfen ist und die sich an ihr als formbildend erweisen sollte. So mit Abstand, von außen gesehen, konnte die zuvor bis zum Gefühl der inneren Vernichtung empfundene bedrückende Enge zum Gegenstand souveräner Belustigung werden. So blickt man auf etwas zurück, was man gründlich hinter sich gelassen hat.

Es versteht sich, daß solcher Abstand nicht einfach nur lokal bedingt sein konnte, aus dem Ortswechsel von diesseits nach jenseits der Rheingrenze, der den polizeilich Verfolgten in Sicherheit versetzte. Büchner

---

30 *HA* II, S. 454.

hatte eine historische Grenze überschritten, als er ebenfalls im Entstehungsjahr von *Leonce und Lena* von Straßburg aus Karl Gutzkow auf die Inkonsequenz der bürgerlichen literarischen Opposition hinwies und mit Nachdruck dafürhielt, daß es unumgänglich sei, »die abgelebte moderne Gesellschaft zum Teufel gehen« zu lassen. Denn – und abermals ist die hinter dem spaßhaften Spiel tiefernste entschiedene Haltung des Komödienautors deutlich wiedererkennbar: »Zu was soll ein Ding wie diese zwischen Himmel und Erde herumlaufen? Das ganze Leben derselben besteht nur in Versuchen, sich die entsetzlichste Langeweile zu vertreiben. Sie mag aussterben, das ist das einzig Neue, was sie noch erleben kann.«[31] In Büchners Komödie sieht man »ein Ding wie diese« zum Spott ihrer selbst gegenständlich »zwischen Himmel und Erde herumlaufen«. Auch auf das Grundmotiv der in Wahrheit nur scheinhaften Handlung, die man in dem Stück sich entfalten sieht, ist damit hingewiesen. Prinz Leonce, der Held in seiner Welt, ist der groteske Paradefall eines Menschen, dessen Leben sich in hoffnungslosen Versuchen erschöpft, »sich die entsetzlichste Langeweile zu vertreiben«.

In der Einleitung *Zur Kritik der Hegelschen Rechtsphilosophie* schrieb Marx im theoretischen Gewahrwerden desselben Wechsels der Epochenperspektive: »Das moderne ancien régime ist nur mehr der Komödiant einer Weltordnung, deren wirkliche Helden gestorben sind, die Weltgeschichte ist gründlich und macht viele Phasen durch, wenn sie ihre alte Gestalt zu Grabe trägt. Die letzte Phase einer weltgeschichtlichen Gestalt ist die Komödie.«[32] Ganz in diesem Sinne ist die mit »Komödie« bezeichnete Qualität des anachronistischerweise noch Wirklichen in *Leonce und Lena* als ein Phänomen der Geschichte (und wie man sehen wird damit korrespondierend der Literaturgeschichte) erfaßt.

In Büchners Sicht auf König Peters Puppenreich Popo liegt, so verstanden, das abschließende Urteil über eine Epoche, das im Lachen einer potentiellen Zuschauerschaft Widerhall sucht. Das Fatale ist nur, daß die Entschlossenheit, die »abgelebte moderne Gesellschaft« zum Teufel gehen zu lassen, sich vorab nur außerhalb ihrer selbst artikulieren konnte, während das Volk noch immer stumm und ergeben, »wie Dünger auf dem Acker« vor den Herrschenden lag.[33] Daher der bittere Bodensatz auf dem Grund der Komödie.

---

31 Ebd., S. 455.
32 *MEW*, Bd. 1, S. 382.
33 *HA* II, *Der Hessische Landbote*, S. 34.

3

Findet die Frage nach dem sozialen Realitätsgehalt des Stücks einen sicheren Anhaltspunkt in der Bauern-Szene, so kann dabei nicht übersehen werden, daß gerade diese Szene dramaturgisch-formal einen Platz am Rande einnimmt, ohne in der Fabel begründete Verknüpfungen mit der Geschichte vom Prinzen und der Prinzessin sowie der von König Peter getragenen Gegenhandlung.

Trotzdem, oder, wie sich zeigt, gerade deshalb enthält sie den Schlüssel nicht allein zum grundlegenden Gehalt des Stücks als inhaltlichem Ganzen, sondern gleichermaßen zu dessen formalem dramentechnischen Bauprinzip. Sowohl die Schritte der Analyse als auch das Gesamtverständnis hängen vom Gebrauch bzw. Nichtgebrauch dieses Schlüssels ab. Es muß nämlich, um nicht auf falsche Prämissen aufzubauen, zunächst gefragt werden, ob der Stellenwert dessen, was diese Szene für das Ganze einbringt, tatsächlich danach bemessen ist, welchen Raum ihr das betont traditionelle dramaturgische Modell der Lustspielhandlung um den Prinzen Leonce zuweist – wie es üblicherweise unbesehen vorausgesetzt wird –, oder ob nicht umgekehrt dieses Modell als landläufige, vorzugsweise auf dem Theater gepflogene Kunstpraxis vielmehr dem Maßstab ausgeliefert wird, den die aus dem geschlossenen Rahmen und der tektonischen Symmetrie des märchenhaften, oberflächlich geschehen harmlos anmutenden Spiels herausfallende Szene in Sicht bringt.

Alles bisher zum Bezugsfeld des Stücks Ermittelte spricht dafür, daß dieser Maßstab gerade in der ganz unmärchenhaften, allen schönen Scheins entbehrenden sozialen Realität liegt, die hier in einem momentan die Stimmung zerreißenden Lichtwechsel grell ins Bild kommt. Wenn das Spiel um Prinz Leonce und Prinzessin Lena irgendwo außerhalb seiner selbst seinen »geheimen Fluchtpunkt« hat, was unzweifelhaft der Fall ist, so in den dabei in Erinnerung gerufenen, von den Beteiligten des Spiels vergessenen oder verdrängten objektiven Bedingungen ihrer Existenz – nicht schlechterdings, wie Schröder, in zu enger Sicht, den Außenbezug vernachlässigend, meint, im Dichter selbst, den er »ausschließlich als hervorbringenden Faktor« sieht.[34]

Zwei in dem Stück nicht zu übersehende Momente signalisieren, daß hier ostentativ der neuralgische Punkt des Verhältnisses zwischen der fiktiven Welt des scheinbar autonomen Bühnenspiels und der wirklichen Welt außerhalb des Theaters, auf die sie zu beziehen ist, hervortritt.

Das erste Moment ist das strukturelle Aus-dem-Rahmen-Fallen der Szene: »als einzig in ihrer Art kann sie in die« – von Erwin Scheuer in sei-

---

34 Jürgen Schröder, a.a.O., S. 188, rückt Büchner damit zu sehr in die Nähe des romantischen subjektivistischen Dichtungsverständnisses.

ner formtypologischen Analyse des Stücks – »aufgestellten Szenentypen nicht eingeordnet werden.«[35] In ihrem Inhalt, ihrer Typologie, ihrer Stimmungslage und ihrem Ausdruckswert steht sie im Kontrast zu allen übrigen Szenen. Der sonst spielerische, teils ironisch-lustige bis komisch-melancholische, teils närrisch-witzige Ton schlägt um in bittere satirische Anklage. Das heitere Spiel transzendiert an dieser Nahtstelle gewissermaßen aus der Welt des märchenhaften Scheins in die der Realität. Der Spaß schlägt um – und es erscheint, um sich die Qualität dieses Umschlags zu verdeutlichen, hilfreich, hierzu die Unterscheidung von zweierlei Spott heranzuziehen, die Büchner im Februar 1834 in einem Brief aus Gießen an die Familie traf: »Man nennt mich einen *Spötter*. Es ist wahr, ich lache oft, aber ich lache nicht darüber, *wie* Jemand ein Mensch, sondern darüber, *daß* er ein Mensch ist, wofür er ohnehin nichts kann, und lache dabei über mich selbst, der ich sein Schicksal theile. Die Leute nennen das Spott, sie vertragen es nicht, daß man sich als Narr producirt und sie duzt; sie sind Verächter, Spötter und Hochmüthige, weil sie die Narrheit nur *außer sich* suchen. Ich habe freilich noch eine Art von Spott, es ist aber nicht der der Verachtung, sondern der des Hasses. Der Haß ist so gut erlaubt als die Liebe, und ich hege ihn im vollsten Maße gegen die, *welche verachten.* Es ist deren eine große Zahl, die im Besitze einer lächerlichen Äußerlichkeit, die man Bildung, oder eines todten Krams, den man Gelehrsamkeit heißt, die große Masse ihrer Brüder ihrem verachtenden Egoismus opfern. Der Aristocratismus ist die schändlichste Verachtung des heiligen Geistes im Menschen; gegen ihn kehre ich seine eigenen Waffen; Hochmuth gegen Hochmuth, Spott gegen Spott.«[36]

Den stil- und strukturanalytischen Untersuchungen, die sich der Komödie bisher eingehend widmeten, konnte das Herausfallen der Bauernszene aus dem geschlossenen Formschema, an das Büchner sich allein mit diesem Stück hält, nicht entgehen, doch wurde das für sie nicht zum Anlaß, nach der Funktion zu fragen, die dem zukommt. Eher war man geneigt, geflissentlich zu überhören, was die Störung der ästhetischen Harmonie an dieser Schaltstelle signalisiert und dementsprechend das fremdkörperhafte Einsprengsel als vermeintlich mehr oder weniger irrelevant für das Stück lediglich en passant zu vermerken oder auch ganz zu übergehen.

Das zweite, nicht leicht zu übersehende Moment besteht in einem thematisch pointierten satirischen Hinweis auf den Ausschluß der Untertanen, auf deren Rücken sich, in einem Bild aus der *Hessischen-Landboten*-Sphäre zu sprechen, die höfische »Affenkomödie« abspielt, aus dem Spielgeschehen. An einer Stelle in der zweiten Szene des ersten Akts

35 Erwin Scheuer, a.a.O., S. 85.
36 *HA* II, S. 423.

nämlich kann König Peter sich beim Ankleidezeremoniell nicht erinnern, was der Knopf bedeuten soll, den er sich in sein Schnupftuch geknüpft hatte, um sich etwas zu merken – bis es ihm schließlich einfällt: *»Peter (freudig).* Ja, das ist's, das ist's. – Ich wollte mich an mein Volk erinnern!«[37] Die so schlaglichtartig transparent gemachte Exklusivität der Gesellschaft im Glanz des Bühnenlichts fordert beim Zuschauer den Gedanken an die Ungenannten heraus, die im Dunkeln bleiben, von deren Fett aber, nochmals im Bilde des *Hessischen Landboten,* die Lampen brennen, mit denen die feudale Szenerie illuminiert wird.

Darin bestätigt sich noch einmal mehr, daß die Bauernszene als Schaltstelle für den – bezeichnenderweise ausgefallenen – Realitätsbezug der Spielhandlung in der Märchenidylle der Müßiggänger ein Bindeglied zwischen dem *Hessischen Landboten* und *Woyzeck* bildet. Im Unterschied zum *Hessischen Landboten* wird hier, nach dem Fehlschlagen der revolutionären Mobilisierungsversuche in Hessen, auch das apathisch-gehorsame Untertanenverhalten der Bauern selbst, ihr Stillhalten und widerspruchsloses Verharren im Zustand der Verdinglichung mit zu einem Zielpunkt der satirischen Kritik. *Woyzeck* wird Büchner dann auf dem Weg zur Entdeckung einer neu entstehenden, zwangsläufig stärker revolutionär motivierten Klasse zeigen.

Um das, der herrschenden ästhetischen Norm scheinbar gehorchend, Ausgesparte dennoch präsent zu halten, begnügt Büchner sich nicht damit, an einer Stelle gleichsam ein Loch in das künstliche Gewebe der Märchenwelt des Stücks zu reißen, das mit einem Mal einen Blick auf die gar nicht heitere Wirklichkeit dahinter freigibt und dabei die Flitterhaftigkeit der Theaterwirklichkeit augenfällig macht. Als nicht integrierter Theaterdichter, der sich kritisch gegen die herrschenden Regeln der Kunst verhält, unterläuft er überdies auf unterschiedliche Weise den festgelegten, absichtlich als eng in sich abgeschlossen ausgewiesenen Plan des Spiels und die Grenzen des darin Zulässigen. Das Vorgeführte deutet hin auf das von der Vorführung kraft geheiligter ästhetischer Gesetze nicht etwa nur per Zensur und Polizei – Ausgeschlossene, nicht Bühnenfähige, was letztlich heißt gesellschaftlich Verdrängte. Dabei zeigt sich, welche Funktion die durch die Auflösung der Einheit von Handlung und Dialog und die Inkongruenz von Wortlaut und Aussagegehalt ermöglichte thematische Unterwanderung der an sich nahezu nichtssagenden Handlung zu erfüllen vermag. So ruft das breit ausgeführte Thema des Müßiggangs als Lebensform der Aristokraten, das, Überdruß und Langeweile erzeugend, die ganze Prinzenwelt durchdringt (»Die Bienen sitzen so träg an den Blumen, und der Sonnenschein liegt so faul auf dem Boden. Es krassirt ein entsetzlicher Müßiggang.«[38]),

---

37 *HA* I, S. 109.
38 Ebd., S. 106.

gerade deshalb, weil es von der ideologiebildenden, genießenden Oberschicht so erfolgreich ins Vergessen gedrängt wird, den Gedanken an die Kehrseite und Bedingung des Müßiggangs hervor, die in Fronarbeit als Lebensform des die Gesellschaft erhaltenden Volkes besteht. Dieses Thema ist in der Theaterprinzenwelt tabu, denn es umschließt das Geheimnis der Grundlagen ihrer Existenz.

Ganz vollkommen wäre die Welt für die Müßiggänger erst, wenn die Arbeit überhaupt, d. h. die uneingestandene Abhängigkeit von den Arbeitenden und die ständige latente Beunruhigung und Bedrohung, die von ihnen ausgeht, per Dekret abgeschafft werden könnte und das Genießen (»Makkaroni, Melonen und Feigen [. . .] musikalische Kehlen, klassische Leiber und eine kommode Religion!«[39]) ungestört wäre, wie Valerio es im utopisch-phantastischen Schlußbild der Komödie ausmalt.

In dem Entwurf eines Dialogs, den Büchner nicht in die endgültige Fassung seines Stücks aufnahm, hatte er das gesellschaftlich verpönte und in der Kunst als der Sphäre des Schönen unerwünschte Thema der niederen, materiell nützlichen Arbeit zwischen Leonce und Valerio direkt anzüglich zur Sprache gebracht. Am Boden krabbelnde Ameisen veranlassen die beiden, auf ihre abstruse Weise über den Fleiß zu philosophieren, wobei der Prinz eine von Valerio begonnene Beweiskette weiterführt und zu dem Schluß kommt: »also, wer arbeitet ist ein Schuft«[40]. Valerio gibt darauf – nur einen Augenblick lang seiner Rolle als Apologet des Nichtstuns untreu – zu bedenken: »Ja. – Aber dennoch sind die Ameisen ein sehr nützliches Ungeziefer.« Unmittelbar daran anschließend bekennt er das Dilemma (aus dem zu entkommen am Schluß der Sprung in die paradoxe Utopie dienen soll): »und doch sind sie wieder nicht so nützlich, als wenn sie gar keinen Schaden thäten. Nichts destoweniger, werthestes Ungeziefer, kann ich mir nicht das Vergnügen versagen einigen von Ihnen mit der Ferse auf den Hintern zu schlagen, die Nase zu putzen und die Nägel zu schneiden.«[41] Die Reaktion auf das Fortbestehen des Dilemmas verrät, was bleibt, wenn die letzte Illusion des romantisch rebellierenden Thronfolgers verraucht sein wird.

Die direkte Aufnahme des Themas der ausgebeuteten und verachteten Arbeit als notwendige Bedingung der Existenzform der Müßiggängerwelt in deren eigene Textur hätte die Grenze verwischt, von der zu zeigen war, daß sie dem Denken der unproduktiven, nur genießenden Klasse objektiv gesetzt und schon in der vorgeprägten Form des Bewußtseins fixiert ist. Diese für das eigentliche Dilemma blinde, die Wirklichkeit verkehrende und harmonisierende Denkform, die zugleich in der ästhetischen Norm bis in die Gattungs- und Genrestruktur hinein fixiert war,

---

39 Ebd., S. 134.
40 Ebd., S. 139.
41 Ebd.

gehörte für Büchner mit zum Gegenstand der Kritik. Sie konnte daher selbst schlecht zum Gefäß der Kritik gemacht werden. Vielmehr entschied Büchner sich dafür, sie konsequent in ihrem Funktionieren vorzuführen und objektiv von einem Standort außerhalb der mit der Lustspielfabel umgriffenen poetischen Welt zu beleuchten.

Von daher gewinnt das Stück erst seine Komplexität und ästhetische Stringenz. Der Dualismus der beiden sozialen Perspektiven, die es miteinander konfrontiert, tritt auf diese Weise zugleich als Gegenstand und Mittel der Darstellung in Erscheinung. Mit der Herstellung einer indirekten Korrelation zur empirischen Realität, die der fiktiven dramatischen Realität widerstreitet und die Authentizität des gesamten auf der Bühne zugelassenen sprechenden Personals in Frage stellt, ist das scheinbar konventionelle Lustspiel *Leonce und Lena* nicht zuletzt darauf angelegt, die Konvention des höfisch integrierten bürgerlichen, bzw. bürgerlich geöffneten höfischen Theaters und das darin zum Ausdruck kommende idealistisch verkehrte Bild der Gesellschaft zu desavouieren.

Darin liegt ein konsequenzenreicher Anspruch. Das Stück verlangt ein Publikum, das fähig und interessiert ist, sich von hemmenden Konventionen und geläufigen Illusionen frei zu machen, sich der Wirklichkeit, so wie sie ist, zu stellen, und damit eine grundsätzlich veränderte Haltung zum Theater einzunehmen. Es leitet zum selbständigen Sehen, zur kritischen, die Theaterillusion durchschauenden Rezeption an. Denn das Theater, das während der Kunstperiode, der Blütezeit des deutschen Idealismus, die Bestimmung zur Pflegestätte einer idealen, über die reale Misere triumphierenden Welt erhalten hatte, ist Probe auf das gesellschaftlich eingebürgerte Verhältnis zur Wirklichkeit. War ihm programmatisch der Anspruch zugedacht, höchstes Organ der Vervollkommnung der Menschheit durch ästhetische Erziehung zu sein, so war die Welt des schönen Scheins, die es produzierte, in der Praxis, während der Restaurationszeit mit dem Versagen der aufklärerischen Fortschrittskonzeption zunehmend zu einer illusionären Ersatzwirklichkeit geworden, die im Namen der Kunst effektiv der Entfremdung vom Leben Vorschub leistete. Für dessen primäre Realität und elementare Bedürfnisse öffnete solcherart idealistische Kunstübung »weder Augen noch Ohren«[42]. Im Gegenteil. »Sie gehen in's Theater, lesen Gedichte und Romane, schneiden den Fratzen darin die Gesichter nach und sagen zu Gottes Geschöpfen: wie gewöhnlich!«[43] Zu einer dem Leben übergeordneten Instanz erhoben, hatte das Theater als Tempel des Schönen und Idealen in diesen Jahren das Mißverhältnis von Kunst und Leben auf die Spitze getrieben. Wenn aber die wirklichen Menschen selbstvergessen begannen, die erfundenen Figuren, welche die Bühne ihnen vorhielt, nachzuahmen, war

---

42 *Dantons Tod.* 2. Akt. Ein Zimmer (Camille). Ebd., S. 37.
43 Ebd.

es an der Zeit, gegen die mißbrauchte Autonomie der Kunst die Autonomie der Wirklichkeit ins Bewußtsein zurückzurufen.

»Sezt die Leute aus dem Theater auf die Gasse: ach, die erbärmliche Wirklichkeit!« war daher – gegen die »Marionetten mit himmelblauen Nasen und affectirtem Pathos« produzierende Idealkunst und die Flucht in die vergangenheitsseelige Idylle gerichtet – der Wahlspruch, unter dem der Autor von *Dantons Tod* angetreten war und dem er mit *Woyzeck* folgte.[44] *Leonce und Lena* dagegen – doch keineswegs unvereinbar damit – enthüllt in der Auseinandersetzung mit den versteinerten deutschen Zuständen die herrschende, solchem radikalen plebejischen Realismus entgegenstehende, verkehrtes Bewußtsein reproduzierende Kunstpraxis parodistisch in ihrem eigenen Bild.

Man muß sich dabei vergegenwärtigen, daß Theater, Oper und Konzert als willkommener Ersatz für das fehlende öffentliche Leben während der Restaurationsperiode gerade in der Zeit künstlerisch-substantiellen Niedergangs eine enorme Bedeutung erlangt hatten. Parallel zur Entfaltung des technischen Bühnenapparates und Ausstattungswesens, die eine weitgehende Vervollkommnung der Theaterillusion ermöglichte, die Zuschauer zunehmend in eine passiv genießende unkritische Haltung versetzend, vollzog sich eine Perfektionierung der artifiziellen Ausdrucksmittel. Aus der Verkümmerung produktiver gesellschaftlicher Funktionen heraus erblühte das Virtuosentum und Starwesen. Das chimärische Wesen der vielbewunderten und vergötzten Theaterhelden, die ihre Untauglichkeit als Leitbilder hinlänglich erwiesen hatten, im Panoptikum der Komödie zu durchleuchten, so wie Büchner es unternahm, zielte daher über das Anliegen der üblichen Literaturkomödien hinaus.

Man kann nicht ohne weiteres daran vorbeigehen, daß der formale Kontrast zum Gesamtwerk außerordentlich auffallend ist. Das Material ist nicht wie sonst bei Büchner im ersten Zugriff der Wirklichkeit entnommen, es besteht in der überwiegenden Menge aus literarischen Gebrauchtwaren, die – samt zugehörigem technischen Know-how – nicht von weither, sondern aus nächster Nähe entlehnt sind, woraus betont kein Hehl gemacht wird. Im Gegenteil, die Authentizität, die Büchner gemeinhin im Faktisch-Realen sucht, soll hier allem Anschein nach im rein Literarischen, aus der zur Schau gestellten Übereinstimmung mit der Konvention und dem Festhalten am künstlerischen Standard erbracht werden. Schon der Name der prinzlichen Titelfigur stellt Leonce ausdrücklich neben Brentanos *Ponce de Leon*, ein Stück, das 1801 ebenfalls durch ein, seinerzeit von Goethe angeregtes, Preisausschreiben des Cotta-Verlages für ein Lustspiel entstanden und seinerseits bereits rein lite-

---

44 Ebd.

rarischer Abstammung war. Ebenso offenkundig erinnert das Reich König Peters an das des harmlos-einfältigen Königs Gottlieb in Ludwig
Tiecks *Prinz Zerbino,* einer anderen, den Zeitgenossen wohlbekannten
romantischen Komödie, in der gleichfalls ein schwermütiger Märchen-
prinz die Hauptrolle spielt.

Es muß auch über die zahllosen einzelnen literarischen Reminiszenzen hinaus auffallen und legt die Frage nach der Absicht nahe, die damit
verfolgt wird, daß Büchner sich in *Leonce und Lena* ganz im Gegensatz
zu den beiden anderen Stücken einer geradezu klassisch geschlossenen
dramatischen Form bedient. Dieser entspricht die hermetische Abge-
schlossenheit des Handlungsraums, deren soziale Relevanz und dialektische Problematisierung innerhalb des Stückes selbst bereits deutlich
wurde. Man müßte das ganz übersehen und eine hier und da anzutref-
fende Veräußerlichung und Vereinseitigung der Begriffe auf die Spitze
treiben, wollte man das »Dichterische« der Komödie schlechterdings als
alternative Entscheidung Büchners gegen den Realismus seiner anderen
Stücke auffassen.[45]

Büchners Komödie ist darum, daß sie nicht eine bestimmte Wirklichkeit in ihrem äußeren Erscheinungsbild wiedergibt, nicht weniger realistisch und nicht weniger geschichtsbezogen als *Dantons Tod* und *Woyzeck.* Der sozialkritische Realismus tritt hier insbesondere im Erfassen
bestimmter geschichtlich wesentlicher prozessualer Daseins- und Be-
wußtseinsstrukturen einer untergangsreifen Gesellschaft in Erscheinung. Das geschieht (und darin gründet sich die spezifische literarische
Authentizität des Stücks) im kritischen mimetischen Aufschluß der besonderen, aus den Widersprüchen dieser Gesellschaft und ihrer unbe-
wältigten Umgestaltung hervorgegangenen ästhetischen Spielformen
des Dramas und der Sprache.

4

Drei Sphären des restaurativen status quo werden im Spiegel der Komödie Büchners kritisch aufgefangen und in ihrem Wechselverhältnis erfaßt: die gesellschaftlich-staatliche Organisationsform, deren philoso-
phisch-metaphysisches Korrelat und die Sphäre künstlerisch-ästheti-
schen Selbstverständnisses in ihr. Keine dieser Seiten kann, ohne den
Aussagegehalt, den sie erst in der mehrschichtigen Ganzheit des Stücks
gewinnt, zu verflachen, von den übrigen abgetrennt werden.

Die Wirklichkeit im abgeschlossenen Kunstraum der Komödie ist die
einer phantastisch bis ins Groteske stilisierten Idylle, die aus ihrer Be-

45 So Gonthier-Louis Fink: *Leonce et Léna. Comédie et realisme chez Büchner.* In: *Etudes Germaniques* 16 (1961),
S. 223-234; deutsch in: Martens, S. 489-506: »Das Stück ist weit entfernt vom sozialen Realismus, ja die dargestellte
Welt ist ausgesprochen dichterisch, sogar märchenhaft« (S. 489).

dingtheit heraus, aus dem Zwang der abgelebten, perspektivelosen Gesellschaft zur Selbstverklärung, als solche durchsichtig gemacht wird. Ihre Märchenhaftigkeit ist von gläserner, höchst zerbrechlicher Künstlichkeit. »*Leonce.* [. . .] Ich wage kaum, die Hände auszustrecken, wie in einem engen Spiegelzimmer, aus Furcht, überall anzustoßen, daß die schönen Figuren in Scherben am Boden lägen und ich vor der kahlen, nackten Wand stünde.«[46]

In allem, in der Figurengruppierung, in den Wortgefechten zwischen Leonce und Valerio, bei der Begegnung zwischen Leonce und Lena, herrscht ein im Grunde sehr labiles Gleichgewicht, das nur durch die Einhaltung der strengsten Symmetrie ausbalanciert werden kann und dessen Störung lebensbedrohliche Folgen für die Idylle heraufbeschwören könnte.

Selbst die geringste Abweichung ängstlich zu vermeiden, die Symmetrie durch die Überführung jeder Bewegung in Gleichförmigkeit zu erhalten, ist daher die ständige Sorge des Monarchen, den dies Amt offenkundig überfordert: »Kommen Sie, meine Herren!« wendet er sich an sein Hofgefolge. »Gehen Sie symmetrisch. Ist es nicht sehr heiß? Nehmen Sie doch auch Ihre Schnupftücher und wischen Sie sich das Gesicht.«[47] Derselbe Ordnungsvorgang, der sich hier im Choreographischen und Pantomimischen vollzieht, realisiert sich im sprachlichen Bereich unter anderem in dem Echo des Staatsrats, das jede Platitüde des Königs mit beflissener Ergebenheit bestätigt. Was auf diese Weise sinnlich, anschaulich erfaßt wird, karikiert das im Reich Popo und zugleich auch im dramaturgischen Ablauf des Stücks regierende oberste Bewegungsgesetz. Es regiert eine Bewegung, die in Wahrheit nur den permanenten Stillstand überspielt. Ihr Archetyp ist das höfische Zeremoniell.

Der chronische Mangel an Dynamik und damit an »Möglichkeit[en] des Daseins« offenbart sich in einem fortschreitenden Wirklichkeitsschwund, der auch in einem Gerinnen der dramatischen Zeit zutage tritt. Zum utopischen Ausblick des Schlusses, der eine zur Potenz erhobene Idylle verspricht, gehört deshalb nicht zufällig die Ankündigung des neu eingesetzten Königs Leonce, »alle Uhren zerschlagen, alle Kalender verbieten« zu lassen.[48] Nur außerhalb von Raum und Zeit kann diese Welt weiterexistieren.

Wie die Stilisierung des Systems zur Idylle zu ihrer Vollendung in der illusionistischen totalen Utopie drängt, so tendiert die regulierte Bewegung zur totalen Regulierung, die jeden noch denkbaren Eigenimpuls der Individuen ausschließt – was freilich (da der objektive Widerspruch zwischen Herrschenden und Beherrschten innerhalb des Systems real

---

46 2. Akt, 1. Szene.
47 1. Akt, 2. Szene.
48 3. Akt, 3. Szene.

nicht aufzuheben ist) nur durch die Eliminierung der Wirklichkeit geschehen kann, in der hermetisch abgedichteten Welt der Vorstellung.

Die Bewegung, schließlich zur reinen Scheinbewegung geworden, hat damit nur noch den Zweck, ihre eigene Regulierung zu bestätigen, was sich in der Formgestaltung des vergeblichen Dialogs, der sich als Scheingespräch entpuppt, und der nichts verändernden, am Ende nur an den Ausgangspunkt zurückführenden Handlung erfüllt. Mit anderen Worten: die allein Beruhigung verschaffende absolute Integration der Individuen durch den Untertanenstaat ist abgeschlossen, die Mitglieder der Gesellschaft sind, nachdem die Anpassung ihre Eigenmotivation aufgezehrt hat, namentlich nach dem Scheitern des Ausbruchsversuchs von Leonce, durchweg Marionetten, Automaten, wie Valerio sie in der Maskerade der Schlußszene – einer die Wahrheit im Schein vorspiegelnden Komödie in der Komödie nach dem dramaturgischen Rezept Shakespeares – vorführt. »Nichts als Kunst und Mechanismus, nichts als Pappendeckel und Uhrfedern.« Dabei »so vollkommen gearbeitet, daß man sie von andern Menschen gar nicht unterscheiden« kann: die idealen, reibungslos funktionierenden, respektierlichen »Mitglieder der menschlichen Gesellschaft [...] Sie sind sehr edel, denn sie sprechen hochdeutsch. Sie sind sehr moralisch, denn sie stehen auf den Glockenschlag auf [...], auch haben sie eine gute Verdauung, was beweist, daß sie ein gutes Gewissen haben. Sie haben ein feines sittliches Gefühl, denn die Dame hat gar kein Wort für den Begriff Beinkleider [...]. Sie sind sehr gebildet, denn die Dame singt alle neuen Opern und der Herr trägt Manschetten.«[49]

In der Prosa der Philisterwirklichkeit, auf die diese szenische Demonstration verweist, entpuppt die triviale Nachahmung der ›Marionetten mit den himmelblauen Nasen‹ von der Bühne der Idealkunst sich als die Hohe Schule des angepaßten Staatsbürgers. Im Besitz aller äußeren Attribute, die ihn als solchen ausweisen, geht ihm nur genau das vollständig ab, was den humanistischen Inhalt des Ideals ausgemacht hatte: die Freiheit der individuellen Selbstbestimmung. Die Endstufe der Formalisierung ist damit erreicht: »ein konsequentes System, dessen Prinzip die *entmenschte Welt* ist«, eine »politische Tierwelt«, wie Marx im Mai 1843 (analog zu Büchners Automatenbild)[50] den damaligen »Philisterstaat« nannte.[51]

In der Weltsicht König Peters ist diese letzte Konsequenz bereits a priori gegeben. Es gibt nur noch ein Subjekt: »*Peter (während er angekleidet wird).* Der Mensch muß denken und ich muß für meine Untertha-

---

49 Ebd.
50 In der Jahrmarktszene in *Woyzeck*, die mit der Vorführung des abgerichteten Pferdes eine ähnliche dramaturgische Funktion als Stück im Stück erfüllt wie die Automaten-Maskerade in *Leonce und Lena*, bedient auch Büchner sich, im gleichen Sinne wie Marx hier, des Tierbildes.
51 Marx an Ruge, Köln, im Mai 1843. In: *Deutsch-Französische Jahrbücher.* Hrsg. von Arnold Ruge 1844. Neuausgabe. – Leipzig 1973, S. 108 und 113.

nen denken, denn sie denken nicht, sie denken nicht. – Die Substanz ist das ›an-sich‹, das bin ich.«[52] Das Ich des Herrschers ist zur abstrakten Verkörperung des Staatswesens geworden. Wie das wirkliche Volk verschwindet auch er selbst als wirklicher Mensch in dieser Abstraktion. Sie hebt ihn als Person auf.

»Präsident. An dem Tage der Vermählung ist ein höchster Wille gesonnen, seine allerhöchsten Willensäußerungen in die Hände Eurer Hoheit niederzulegen.

Leonce. Sagen Sie einem höchsten Willen, daß ich Alles thun werde, das ausgenommen, was ich werde bleiben lassen [. . .]«[53]

Das Aufgehen Peters in seiner Funktion läßt seine Persönlichkeit unwichtig werden. Das Amt des Königs ist es, für seine Untertanen zu denken und über sie zu befinden. Sein Philosophieren ist ein sisyphushafter Abwehrkampf gegen das stets drohende zerstörerische Einbrechen der verdrängten Wirklichkeit in sein hermetisches abstraktes System, in das sein Reich verwandelt ist.

Nicht allein die den Komödienkonflikt auslösende Widersetzlichkeit des Prinzen, der sich seiner durch den »höchsten Willen« beschlossenen, also unwiderruflich zur Realität bestimmten Verheiratung durch die Flucht zu entziehen versucht, stürzt Peter ins Dilemma. Da er sich permanent in dem Dilemma befindet, alles, was ist, unter den Hut der Idee zwängen zu müssen, erregt jede Berührung mit Konkretem seine Irritation. Vor allem »die Menschen machen ihn ganz konfus« (wie den Hauptmann die aus der bürgerlichen Denkschablone herausfallenden Äußerungen Woyzecks)[54]. Aber selbst eine Ordnungswidrigkeit wie ein Manschettenknopf an der falschen Stelle, verbunden mit anderen peinlichen Gegenständlichkeiten, mit denen sein Philosophieren beim Ankleidezeremoniell sich verwickelt, vermögen ihn in heillose Angst um den Bestand seines »ganzen Systems« zu versetzen.[55]

Die Ankleideszene ist ein Kabinettstück der Kunst Büchners, in der komischen Übersteigerung des Spiels auf der Bühne in einem Ordnungsgestus dramatisch ins Bild zu bringen, wie auf diese Weise das Denken der Herrschenden die Welt auf den Kopf stellt, wobei er das Absurde dessen hervorkehrt, was in der gesellschaftlichen Praxis als das Gewöhnliche, nicht anders Denkbare, anerkannt ist, und das Erhabene auf das Gewöhnlich-Menschliche zurückführt. Ein Kabinettstück vor allem auch der Prägnanz, mit der Büchner seinen vernichtenden Spott einsetzt, indem er unter der Hand die verleugnete Realität des materiell Existenten gegen die absolutistische Anmaßung des Geistes, sprich: verkehrten Bewußtseins, ausspielt. Er läßt dazu den nackt auftretenden König, wäh-

---

52 1. Akt, 2. Szene.
53 1. Akt, 3. Szene.
54 1. Akt, 2. Szene; vgl. den Hauptmann zu Woyzeck: »Er macht mich ganz konfus mit seiner Antwort.«
55 1. Akt, 2. Szene.

rend zwei Kammerdiener ihn ankleiden, gegenständlich seine problematische Identität mit seinem »System« vorführen: »An sich ist an sich, versteht ihr? Jetzt kommen meine Attribute, Modificationen, Affectionen und Accidenzien« – und da, sowie er auf Konkretes stößt, schlägt auch schon sein souveränes Dozieren um in Ungehaltenheit, bis er schließlich in hilfloser Verwirrung landet: »Wo ist mein Hemd, meine Hose? – Halt, pfui! der freie Wille steht davorn ganz offen. Wo ist die Moral, wo sind die Manschetten? Die Kategorien sind in der schändlichsten Verwirrung . . .«[56]

Der Ankleidung des Königs schließt sich ein Auftritt vor dem versammelten Staatsrat mit dem Anlauf zu einer Ansprache an, die sich in purem Nonsens erschöpft und nur als leere Gebärde durchgeführt ist, die aber von den Höflingen – darin liegt die Aussage – nichtsdestoweniger würdevoll mit der stereotypen ehrerbietigsten Beifälligkeit aufgenommen wird, an der keinerlei anderer Redeinhalt etwas ändern könnte. Der Text hat hier nichts mehr zu besagen, seine Funktion geht über an die Pantomime. Gegenläufig zum Handlungsvorgang des Ankleidens und des feierlichen Sichkundgebens vollzieht die Szene in ihrer Aussage die geistige Entblößung des monarchistischen Systems und seiner Repräsentanten.

Es war auf diese Szene näher einzugehen, weil sie den Innenpol des Duodezkosmos, den die Komödie vorführt, umschreibt. In ihr artikuliert sich das System. Auf den wirklichen Gegenpol, mit dem sie in bedeutungsvoll verschwiegener Korrespondenz steht, verweist dramaturgisch pointiert nur stumm, wie schon zu sehen war, die Bauernszene. Was innerhalb des Stücks geschieht, untersteht vor allem der dominanten Spannung zwischen diesen Polen. In der Relation zu ihr kommt dem Gegenspiel des widersetzlichen Prinzen lediglich die Qualität einer innenseitigen Scheinopposition zu, woraus die durchsichtige Nichtigkeit der eigentlichen Lustspielhandlung resultiert.

Die Teilung der Arbeit in materielle Produktion und geistige Tätigkeit, mit der Klassenteilung, die sie mit sich bringt, und der Legitimierung der gesellschaftlichen Teilung in Arbeitende und Müßiggänger, Produzierende und Genießende, wird auf diese Weise in dem Stück als Grundlage des idealistischen Weltbildes erkennbar – und ebensowohl als Grundlage der idealistischen Kunstauffassung. Staat und Komödie spiegeln sich ineinander, verraten einander.

Hier ist nach der Rolle Valerios innerhalb der Konfiguration des Stücks zu fragen. Eine, wenn auch nicht die einzige Funktion der Valerio-Figur ist zweifellos die Ergänzung der Selbstdarstellung Leonces über die Grenze von dessen Standes- und Ich-Befangenheit hinaus.

---

56 Ebd.

Vergeblich versucht Valerio anfänglich, Leonce einzureden, die ihm von Geburt her bestimmte Monarchenrolle ohne Umstände anzunehmen, um sich damit lustig die Zeit zu vertreiben. Da auch die Ersatzangebote, einschließlich des alkoholischen Rauschs, die er – zum Teil in lustspielhafter Mephisto-Imitation – empfiehlt, Leonce nicht reizen können, übernimmt er es als anstelliger Diener des Narrenspiels seines Herren, den Faden der Lustspielintrige zu knüpfen, die Prinz und Prinzessin dennoch zur unfreiwilligen Thronerhaltung zusammenführt. Arrangeur der fadenscheinigen Handlung, stellt er diese zugleich bloß, was in der demonstrativen szenischen Vorführung der Automatengesellschaft, in die schließlich auch Leonce, aber auch er selbst, integriert ist, gipfelt.

Trotz unverkennbarer verwandtschaftlicher Züge und direkter Bezugnahmen (insbesondere auf *Wie es euch gefällt*) würde man die Fragestellung und Anlage der Komödie Büchners leicht verkennen, wollte man Valerio schlechterdings dem Typ der weisen Narren bzw. Clowns mit gesundem Menschenverstand aus der Tradition Shakespeares zurechnen, die gegen die beherrschende Sicht der Großen die Sicht und Interessen der kleinen Leute zur Geltung bringen. Zwar spricht er dieselbe respektlose, an ihrem dialektischen Wortwitz geschulte Sprache, zwar hält auch er dafür, daß über den Idealen und Grillen der heroischen und sentimentalen Protagonisten die elementaren leiblichen Bedürfnisse nicht zu vergessen sind. Gegen die idealistische Auffassung des Menschen als intelligibles Wesen spielt er vulgär-materialistisch dessen Naturseite aus, die vom Drama des hohen Stils unterschlagen wird. Doch denkt Valerio dabei nur an das nächste Stück Braten und den nächsten Schluck Wein für sich selbst.

Als Gegenstimme ist er nicht glaubhaft, die Aufsässigkeit, die er an den Tag legt, ist längst in leeres Gestenspiel und bloßen Verbalismus übergegangen. Wie die private Rebellion des Prinzen gegen seinen Vater de facto alles bei der alten Festlegung läßt, so ist auch Valerios Opposition nur eine scheinhafte. Die auf Veränderung gerichtete Gesellschaftskritik ist zum Unterhaltung spendenden Gesellschaftsspiel geworden. Die geistige, einer Grundkonstellation des bürgerlichen Dramas nachgebildete Duell-Situation Valerios gegenüber seinem Herrn verpufft in den sinnentleerten Wortgefechten. Sein närrisches Räsonieren ändert nichts an dem System, dessen faktischer Mitträger und Miterhalter er ist. Die bürgerlichen Spitzen, die er gegen die Normen der Feudalgesellschaft und den deutschen Duodezabsolutismus anbringt, sind ohne subversive Effizienz.

In Wahrheit verbirgt sich in der Narrengestalt Valerios der Philister, dem (wie Marx 1843, als er die »politische Tierwelt« des status quo als »entmenschte Welt« kommentierte, schrieb) »die alte Welt gehört« – »Herr der Welt ist er freilich nur, indem er sie, wie die Würmer einen

Leichnam, mit seiner Gesellschaft ausfüllt«.[57] Der ganze Zweck seines Pragmatismus, Essen, Trinken und Schlafen, läuft auf nichts anderes hinaus, als was dem Tier auch genügt. Daß ihm alles, dessen er als zoon politikon bedürfte, vorenthalten ist, darein hat er sich behaglich geschickt.[58]

Die Rollenanpassung an seine privilegierte Dienerstellung am Hofe hat Valerio bereits zu sehr korrumpiert, als daß er ein heimlicher Vertrauter des Volks sein könnte. Diesem ist er entfremdet, vielmehr erweist er sich als Komplice der Mächtigen, deren Spiel er mitspielt – ein Mitnutznießer der bestehenden Ordnung, deren Verkehrtheit er mehr als jeder andere durchschaut.

Daher sprengt er auch nicht wie noch Shakespeares dem Volkstheater nahe Narrengestalten durch sein Verhalten die Wertordnung und dramaturgische Geschlossenheit des Stückes, um eine Kommunikation mit der Realität herzustellen, welche die offizielle Spiel- und Sprachregelung plebejisch unterläuft.[59] Die Potenz dazu geht bei Büchner, wie die Bauernszene zeigt, von der Ausnahmefigur des Narren an das per ästhetischem Reglement von der Bühnenhandlung ausgeschlossene Kollektiv der sozialen Gegenpartei über. Valerio, der die Verbindungslosigkeit der höfischen Mitspieler zu dieser, der hungerleidenden und arbeitenden schweigenden Mehrheit teilt, wird dementsprechend auch zum Mitträger des ästhetischen Hermetismus, der den Hoftheaterzuschnitt der satirischen Kopie des beschränkt bürgerlich-oppositionellen Lustspiels verrät.

5

Die Konzentration auf die Kritik des absolutistischen Staates, die bereits ein wichtiges Element des *Hessischen Landboten* bildete und die die Welt der Komödie Büchners bestimmt, bedeutet weder ein Zurückgehen Büchners hinter seine innerhalb der gleichzeitigen Opposition extrem vorgeschobene sozial-revolutionäre Frontstellung gegen die alte Aristokratie und die neue, durch Besitz von Geld und Bildung privilegierte Klasse (das Bürgertum als Ausbeuterklasse, in *Woyzeck* durch Hauptmann und Doktor repräsentiert, tritt zwar in *Leonce und Lena* direkt nur am Rande, in der Gestalt des Schulmeisters und des Landrats, Angehörigen der zeitspezifischen besonderen bürgerlichen Beamtenklasse, in Erscheinung), noch den Verzicht, sich auf die Aufgaben, die die Gegenwart stellt, zu orientieren, um sich dem Spaß der spöttisch-heiteren Verab-

57 Karl Marx an Arnold Ruge, Köln im Mai 1843, a.a.O., S. 107.
58 »*Valerio:* Ich weiß nicht, was ihr wollt, mir ist ganz behaglich zu Muth«, 2. Akt, 2. Szene.
59 Vgl. Robert Weimann: *Shakespeare und die Tradition des Volkstheaters.* – Berlin 1967.

schiedung der quasi in sich selbst versinkenden Welt der Vergangenheit hinzugeben.[60]

Das Ancien régime machte im Frühsommer 1836, als Büchner *Leonce und Lena* schrieb, nachdrücklicher als in den unruhevollen Jahren zuvor das Recht der Gegenwart für sich geltend. Es wurde – sosehr es sich auch im Gefolge der antinapoleonischen Befreiungskriege ein modernes Ansehen verschafft hatte, indem es teilweise dem allgemeinen Verlangen nach staatlichen Verfassungen zumindest formal nachgegeben hatte und zum anderen die reine absolutistische Regierungsform in ein gemischtes feudalbürokratisches Administrationssystem übergegangen war – zunehmend zum gemeinsamen Feind Nummer eins aller fortschrittlichen Kräfte in den deutschen Ländern. Dies wurde keineswegs durch die Tatsache aufgehoben, daß gleichzeitig gerade die Sphäre der staatlichen Verfassungswirklichkeit die Bedeutung eines vorrangigen Kompromißbereichs im Interessenausgleich der deutschen Bourgeoisie mit der Feudalmacht gewann. Das restaurierte Ancien régime, das die bürgerliche Klasse im einvernehmlichen Wunsch, eine Revolution wie in Frankreich zu vermeiden, an der Machtausübung beteiligte, konnte noch einmal von der Unumschränktheit seiner Herrschaft Gebrauch machen, nachdem die regionalen Aufstandsbewegungen der ersten Jahre nach der französischen Julirevolution gewaltsam niedergeschlagen waren und die von der Metternich-Administration koordinierte allumfassende Verfolgungs- und Verhaftungswelle sowie die rigorosen Restriktionen gegen die junge demokratische Öffentlichkeit vorerst eine neue Friedhofsstille geschaffen hatten.

Zu der von Marx in der Einleitung *Zur Kritik der Hegelschen Rechtsphilosophie* aufgrund der neuerlichen Erstarkung der industriellen liberalen Bourgeoisie in den vierziger Jahren ausgesprochenen Auffassung: »Das moderne *ancien régime* ist nur mehr der Komödiant einer Weltordnung, deren *wirkliche Helden* gestorben sind«[61], hatte Büchner sich, nach seiner sozialen Analyse des Staates als Instrument der Herrschenden zur Unterdrückung und Ausplünderung der Arbeitenden im *Hessischen Landboten,* in seiner Komödie bereits praktisch-poetisch vorgearbeitet – ohne daß der allgemeine politische Rückschlag nach den frühen 30er Jahren und die Unterbindung einer freien Öffentlichkeit und engagierten Literatur freilich eine Kontinuität der Überlieferung zwischen den konsequentesten (und daher am meisten der Publizität beraubten) revolutionären Vorstößen der früheren und der späteren Phasen des Vormärz zugelassen hätten. Als Anfang der vierziger Jahre aus dem erneuten Auftrieb der gestärkten bürgerlichen Opposition heraus, verbunden mit der

---

60 Jancke geht daher in seiner Analyse *Leonce und Lenas* von einer falschen Voraussetzung aus, wenn er meint: »Mit dem ancien régime kämpft Büchner schon nicht mehr« (S. 253).
61 Karl Marx in: *Deutsch-Französische Jahrbücher,* a.a.O., S. 118.

Entfaltung des sozialen Grundwiderspruchs des Kapitalismus, ein Qualitätssprung der Ideologie- und Gesellschaftskritik heranreifte, kam es nicht nur, wie in den Kämpfen der 30er Jahre, zur wiederholten akuten Konfrontation und Verwicklung mit dem gleichen feudalbürokratischen Machtapparat. Die Frage des Staates war zu einer Schlüsselfrage der revolutionär-demokratischen Bewegung und der Herausbildung einer kommunistischen Alternative geworden.

Es bedurfte der Zerstörung der liberalen illusionären Reform-Hoffnungen, die insbesondere der Thronwechsel in Preußen 1840 abermals belebt hatte, um das unveränderte Grundprinzip des monarchistischen Systems der Märchenkönigwelt Büchners in der Praxis wiederzuerkennen. Allen gemütvollen Verheißungen Friedrich Wilhelms IV., des Romantikers auf dem Thron, ungeachtet, war 1843 ganz im Sinne des Selbstverständnisses Peters von Popo klarer denn je, wie Marx an Ruge schrieb: »Der König ist in Preußen das System. Er ist die einzige politische Person.«[62] Und so konnte zur gleichen Zeit Ferdinand Cölestin Bernays in seiner *rühmlichen Nachrede* auf das geheime, jetzt ans Licht gezogene »Schlußprotokoll der Wiener Ministerialkonferenz vom 12. Juni 1834« unwiderlegbar schlußfolgern: »Es gibt in allen Staaten Deutschlands nur eine einzige Regierungsform, das ist der Absolutismus; die Maske, in die er sich hüllt, läßt ihn nur in den einzelnen Ländern verschieden erscheinen – wie diese fällt, steht er ein und derselbe überall triumphierend da. Sein mysteriöser Name ist ›der Deutsche Bund‹, sein auf die Wissenschaft berechneter ›das monarchische Prinzip; [...] sein Zweck ist die nachhaltige größtmögliche Ausbeutung des Untertanen und seine Mittel deren vollständige Isolierung unter sich. Die Konsequenzen davon sind handgreiflich und leben auch alle vollständig in Deutschland.«[63]

Übereinstimmend mit Büchner nannte Bernays das durch die Veröffentlichung des Geheimdokuments von 1834 aufgedeckte Spiel der deutschen Potentaten und der Liberalen mit den teils versprochenen, teils angeblich gewährten Verfassungsrechten eine »Affenkomödie«[64]. Ebenso geschieht es nicht zufällig, sondern bezeichnet ein nunmehr für viele augenscheinlich gewordenes Mißverhältnis, daß Marx in dem Zusammenhang wiederholt von der »Komödie des Despotismus, die mit uns aufgeführt wird«, spricht[65]. In der Einleitung *Zur Kritik der Hegelschen Rechtsphilosophie*, wo er den Tragödien- bzw. Komödienaspekt einer bestimmten historischen Gestalt in der jeweiligen frühen und späten Phase ihres Zugrundegehens als ein Phänomen der Weltgeschichte theoretisch entwickelt, führt er sie ausdrücklich auf diese konkrete zeitgenössische

62 Ebd., S. 111.
63 Ferdinand Cölestin Bernays, ebd., S. 243.
64 Ebd., S. 246.
65 So im März 1843 an Ruge, a.a.O., S. 102.

Erfahrung des »bornierten Inhalts des deutschen *status quo*« zurück: »denn der deutsche *status quo* ist die offenherzige *Vollendung des ancien régime* [. . .] Der Kampf gegen die deutsche politische Gegenwart ist der Kampf gegen die Vergangenheit der modernen Völker, und von den Reminiszenzen dieser Vergangenheit werden sie noch immer belästigt. Es ist lehrreich für sie, das *ancien régime*, das bei ihnen seine Tragödie erlebte, als deutschen Revenant seine *Komödie* spielen zu sehen. *Tragisch* war seine Geschichte, solange es die präexistierende Gewalt der Welt, die Freiheit dagegen ein persönlicher Einfall war, mit einem Wort, solange es selbst an seine Berechtigung glaubte und glauben mußte [. . .] Das jetzige deutsche Regime dagegen, [. . .] die zur Weltschau ausgestellte Nichtigkeit des *ancien régime*, bildet sich nur noch ein, an sich selbst zu glauben, und verlangt von der Welt dieselbe Einbildung.«[66]

Damit ist aus dem empirischen Erfassen einer bestimmten zeitgeschichtlichen Situation heraus ein Zugang zur Seins- und Bewußtseinslage der Figuren der Komödienwelt Büchners und zugleich zu deren ästhetischer Strukturierung gewiesen. Der zum Spottbild seiner selbst werdende Zustand, den Marx analysierte, ist in Büchners Komödie bereits zum Non plus ultra vorgetrieben. Seinen vollen Ausdruck findet das in der Konfiguration Peter – Leonce, die sich aus dem Verhältnis von überfordertem, des Regierens müdem Herrscher und wider seinen Willen und seine Überzeugung in die Pflicht genommenem Thronfolger situiert.

Was Büchner als Dramatiker anstrebte, führte ihn auch strategisch an den Punkt, an dem Marx ansetzte, als er in der Einleitung *Zur Kritik der Hegelschen Rechtsphilosophie* das Konzept einer in die wirklichen gesellschaftlichen Kämpfe eingreifenden wissenschaftlichen, auf den praktischen Umsturz des Bestehenden hinarbeitenden Kritik umriß. »Es gilt die Schilderung eines wechselseitigen dumpfen Drucks aller sozialen Sphären aufeinander, einer allgemeinen, tatenlosen Verstimmung, einer sich ebensosehr anerkennenden als verkennenden Beschränktheit«, heißt es da in der Formulierung der während der Vormärzjahre bis dahin herangereiften Aufgabenstellung: die Schilderung dieses Zustands im »Rahmen eines Regierungssystems, welches, von der Konservation aller Erbärmlichkeiten lebend, selbst nichts ist als die *Erbärmlichkeit an der Regierung*«.[67]

Nicht nur in der Auffassung der Situation beider Etappen derselben revolutionären Vorbereitungsphase in Deutschland treffen sich hier die bis dahin am weitesten vorgerückten und am umfassendsten fundierten Positionen. Man findet auch die politisch-psychologische Wirkungsstrategie, zumindest jedoch bestimmende Wirkungspotenz, die sich aus dem spezifischen, von Büchner praktizierten künstlerischen Verfahren able-

66 Ebd., S. 166f.
67 Karl Marx, a.a.O., S. 165.

sen läßt, dem Modell nach übereinstimmend, in dem wieder, was Marx in dem genannten Zusammenhang über die erforderliche »Kritik im Handgemenge« ausführt, deren Gegenstand unter dem Niveau der Geschichte steht, und die es mit einem Feind zu tun hat, den es nicht zu widerlegen, sondern zu vernichten gilt.[68] »Es handelt sich darum, den Deutschen keinen Augenblick der Selbsttäuschung und Resignation zu gönnen. Man muß den wirklichen Druck noch drückender machen, indem man ihm das Bewußtsein des Drucks hinzufügt, die Schmach noch schmachvoller, indem man sie publiziert. Man muß jede Sphäre der deutschen Gesellschaft als die *partie honteuse* der deutschen Gesellschaft schildern, man muß diese versteinerten Verhältnisse dadurch zum Tanzen zwingen, daß man ihnen ihre eigene Melodie vorsingt! Man muß das Volk vor sich selbst erschrecken lehren, um ihm Courage zu machen.«[69]

Auch Büchners Stück, das den komödienreifen versteinerten deutschen Zuständen mitsamt ihrem ideologischen und ästhetischen, auf den Kopf gestellten Selbstbild ihre eigene Melodie vorsingt, war auf seine besondere Weise ganz dazu geschaffen, diese »zum Tanzen zu zwingen« – vorausgesetzt, es hätte Resonanz finden können. Zweifellos leitet sich die Übereinstimmung in dieser Strategie der Kritik von den Gemeinsamkeiten in der Auffassung ihres Gegenstandes her

Es ist dabei nicht ohne Belang, daß Büchner und Marx von unterschiedlichen Voraussetzungen aus und von unterschiedlichen Wegen her zum Standpunkt des Übergangs vom revolutionären Demokratismus zum Kommunismus gelangten, der ihnen diese Auffassung erlaubte. Arbeitete Marx sich vom fortgeschrittensten Stand der (junghegelianischen) kritischen Theorie der 40er Jahre zur praktischen sozialen revolutionären Bewegung vor, so kam Büchner bereits aus der Praxis der Bewegung, als er sich mit den deutschen Zuständen und deren Verkehrung durch die bürgerlich-idealistische Ideologie literarisch auseinandersetzte. Führte die Philosophie Marx auf die Politik, so war es für Büchner die Politik, die ihm die Auseinandersetzung mit philosophischen Fragestellungen abverlangte. Verwies ihn die mechanistische Begrenztheit des französischen Materialismus, an den er anknüpft, auf die Befragung der Praxis zurück, so nötigte diese Marx, beeinflußt von Feuerbach, die Hegelsche Dialektik aus ihrer abstrakten Form und idealistischen Begrenztheit zu befreien. War Marx mit den Mitteln des Theoretikers vom Konzept des allgemeinen »menschlichen Wesens« her auf dem Weg zur Entdeckung der wirklichen Menschen in ihren wirklichen, historisch gegebenen sozialen Lebensverhältnissen und Kämpfen, so trachtete Büchner danach, dieser ihm in der praktischen Beteiligung an

68 Ebd., S. 166, 165.
69 Ebd., S. 166.

der revolutionären Bewegung nach dem Juli 1830 aufgehenden Sicht mit künstlerischen Mitteln zur Geltung zu verhelfen.

Im Unterschied zu Büchner, der, verbunden mit der neu belebten babouvistischen Tradition, bereits im *Hessischen Landboten* den Staat als Instrument der Reichen zur Ausbeutung und Unterdrückung der Armen dargestellt hatte, verstand Marx den Staat zunächst noch als die bloß politische Abstraktion des Gemeinwesens, die den Bürger als den Menschen schlechthin, unabhängig von seiner Klassenzugehörigkeit, entfremdete.[70] Unter den Bedingungen der binnen weniger Jahre raschen Entfaltung aller gesellschaftlichen Widersprüche im Spannungsfeld zwischen industrieller Revolution und feudalstaatlicher Verfassungswirklichkeit war es Marx jedoch sehr bald danach möglich, schon über den Punkt hinaus, in dem die unterschiedlichen praktischen und theoretischen revolutionären Erfahrungen und Traditionen hier zusammenliefen, den für das zukünftige Epochenbild entscheidenden Durchbruch zu erreichen.

Im Fortschreiten der Kritik von der Idee der bürgerlichen Gesellschaft zu deren materieller Wirklichkeit, im Vorstoßen der Theorie zur Praxis, entdeckte Marx den Schlüssel zu dem alles und jeden beherrschenden »ehernen Gesetz«, das zu erkennen Büchner »das Höchste« schien, in der politischen Ökonomie. So konnte er denn auch das Proletariat, zu dem er auf diesem Wege aus theoretischer Folgerichtigkeit stieß – die sich profilierende und eben erst zu sich selbst kommende große Klasse der Besitzlosen, deren Standpunkt Büchner in Deutschland zum frühestmöglichen Zeitpunkt und mit der größten Rückhaltlosigkeit spontan eingenommen hatte – bereits in seinem entwickelten Klassencharakter und seiner besonderen Rolle als Subjekt in der Geschichte erkennen.

In zwei Punkten besonders, die in dem hier gegebenen Zusammenhang festzuhalten sind, berühren sich Büchners nicht publik gewordener, für seine Komödie konstitutiver und Marx' knapp ein Jahrzehnt später gewonnener Standpunkt in der Auseinandersetzung mit dem gesellschaftlich-staatlichen status quo in Deutschland, in der sich beide aus der Tradition der deutschen idealistischen Philosophie emanzipierten und dem Materialismus und Kommunismus zuwandten, der sich vor allem in Frankreich entwickelt hatte: im prinzipiellen Charakter der Kritik, die zum gemeinsamen sozialen Kern der unterschiedlichen zeitgeschichtlichen Spielarten und theoretischen Modelle des alten und des »modernen« Klassenstaats vordrang (in ihnen allen blieb der Dualismus unauflösbar, der zwischen der Wirklichkeit der von Einzelinteressen bestimmten Gesellschaft und der idealen, nur als Fiktion aufrechterhaltenen Bestimmung des Staates zur Wahrung des Gemeininteresses be-

---

70 Vgl. Karl Marx: *Aus der Kritik der Hegelschen Rechtsphilosophie*, MEW, Bd. 1, S. 288: die (von Hegel mystifizierten!) »wahren Gegensätze sind Fürst und bürgerliche Gesellschaft«.

steht); und verbunden damit: in der grundlegenden Umbewertung des Verhältnisses von politischem Willen und historischer Persönlichkeit auf der einen und den materiellen Lebensverhältnissen und Bedürfnissen der arbeitenden Klasse als Faktoren im gesellschaftlichen Prozeß auf der anderen Seite.

Von diesem Gesichtswinkel aus ging es in beiden Fällen um mehr als allein um die Kritik des bereits unter dem Niveau der Geschichte stehenden Staatsmodells des Absolutismus, das sich in den deutschen Ländern im kuriosen Kleinformat konserviert hielt. Beiden war gemeinsam, daß sie – anders als die republikanischen und utopisch-sozialistischen Kritiker – aus den deutschen Staatszuständen mehr als nur einen nationaleigentümlichen Anachronismus herauslasen, der nur noch als verachtenswertes bloßes Gegenbild der neuen Gesellschafts- und Staatsform taugte, die in Frankreich schon ihre wirkliche wechselvolle Geschichte hatte, in Deutschland dagegen noch Ziel und Ideal der sich vorbereitenden bürgerlich-demokratischen Revolution war.

Indem sie sich, der eine zuerst von der empirischen, der andere von der theoretischen Ebene her, auf das hier noch existierende alte System als wirklichen Gegenstand der Kritik im Handgemenge einließen, nahmen sie auf die ihnen jeweils mögliche Weise eine einzigartige Chance wahr, die in dem in diesen beiden Jahrzehnten kraß zutage tretenden Anachronismus lag. Denn es ist zweifellos richtig, daß die fortschrittlichen demokratischen, sozialistischen und kommunistischen Gesellschaftskonzeptionen, die von deutschen Revolutionären im Vormärz entwickelt wurden, undenkbar waren ohne den zeitgeschichtlichen Anschauungsunterricht der »modernen Völker« Westeuropas, insbesondere seit der Julirevolution, die mit dem Bürgerkönigtum Louis-Philippes und dessen Juste-milieu System eine eigentümliche legitimistische und zugleich unverhohlene Herrschaftsform des Kapitals hervorgebracht hatte. Aber es ist ebenso richtig – das darf nicht übersehen werden und zeigt sich sehr deutlich bei Büchner 1834/36 wie bei Marx 1843/45: In umgekehrter Richtung fiel gerade von der Erfahrung mit den Regimen des in Deutschland kompromittierten alten Systems aus, das als anachronistisch durchschaubar geworden war, ein kritisch erhellendes Licht zurück auf die Verfassungswirklichkeit im bürgerlichen Frankreich und auf das moderne Herrschaftssystem überhaupt.[71]

71 Wie diese Wechselseitigkeit des kritischen Erhellens der ungleichen Herrschaftsverhältnisse im zeitgenössischen Europa für Marx zu einem entscheidenden methodologischen Ausgangspunkt wurde, zeigt sich zuerst an seiner Kontroverse mit Bruno Bauer *Zur Judenfrage* und sehr deutlich dann auch in seinen *Kritischen Randglossen zu dem Artikel eines Preußen* (d. i. Arnold Ruge) im *Vorwärts* am 7. August 1844, dem ersten Beitrag von Marx für den *Vorwärts*. Das eine Mal wird über die Stellung des Staats zum Problem der Judenemanzipation, das andere Mal die Verelendung des Proletariats (unter dem Eindruck des schlesischen Weberaufstandes) zum Anlaß einer produktiven Polemik gegen die Enge einer (obschon radikalen) kritischen Sicht des deutschen status quo, die selbst in nationaler Borniertheit steckenbleibt. Daß Bauer und Ruge das akute Versagen des Staates und dessen (bzw. des preußischen Königs) verkehrte Auffassung der sozialen Grundprobleme, einseitig der »*Eigentümlichkeit*« eines *unpolitischen* Landes« wie Deutschland, also dem alten feudalen Regime, zuschreiben, veranlaßt Marx zu dem Nachweis, daß vor dieser Problematik die modernen Staatssysteme in England und Frankreich, einschließlich der Jakobiner-Republik von 1793, ebenso versagen und versagen müssen. *MEW*, Bd. 1, S. 395ff. Wenn es demnach illusorisch

143

Dessen tatsächliche Inkonsequenz, sein Widerspruch mit sich selbst, letztlich die Halbheit der nur politischen, bürgerlichen, nicht zugleich umfassenden menschlichen (nur von der notwendig werdenden neuen, sozialen Revolution zu leistenden) Emanzipation, verriet sich dem, der nicht bei einer bloßen undialektischen Entgegensetzung von neuem und altem System stehenblieb, in der Vergleichbarkeit bestimmter wiederkehrender Herrschaftsmechanismen und -bedingungen.

Im gleichzeitigen Nebeneinander von Vergangenheit und Gegenwart, von offen zutage liegender nationaler Borniertheit und international entfalteter widerspruchsvoller neuer Epochengesetzlichkeit lag damit ein heuristischer Schlüssel, dessen ganze Bedeutung sich erst in den vierziger Jahren erwies. Darauf beruht die Relevanz des geschichtlichen, nur oberflächlich gesehen spezifisch deutschen, anachronistischen Gegenstands der Komödie Büchners.

In erster Linie richtet sich Büchners spöttisch enthüllender Abgesang auf das monarchistische System gegen die bis 1848 virulenten Illusionen der Liberalen, die ihre Hoffnungen auf die Reformierbarkeit und Vereinbarkeit dieses Systems mit einer verfassungsmäßigen Volksvertretung setzten. Je deutlicher die Tatsachen aber die klassenegoistische Begrenztheit auch der weitergesteckten politischen Ziele der bürgerlichen Demokratie ausweisen, um so mehr betraf die Komödie des Duodezabsolutismus zugleich auch das moderne republikanische Staatsmodell, dies sogar mit um so schneidenderer Schärfe, je konsequenter politisch dessen Charakter war und verstanden wurde.[72] Denn um so mehr bedurfte es der Selbsttäuschung über seinen Klasseninhalt und der idealistischen Überbrückung der realen Widersprüche.

Kritisch mitenthüllt wird bereits, was in *Dantons Tod* in der tragischen Form des Mißverhältnisses zur Realität in Erscheinung getreten war, nämlich die historische Probe auf das Ideal der bürgerlichen Demokratie in Gestalt der revolutionären Herrschaft der Jakobiner, deren Konvent Marx »das Maximum der *politischen Energie*, der *politischen Macht* und des *politischen Verstandes*« nannte.[73] »So sieht *Robespierre*« – heißt es in derselben schon zitierten Replik von Marx auf den Artikel Ruges zum Verhältnis des preußischen Königs zur notwendigen Sozialreform 1844 – »in der großen Armut und dem großen Reichtume nur ein Hindernis der *reinen Demokratie*. Er wünscht daher eine allgemeine *spartanische* Frugalität zu etablieren. Das Prinzip der Politik ist der *Wille*. Je einseitiger,

---

war, überhaupt auf der nur politischen Ebene eine Lösung der heranreifenden gesellschaftlichen Widersprüche für möglich zu halten, so konnte nicht länger nurmehr eine »bestimmte *Staatsform*«, so mußte das *»Wesen* des Staats« überhaupt, d. h. der Klassenstaat Gegenstand der Kritik sein. A.a.O., S. 401. – Von hier aus leuchtet es ein, daß auch in der Spiegelung der Jakobinerherrschaft in bestimmten Erfahrungen Büchners mit dem hessischen Feudalstaat eine gewisse Berechtigung liegt. In *Dantons Tod* geschieht das direkt; in bezug auf die Art der Verallgemeinerung bestimmter Strukturen geht es als Voraussetzung indirekt mit in *Leonce und Lena* ein.

72 Denn: »Je mächtiger der Staat, je *politischer* daher ein Land ist, um so weniger ist es geneigt, im *Prinzip des Staats,* also in der *jetzigen Einrichtung der Gesellschaft,* deren tätiger, selbstbewußter und offizieller Ausdruck der Staat ist, den Grund der *sozialen* Gebrechen zu suchen und ihr *allgemeines* Prinzip zu begreifen.« Ebd., S. 402.

73 Ebd., S. 400.

das heißt also je vollendeter der *politische* Verstand ist, umso mehr glaubt er an die *Allmacht* des Willens, umso blinder ist er gegen die *natürlichen* und geistigen *Schranken* des Willens, umso unfähiger ist er also, die Quelle sozialer Gebrechen zu entdecken.«[74]

Was Friedrich Wilhelm IV. von Preußen, als höchste und »einzige politische Person« seines Landes, selbst mit den Heroen der höchsten Phase der Französischen Revolution vergleichbar macht, ist dieselbe notwendig verkehrte Auffassung des Prioritätenverhältnisses von sozialer Realität und politischer Verfassung als kraft des Willens realisierter Idee, von materieller Bedingtheit und letztlich freier Willensbestimmung.

Alle sich noch so sehr widerstreitenden Staats- und Gesellschaftstheorien von Rousseau bis Hegel, von des einen radikalsten bis zu des anderen reaktionärsten Anhängern, geben in dem hier aufgedeckten Punkt die ihnen gemeinsame schwache Stelle zu erkennen. Hierin war der gemeinsame Nenner verborgen, über den auch zwischen dem Komödienkönig Peter und der tragischen Gestalt Robespierres eine fatale Korrespondenz besteht. Um diesen objektiv begründeten gemeinsamen Nenner aufzufinden – wenn auch nicht wie Marx in der Form begrifflicher Bestimmtheit – und die Kritik bis zu ihm (und damit bis nahe an den Kern der modernen Gesellschaftsproblematik) vorzutreiben, mußte der Kritiker schon den Standpunkt der jüngsten, eben erst auf den Plan tretenden Klasse einnehmen, für die der Gegensatz zwischen feudaler und bürgerlicher Ordnung nur noch ein relativer ist, die nicht nur an der Herrschaftsablösung einer bestimmten Klasse, sondern objektiv an der Abschaffung der Klassengesellschaft überhaupt interessiert ist und keiner ideologischen Selbsttäuschung bedarf. Das war ein Standpunkt, der *innerhalb* der Komödienwelt Büchners und ihrer Figurenbesetzung keinen Vertreter haben konnte, der als Sprachrohr des Dichters in Frage kommen könnte. Aus der zur Geltung gebrachten Sicht jedoch, aus der materialistisch aufgefaßten Korrelation von politischen, ideologischen (und hinzu kommt für Büchner spezifisch ästhetischen) Auffassungen zu den bestehenden Lebensverhältnissen jedoch erhellt dieser Standpunkt.

6

Die anmaßliche oder eingebildete *Allmacht des Willens*, dem alles außer sich zum Objekt wird – für den jungen Marx die primäre Ansatzstelle seiner Kritik an der Beschränktheit des reinen politischen (bürgerlich beschränkten) Prinzips und seiner beginnenden Generalrevision der Gesellschaftserkenntnis –, wird in *Leonce und Lena* zum thematischen und

---

74 Ebd., S. 402.

dramaturgischen Drehpunkt. Die komplexe Handlung des Stücks und das disparate thematische Gefüge sind um ihn zentriert und kommen hier zur Deckung.

Das gilt gleichermaßen zunächst für die von Peter – der Spottgeburt des *politischen* Willens in Gestalt der Allmacht des Monarchen – getragene Staatsaktion als auch für die von Leonce mit Hilfe von Valerio geführte individuelle Gegenaktion, die in der Romanze mit Lena kulminiert. Und es gilt ebenso für die von Leonce entfaltete dritte Handlungsdimension, sein Überspielen des Spiels – das allem übergeordnete Geschehen im separierten Reich des schönen Scheins, in das er, da seine wirkliche Flucht zum Scheitern verurteilt ist, ausweicht, um sich nach klassischem sowohl als romantischem Muster als freies Subjekt wenigstens auf diese Weise im Allmacht-Bereich des *ästhetischen* Willens zu verwirklichen.[75]

Über dem durch die private Rebellion des Prinzen in seinen sozialen Grundlagen unangetasteten absoluten politischen Staat wölbt sich der absolute »ästhetische Staat«. Sein Grundgesetz sollte dem Individuum die Freiheit des Willens als Grundlage humaner Selbstverwirklichung garantieren, die der einseitig politische ebenso wie der abstrakte moralische Wille nicht einzulösen vermöchte.[76]

Der »Staat des schönen Scheins«, wie er Schiller als idealer Gegensatz zur häßlichen Wirklichkeit sowohl der alten feudalstaatlichen als auch der entstehenden Ordnung des Kapitalismus vorgeschwebt hatte, war ein nicht weniger rigoroser Entwurf als die gleichzeitige, zum äußersten vorgetriebene Revolution des politischen Staates in Frankreich 1793/94.[77] Das mit Robespierre erreichte Maximum des politischen Verstandes, der, auch im Besitz und Einsatz der Macht, dennoch die ihren eigenen Widerspruch produzierende Wirklichkeit der neuen Gesellschaft nicht seinem idealistischen Prinzip unterwerfen konnte, hatte mit seinem deutschen Korrelat, dem Maximum des *ästhetischen* Verstandes (als das man Schillers klassizistische Kunstlehre wohl ansehen darf), dieselbe verkehrte Grundauffassung gemeinsam, die im Willen den letzten Grund der Dinge sah.

Beide überwölbten, sich im klassischen Musterbild der Antike spiegelnd, die gewöhnliche Wirklichkeit durch einen idealischen Überbau, denn beide bedurften der Selbsttäuschung über ihren konkreten histori-

---

75 Vgl. dazu Schillers Apotheose des »ästhetischen Staats« in seinen Briefen *Über die ästhetische Erziehung des Menschen* (27. Brief): »Mitten in dem furchtbaren Reich der Kräfte und mitten in dem heiligen Reich der Gesetze baut der ästhetische Bildungstrieb unvermerkt an einem dritten, fröhlichen Reiche des Spiels und des Scheins, worin er dem Menschen die Fesseln aller Verhältnisse abnimmt und ihn von allem, was Zwang heißt, sowohl im Physischen als im Moralischen entbindet. Wenn in dem *dynamischen* Staat der Rechte der Mensch dem Menschen als Kraft begegnet und sein Wirken beschränkt – wenn er sich ihm in dem *ethischen* Staat der Pflichten mit der Majestät des Gesetzes entgegenstellt und sein Wollen fesselt, so darf er ihm im Kreise des schönen Umgangs, in dem *ästhetischen* Staat, nur als Gestalt erscheinen, nur als Objekt des freien Spiels gegenüberstehen. *Freiheit zu geben durch Freiheit* ist das Grundgesetz dieses Reichs.« Friedrich Schiller: *Über Kunst und Wirklichkeit. Schriften und Briefe zur Ästhetik.* Hrsg. und eingel. von Claus Träger. – Leipzig 1975, S. 371.
76 »Hier also, im Reiche des ästhetischen Scheins, wird das Ideal der Gleichheit erfüllt, welches der Schwärmer so gern auch dem Wesen nach realisiert sehen möchte.« Ebd., S. 373.
77 Ebd.

schen Inhalt und ihre wirkliche Klassenbedingtheit; in beiden Sphären, im idealen bürgerlichen Staat wie im idealen dementsprechenden Kunstreich, mußte daher notgedrungen die Form dem lebendigen Inhalt übergeordnet bleiben. Der wirkliche Unterbau der Gesellschaft blieb beiden etwas Fremdes, jedenfalls Sekundäres. In beider Richtung lag es, das Erstrebte, je offenkundiger die Wirklichkeit dessen Erfüllung versagte, ins Übersinnliche transzendieren zu lassen und – sei es die Vernunft in der von Robespierre eingeführten Religion des Höchsten Wesens, sei es das Ideal des vollkommenen Menschen, im Kult des Kunstschönen – zu verhimmeln.[78]

Nur sollte der ästhetische Überstaat, als dessen schon unernsten, selbst keine andere Würde als die der närrischen Existenz beanspruchenden Prätendenten Büchner Leonce in seinem Komödienreich auftreten läßt, den politischen Staat an idealistischer Konsequenz noch überbieten. Wenn Leonce die ihm zufallende Macht übernimmt und zugleich die ihm damit im Ernst auferlegte Zuständigkeit im närrischen Übermut aufkündigt, schwingt er sich, ausschließlich das Gesetz des freien »ästhetischen Bildungstriebs« anerkennend, zum Herrscher in dem von Schiller beschworenen »dritten, fröhlichen Reiche des Spiels und des Scheins« auf, das »dem Menschen« (genauer aber, wie im Modell der Komödie erkennbar: dem privilegierten Individuum, dessen fiktiver Allmacht des Willens die ausgebeutete Arbeit, also reale Unfreiheit anderer zugrunde liegt) »die Fesseln aller Verhältnisse abnimmt und ihn von allem, was Zwang heißt, sowohl im Physischen als im Moralischen entbindet.«[79]

Das chimärische Zukunftsreich, das König Leonce Lena zu Füßen legt, ein Paradies, dessen künstliches Klima rings um das Ländchen aufgestellte Brennspiegel »bis Ischia und Capri hinaufdestilliren« sollen – es ist übrigens das einzige Klima, in dem man sich Lenas blumenhaft zarte Natur lebensfähig denken kann, »das ganze Jahr zwischen Rosen und Veilchen, zwischen Orangen und Lorbeer« – transzendiert ins vollkommen ästhetische Reich des schönen Scheins.[80] Die im Wunschdenken gefangen bleibende – nicht mehr geglaubte – Utopie vom vollkommenen Staat, die das verlorne goldene Zeitalter der Menschheit (die Antike, wie das 18. Jahrhundert glaubte) in die Gegenwart einholen will, und die erstmals mit der nachrevolutionären Prosa konfrontierte Kunst, die das Bild dieses Ideals wieder in eine höhere, in sich selbst abgeschlossene, dem wirklichen Leben der wirklichen Menschen unerreichbare Sphäre entrückt, ergänzen und verraten einander.

---

78 Von hier aus bedurfte es nur noch eines Schritts bis zu der faktischen Selbstpreisgabe des humanen Emanzipationsanspruchs, die in der Ansicht liegt, man müßte in der realen Unfreiheit der bestehenden Verhältnisse dankbar »die gütige Schickung erkennen, die den Menschen oft nur deswegen in der Wirklichkeit einzuschränken scheint, um ihn in eine idealistische Welt zu treiben.« Ebd.
79 Vgl. Anm. 71.
80 *HA* I, S. 134.

Als Kompensationen der fehlgeschlagenen praktischen Emanzipationsversuche setzen die fiktiven Reichsgründungen des freien Willens de facto zumindest das augenblickliche Sichabfinden mit den wirklichen unfreien Verhältnissen voraus. Der idealistische Künstler aber, der Dichter der deutschen Kunstperiode zumal, ist der auf den Flügeln der Poesie aus der Misere in höhere Regionen exilierte, *hier* unumschränkt herrschende ungekrönte, die Nation im Geiste gründende, den idealen Menschen überhaupt vertretende Gegenfürst.[81] Ihm stellt sich Leonce, in der Haltung des Narren, gleich.

Muß Peter, das herrschende System der Nichtigkeit in persona, bereits die äußerste Mühe aufwenden, um sich auch nur einbilden zu können, daß er an sich selbst glaubt, und diese Einbildung zudem noch seiner Umgebung abfordern, so erreicht das der Realität nicht mehr standhaltende Selbstbewußtsein des Systems in Leonce wahrhaftig den allerletzten Grad der Verflüchtigung. Insofern nämlich, als die bloße Einbildung, an sich selbst, an seine Existenzberechtigung zu glauben – für Peter eine Aufgabe, mit der er sich im Ernst abmühte –, für den inthronisierten Kronprinzen schließlich ganz und gar zu einem reinen, nur noch zum Zwecke der Selbstbelustigung, zur Vertreibung der »entsetzlichsten Langeweile« betriebenen Spiel wird. Um nicht wie Peter zum Gefangenen der verächtlich abgelehnten Rolle des Monarchen, die er zum Schluß doch übernimmt, zu werden, ergreift er, nach dem Versagen der philosophischen Selbsttäuschung, die letzte, raffinierteste Möglichkeit der freien Selbstbehauptung. Da er weder in der Lage noch bereit ist, die ihm zugefallene Rolle ernsthaft aufzufassen, sich mit ihr zu identifizieren, kann er sich darin versuchen, bloß noch *mit* ihr – d. h. aber mit der ganzen ihm in die Hände gefallenen Staatsmaschinerie und dem ihm zu eigen gemachten Untertanenvolk – zu spielen, sie zu ästhetisieren, also sich in dem Versuch zu gefallen, dem Zustand der Erbärmlichkeit zumindest für sich selber einen, wenn auch falschen, schönen Schein abzugewinnen.

Anders als der in der Abstraktion des Ich zum allgemeinen Willen aufgehende und im »An-sich der Substanz« als Person absorbierte König Peter rettet Leonce auf diese Weise seine Identität, muß er nicht irre an seinem Selbst werden, oder, anders gesagt, gelingt es ihm, der Selbstentfremdung, wenn schon nicht zu entgehen, so doch zumindest nicht zu erliegen. Die neue Existenzform, in die der seine abgespielte Rolle parodierende Souverän sich zu diesem Zweck hinüberflüchtet, ist die des autonomen Künstlers.

Möglich ist diese Selbstrettung des Individuums als freies Subjekt für Leonce freilich nur um den Preis der akzeptierten Verdinglichung der

81 Vgl. Ursula Wertheim: *Von Tasso bis Hafis.* – Berlin 1965.

anderen, nicht wie er Privilegierten, deren entäußerte Wesenskräfte er sich angeeignet hat. Er verhehlt bei seinem Regierungsantritt nicht diese gesellschaftliche Quelle und Bedingung seiner Spielfreiheit. »*Leonce*. Nun Lena, siehst du jetzt, wie wir die Taschen voll haben, voll Puppen und Spielzeug? Was wollen wir damit anfangen? Wollen wir ihnen Schnurrbärte machen und ihnen Säbel anhängen? Oder wollen wir ihnen Fräcke anziehen, und sie infusorische Politik und Diplomatie treiben lassen und uns mit dem Mikroskop daneben setzen?« – und mit deutlichem Hinweis auf den Funktionsübergang zwischen profanem Spiel der Macht und reinem Spiel der Kunst, von Politik und Theater, Staat und Komödie: »Oder hast du Verlangen nach einer Drehorgel, auf der die milchweißen ästhetischen Spitzmäuse herumhuschen? Wollen wir ein Theater bauen?«[82]

Die bekannten, hieran als Ausklang der Komödie anschließenden phantastischen Zukunftsverheißungen, in deren Ausmalung Leonce und Valerio miteinander wetteifern, sind weit davon entfernt, von den beiden Partnern des Dialogs (Lena wohnt ihm in stummer Abwendung bei) ernst genommen zu werden. Aller Utopismus von den antikisierenden Wunschbildern deutscher Italiensehnsucht des 18. Jahrhunderts bis zu den Heilserwartungen der modernen Jünger Saint-Simons taugt ihnen – und darin liegt zweifellos ein abschließendes Votum Büchners – nur noch zum parodistischen Spaß.

Unterdessen hat Leonce schon die Fäden in die Hand genommen, um die Puppen tanzen zu lassen. – Wie es in Wirklichkeit Im Reich Popo weitergehen wird, sagt seine Anweisung an die umstehenden Teilnehmer der nur mit Mühe und Not, beinahe nur »in effigie«, über die Bühne gebrachten, von der Allmacht des »höchsten Willens« beschlossenen, also unwiderruflich zu realisierenden Staatsaktion, jetzt nach Hause zu gehen, aber die eingeübten Reden und Sprüche nicht zu vergessen: »denn morgen fangen wir in aller Ruhe und Gemüthlichkeit den Spaß noch einmal von vorn an.«[83]

Es gibt keine Zukunft für diese Welt, nur die durch Wiederholung in Gang gehaltene alte Mechanik – solange die Puppen Puppen (bzw. »politische Tiere«) bleiben und mitspielen. Noch zeigen sie von sich aus keine Anzeichen, die das in Frage stellen.

Bedeutet das letztlich nicht doch nur die resignierte Bestätigung der Verewigung des bestehenden Zustands? Zweifellos beschwört das Stück dies – als Kehrseite der verabschiedeten Utopie – als eine drohende Möglichkeit, ohne daß sein Fazit sich aber darin erschöpfte und ohne daß andererseits eine bloß rein mechanische Erschöpfung dieses Zustands in sich selbst durch die Wiederholung in Aussicht gestellt würde.

---

82 *HA* I, S. 133.
83 Ebd.

Der Autor des Stücks setzt auf den subjektiven Faktor gerade da, wo dieser am meisten unterdrückt und in die tiefste Selbstverleugnung gedrängt ist. Daß er latent im Stück vorhanden ist, geht schon daraus hervor, daß die Wiederholung letztlich doch die Krise des Systems potenziert.

Die konsequente Ästhetisierung der Funktion des absolutistischen Souveräns, die Leonce vollzieht, ist ein Schritt zur Klarlegung der Verhältnisse. Sie bedeutet den Verzicht auf die Überbrückung des Dualismus von sozialer Realität und elitärem Denken, an deren Unmöglichkeit Peter gescheitert war.

Peter sah in der Übergabe der Regierung an seinen Sohn (dem Zweck der ganzen Verheiratungsveranstaltung) für sich die Chance, die störende Realität nun ganz ignorieren und sich ausschließlich dem Geist widmen zu können. Er zieht sich zurück, um »sogleich ungestört zu denken« anzufangen, und nimmt seinen ganzen Staatsrat zu seiner Unterstützung dabei gleich mit aus der Verantwortung: »Kommen Sie, meine Herren, wir müssen denken, ungestört denken.«[84]

Leonce übernimmt die Alleinverantwortung und erklärt sie zugleich für absolut unverbindlich. Tatsächlich enthüllt er damit nur das Wesen des Absolutismus, das in Wirklichkeit darin besteht, vor niemandem verantwortlich zu sein, d. h. als das System der Unverantwortlichkeit. Seinen Mitnarren Valerio, der neben ihm die größte Qualifikation im Nichtstun und im zungenfertigen leeren Wortspiel besitzt, wird er als Staatsminister einsetzen.

Indem er seine Rolle offen als Rolle, als etwas von ihm selbst Unterschiedenes, behandelt, sind die anderen Rollenträger veranlaßt, auch die Frage nach *ihrer* Identität zu stellen, d. h. zu beginnen, die ihnen zugewiesene Objektrolle nicht mehr als selbstverständlich hinzunehmen. Die Darstellung und Selbstdarstellung des Spiels als Spiel fordert zur eindeutigen Unterscheidung zwischen Sein und Schein heraus, sie vermag die wirklichen Menschen in ihren wirklichen Verhältnissen aus der Täuschung und Selbsttäuschung aufzustören, verweist sie brüsk darauf, auch ihrerseits zum Bewußtsein ihrer selbst zu kommen.

Für das Volk, für die Untertanen kann es keine größere Herausforderung, kaum ein wirksameres Mittel geben, sie aus ihrer Indolenz herauszureißen, als die Tatsache, daß der neue Herrscher sich ihrer so sicher zu sein scheint, daß er es nicht einmal der Mühe für nötig erachtet, ihnen die übliche Komödie des treu sorgenden Landesvaters vorzuspielen. Die Mehrzahl der gehorsamen Untertanen – einschließlich der mutmaßlichen erreichbaren Adressaten des Stücks, des gebildeten liberalen oppositionellen Bürgertums –, die vielen, die immer noch wenigstens den vermeintlich besseren, reformwilligen Fürsten Autoritätsgläubigkeit

---

84 Ebd.

und Ergebenheit, Geduld in der Not und die Hoffnung auf gnädig ge-
währte Verbesserungen entgegenbringen, müssen erkennen, daß sie es
sind, die sich aufs Unwürdigste zum Narren halten lassen.

Die Figur des Reformkönigs in der Narrenjacke, die offenherzigste
Selbstdarstellung des alten monarchistischen Systems in seiner aller-
neusten und letzten Kostümierung war ganz dazu angetan, dieser heil-
sam ernüchternden Selbstbesinnung einen Anstoß zu geben.

7

Die nuancenreiche und modellgerechte ironische Inszenierung des ästhetischen Staats in Büchners Komödie ist keinesfalls nur auf deren klassische Weimarer Ausprägung gemünzt. Wie die märchenspielhafte Kari-
katur des Staates der klassengeteilten Gesellschaft nicht ausschließlich
den Typ der absolutistischen deutschen Restaurationsregime oder eine
andere besondere geschichtliche Form widerspiegelt, sind es generelle
idealistische Kunstprinzipien, dramaturgische und stilistische Arrangements unterschiedlicher Spielart, die Büchner in der Nachzeichnung ihrer charakteristischen Strukturen persifliert.

Die einander ungewollt bestätigenden Formen der klassischen bürgerlichen Tragödie und des shakespearisierenden romantischen Lustspiels insbesondere werden in dem Stück gleichermaßen zum literarischen Gegenstand der Parodie. Denn sie dienten dem von der Restauration beherrschten Theater der Zeit als maßgebendes artifizielles Spielmaterial und vielfach strapazierte und trivialisierte dramaturgische
Grundmuster. Der damit stimulierte, wirklichkeitsabgewandte exaltier-
te Theaterkult und seine Funktion, als Surrogat des öffentlichen Lebens
Ventile für »den Abzug der unzufriedenen Stimmung« zu öffnen[85], bildeten die wirkungsästhetische Angriffsfläche der Kritik Büchners. Diese
hielt gegen den idealistischen Autonomieanspruch des privilegierten Individuums, gegen das Abdrängen des realen demokratischen Emanzipationsanspruchs ins Reich des ästhetischen Scheins die Notwendigkeit
der wirklichen sozialen Emanzipation des Volkes als grundlegende materielle Bedingung für die Befreiung der Persönlichkeit.

Es sind aber daher auch nicht nur bestimmte hochberühmte literarische Figuren, die das Stück parodistisch zitiert. Nur insofern, als sie dramatische Grundtypen repräsentieren, die das konventionelle Theater
der Zeit prägten, scheinen Faust und Hamlet, der im unaufhaltsamen
Handeln aufgehende und der in der Reflexion verstrickte Protagonist als
ostentativ heraufbeschworene Reminiszenzen durch den Lustspielauf-

85 Wilhelm John: Die Kunst, in der Theaterwelt zu leben. – In: Berliner Theater-Almanach auf das Jahr 1828. Hrsg. von
Moritz Gottlieb Saphir. – Berlin o. J., S. 196; vgl. Horst Denkler: Restauration und Revolution. Politische Tendenzen
im deutschen Drama zwischen Wiener Kongreß und Märzrevolution. – München 1973, S. 23 und 50ff.

zug hindurch. Leonce selbst mimt, indem er seine Rolle spielt, die unsterblichen Theatergrößen nach. Das Rollenspiel, als das sein Handeln sich zu erkennen gibt, ist Wiederholung. Es ahmt nur ein zur ästhetischen Erbauung aufgestelltes, von der Wirklichkeit abgetrenntes, zur bloßen Theatralik entleertes Handeln nach.

Weil es in Wirklichkeit keine ernstzunehmende Rolle, mit der er sich identifizieren könnte, gibt – »Alle diese Helden, diese Genies, diese Dummköpfe, diese Heiligen, diese Sünder, diese Familienväter sind im Grunde nichts als raffinirte Müßiggänger«[86] –, kann Leonce sich selbst nicht mehr »wichtig werden«[87]. Er ist der zur Schau gestellte und sich selbst parodierende Theaterheld schlechthin, der dazu bestimmt ist, die mangelnde reale Möglichkeit zu freiem Handeln und zur Selbstverwirklichung des isolierten Individuums in der Gesellschaft unter dem restaurierten Ancien régime zu kompensieren. Der Glaube an die Reformierbarkeit dieses Systems ist aber endgültig zusammengebrochen. Daher sieht Leonce auch in der nahen Aussicht, selbst den Thron zu besteigen, keine echte Chance. Sein Auftreten auf der Bühne zeigt an, daß der Illusionsvorrat der bürgerlichen Emanzipationsbewegung des 18. Jahrhunderts erschöpft ist. In der Krise der Persönlichkeit, die er mit komischem Pathos tragiert, widerspiegelt sich das Schicksal der bürgerlichen Ideale.

Die Passion, »an Idealen zu laborieren«, ist für Leonce, zusammen mit Valerio, schon eine Quelle der Komik.[88] Es offenbart deshalb den äußersten Grad des komischen Mißverhältnisses, in dem die Bühnenfigur des Leonce zu ihren Vorgängern steht, wenn die Gouvernante Lenas, um die unfreiwillige Verlobte zu trösten, von ihm sagt, »er soll ja ein wahrer Don Carlos sein.«[89] Keine Rolle und keine Rollenauffassung liegen Leonce ferner als die des mit sich selbst identischen Carlos. Alles, was diesen zum idealen tragischen Helden qualifizierte, liegt unwiederbringlich hinter Leonce. Allen Glauben, alle Hoffnungen, alle glühende Tatbereitschaft hat er längst begraben, alle heroischen und romantischen Illusionen hat er schon verfliegen sehen.

Darum ist er, wie Lena betroffen bemerkt, »so alt unter seinen blonden Locken«[90]. Als letzter Abkömmling vom Stamm der Dramenhelden, bühnenwürdigen hohen adeligen Standes, die einst als Stellvertretergestalten für die bürgerliche Hoffnung auf einen kommenden guten Fürsten und humane Herrschaftsverhältnisse einstanden, hat er, ganz auf die erschöpfte Selbstbespiegelung des hochgestellten Individuums angewiesen, der Welt und sich selbst nichts Neues zu entdecken. »Ich stülpe mich selbst jeden Tag vier und zwanzigmal herum, wie einen Handschuh. O

86 *HA* I, S. 106.
87 Ebd.
88 Ebd. Vgl. auch S. 119: »*Leonce.* Aber Valerio, die Ideale! Ich habe das Ideal eines Frauenzimmers in mir und muß es suchen.«
89 Ebd., S. 117.
90 Ebd., S. 123.

ich kenne mich, ich weiß was ich in einer Viertelstunde, was ich in acht Tagen, was ich in einem Jahr denken und träumen werde. Gott, was habe ich denn verbrochen, daß du mich, wie einen Schulbuben meine Lection so oft hersagen läßt?«[91]

Noch seine aus echten Leiden kommende Klage liefert er einer Ironisierung aus, die es ihm erlaubt, sich momentan in der Schwebe zwischen Ich-Zersetzung und Ich-Rettung zu halten. Daraus resultiert der Zwang zum Spiel – der Kompensation für den Ausfall wirklichen Handelns –, dem er keinen Augenblick entrinnen kann.

Den Helfer, dessen er dazu bedarf, findet er in Valerio: »Komm, Valerio, wir müssen was treiben, was treiben. Wir wollen uns mit tiefen Gedanken abgeben; wir wollen untersuchen wie es kommt, daß der Stuhl auf drei Beinen steht und nicht auf zwei [...]. Komm, wir wollen Ameisen zergliedern, Staubfäden zählen; ich werde es doch noch zu irgend einer fürstlichen Liebhaberei bringen. Ich werde doch noch eine Kinderrassel finden ...«[92]

Die letzte Weisheit, die ihm zu verkünden bleibt, ist das Narrenspiel, das die eigene Person als Zielscheibe nicht verschont. Neben seine Rolle tretend, ruft er sich spöttisch selbst auf die Bühne: »Komm, Leonce, halte mir einen Monolog, ich will zuhören« und klatscht den eigenen Tiraden (die in Wirklichkeit nur Nachhall sind) mit gespielter, selbstaufmunternder Geste Beifall: »Bravo Leonce! Bravo! *Er klatscht.* Es thut mir ganz wohl, wenn ich mir so rufe. He! Leonce! Leonce!«[93]

Er kann solcherart um so mehr mit sich umspringen, da er ja nicht allein für sich als Individuum auf der Bühne steht. Er erfüllt zugleich auch Schillers klassischen Begriff der Tragödiengestalten, nachdem diese »keine wirklichen Wesen, die bloß der Gewalt des Moments gehorchen«, sind, »sondern ideale Personen und Repräsentanten ihrer Gattung, die das Tiefe der Menschheit aussprechen«.[94] Denn in Leonce liegen – nicht allein als Erbprinz auf der Bezugsebene der Wirklichkeit des Stücks, sondern auch als dramatischer Figur auf der Bühne – Individuum, d. h. wirkliches Wesen, und Rolle, d. h. Form der repräsentativen Bestimmung, in einem Widerstreit miteinander, in dem der Triumph des einen gleichbedeutend ist mit dem Verlust des anderen. Völliges Aufgehen in der festgelegten Rolle hieße zur Spielpuppe, zum Automaten-Menschen werden.

Alle Leonce denkbaren Rollen auf der Bühne sind schon ebenso durchgespielt, wie ihm alle Berufe im Leben, die für ihn in Frage kämen, nur als durchsichtige Verkleidungen müßigen, nichts auf der Welt ändernden Tuns und untaugliche Versuche, sich die Langeweile zu vertrei-

91 Ebd., S. 112.
92 Ebd., S. 121.
93 Ebd., S. 112. Auf diese Weise parodiert Leonce das theatergläubige Publikum mit.
94 Friedrich Schiller: *Über den Gebrauch des Chors in der Tragödie*, a.a.O., S. 556f.

ben, erscheinen.[95] Die Berufsideale, welche die Gesellschaft als Leitbilder für nicht anpassungswillige höherstrebende Individuen bereithält, den Gelehrten, der sich der reinen Wissenschaft verschreibt, den »Helden«, wie ihn die »Alexanders- und Napoleonsromatik« der Zeit sich ausmalt, oder die Künstler-»Genies«, sie sind für Leonce keine wirklichen Alternativen zu der verabscheuten, ihm zugedachten Rolle des Königs.[96] So zieht er es vor, wenn schon nicht die unerreichbare Erfüllung, so doch wenigstens Ablenkung und Unterhaltung im Nachspielen der überlieferten theatralischen Muster zu suchen.

Die Anzüglichkeit dieses Nachspielens aber besteht in dessen betontem Vorführungscharakter, der das Geschehen und die Form seiner Darbietung als illusorisch in Frage stellt: eingeschlossen die Spielpose der romantischen Selbstreflexion. Diese vermag freilich noch der geistreich-desillusionierten Destruktion des Ich eine subtile gebrochene Poesie abzugewinnen, die Raum zu neuer augenblicklicher Subjektbehauptung schafft.

8

Treibt Valerio, scheinbar gegen »einen höheren Willen« (Peter), tatsächlich als dessen zuverlässigster Erfüllungsgehilfe die *äußere* lustspielhafte Handlung voran, so bleibt Leonce die Hauptrolle der *inneren* Handlung vorbehalten, die parodistisch den seinem Stand gemäßen hohen Stil der Tragödie anklingen läßt. In die innere Handlung verlagert sich, übertrieben treulich dem Gesetz der klassischen Dramaturgie gehorchend, das Hauptgeschehen. Im Kontrast zur Enge des äußeren Raumes – mit der überzeichneten perspektivischen Verkürzung, die das ganze Königreich Popo mit dem vollständigen Rundblick vom Schloß auf alle Landesgrenzen auf der Bühne Platz finden läßt, eine Persiflage der Einheit des Ortes im Drama der geschlossenen Form – öffnet der imaginäre Schauplatz der vom Figurenbewußtsein aufgeschlagenen Bühne einen, wie es scheint, unbegrenzten Spielraum. Erst (und nur!) in ihm vollendet sich die idealistische (Schein-)Befreiung des Individuums von den Fesseln der Wirklichkeit.[97]

---

95 Büchner setzt Leonce hier in das fluchbeladene Spätlingsschicksal ein, das aus demselben gesellschaftlichen Endzeitbewußtsein heraus der Verfasser der *Nachtwachen des Bonaventura* (eines der wichtigsten romantischen Bezugstexte der Komödie Büchners) bereits Hamlet mit den Worten antizipieren ließ: »Laß uns lieben und fortpflanzen und die Possen miteinander treiben – bloß aus Rache, damit nach uns noch Rollen auftreten müssen, die alle diese Langweiligkeiten von neuem ausweiten, bis auf einen letzten Schauspieler, der grimmig das Papier zerreißt und aus der Rolle fällt, um nicht mehr vor einem unsichtbar dasitzenden Parterre spielen zu müssen.« (*Die Nachtwachen des Bonaventura.* – Leipzig 1965, S. 120 f.)
96 *HA* I, S. 116.
97 Vgl. die Schlußzeilen von Schillers *Die Worte des Wahns:*
»Was kein Ohr vernahm, was die Augen nicht sahn,
Es ist dennoch das Schöne, das Wahre!
Es ist nicht draußen, da sucht es der Tor,
Es ist in dir, du bringst es ewig hervor.«

Dinge, Natur, Landschaft und auch Personen werden hier, dem freien Willen des autonomen Ich-Bewußtseins ausgeliefert, zu auswechselbaren Requisiten einer flüchtigen, ständig umstürzenden und umbaubedürftigen chimärischen Augenblickswirklichkeit. Leonce verhält sich auf diese Weise als privates Subjekt im Grunde analog seinem Vater als politischem Subjekt. Sein ästhetisch-sensualistischer Solipsismus entspricht dem politisch-rationalistischen König Peters.

Die Kehrseite der Entmaterialisierung der Welt, an der beide sich versuchen – der eine mühselig mit Hilfe der Philosophie, der andere mit zauberhafter Leichtigkeit durch die ästhetisierende Verwandlung des Lebens in ein Spiel der Phantasie und Sprache –, ist in beiden Fällen die Verdinglichung der Umgebung, über die sie real verfügen.

Auch Leonce bedarf der Requisiten und menschlichen Puppen, damit der Illusion in seiner künstlichen Welt »alles ganz natürlich wird«.[98] Während er die Allmacht des Monarchen ablehnt, der »aus ordentlichen Menschen ordentliche Soldaten ausschneiden« oder »schwarze Fräcke und weiße Halsbinden zu Staatsdienern machen« kann, nimmt er selbst, ebenfalls ganz selbstherrlicher Souverän der Welt nach seinem Bilde, schon bevor er sich herbeiläßt, den ganzen »Puppen- und Spielzeug«-Staat als neuer Eigentümer zu übernehmen, für sich auf seine Weise in Anspruch, Dinge und Menschen als austauschbare Objekte zu gebrauchen.[99]

Die Szene zwischen Leonce und Rosetta, einem Opfer dessen, gibt in der Vorführung der psychischen Mechanik empfindsam-sadistischer Reizgewinnung den sozialen Prozeß zu erkennen. Durch ihre ungleiche Stellung und ihre Liebe doppelt abhängig, dient Rosetta dem Prinzen als Spielzeug, das man nach Wunsch und Laune benutzen und schließlich zerbrechen kann, wenn es die Langeweile, die es vertreiben sollte, wieder aufkommen läßt.

Mehr noch enthüllt diese Szene das Schöpfungsgeheimnis der Über-Welt, die das Ich der poetischen Selbstherrschaft zu setzen vermag. Es ist die illusionsschaffende Inszenierungskunst des Helden, der hier als der Regisseur seines eigenen Seelendramas auftritt. Der Vorgang solcher (nicht nur theaterüblichen) Inszenierung selbst wird in Büchners Stück zum Gegenstand absichtsvoll nachahmender Darstellung. Man kann Leonce zusehen, wie er, assistiert von einigen lautlos arbeitenden Dienern, den hermetischen Spielraum ausgestaltet, der ihm zum künstlichen Paradies des mit routinierter Sorgfalt arrangierten erotischen Rausches dienen soll: »EIN REICH GESCHMÜCKTER SAAL, KERZEN BRENNEN. *(Leonce mit einigen Dienern.) Leonce.* Sind alle Läden geschlossen? Zündet die Kerzen an! Weg mit dem Tag! Ich will Nacht, tiefe ambrosische

98 *HA* I, S. 116.
99 Ebd.

Nacht. Stellt die Lampen unter Krystallglocken zwischen die Oleander, daß sie wie Mädchenaugen unter den Wimpern der Blätter hervorträumen. Rückt die Rosen näher, daß der Wein wie Thautropfen auf die Kelche sprudle. Musik! Wo sind die Violinen? Wo ist die Rosetta? Fort! Alle hinaus! *(Die Diener gehen ab. Leonce streckt sich auf ein Ruhebett. Rosetta, zierlich gekleidet, tritt ein. Man hört Musik aus der Ferne.)*«[100]

Rosetta wird hier, die kunstvoll aufgebaute »ambrosische Nacht«-Szenerie vollendend (es ist eine vorwegnehmende, dem Privilegierten vorbehaltene, an den flüchtigen Augenblick gebundene Kleinform des zeitlosen Reichs himmlischer Glückseligkeit auf Erden), in eine Rolle eingesetzt, die das zu diesem Zeitpunkt auf dem Programm stehende Stück vorsieht. Sie spielt sie weder zum ersten Mal, noch ist sie die erste und gewiß auch nicht die letzte, die sie spielt. Denn die Rolle ist nicht an eine bestimmte Person gebunden und kann ohne Veränderung des Arrangements umbesetzt werden. Gerade dies macht das wirkliche Schicksal Rosettas aus, das in der ihr zugeteilten Rolle im Spiel enthalten ist. Der durch die Rolle bestimmte letztendliche Handlungsinhalt ist: Rosetta muß gehen. In der Dramaturgie des Leonce-Stücks nimmt die Szene nur den Platz einer Episode ein, in bezug auf Rosetta ist sie ein Drama für sich. Rosetta hat das fertige Schema nur auszufüllen. Ist Leonce Autor, Held, Dramaturg, Regisseur und noch dazu Inspizient der Szene, und nicht zuletzt der Intendant des Hauses und Zuschauer in einem, so hat sie nur als Spielfigur zu fungieren, als eine Marionette an der Hand des auf Selbsttäuschung versessenen Spielleiters – wie die Figuren auf der Staatsbühne König Peters, nur mit dem Unterschied, daß der Lenkungsvorgang hier verinnerlicht und die Inszenierung eine raffiniertere ist.

Eine Parallelität zwischen der Zwangsrolle der Bauern im Handlungszusammenhang der von Peter getragenen Staatsaktion und der Rolle Rosettas in der privaten Gegenhandlung des Prinzen ist nicht von der Hand zu weisen, wenn die Verdinglichung sich hier auch in subtilerer Weise vollzieht. Bemerkenswert ist, daß die Bauernszene ebenfalls nicht eine gefälschte Wirklichkeit an sich darstellt, sondern vielmehr – indem der Autor gleichfalls vorzeitig den Blick hinter den Theatervorhang freigibt – insbesondere die Inszenierungstechnik, derer sich die Vorspiegelung bedient. Die Szene zeigt deshalb nicht die fertig präparierte Huldigungsschau der »freiwillig« angetretenen Untertanen, sondern deren Einübung vor dem programmgemäßen Auftritt. Auch die Rosetta-Szene lenkt gleich anfangs das Interesse auf ein solches funktionales Moment des Geschehens, das ein Drama der geschlossenen Form überginge. Nicht zuletzt lebt ja der Komödiencharakter des Stücks aus dem betonten Spannungsverhältnis zur Theaterkonvention, das sich in einem

---

100 Ebd., S. 109f.

Wechselspiel von überspitzender Kopie und Verschiebung der Perspektive sowie des Verhältnisses von vorgeführtem und verdecktem Geschehen äußert. Büchner macht so die dramatische Kunstform in ihrer Funktionalität mit zum Gegenstand seines Stücks, um die sich in ihr verratende und bestätigende gesellschaftliche Praxis aufzudecken.

Wie man Rosetta, gerufen durch ihr Stichwort, an der vorgesehenen Stelle erscheinen sieht, so erlebt man auch ihr Ausscheiden aus dem Spiel als einen Akt des allvermögenden Willens ihres Gebieters. Als Figur ganz sein Geschöpf, genügt es, daß er, ihrer überdrüssig und die Vorstellung abbrechend, sich die Augen fest vor ihrem Anblick verschließt, um sie von der Bühne, die er selbst aufgeschlagen hat, wieder im Nichts verschwinden zu lassen. Da sie für ihn nichts anderes als die Verkörperung des eigenen vorübergehenden Gefühls ist – in solcher Identifikation spricht er sie nun als seine tote Liebe an –, kann er sie, sich zuletzt noch am Spiel ihrer »Todesfarben« weidend, für immer in seinem Selbst begraben.[101] Freilich erkennt man das Tiefere der Kunst Büchners und den Impetus seines konkret humanen Anliegens daran, daß er gegen die scharfsinnig diagnostizierte Struktur der gesellschaftlichen Lebenspraxis, in der (in welcher Sphäre auch immer) Menschen zu Zweckobjekten anderer, mit Macht bevorteilter manipuliert werden, gegen die verdinglichende Anmaßung eine authente Kraft des Widerstandes spürbar macht. Das geschieht, indem er bei alledem der verbleibenden Diskrepanz von Person und Figur, dem Nichtaufgehen des wirklichen Menschen in der festgelegten Rollenfunktion zum Ausdruck verhilft. Ein poetisches Mittel dazu kann das den bedrückten Gestalten zu Gebote stehende, im Volk lebende Lied sein, das den Zirkel des manipulierten Spiels naturhaft durchbricht, wie das von Rosetta gesungene »O meine müden Füße, ihr müßt tanzen« mit der Schlußstrophe

> »O meine armen Augen, ihr müßt blitzen
> Im Strahl der Kerzen,
> Und lieber schlieft ihr aus im Dunkeln
> Von euren Schmerzen.«[102]

Gegen den Zwang der Rolle erhebt sich da die Selbstäußerung des lebendigen, den Schmerz empfindenden Menschen. Und wenn Leonce die Figur seines Spiels als dessen scheinbar mächtiger Meister abruft, bleibt doch, von ihm nicht zurücknehmbar, die wirkliche Rosetta im Bewußtsein des Zuschauers als Überlebende zurück – zuletzt im Nachklang der anderen Verse, mit denen sie sich singend, ihre Verlassenheit beklagend, von der Bühne entfernt.

Die Scheinhaftigkeit des Spiels läßt nicht den echten, mit menschlichem Leben zu bezahlenden Einsatz vergessen, den er als Tribut ver-

---

101 Ebd., S. 111.
102 Ebd.

langt. Das Stück ist deshalb mehr als nur ein Spiel mit Marionetten, es ist ineins damit die Komödie eines solchen mitsamt ihrem darin enthaltenen tragischen Grund. Auch in der Gestalt des Leonce ist, soweit er selbst Opfer der von ihm mitgetragenen Verhältnisse ist, diese Ambivalenz angelegt. Diese erlaubte es Büchner im übrigen, eigene Erfahrungen und Stimmungen in sie einfließen zu lassen.[103]

Leonce hat sich, um sich der Erfüllung seiner Rolle am Hofe zu entziehen und die Leere seines Lebens weiter, so gut es geht, zu überbrücken, mit gekünsteltem Enthusiasmus auf das Nachspielen eines anderen Musters illusionärer Emanzipation geworfen. Ein vielbesungenes erinnerungsvolles »Wehen aus Süden« hat ihn ergriffen, als er nach dem Mode-Leitbild eines Lazzaroni mit Valerio nach Italien aufbricht, ins klassische Land der Sehnsucht, unter den Himmel der versunkenen, zur Idylle verklärten Kulturwelt der Antike.[104] Da begegnet ihm in Gestalt Lenas das Wunder.

Die Liebesbegegnung mit Lena vermag ihn, solange es sich noch nicht herausgestellt hat, daß auch dies ihn am tiefsten berührende Erlebnis sich als ein Trugbild auflösen wird, einen Augenblick lang zu verwandeln. So, daß der fast nicht mehr gekannte Mensch in ihm die Oberhand über den Komödianten gewinnt, daß er im Ton schlichten Ernstes etwas sagen kann, was Büchners ureigene Überzeugung wiedergibt. Der blasierte Don Juan, der er eben noch war (»Mein Gott, wie viel Weiber hat man nöthig, um die Scala der Liebe auf und ab zu singen? Kaum daß Eine einen Ton ausfüllt.«[105]), offenbart jetzt dem ungläubig staunenden Valerio seinen Wunsch zu heiraten und versichert ihm, »daß selbst der Geringste unter den Menschen so groß ist, daß das Leben noch viel zu kurz ist, um ihn lieben zu können«.[106]

Damit ist positiv ausgesprochen, was die Aufhebung der alles beherrschenden entmenschlichenden Verhältnisse bedeutet: die ausnahmslose Anerkennung des Selbstwerts eines jeden Menschen, das Ende seiner Herabwürdigung zum bloßen Objekt und Mittel fremder Zwecke. Ein solcher Zustand, der in der verdrehten Daseins- und Anschauungsform der Komödienwirklichkeit nur als extreme Verrücktheit für die Dauer eines Augenblicks denkbar sein kann, wäre der eigentlich normale, natürliche, menschengerechte, vernünftige. Doch was vernünftig ist, ist nicht. Ja, sogar die Vorstellung vermag ihn nur als etwas Überirdisches zu fassen. An diesem Umschlagpunkt gibt das Stück sich deutlich in seinem Sinn als Komödie einer verkehrten Welt zu erkennen.

Die fatale Ironie besteht darin, daß eben gerade dieser Moment, der

---

103 Vgl. z. B. in dem Brief an die Braut vom März 1834 aus Gießen: »Wie gefällt dir mein Bedlam? Will ich etwas Ernstes thun, so komme ich mir vor, wie Larifari in der Komödie; will er das Schwerdt ziehen: so ist's ein Hasenschwanz [. . .]«, ebd., S. 427 u. a.m.
104 *HA* I, S. 117.
105 Ebd., S. 112.
106 Ebd., S. 126.

Leonce – hier das einzige Mal ohne Pose und hinter keiner Maske – die einfache Wahrheit, den möglichen, so hoffnungslos vermißten Lebenssinn zugänglich macht, der tiefsten und vollständigsten Täuschung entspringt. Genau an dieser Stelle des Stücks läßt Büchner, den schönen Worten von Leonce am Anfang des 3. Akts folgend, daher nicht von ungefähr die kontrastierende Realität der Bauernszene hereinplatzen.

Tatsächlich mußte der Prinz und baldige König Leonce, um eine solche Vermenschlichung zu erfahren, so außer sich sein, d. h. seine soziale Rolle momentan so sehr vergessen wie der Gutsherr Puntila, wenn er betrunken ist. Freilich ist die Trunkenheit, in die Leonce verfallen ist und die ihm die Welt vom Kopf auf die Füße stellt, von anderer, nämlich mystischer, Sinnlichkeit und Idealität verschmelzender Art. Nur dieses eine Mal scheint ihm die Befreiung aus jedem Rollenzwang zu gelingen – das Wunder der Verwandlung in sich selbst. Es ist der alles erfüllende höchste Augenblick des weltumspannenden Selbstgefühls, den zu erleben es Faust umtrieb und für den er zu jedem Einsatz bereit war. Leonce fällt er zu in der Berührung mit Lena, zu der die beiden sich nachtwandlerisch zusammenfinden. Dem Genuß der höchsten Seligkeit – einmal ganz man selbst sein und dann sterben – kann nur noch der Wunsch, tot zu sein, folgen. Auch das ist schon zum (von Büchner parodierten) Klischee geworden, als Leonce es dieses eine Mal scheinbar nicht spielt, sondern wirklich erlebt. »Zu viel! zu viel! Mein ganzes Sein ist in dem einen Augenblick. Jetzt stirb. Mehr ist unmöglich [. . .] (*Er will sich in den Fluß stürzen.*)«[107]

In Wahrheit ist es so, daß Leonce, ohne sich dessen noch bewußt zu sein, gerade diesmal das Spiel so weit vollendet, daß es für ihn geradezu in Wirklichkeit umschlägt. Aber Valerio, der ihn zurückhält, reißt seinen Herrn rechtzeitig aus der Illusion und bringt ihn zu sich selbst zurück. Er hat sein distanziertes Rollenbewußtsein bereits wiedererlangt, als er sich resigniert ins Gras legt und zu Valerio sagt: »Mensch, du hast mich um den schönsten Selbstmord gebracht. Ich werde in meinem Leben keinen so vorzüglichen Augenblick mehr dazu finden [. . .] Jetzt bin ich schon aus der Stimmung.«[108]

Die Vermenschlichung des Prinzen durch die Liebe war Poesie, das Produkt eines schönen Traums, der rasch verfliegt. Die Wirklichkeit sieht anders aus. Das eine und das andere durchleuchten einander, und beide, Traum und Wirklichkeit, werden so deutlicher. Mit ebenso schneidender Schärfe wie feiner Ironie aber stellt Büchner, simultan mit dem verkehrten politisch-philosophischen Bewußtsein, die ästhetische Inszenierungstechnik des schönen Scheins bloß, die die Wirklichkeit des Sozialsystems noch um einen Grad radikaler eskamotiert.

---

107 Ebd., S. 125.
108 Ebd.

»Leiden sey all mein Gewinnst«
Zur Aufnahme und Kritik christlicher
Leidenstheologie bei Georg Büchner[1]

Von Heinrich Anz (Kopenhagen)

Philologische Quellenforschung steht häufig im Verdacht eines unfruchtbaren Positivismus, der über den einzelnen Materialien und historischen Bedingungen eines Werkes dessen eigentümliche Sinnabsicht und Zugangsbedingung für seine Leser verfehle. Gleichwohl kann solche Forschung auch ihr hermeneutisches Recht behaupten, wenn sie das poetische Verfahren und die Absichten eines Autors zu erhellen hilft und darüber hinaus den poetischen Text selbst als einen hermeneutischen Vorgang eigener Art sichtbar macht, der »Elemente aus der empirischen Realität« gebraucht[2], indem er sie verwandelt, deutet und zurücknimmt. In diesem Sinne möchten die folgenden Hinweise verstanden sein, die Quellenangaben zur religiösen Sprache Büchners zurechtrücken und Folgerungen für eine Interpretation, die sich für Büchners ›Religiosität‹ interessiert[3], andeuten.

In Büchners Erzählung *Lenz* singt die Gemeinde nach Lenzens Predigt ein »Kirchenlied mystischer Prägung«[4], eine vierzeilige Strophe, deren beide letzte Zeilen im *Woyzeck* erneut zitiert werden:

> »Laß in mir die heil'gen Schmerzen,
> Tiefe Bronnen ganz aufbrechen;
> Leiden sey all mein Gewinnst,
> Leiden sey mein Gottesdienst.«[5]

In solchem leidensfrommen Lied scheint sich sinnvoll eine Erbauungspredigt zusammenzufassen, in der der Prediger Lenz, allein auf das religiöse Gefühl einer Gemeinschaft der Leidenden gestimmt, selbst Mitleid erfährt und anderen Trost spendet, indem er die »dumpfen Leiden gen

---

1 Die folgenden Bemerkungen erschienen zuerst in der Kopenhägener germanistischen Zeitschrift *Text & Kontext*, 4. Jg. (1976), Heft 3, S. 57–72, und werden hier geringfügig überarbeitet wiederabgedruckt als Beitrag zur Diskussion um eine christliche Interpretation Büchners. Eine Auseinandersetzung mit derartigen Interpretationen bleibt einem späteren Beitrag vorbehalten.
2 Th. W. Adorno: *Ohne Leitbild. Parva Aesthetica.* – Frankfurt/M. 1967 (= es 201), S. 187. Vgl. zu den angedeuteten poetologischen Verhältnissen igs. a.a.O., S. 168 ff.
3 Vgl. E. Krause (Hg.): *Georg Büchner, Woyzeck.* – Frankfurt/M. 1969, S. 215 ff.; D. Sölle: *Realisation. Studien zum Verhältnis von Theologie und Dichtung nach der Aufklärung.* – Darmstadt/Neuwied 1973 (= SL 124), S. 25 ff.; E. Kobel: *Georg Büchner. Das dichterische Werk.* – Berlin/New York 1974; W. Wittkowski: *Georg Büchner. Persönlichkeit, Weltbild, Werk.* – Heidelberg 1978.
4 A. Langen: *Deutsche Sprachgeschichte.* – In: W. Stammler (Hg.), *Deutsche Philologie im Aufriß,* Bd. I, 2. Aufl. – Berlin 1957, Sp. 1304.
5 *HA* I, S. 84, 181.

Himmel leiten konnte«[6]. Woyzeck liest die Verse von einem erbaulichen Lesezeichen ab, das aus der Bibel seiner Mutter stammt, das er mit anderen Andenken zusammen aufbewahrt und nun gleichsam zum Vermächtnis bestimmt[7]. Im Drama wie in der Erzählung gewinnen die Verse des Kirchenliedes über die bestimmte Situation hinaus ihre Bedeutung im weiteren Zusammenhang von Lebensgeschichten, die in Fühllosigkeit, Apathie und Analgesie, enden: Von Lenz heißt es am Schluß der Erzählung: »[...] er fühlte keine Angst mehr, kein Verlangen«[8]; von seiner Mutter sagt Woyzeck in unmittelbarem Bezug zu den zitierten Versen: »Mei Mutter fühlt nur noch, wenn ihr die Sonn auf die Händ scheint.«[9] Durch solchen Zusammenhang erhalten die Verse einen Sinn, der zu ihrem Ausdruck christlicher Leidensfrömmigkeit gegenläufig ist und der sich auch in der Zweideutigkeit ihres Wortlautes bekundet. Ein Vergleich mit Büchners Quelle zu dieser Strophe kann das verdeutlichen.

Die Forschung nahm an, daß es sich um Verse handelt, »die Büchner selbst zuzuschreiben sind«[10], bis A. Langen in seiner Untersuchung zum Wortschatz des deutschen Pietismus auf das 1735 erschienene erbauliche *Kreuz- und Trostbüchlein* des relativ unbekannten niederrheinischen Pietisten Wilhelm Hoffmann als Quelle hinwies und diesen Hinweis in seiner Abhandlung zur sprachlichen Säkularisation wiederholte.[11] Alle neueren Kommentare und Interpretationen haben A. Langens Bemerkung ungeprüft und zur Tatsache vereinfachend übernommen.[12] Zwar legte A. Langen selbst solche Vereinfachung nahe, wenn er von dem Hoffmannschen »Erbauungsbuch [...] mit dem (später in Büchners *Lenz* aufgenommenen) Vers: Leiden ist jetzt mein Gewinnst; ... Leiden ist mein Gottesdienst« sprach[13]; die Auslassungszeichen halten jedoch bewußt, daß Büchners Lied kein wörtliches Zitat darstellt, sondern zwei, bei Hoffmann getrennte Verse miteinander verknüpft und darüber hinaus in ihrem Wortlaut, wenn auch anscheinend nur geringfügig, verändert. Das vollständigere Zitat aus Hoffmanns Erbauungsbuch in Langens *Wortschatz des deutschen Pietismus* macht vollends deutlich, daß Büchners Strophe kein Zitat ist: die beiden ersten Verse finden in dem W. Hoffmann zugeschriebenen Lied keinerlei Anhalt. Davon abgesehen legt A. Langens Hinweis eindeutig nahe, das Hoffmannsche Erbauungsbuch als Quelle der, wie man nun vorsichtiger sagen muß, Büchnerschen Nachdichtung zu betrachten.

6 Ebd., S. 84.
7 Ebd., S. 181.
8 Ebd., S. 101.
9 Ebd., S. 181.
10 G. L. Fink: *Volkslied und Verseinlage in den Dramen Büchners.* – In: Martens, S. 438.
11 A. Langen: *Der Wortschatz des deutschen Pietismus.* – Tübingen 1954, S. 217; ders.: *Zum Problem der sprachlichen Säkularisation in der deutschen Dichtung des 18. und 19. Jahrhunderts.* – In: ZfdPh 83 (1964), Sonderheft, S. 51.
12 U. Segebrecht-Paulus: *Genuß und Leid im Werk Georg Büchners.* – Diss. phil. München 1966/69, S. 186, Anm. 54; W. R. Lehmann: *Repliken. Beiträge zu einem Streitgespräch über den Woyzeck.* – In: Euphorion 65 (1971), S. 68; L. Bornscheuer: *Georg Büchner: Woyzeck. Erläuterungen und Dokumente.* – Stuttgart 1972 (= Reclams U.-B. 8117), S. 25; E. Kobel, a.a.O., S. 153; Hinderer, S. 164f., 219f.
13 A. Langen: *Zum Problem der sprachlichen Säkularisation,* a.a.O., S. 31.

Aber auch das dürfte unwahrscheinlich sein. W. Hoffmann selbst zitiert ein Lied des weit bekannteren und, wie es in den biographischen Notizen der evangelischen Kirchengesangbücher nahezu stereotyp heißt, »gedankenreichsten Dichters des Halleschen Pietismus«[14] und berühmten Arztes und Apothekers am Francke'schen Waisenhaus, Christian Friedrich Richter.[15] Die von A. Langen, einem Zitationsfehler der älteren Pietismusforschung folgend[16], W. Hoffmann zugeschriebene Strophe ist die dritte des Richterschen Liedes »Gott, den ich als Liebe kenne, Der du Krankheit auf mich legst [. . .]«, das nach Richters Tod im zweiten Teil des »ersten klassischen deutschen pietistischen Gesangbuchs«[17] erschien, das J. A. Freylinghausen 1714 herausgab[18]; es wurde erneut im zweiten Anhang der 1718 posthum herausgegebenen *Erbaulichen Betrachtungen* Chr. Fr. Richters abgedruckt.[19] Richters Lied ist in die pietistisch tingierten Kirchengesangbücher und Sammlungen christlicher Lieder immer wieder aufgenommen worden[20] und findet sich auch heute noch in einigen evangelischen Kirchengesangbüchern[21]. Der dichtende Medizinstudent G. Büchner dürfte das verbreitete und bekannte Lied des Arzt-Dichters Chr. Fr. Richter in seiner nachweisbar stark pietistisch geprägten Straßburger Umwelt[22] und vielleicht aus den bis ins 19. Jahrhundert immer wieder aufgelegten *Erbaulichen Betrachtungen* Richters selbst kennengelernt haben.[23] Er entlehnt dem Lied die beiden letzten Verse seiner, wie man bis zum Erweis des Gegenteils wohl sagen muß, selbstgedichteten Strophe.

Vielleicht sollte man, einen Terminus moderner Poetik gebrauchend, genauer von einer »Montage« sprechen[24]; denn auch für die beiden er-

---

14 Vgl. die Angaben im Anhang zum *Evangelischen Kirchengesangbuch* (EKG).
15 Zu Ch. F. Richter vgl. die gründliche Untersuchung von E. Altmann: *Christian Friedrich Richter. Arzt, Apotheker und Liederdichter des Halleschen Pietismus.* – Witten 1972 (= Arbeiten zur Geschichte des Pietismus, Band 7).
16 Der Fehler geht auf M. Goebel: *Geschichte des christlichen Lebens in der rheinisch-westfälischen evangelischen Kirche,* Band 3, hg. v. Th. Link. – Coblenz 1860, S. 298 zurück und ist von hier in A. Ritschl: *Geschichte des Pietismus in der reformierten Kirche,* Band 1. – Bonn 1880, S. 457 Anm. 1, übergegangen. Ritschls Darstellung ist Langens Quelle.
17 L. Zscharnack, in: *RGG 2.* Aufl. Band 2, Sp. 1081.
18 J. A. Freylinghausen (Hg.): *Neues geistreiches Gesangbuch, auserlesene, so alte als neue geistliche und liebliche Lieder, nebst Noten der unbekannten Melodeyen in sich haltend.* – Halle 1714, S. 940.
19 *Christian Friedrich Richters, weyland Medicinae Doctoris in Halle, Erbauliche Betrachtungen vom Ursprung und Adel der Seelen [. . .], nebst einigen von ihm gleichfalls verfertigten Poetischen Gedichten auch Geistlichen Liedern auf Verlangen guter Freunde herauβgegeben von dessen Bruder Christian Sigismund Richter, Med. Doctore.* – Halle 1718, 2. Anhang, Nr. 20.
20 Z. B. in den *Kirchengesangbüchern Meiningen* (1859), Nr. 554; *Württemberg* (1905), Nr. 488; *Sachsen* (1910), Nr. 516; *Württemberg* (1911), Nr. 362 usw.
21 *Evangelisches Kirchengesangbuch* (EKG), *Ausg. für die Ev. Landeskirche in Württemberg* (1953), Nr. 542; *Ausg. für die Ev. luth. Kirche in Bayern,* 4. Aufl. 1959, Beigabe S. 684 usw.
22 Die pietistische Prägung gilt namentlich für Büchners Freunde aus der ›Eugenia‹ und ihre Elternhäuser. Die Familien Jonas Boeckel, Johann Jakob Jaegle, Daniel Ehrenfried Stöber u. a. standen z. B. in direkter, freundschaftlicher Verbindung zum ›Patriarchen‹ der elsässischen Erweckung J. F. Oberlin und zu seinem Amtsvorgänger im Steintal J. Stuber (Vgl. W. R. Lehmann/Th. M. Mayer: *Ein unbekannter Brief G. Büchners. Mit biographischen Miszellen aus dem Nachlaß der Gebrüder Stoeber.* – In: *Euphorion* 70 (1976), S. 175-186; R.Majut: *Zur Umwelt Georg Büchners.* – In: *ZfdPh* 93 (1974), S. 272 ff.; E. Martin: *Ehrenfried Stöber.* – In: *ADB* 36, S. 271 ff.; L. Tiesmeyer: *Die Erweckungsbewegungen in Deutschland während des 19. Jahrhunderts,* Band 4. – Kassel o. J., S. 379). Auch die Jüngeren, Büchners Freunde, kannten Oberlin noch persönlich (Vgl. dazu den Bericht von einem Besuch im Steintal bei: M. Baum-Böckel: *Johann Wilhelm Baum, ein protestantisches Charakterbild aus dem Elsaß (1809 bis 1878).* – Straßburg 1902, 2. Auflage 1906, S. 11).
23 E. Altmann, a.a.O., S. 218 ff., weist insgesamt sechs Auflagen der *Erbaulichen Betrachtungen* bis 1815 nach. Anklänge an Richters *Betrachtungen* finden sich auch sonst bei Büchner; man vgl. etwa die Deklamation des Marktschreiers und des Barbiers in *Woyzeck* (H 1) mit der drastischen Kennzeichnung der physischen Natur des Menschen bei Richter (zit. bei Altmann, a.a.O., S. 127 ff.).
24 H. O. Burger/R. Grimm: *Evokation und Montage.* – Göttingen 1961.

sten Verse seiner Strophe bedient sich Büchner eines pietistischen Vokabulars, welches die Erhebung des Herzens zu Gott im mystischen Bild der im Herzensgrund aufbrechenden Quelle faßt[25], so daß auch für sie eine Vorlage nicht unwahrscheinlich scheint, – wie denn die Erzählung *Lenz* insgesamt eine erstaunliche Vertrautheit mit der Sprache der Mystik und des Pietismus bekundet, eine Vertrautheit, die nicht durch Büchners Quelle, den Bericht des Pfarrers J. F. Oberlin, erklärt werden kann und die über die indirekte, literarische Vermittlung durch Empfindsamkeit und Sturm und Drang deutlich hinausgeht.[26] Zwar findet sich auch hier das Motiv der Erstarrung und Belebung des Gefühls, der Dürre und der Wonnen der Tränen, des Eingeschlossenseins und des enthusiastischen Aufschwungs in religiöser Färbung[27]; und die Nähe der Erzählung *Lenz* zu Sprache und Bildlichkeit der Dichtung des jungen Goethe ist auffällig: *Ganymed* und *Prometheus, Werther* und *Faust* klingen hörbar an, wie denn die ganze Erzählung als eine Begründung und darin Zurücknahme der Goetheschen Charakterisierung von J. M. R. Lenz und als eine Radikalisierung des *Werther* gelesen werden kann.[28] Solche literarische Vermittlung reicht aber nicht aus, verständlich zu machen, warum Büchner die pietistische Sprache in ihrem religiösen Sinn ernst nimmt *und* widerlegt.

Das Lied Chr. Fr. Richters wird in Freylinghausens *Geistreichem Gesangbuch* und auch späterhin als Lied »Eines Krancken« bezeichnet.[29] In ihm erfahren Krankheit, Schmerz und Leid ihre christliche Begründung und Deutung. Richter folgt dabei einer pietistischen Leidenstheologie, die Krankheit und Leid als »Liebeszeichen« Gottes versteht und auffordert, gegen die Anfechtungen des Schmerzes den Weg der Nachfolge Christi, die »Leidensbahn«, als Reinigung und Bewährung des Glaubens zu gehen.[30] Solcher Heilssinn des Leidens begründet die, die bekannte Wendung des Philipperbriefes »Sterben ist mein Gewinn«[31] aufnehmende, paradoxe Zusammenfügung von Leid und Gewinn. Freilich ist das Paradox der Formulierung »Leiden ist [...] mein Gewinnst« nur scheinbar, denn das »Jetzt« der Leiden, das Richter durch dreimalige Wiederholung besonders hervorhebt, verweist auf die, um mit Paulus zu reden, »Herrlichkeit, die uns soll offenbart werden«[32], und gewinnt aus dieser Zukunft ihren Sinn. Solche christliche Sinngebung des Leidens von der Erlösung her klingt in Büchners Erzählung an, wenn Lenz durch seine

25 Vgl. A. Langen: *Der Wortschatz*, a.a.O., S. 319ff.
26 Das tritt besonders in der Predigtszene (a.a.O., S. 84ff.) hervor, der Belebung und Steigerung des religiösen Gefühls bis zur Ekstase der unio mystica, welche im Zusammenhang der Erzählung eindeutig als pathologische Imagination erscheint, ohne damit ihre Wahrheit zu verlieren.
27 Vgl. A. Langen: *Der Wortschatz*, a.a.O., S. 458ff.; G. Sauder: *Empfindsamkeit*, Bd. 1. – Stuttgart 1974, S. 125ff.
28 Vgl. J. W. Goethe: *Dichtung und Wahrheit*, Kap. 11 und 13.
29 C. F. Richter, zit. nach Freylinghausen, a.a.O., S. 940.
30 C. F. Richter, ebd.
31 *Phil.* 1, 21.
32 *Röm.* 8, 18.

Predigt »die dumpfen Leiden gen Himmel leiten konnte«[33]. Büchners eigene Strophe negiert dagegen eine soteriologische Deutung des Leidens, indem sie den Wortlaut der Richterschen Verse geringfügig verändert und darin alle gebrauchten Materialien mystischer und pietistischer Sprache zweideutig werden läßt, ja ihren Sinn ins Gegenteil verkehrt. Dadurch, daß Büchner die auf das Einst der Erlösung verweisende adverbiale Zeitbestimmung »jetzt« durch das Indefinitpronomen »all« ersetzt und die Feststellung durch das optative »sey« zum Wunsch steigert, wird der in Richters Lied gemeinte Bezug zur Transzendenz aufgehoben und das Leiden zur alleinigen und allzeitigen »Herrlichkeit«. Das scheinbare Paradox des Richterschen Liedes geht damit bei Büchner in ein echtes, unauflösbares Paradox über, welches die Anthropologie des Gefühls betrifft: Leiden wird zu einem nicht übersteigbaren, letzten und ›positiven‹ Ziel.

Das verändert zunächst auch den Sinn der beiden ersten Verse der Büchnerschen Strophe. Die »heiligen Schmerzen« können, üblichem religiösem Sprachgebrauch folgend, für den die Kirchengesangbücher vielfältige Belege bieten, als die »heiligen Leiden« Christi verstanden werden, deren teilhaftig zu werden der Christus Nachfolgende erstrebt.[34] Seine »heiligen Schmerzen« bringen die Seele auf den Weg der Vereinigung mit Gott; Ausdruck dafür ist das mystische Bild des im Grunde der Seele aufbrechenden »Bronnens«[35]. Von den beiden letzten, ein soteriologisches Verständnis ausschließenden Versen her gesehen besagen die beiden ersten Verse jedoch anderes. Sie sprechen im mystischen Bild das Verlangen nach Leiden aus, welches nun eine Belebung und Steigerung des Sichfühlens bedeutet, die Sehnsucht nach der »Wollust des Schmerzes«, wie Büchner, eine oxymorische Wendung der Empfindsamkeit aufnehmend, auch sagen kann.[36] Das scheinbare Zitat eines pietistischen Kirchenliedes wird in solcher innerweltlichen Heiligung des Leidens zu einer Kontrafaktur[37] oder, wie es an anderer Stelle heißt, zu einer »Profanation«[38], – ein poetisches Verfahren der Umdeutung, das sich auch sonst bei Büchner feststellen läßt.

Büchners Verfahren der zurücknehmenden Umdeutung christlicher Gehalte sei mit wenigen Beispielen belegt: In *Dantons Tod* nimmt z. B. die Anrede Robespierres als eines »Messias, der gesandt ist zu wählen

33 *HA* I, S. 84.
34 Vgl. z. B. Hermann von Fritzlar, in: F. Pfeiffer (Hg.): *Deutsche Mystiker des 14. Jahrhunderts,* Bd. 1. – Leipzig 1845 (Neudr. Aalen 1962), S. 4. Vgl. auch I. Röbbelen: *Theologie und Frömmigkeit im deutschen, evangelisch-lutherischen Gesangbuch des 17. und frühen 18. Jahrhunderts.* – Göttingen 1957 (= Forschungen zur Kirchen- und Dogmengeschichte Bd. 6), S. 381 ff.
35 Vgl. A. Langen, *Der Wortschatz,* a.a.O., S. 319 ff.; auch C. F. Richter gebraucht dieses Bild. Siehe bei Altmann, a.a.O., S. 25.
36 *HA* I, S. 30 u. II S. 426. Vgl. J. Grimm/W. Grimm: *Deutsches Wörterbuch,* hg. v. der deutschen Akademie der Wissenschaften zu Berlin, Bd. 14/I. – Leipzig 1960, Sp. 1393 ff.
37 Vgl. dazu G. E. Hübner: *Kirchenliedrezeption und Rezeptionsforschung. Zum überlieferungskritischen Verständnis einiger Gedichte von Bürger, Goethe, Claudius.* – Tübingen 1969 (= Studien zur deutschen Literatur Band 17), S. 57 ff.
38 *HA* I, S. 99.

und zu richten«[39] den Satz aus dem *Johannesevangelium* zurück: »Gott hat seinen Sohn nicht gesandt in die Welt, daß er die Welt richte, sondern daß die Welt durch ihn seelig werde«[40]. Ähnlich revozierend, nur noch unmerklicher, verfährt Büchner mit einem Zitat aus A. de Musset's *Fantasio* in seinem Lustspiel *Leonce und Lena*.[41] Er hört aus dem mit weinerlichen Pathos vorgetragenen Satz der Gouvernante »Vous êtes un vrai agneau pascal«[42], der bei Musset sofort ironisiert und zurückgenommen wird, eine Anspielung auf das »agnus Dei« heraus. Aus dem Osterlamm Mussets wird bei Büchner, auch gestisch durch eine Pause (Gedankenstrich) und die anschließende erschrockene Frage Lenas nach der Selbsterlösung kenntlich gemacht, das »Osterlamm, das ist Christus, [der] für uns geopfert wurde«, wie es im *1. Korintherbrief* heißt[43]. Die ganze Replik Lenas läßt sich dann als eine Kontrafaktur zu biblischen Aussagen wie folgender lesen: »Wisset, daß ihr [. . .] erlöst seid [. . .] mit dem teuren Blut Christi als eines unschuldigen und unbefleckten Lammes«[44], wenn sie verstört fragt: »Mein Gott, mein Gott« – auch diese Reduplikation erinnert ja an eine bekannte Stelle aus der Passionsgeschichte[45] – »ist es denn wahr, daß wir uns selbst erlösen müssen mit unserm Schmerz?«[46] Bereits Robespierre hatte in *Dantons Tod* auf entsprechende Sätze des *Neuen Testaments* anspielend den Gedanken des stellvertretenden, erlösenden Opfertodes Christi negiert. Denn nicht »mit seinem Blut« sind wir erlöst; das Geschehen der Revolution erlöst die Menschen vielmehr »mit ihrem eigenen«.[47] Solcher Kontrafaktur von christlicher Passion und politischer Revolution vergleichbar negiert auch Lena hier die »Erlösung durch sein Blut«[48]. Die stellvertretende Passion Christi wird zurückgenommen in die selbsterlösende Passion des Menschen. Nicht Christus ist das »Lamm«, sondern Lena selbst, nicht er hat uns erlöst, sondern wir selbst müssen uns erlösen, nicht seine Leiden vollbringen die Erlösung, sondern »unser Schmerz«. Die Christusimitation, die in allen poetischen Werken Büchners durchscheint, bedeutet damit eine Christusnegation, von der her alle soteriologischen Deutungen ausgeschlossen werden. Das betrifft insbesondere die Deutung des Leidens, von der hier die Rede ist.[49]

39 Ebd., S. 15.
40 *Joh.* 3, 17.
41 *HA* I, S. 118.
42 A. de Musset: *Théâtre complet*, ed. par M. Allem. – Paris 1958 (= Bibliothèque de la Pléiade Vol. 17), S. 298.
43 *1. Kor.* 5, 7.
44 *1. Petr.* 1, 18f.
45 *Mt.* 27, 46.
46 *HA* I, S. 118.
47 Ebd., S. 30.
48 *Eph.* 1, 7.
49 Die Interpretation, die J. Sieß in seiner Studie *Zitat und Kontext bei Georg Büchner*, Göppingen 1975, S. 76ff., vorträgt, übersieht gänzlich das poetische Verfahren Büchners, der aus dem Musset-Zitat, das selbst deutlich auf das *Alte Testament*, das Opfern des Passahlammes und die Menschenopfer Jephtas anspielt, den christlichen Bezug heraushört, ihn in der Replik Lenas negiert und solche Negation darüber hinaus noch ins Universale projiziert. J. Sieß' Deutung, die rein in dem bei Musset und Büchner zunächst dargestellten Handlungszusammenhang einer feudalen Zwangsheirat bleibt und die angeführten Stellen als Metaphern gesellschaftlicher Repression liest, greift deshalb zu kurz. Der hier angedeutete Zitationszusammenhang zeigt, daß es um mehr geht als die Einsicht, »daß die

Die Deutung des Büchnerschen Liedes als einer Kontrafaktur kann im unmittelbaren Kontext des Liedes wie in dem angedeuteten weiteren Zusammenhang des *Lenz* und des *Woyzeck* ihre Bestätigung finden[50]: In der Erzählung *Lenz* erfährt man von dem Bibeltext, über den Lenz predigt, und von dem Inhalt der Predigt, die dem Lied vorangeht, nichts. Lediglich ihre emotionale Wirkung wird dargestellt; sie weckt das Mitleid der Zuhörer und löst eine sich steigernde innere Bewegung bei Lenz aus, durch die er aus der konkreten Situation in eine »imaginäre« übergeht.[51] Predigt und Lied wirken vor allem als Stimulantien eines seelischen Vorgangs, der das Gefühl des Schmerzes bis zur Exaltation der »Wollust« steigert.[52] Dabei löst sich der »Starrkrampf« der Seele in eine mystische, eindeutig erotisch bestimmte Ekstase auf[53], die freilich, die Figur eines »cor incurvatum in se«[54] darstellend, nur scheinbar ein »anderes Seyn«[55] erfährt und folgerichtig in der Einsamkeit des Selbstmitleids endet. Das Verlangen nach Schmerz und Leiden, das im Lied ausgesprochen wird, erfährt seine Begründung durch die Darstellung einer Ekstase des Schmerzes als einer Weise des intensiven Sichselbstfühlens. Denn einem Leben, das sich von der Fühllosigkeit, dem »Gefühl des Gestorbenseins«[56] und der »schrecklichen Leere«[57] bedroht weiß, bedeutet das ›negative‹ Gefühl des Schmerzes bis hin zur physischen Selbstverletzung und Selbstvernichtung eine ausgezeichnete Weise des Sichselbstfühlens und darin »Gewinn«.

In solcher Umwertung des Leidens radikalisiert Büchner Erfahrungen, wie sie beim jungen Goethe und vor allem in Gedichten und autobiographischen Notizen von J. M. R. Lenz selbst ausgesprochen werden. Man kann an die »Schmerzen« erinnern, die Wilhelm gegen das »erbärmlich leere Totengefühl«, gegen den »qualvollen Abgrund eines dürren Elends«[58] nach dem Verlust Marianens erneuert, an die »erquickenden Tränen«, nach denen Werther gegen die »entsetzliche Lücke« in seinem Busen[59], gegen das »tote Herz«, das wie »ein versiegter Brunnen« ist[60], in der Hoffnungslosigkeit seiner Liebe verlangt – Wendungen, die

Aggression [. . .] von Männern ausgeht«, daß »das Bild der Opferhandlung [festhält], daß die Frau durch Heirat von einem Manne unterworfen wird«, »daß sie selbst als wehrlose Natur betrachtet wird« (J. Sieß, a.a.O., S. 82). Die Stelle gewinnt ihre volle Bedeutung erst im Zusammenhang der im folgenden skizzierten Leidensproblematik.
50 Sie kann sich auch auf die im überlieferten Corpus der Briefe Büchners eine gewisse Sonderstellung einnehmenden Briefe aus dem Frühjahr 1834 an die Braut stützen (*HA* II, S. 423-426). Die Briefe sprechen in gleichen Formulierungen eine tiefe seelische Krise aus, deren Erfahrung sich in Motiven politischen Handelns ebenso wie in solchen der poetischen Darstellung in der Folgezeit umsetzt. Nicht von ungefähr zitiert Büchner in dieser Situation J. M. R. Lenz, der in Gedichten und autobiographischen Reflexionen ähnliche Erfahrungen ausspricht.
51 J. W. Goethe: *Dichtung und Wahrheit*, 14. Buch. – In: J. W. Goethe: *Werke*. Hamburger Ausgabe, Bd. 10. – Hamburg 1959, S. 8.
52 *HA* I, S. 85.
53 Ebd., S. 84.
54 J. Ficker (Hg.): *Anfänge reformatorischer Bibelauslegung*, Band I, *Luthers Vorlesung über den Römerbrief 1515/1516*. – Leipzig 3. Aufl. 1925, passim.
55 *HA* I, S. 84.
56 *HA* II, S. 424; ebd., Bd. 1, S. 92.
57 *HA* I, S. 98, 101.
58 J. W. Goethe: *Wilhelm Meisters theatralische Sendung*, Nachw. v. A. Henkel. – Frankfurt/M. 1960 (= Exempla classica 1), S. 55f.
59 J. W. Goethe: *Die Leiden des jungen Werther*. – In: ders.: *Werke*. Hamburger Ausgabe, Bd. 6. – Hamburg 1951, S. 83.
60 Ebd., S. 85.

in Büchners Erzählung anklingen, wenn von der »schrecklichen Leere«
in Lenzens Gefühl[61], daß in ihm ›alles tot‹ sei[62], wenn von dem Wunsch,
daß in ihm »tiefe Bronnen ganz aufbrechen« möchten[63], die Rede ist. J. M.
R. Lenz spricht von der »seelgen Qualentrunkenheit«[64], ein Oxymoron,
das auch bei ihm seine Begründung in der Erfahrung findet: »Ach! und
weder Lust noch Qualen / Sind ihm schrecklicher als das: / Kalt und
fühllos!«[65] Und so erscheinen »Unempfindlichkeit« und »Stumpfheit der
Seele« als das »allergrößte Unglück«, vor dem ihn zu bewahren er Gott
bittet.[66]

Freilich ist das Fühlen bei Goethe und J. M. R. Lenz als »heilige bele-
bende Kraft«[67] immer noch in einen religiösen Zusammenhang einbe-
halten, der christlicher oder platonistischer Deutung offen ist. Im
Schmerz bleibt das »ängstliche Harren« und das »unaussprechliche Seuf-
zen«, von dem Paulus spricht[68], ebenso erinnerlich wie das »Verlangen
und die Suche nach dem Ganzen«, die den platonischen Eros kennzeichnen.[69] Schmerz beruht in einem Mangel und verweist auf Erfüllung, in
deren »Vorstellung [. . .] die von Erlösung« mitschwingt.[70] Immer schim-
mert solch metaphysischer Bezug durch, von dem her Leiden allererst
Sinn und Bedeutung erhält. Wenn Leiden aber bei Büchner zu einem
möglichen letzten Ziel wird, dann sind solche soteriologischen oder metaphysischen Deutungen fragwürdig, wenn nicht unmöglich geworden.

Man könnte einwenden, daß eine ›Positivität‹ des Leidens der in Büchners Werk mehrfach deutlich ausgesprochenen Erfahrung widerspricht,
der Schmerz sei »das eigentliche negative Prinzip«[71]. Der Widerspruch
gilt nur scheinbar und nur in der Sphäre rationaler Theologie, die bei
Büchner gelegentlich und keineswegs einfach zustimmend erscheint:
Das Faktum des Leidens entzieht wohl einer »Definition von Gott«[72] ihre
Berechtigung, die ihn als »absolut vollkommenes, moralisches Wesen«
denkt.[73] »Aber was«, so kann Büchner fragen, »zwingt uns denn etwas
Vollkommenes zu denken?«[74] Der Versuch einer Theodizee scheitert
nicht nur, sondern es gibt auch gar keinen Grund, ihn zu unternehmen.
Denn der Schmerz ist nicht ein Schmerz über die Unvollkommenheit der
Welt, kein Leiden an dem »Fehler«[75], der bei unserer Erschaffung ge-
macht wurde, sondern er ist diese Unvollkommenheit, dieser Fehler

61 *HA* I, S. 98, 101.
62 *HA* I, S. 95, 151.
63 *HA* I, S. 84.
64 J. M. R. Lenz: *Werke und Schriften*, hg. v. B. Titel/H. Haug, Bd. 1. – Stuttgart 1966, S. 153; vgl. S. 125.
65 Ebd., S. 110.
66 J. M. R. Lenz: *Gesammelte Schriften*, hg. v. F. Blei, Bd. 4. – München/Leipzig 1910, S. 285.
67 J. W. Goethe, a.a.O., S. 85.
68 *Röm.* 8, 19 u. 26.
69 Platon: *Symposion* 192 e 10.
70 W. Benjamin: *Geschichtsphilosophische Thesen*. – In: ders.: *Illuminationen. Ausgewählte Schriften*, Bd. 1. – Frank-
furt/M. 1961, S. 268.
71 B. v. Wiese: *Die deutsche Tragödie von Lessing bis Hebbel*. – Hamburg, 7. Auflage. 1967, S. 523 ff.
72 *HA* II, S. 236; vgl. *HA* I, S. 47 ff., 99 f.
73 *HA* II, S. 239.
74 Ebd.
75 *HA* I, S. 32.

selbst: »Das leiseste Zucken des Schmerzes [...] macht einen Riß in der Schöpfung von oben bis unten.«[76] Das Faktum des Leidens läßt sich weder leugnen noch begründen; darin ist der »Riß« unheilbar und jede wie auch immer geartete metaphysische Deutung der Welt unmöglich.

In solchen Deutungen aber hat die Bestimmung von Leid und Schmerz als »malum« ihren Grund[77]; werden sie hinfällig, muß auch das Leid den Charakter eines »malum« verlieren. Schmerz ist wohl das »negative Prinzip« gegenüber seinen möglichen theologischen und metaphysischen Deutungen, nicht aber schon an ihm selbst. Damit wird die seit der Antike gültige Unterscheidung innerhalb der Gefühle zwischen Lust und Unlust fraglich.[78] Galt für Kant z. B. noch, daß Lust und Unlust einander nicht bloß kontradiktorisch, sondern konträr entgegengesetzt sind[79], so kann nun angesichts des ursprünglicheren Gegensatzes von »Fülle« und »Leere« des sich selbstfühlenden Lebens »Schmerz« zur »Wollust«, »Leiden« zum »Gewinn« werden. In solchen paradoxen Umkehrungen wird der mögliche moralische Sinn von Gefühl überhaupt ungewiß und jeder Versuch, moralisches und politisches Handeln auf der polaren Ordnung der Gefühle zu begründen[80], fragwürdig.

Solche Aufhebung überkommener Deutungen und Möglichkeiten sind Beirrungen, die in Büchners Werk z. B. in der »Narrheit« erscheinen, die Robespierre unter dem Einfluß Dantons widerfährt, wenn sich ihm das Verhältnis von Henker und Opfer umkehrt[81], die in der Bestürzung anklingt, die Lena zu der Frage treibt, ob es wahr sei, »daß wir uns selbst erlösen müssen mit unserm Schmerz«[82], und die die unaufhebbare Wahrheit von Lenzens Wahnsinn begründen.[83] Sie kennzeichnen die spezifische Problematik Büchners, die auf Erfahrungen und Gestalten moderner Poesie und Wissenschaft vorausweist und die selbst an einem Detail wie dem Gebrauch der Sprache christlicher Leidensfrömmigkeit sichtbar wird. Deutungsmöglichkeiten christlicher oder metaphysischer Tradition werden hinfällig[84], ohne daß doch, wie häufig behauptet, eine nihilistische Position eingenommen wird.

---

76 Ebd., S. 48.
77 Vgl. dazu die verschiedenen Interpretationen von Lust und Unlust bei Platon (*Protagoras, Phaidros, Philebos, Nomoi*); H.-G. Gadamer: *Platos dialektische Ethik und andere Studien zur platonischen Philosophie.* – Hamburg 1968.
78 Vgl. H. M. Gardiner u. a.: *Feeling and Emotion. A. History of Theories.* – Westport/Conn. 2nd Ed. 1970, S. 10ff., 26ff.
79 I. Kant: *Anthropologie in pragmatischer Absicht.* – In: ders.: Werke, hg. v. E. Cassirer, Bd. 8 – Berlin 1922, S. 119ff.
80 Das betrifft z. B. die Position der Dantonisten in *Dantons Tod* (vgl. *HA* I, S. 11f.).
81 *HA I*, S. 30.
82 Ebd., S. 118.
83 Hier eine ausschließlich gesellschaftliche Deutung erzwingen zu wollen, wie dies z. B. Jancke, S. 233-251, versucht, bedeutet, die prinzipiellen Zusammenhänge der Leidensproblematik bei Büchner zu verkennen.
84 Im Märchen der Großmutter im *Woyzeck* ist das in einem fast surrealistischen Bild des zerstörten Kosmos ausgesprochen.

Debatten

Hans-Joachim Ruckhäberle (Paris):

Georg Büchners *Dantons Tod* – Drama ohne Alternative*

> »Wie lange soll die Menschheit im ewigen Hunger ihre eignen Glieder fressen? oder, wie lange sollen wir Schiffbrüchige auf einem Wrack in unlöschbarem Durst einander das Blut aus den Adern saugen? oder, wie lange sollen wir Algebraisten im Fleisch beim Suchen nach dem unbekannten, ewig verweigerten X unsere Rechnungen mit zerfezten Gliedern schreiben?«
> (*IIA* I, S. 32)

Georg Büchners ›Denkspiel‹ *Dantons Tod* ist der Versuch, in Form einer »ästhetischen Objektivation« (Henri Poschmann) politische wie soziale Prozesse zu klären, sie zu analysieren, darzustellen und zu entwickeln. Es handelt sich um Prozesse, die in Deutschland bis heute mehr ideologisch-literarisch als in die politische Praxis umgesetzt wurden – Freilich, »ein Drama ist kein Theoenpapier«[1], doch geht Büchner von bestimmten politischen und philosophischen Positionen und Erfahrungen aus, die er in der dramatischen Konstellation zu klären und zu überprüfen sucht.[2] Er setzt sich dabei mit der ›Abgelebtheit‹ gegenwärtiger Verhältnisse wie deren ästhetischem Korrelat auseinander, nicht mit der Konstruktion zukünftiger – und dies in all seinen Dramen. »Ich habe mich überzeugt, die gebildete und wohlhabende Minorität, so viel Con-

---

* Dieter Dorn und Michael Wachsmann sowie den Schauspielern der Münchner *Danton*-Aufführung verdanke ich die Ent-Theoretisierung meiner Beschäftigung mit Büchner; ihnen ist dieser Versuch gewidmet. – Georg Büchner wird zitiert nach der Histor.-krit. Ausgabe. Hg. v. W. R. Lehmann (*HA*), Bd. I u. II.

1 H.-Th. Lehmann: *Dramatische Form und Revolution in Georg Büchners* Dantons Tod *und Heiner Müllers* Der Auftrag. – In: Dantons Tod. *Die Trauerarbeit im Schönen. Ein Theater-Lesebuch.* – Frankfurt a. M. 1980, S. 106–121; hier S. 118.
2 Der in diesem Zusammenhang von Thomas Michael Mayer gebrauchte Begriff der »Selbstvergewisserung« scheint mir dafür zwar nicht so geeignet, weil er das Vorhandensein aller Elemente zu implizieren scheint; jedenfalls meint aber auch dieser Begriff (vgl. *GB I/II*, S. 392 u. bes. S. 134) alles andere als ein »Thesenpapier«.

cessionen sie auch von der Gewalt für sich begehrt, wird nie ihr spitzes Verhältniß zur großen Klasse aufgeben wollen. Und die große Klasse selbst? Für die gibt es nur zwei Hebel, materielles Elend und *religiöser Fanatismus*. [. . .] Ich glaube, man muß in socialen Dingen von einem absoluten *Rechts*grundsatz ausgehen, die Bildung eines neuen geistigen Lebens im *Volk* suchen und die abgelebte moderne Gesellschaft zum Teufel gehen lassen.« (*HA* II, S. 455). Wer hier fertige Bilder zukünftiger Gesellschaft sucht, täuscht sich und andere und hinkt weit hinter Büchner her.[3]

Nicht um Sinn oder Sinnlosigkeit der historischen, der Französischen Revolution geht es primär, sondern um das Verhältnis von Individuum und Geschichte, um die Frage, wer Geschichte macht und nach welchen Gesetzen, wie gehen Menschen mit Geschichte, mit ihrer Geschichte um, wie Geschichte mit ihnen. Damit soll und kann nicht die Bedeutung der historischen Quellenforschung zum Drama geschmälert werden; immer mehr erweist sich aber darüber hinaus die Notwendigkeit intensiver Forschung zu philosophischen und naturwissenschaftlichen Quellen, ebenso der systematischen Klärung der Eigenzitate und -assoziationen Büchners.

Die Unzulänglichkeit theoretischer Lösungsversuche, die undialektische Begrenztheit der »mechanischen« Modelle des französischen und englischen Materialismus, wie Georg Büchner sie rezipiert, verweisen ihn dabei zurück auf die genaue Anschauung gesellschaftlicher und menschlicher Wirklichkeit. Ästhetisch mündet der Einfluß des mechanischen Materialismus der französischen Aufklärungsphilosophie dabei durchaus nicht in die »mechanische« Nachahmung der Realität, ihre »Abspiegelung« ein[4], wie die Entwicklung der Ästhetik Diderots, mit der sich Büchner auseinandersetzt[5], belegt.[6]

Bedeutung haben für Büchner die Kritik der gesellschaftlich-staatlichen und sozialen Theorie und Organisation wie deren ästhetisches Korrelat – Bereiche, die im Drama eng ineinander verklammert sind, weiter die Berücksichtigung der materiellen Bedürfnisse – kollektiver wie individueller. Dem »Muß« des undialektischen Materialismus entziehen sich nur – entzeitlicht und entrationalisiert – Sinnlichkeit und der »poetische Traum« (Marion, die aber ganz Behauptung, Programm bleibt[7], und Lucile). Diese Bereiche sind im Drama nicht voneinander zu trennen, sie

---

3 S. dazu Th. M. Mayer: *Büchner und Weidig – Frühkommunismus und revolutionäre Demokratie.* – In: *GB I/II*, S. 19-298; hier S. 138.
4 S. dazu Th. M. Mayer: *Büchner u. Weidig*, S. 86.
5 Nachweis ebd. S. 76 ff.
6 Zur engen Verbindung der Ästhetik Diderots mit dem »mechanischen« Materialismus eines La Mettrie s. J. Chouillet: *La formation des idées esthétiques de Diderot (Thèse)*, 1973. D. Leduc-Fayette: *Le labyrinthe de l'homme.* – In: *Revue philosophique*, Nr. 3, 1980, S. 356-364. P.-L. Assoun: *Introduction.* – In: La Mettrie: *L'Homme-Machine.* Ed. présentée et établie par P.-L. A., 1981.
7 Reinhold Grimms Feststellung, »in Fleisch und Blut dargelebt«, kann ich so nicht nachvollziehen, wenn ich auch mit seiner antipuritanischen Attacke sonst übereinstimme (R. G.: *Cœur und Carreau. Über die Liebe bei Georg Büchner.* – In: *GB I/II*, S. 299-326; hier 309 u. f.).

gehen aber nicht ineinander auf, von besonderem Interesse daher ihre Übergänge und Brüche, die bis in die einzelnen »Figuren« hineinreichen. Solche »Brüche« gesteht Maurice B. Benn sogar Robespierre zu, den er sonst als »Stalin der Revolution« gekennzeichnet sieht.[8]

Daß die Bereiche eben nicht aufgehoben sind, sondern doch different bleiben, macht die Grenze des Büchnerschen Materialismus aus. Daß sie nicht den drei Kräften des Dramas: Danton – Robespierre – Volk zuzuweisen sind, zeigt Büchners »Realismus«, entzieht das Drama jener Einsinnigkeit, die die Forschung in ihm immer wieder finden wollte und noch finden will. Im Versuch, es aufgehen zu lassen, wird dann das Drama ohne Alternative zum Drama der falschen Alternativen gemacht.

Auch Thomas Michael Mayer tendiert dazu, wenn er dem Drama Heines Gegensatz von »Spiritualismus« und »Sensualismus« unterlegt. Heine entwickelt die Grundlage dieses Gegensatzes vollkommen entökonomisiert, rein »idealistisch«: »Der Kampf unter den Revolutionsmännern des Konvents war nichts anderes als der geheime Groll des Rousseauischen Rigorismus gegen die Voltairesche Légèreté.«[9]

Man muß m. E. mit Th. M. Mayer ohne weiteres Gerhard Janckes Thesen zur Rolle Robespierres zurückweisen[10]; schwierig wird es erst, wenn man seiner Vorliebe für den »Sensualismus« Dantons folgen soll. Th. M. Mayer geht davon aus, daß Büchner »progressiv« anthropologischen Materialismus (gemeint ist eigentlich Sensualismus oder sensualistischer Materialismus) und soziale Revolutionsvorstellung weitgehend, jedenfalls gemessen an seiner Zeit weitgehend, zusammenzubringen versucht[11]; der Text des »Revolutionsdramas« gilt ihm dabei als Gradmesser für den 1834/35 erreichten Stand. Wie aber ordnet sich der Begriff »Sensualismus« dem Begriff »Materialismus« zu?[12] Und wo ist im Drama die Verbindung von Sensualismus und sozialer Revolution hergestellt?

---

8 Benn, S. 127.
9 Heine hier zitiert nach Leo Kreutzer: *Heine und der Kommunismus*, 1970, S. 22. Th. M. Mayer sieht in dem Versuch Kreutzers die »zu undifferenzierte« Festlegung des Neobabouvismus auf »die Rousseau-Robespierre-Tradition« (S. 148 Anm. 345). Th. M. Mayer sieht dagegen in Heines Gegensatzpaar einen zentralen Komplex »von erkenntnistheoretischen, politischen und ethischen Gegensätzlichkeiten, nach denen sich – nicht immer deckungsgleich mit Klassenlinien etwa zwischen republikanischer bourgeoisie moyenne, ›sans-culottischem‹ Kleinbürgertum und salariés – das Personal auf der frühsozialistischen und frühkommunistischen Linken gruppierte« (S. 69). Aus dem gen. Gegensatz die spezifischen Merkmale der historisch-soziologisch vorhandenen Differenzen abzuleiten, fällt nicht ganz leicht, dazu muß erst noch der neobabouvistische Kommunismus, gegen den ja Heine mit diesen Gegensätzen auch angeht, in weiten Teilen »sensualistisch« inspiriert werden, muß aber auch eine Kluft zwischen philosophischem und historischem Materialismus und revolutionärem Frühkommunismus aufgetan werden (für die 30er und beginnenden 40er Jahre) (S. 72). Möglicherweise ist diese Unterscheidung aber auch z. T. inspiriert durch die von Marx in seiner ›Kritische[n] Schlacht gegen den französischen Materialismus‹ getroffene Feststellung: Es gibt »*zwei Richtungen* des *französischen Materialismus*, wovon die *eine* ihren Ursprung von *Descartes*, die andere ihren Ursprung von *Locke* herleitet. Der letztere ist *vorzugsweise* ein *französisches* Bildungselement und mündet direkt in den *Sozialismus*. Der erstere, der *mechanische* Materialismus, verläuft sich in die eigentliche französische *Naturwissenschaft*. Beide Richtungen durchkreuzen sich im Lauf der Entwicklung. Auf den direkt von *Descartes* herdatierenden französischen Materialismus haben wir nicht näher einzugehen« (*MEW* 2, S. 132). Vgl. auch Günter Matthias Tripp: *Zur Relevanz des französischen Materialismus für die Herausbildung der dialektischen und historisch materialistischen Weltanschauung.* – In: M. Hahn / H. J. Sandkühler (Hg.): *Bürgerliche Gesellschaft u. theoretische Revolution. Zur Entstehung des wissenschaftlichen Sozialismus*, 1978, S. 147-160, u. Jacques Roger: *Les sciences de la vie dans la pensée française du XVIIIᵉ siècle*, 1971² zur »sensualistischen« Seite des »mechanischen« Materialismus; dazu auch P.-L. Assoun (s. Anm. 6). Zur Zurückweisung des Begriffspaares – allerdings nur auf die »Liebe« bezogen, s. R. Grimm: *Cœur und Carreau*, S. 315-318.
10 Th. M. Mayer: *Büchner u. Weidig*, S. 109/110 u. f.
11 Ebd., S. 134.
12 Vgl. dazu die Diskussion *Die Idee des Subjekts der Geschichte in der Literatur der Aufklärung* in: M. Hahn / H. J. Sandkühler (Hg.): *Subjekt der Geschichte*, 1980, S. 203 ff.

Nun entgeht natürlich auch Th. M. Mayer nicht, daß der »Sensualismus« im Drama einigen wenigen vorbehalten ist: Genuß ist und bleibt Privileg, bleibt an die »bürgerliche Antizipation des Glücks« gebunden[13], bleibt illusionär-utopistisch, weil im Drama ohne realen Hintergrund. Der Verkündigung »all [der] schönen Dinge« (*HA* I, S. 12), von Heine übernommen[14], steht halt die »erbärmliche Wirklichkeit« der schon »aufs neue antagonistisch klassengeteilten Gesellschaft gegenüber«.[15] Und hier erweist sich gegen Heine der materialistische Blick Büchners. Th. M. Mayer bezeichnet es so auch als »kardinale Schwäche der Konstruktion [. . .], daß und wie emphatisch die emanzipative Seite des Materialismus [!] an die moderierte Faktion geheftet ist. Dennoch bringt die szenische Realisierung gerade auch die materialistische Humanität immer dort konkret zu Fall, wo sie im Rollentext abstrakte, gewissermaßen feuerbachisierende Tendenzen ausdrückt.«[16] Also gleichsam unfreiwillig? Der Materialismus, um den es hier zu gehen scheint, kommt wohl eindeutig im Gewande des Sensualismus einher.[17] Die »Schwäche der Konstruktion« ist daher möglicherweise gar keine »Schwäche der Konstruktion«, sondern eben *dieses* Sensualismus, der nicht von sich aus schon anthropologischer Materialismus ist. Die essentielle Rolle der Befreiung sinnlicher Bedürfnisse im historischen Materialismus wird dann verkehrt, wenn sie einseitig in den Vordergrund gerät. In einer, von Th. M. Mayer nur teilweise zitierten und von ihm gerade auf den »mechanistischen« Materialismus angewandten[18] Passage der *Heiligen Familie* heißt es zum französischen Materialismus: »Wenn der Mensch aus der Sinnenwelt und der Erfahrung in der Sinnenwelt alle Kenntnis, Empfindung etc. sich bildet, so kommt es also darauf an, die empirische Welt so einzurichten, daß er das wahrhaft Menschliche in ihr erfährt. Wenn das wohlverstandene Interesse das Prinzip aller Moral ist, so kommt es darauf an, daß das Privatinteresse des Menschen mit dem menschlichen Interesse zusammenfällt. [. . .] Wenn der Mensch von den Umständen gebildet wird, so muß man die Umstände menschlich bilden. Wenn der Mensch von Natur gesellschaftlich ist, so entwickelt er seine wahre Natur erst in der Gesellschaft, und man muß die Macht seiner Natur nicht an der Macht des einzelnen Individuums, sondern an der Macht der Gesellschaft messen.«[19] Also: Veränderung der Umstände, nicht der »Sinne« im französischen Materialismus; erst bei Marx dann das »Zusammenfallen des Änderns der Umstände und der menschlichen Tätigkeit oder Selbstveränderung« (3. Feuerbachthese). Sensualismus an sich bleibt

---

13 Th. M. Mayer: *Büchner u. Weidig*, S. 135.
14 Ebd., S. 123ff.
15 Henri Poschmann: *Heine und Büchner. Zwei Strategien revolutionär-demokratischer Literatur um 1835.* – In: *Heinrich Heine und die Zeitgenossen. Geschichtliche und literarische Befunde*, 1979, S. 203-228; hier S. 220.
16 Th. M. Mayer: *Büchner und Weidig*, S. 154.
17 Paraphrase eines Satzes v. G. M. Tripp in M. Hahn / H. J. Sandkühler (Hg.): *Subjekt der Geschichte*, S. 216.
18 Th. M. Mayer: *Büchner und Weidig*, S. 75.
19 *MEW* 2, S. 138.

undialektisch. Natürlich wissen die französischen Aufklärungsphilosophen vom Ändern der Umstände, nur Movens dieser Entwicklung ist ihnen »der zu individuellem Glück hinstrebende Mensch, durch Eigenliebe« getrieben, der als der »natürliche Mensch« vorgestellt wird.[20] Eingebettet ist diese Entwicklung in »mechanische Vorgänge«, die »Bewegungsgesetzen« unterliegen, denen seit Descartes alles Geschehen als unterworfen angesehen wird.[21] Marx hat das Bewegungsprinzip (bei Bacon) in einer Stelle hervorgehoben, die für Ernst Bloch u. a. zu einer Grundlage eines materialistischen Utopiebegriffs geworden ist.[22] »Unter den der *Materie* eingeborenen Eigenschaften ist die *Bewegung* die erste und vorzüglichste, nicht nur als *mechanische* und *mathematische* Bewegung, sondern mehr noch als *Trieb, Lebensgeist, Spannkraft* als *Qual* – um den Ausdruck Jakob Böhmes zu gebrauchen – der Materie.«[23] Das meint die Rede vom mechanischen Charakter des Materialismus und seiner Grenze, nicht seine Unfähigkeit, eine Änderung der Umstände anzuvisieren, nicht sein angeblicher »Determinismus«[24].

Zurück zum »Sensualismus« im Drama. Vom Genuß reden können doch nur die, für die sich die Umstände geändert haben, nicht aber die, denen »die Arbeit die Genußorgane stumpf macht« (*HA* I, S. 25). Henri Poschmann hat schon in der Formulierung darauf aufmerksam gemacht, wie auf die »hochgestimmte Verkündigung« des Camille Desmoulins »in der Gassenszene die Realität der Lage des Volkes« entgegenschlägt, »die nicht der Logik der schönen Idee, sondern ihrer eigenen materialistischen Logik gehorcht.«[25] – Im übrigen kann ich immer noch nicht recht einsehen, warum es sich hier nicht – zumindest auch – um eine liberal-bürgerliche Staatsutopie handelt, auch wenn das Gewand sich nach dem Volkskörper zu strecken hat – ist dies nicht gerade der liberale »Nachtwächterstaat«? Büchners Kritik gilt doch bereits dem Staat an sich, nicht nur den überkommenen Staatsformen.[26]

Insgesamt bleiben »Sensualismus« und soziale Revolution *im Drama* doch recht eigentlich getrennt; die ganze Revolution bringt das »Volk« dem Genuß nicht näher. Nicht nur werden die sinnlichen Bedürfnisse nicht revolutionär eingelöst, diese »Einlösung« ist auch nirgends in Sicht, sondern sie bleiben gleichsam entmaterialisiert. Das »utopische Idyll«, das Reinhold Grimm in der Szene zwischen Marion und Danton entdeckt, bleibt jedenfalls recht wenig sinnlich »gelebt«.[27] Dies gilt für Ma-

20 G. M. Tripp: *Zur Relevanz des französischen Materialismus,* S. 159.
21 S. dazu Wolfgang Krohn: *Zur Geschichte des Gesetzesbegriffs in Naturphilosophie und Naturwissenschaft.* Vorl. zum 4. Bremer Symposium Wissenschaftsgeschichte, 1980, S. 17.
22 Vgl. z. B. Hermann Wiegmann: *Utopie als Kategorie der Ästhetik. Zur Begriffsgeschichte der Ästhetik und Poetik,* 1980.
23 MEW 2, S. 135.
24 »Literarischen« Anschauungsunterricht ausgerechnet zu La Mettries *L'Homme-Machine* gibt Volker Braun in *Das ungezwungene Leben Kasts,* 1979, 2. Teil *(Der Hörsaal).*
25 H. Poschmann: *Heine u. Büchner,* S. 220.
26 S. dazu auch ebd., S. 219.
27 R. Grimm: *Cœur u. Carreau,* S. 322. Vgl. dazu auch Christa Wolf: *Rosetta unter ihren vielen Namen. Rede vor der*

rion, die als »Figur« eigentlich nur programmatisch gesetzt ist, weit mehr noch für Danton und die Seinen. Deren »Sinnlichkeit« ist nur partiell, »entmenschlichte«, weil zerstückelte, nur auf den eigenen Genuß bezogen.[28] Der politisch a-soziale Danton Prototyp des neuen »Genußmenschen«? Das Problem *Danton* ist ja auch das des noch nicht eingelösten Sensualismus, das des undialektisch nicht mit Materialismus und sozialer Revolution zu verbindenden Sensualismus. So handelt es sich hier nicht um »Materialismus«, nur um eine historisch determinierte Subjektform.[29] »Wir haben nicht die Revolution, die Revolution hat uns gemacht.« (*HA* I, S. 32) Nicht umsonst stolpert Danton zunehmend über die Betonung seiner Individualität (»Mein Name! das Volk«).

Georg Büchners radikale Genauigkeit erweist sich gerade darin, daß er die verschiedenen Bereiche exakt erkennt, sie auch analysiert, aber nicht ineinander aufgehen lassen kann. Ihrer auch nur scheinbaren Harmonisierung steht sein »materialistisches« Verfahren entgegen. Auch sprachlich verbindet er die Bereiche nicht, noch nicht einmal zur verbalen Auseinandersetzung und Verklammerung bringt er sie. Hier scheint mir eben der »mechanische« Bewegungsablauf, d. h. der nicht dialektische, bis in-den Sprachgestus hinein gewahrt – man »monologisiert«, ohne vom anderen verstanden werden zu können, auch ohne selbst die Bewegung verstehen, geschweige denn beeinflussen zu können. »Danton: Wär' es ein Kampf, daß die Arme und Zähne einander packten! aber es ist mir, als wäre ich in ein Mühlwerk gefallen und die Glieder würden mir langsam systematisch von der kalten physischen Gewalt abgedreht. So mechanisch getödtet zu werden!« (*HA* I, S. 60)

Die Verbindung von sozialer Revolution und kollektiven materiellen Bedürfnissen, die Gerhard Jancke in der Verbindung von Robespierre, St. Just und dem »Volk« zu konstruieren sucht, verkennt diese Trennung der Bereiche total.[30] Dabei scheint mir nicht einmal ausschlaggebend, ob nun Robespierre und St. Just historisch die Revolution weitertreiben wollten und wenn, mit welchen (Eigentums-)Vorbehalten. Büchner beweist seine illusionslose Radikalität gerade in der Einschätzung der Klasse, von der er einzig Veränderung der Umstände erwartet, dem »Volk«: »das Verhältniß zwischen Armen und Reichen ist das einzige revolutionäre Element in der Welt, der Hunger allein kann die Freiheitsgöttin und nur ein Moses, der uns die sieben ägyptischen Plagen auf den Hals schickte, könnte ein Messias werden. Mästen sie die Bauern, und die Revolution bekommt die Apoplexie. Ein *Huhn* im Topf jedes Bauern

---

Darmstädter Akademie bei Entgegennahme des Georg-Büchner-Preises. – In: *Süddeutsche Zeitung* v. 18./19. 10. 1980.
[28] Zur Verbindung von der »Eigenliebe« des Individuums im französischen Materialismus und Vorstellungen de Sades vgl. z. B. P.-L. Assoun (s. Anm. 6).
[29] Vgl. dazu auch H. Poschmann: *Heine u. Büchner,* S. 229.
[30] Jancke, S. 216/17ff.

macht den gallischen *Hahn* verenden.« (*HA* II, S. 441) Verbindung von »Genuß« und revolutionärer Haltung?

Aber das heißt noch lange nicht, »die da unten sind eben so«, sondern rechnet mit einer revolutionären Kraft, die sich noch zu finden hat und zwar in der Auseinandersetzung mit den Widersprüchen von »bürgerlicher« und »proletarischer« Entwicklung und in der Entwicklung der »großen Klasse« selbst. »Unser Leben ist der Mord durch Arbeit, wir hängen sechzig Jahre lang am Strick und zappeln, aber wir werden uns losschneiden.« (*HA* I, S. 15) Wobei die zutage tretenden Widersprüche für Büchner zwar erkennbar, aber (noch) nicht ableitbar sind. Das »Volk« im Drama kann sich so mit dem »System«, dem Staat, den doch Herrschenden nur äußerlich auseinandersetzen, kann ihnen nur momentan entgegentreten. Der Gegensatz von arm und reich erzeugt sich ihm immer wieder, er bleibt ihm und Büchner *Gegensatz*. »Sie haben kein Blut in den Adern, als was sie uns ausgesaugt haben. Sie haben uns gesagt: schlagt die Aristocraten todt, das sind Wölfe! Wir haben die Aristocraten an die Laternen gehängt. Sie haben gesagt das Veto frißt euer Brot, wir haben das Veto todtgeschlagen. Sie haben gesagt, die Girondisten hungern euch aus, wir haben die Girondisten guillotinirt. Aber sie haben die Todten ausgezogen und wir laufen wie zuvor auf nackten Beinen und frieren. Wir wollen ihnen die Haut von den Schenkeln ziehen und uns Hosen daraus machen, wir wollen ihnen das Fett auslassen und unsere Suppen mit schmelzen. Fort! Todtgeschlagen, wer kein Loch im Rock hat!« (*HA* I, S. 14)

Die dabei auch deutlich werdende Verweigerung des »Volkes« birgt in sich Aktives wie Passives. Büchner hütet sich vor der Heroisierung des Nicht-Vorhandenen. »Volk« ist so auch Chiffre für eine Entwicklung, deren Verlauf und Ende mit dem begrifflich-theoretischen Instrumentarium Büchners nicht abzusehen war. Mit unserem? Ganz sicher ist hier aber nicht der »Kern des Büchnerschen Fatalismus« erreicht, wie Zons meint, der sich das »Gesetz der Geschichte« nur zugunsten der »schändlichsten Verachtung« der Menschheit auswirken sieht.[31]

Büchner schreibt eben nicht von einem Punkt aus, nicht einsinnig auf dem Hintergrund eines »Systems«, er erkennt die unterschiedlichen Kräfte und Bereiche wie ihre Individuationsformen. Auch *er* Objekt, nicht Subjekt im und gegenüber dem historischen Prozeß, dem »ehernen Gesetz«; er bleibt dabei nicht Zuschauer, teilt die Suche nach kollektivem wie individuellem menschlichem »Glück«. »Es ist wahr, ich lache oft, aber ich lache nicht darüber, *wie* Jemand ein Mensch ist, sondern nur darüber, *daß* er ein Mensch ist, wofür er ohnehin nichts kann, und lache dabei über mich selbst, der ich sein Schicksal theile.« (*HA* II, S. 423)

---

31 Raimar St. Zons: *Georg Büchner. Dialektik der Grenze*, 1976, S. 311.

Wie wahre Menschlichkeit über den Moment hinaus zu erreichen sei, bleibt ungeklärt. Denn nicht die bewußte Willensentscheidung zählt, wenn schon, so »fällt« es einem »zu«. Marion: »Ich begreife nichts davon. Ich kenne keinen Absatz, keine Veränderung. Ich bin immer nur Eins. Ein ununterbrochenes Sehnen und Fassen, eine Gluth, ein Strom.« (*HA* I, S. 22) Nur dies entzeitlichte »Gefühl«, ohne »Bruch«, und der Wahnsinn, außerhalb der Rationalität der Entwicklung, auch der Rationalität revolutionärer Entwicklung, sind der ›action automatique‹[32] entzogen. Das Recht zu leben als elementares Recht gegenüber der »Mechanik« der Bewegungsgesetze wird hier utopisch überhöht.[33] Lucile: »[. . .] Es darf ja Alles leben, Alles, die kleine Mücke da, der Vogel. Warum denn er nicht? Der Strom des Lebens müßte stocken, wenn nur der eine Tropfen verschüttet würde. Die Erde müßte eine Wunde bekommen von dem Streich.« (*HA* I, S. 74) Die Unfruchtbarkeit dieser Utopie aber bezeichnet das »reizende Kind«, eben der Wahnsinn.

Doch die hier »entmaterialisierte« Utopie enthält sich des Utopischen, der Illusion des richtigen Lebens im falschen, weil sie nicht harmonisierend dem Drama aufgesetzt ist, sondern mit der radikalsten Desillusionierung kontrastiert. Darin steckt das revolutionäre, anarchische Potential des Dramas.

---

32 Vgl. zu diesem Grundbegriff des französischen Materialismus, gefaßt in der Figur der mechanischen Uhr: *Revue philosophique,* Nr. 3, 1980, z. B. S. 358.
33 S. dazu H. Poschmann: *Heine u. Büchner,* S. 221.

Alexander Lang und Henri Poschmann (Berlin/DDR):
Ein Brief-Austausch zu *Dantons Tod**

Berlin, 9. Januar 1981

Lieber, sehr verehrter Herr Doktor Poschmann!

Bitte verzeihen Sie mir, daß ich erst jetzt nach unserem Gespräch schreibe. Aber ich wollte erste Probenergebnisse abwarten, um einen Eindruck zu haben, inwieweit sich unsere Überlegungen zu dem Stück *Dantons Tod* praktisch umsetzen lassen. Sie wissen besser als ich, welche Fülle an Literatur über Büchner erschienen ist. Doch nach allem was ich gelesen habe finde ich mehr denn je Ihre Arbeit über Büchner am beweiskräftigsten und für die Umsetzung aufs Theater am produktivsten.

Ähnlich wie unser Gespräch waren die ersten Proben auf der Bühne unglaublich spannend und sie haben eine Vielzahl von Erfahrungen mit dem büchnerischen Text gebracht. Bestätigungen einerseits und Fragen andererseits. Das Erstaunlichste für mich im Moment ist, daß sich die büchnerische Antithetik auch auf den Probenprozeß auswirkt. Der Zusammenprall von vitalen, komödiantischen Spielmöglichkeiten der Szenen mit der Schärfe der Texte ist ungemein überraschend und läßt eine Lust fortwährenden Ausprobierens von theatralischen Mitteln entstehen.

Ich habe für die Probenarbeit mehrere Thesen zusammengestellt, die den Ausgangspunkt verdeutlichen, wie wir mit dem Stück arbeiten wollen. Es sind also Arbeitsthesen. Vieles in diesen Thesen deckt sich mit Ihren Überlegungen.

Ich würde mich sehr über Ihren Widerspruch oder Ihre Zustimmung freuen, denn beides wäre für meine Arbeit von großem Nutzen. Ich hoffe, daß Sie damit etwas anfangen können. Ich warte sehr auf Ihre Antwort.

In Gustavs Landauers *Briefen aus der Französischen Revolution* fand ich eine kuriose Fußnote. Er schreibt dort, daß ein gewisser J. F. Simon, der ein deutscher aus der Schweiz stammender Lehrer war, 1777 von Basedows »Philanthropinum« in Dessau abgegangen war; und, »er spielte in den revolutionären Organisationen und Bewegungen in Paris

---

* Mit freundlicher Genehmigung der Intendanz des Deutschen Theaters (Berlin/DDR) aus dem Programmheft *Dantons Tod* zur Inszenierung von Alexander Lang (Premiere: 24. April 1981).

177

keine kleine Rolle«. Ist das unser Souffleur Simon aus dem Stück? Ich habe nirgendwo etwas darüber gelesen: aber das wäre dem Büchner zuzutrauen, daß er einen deutschen Lehrer als französischen Souffleur auftreten läßt.

Mit sehr herzlichen Grüßen
Ihr
Alexander Lang

Arbeitsthesen zu
GEORG BÜCHNERS *DANTONS TOD*

1. These

Das Stück von Georg Büchner heißt *Dantons Tod.* Es heißt nicht *Robespierre*; es heißt nicht *DIE Französische Revolution*! Obwohl Büchner das gesamte Material über die Französische Revolution von 1789 bekannt war, wählte er einen bestimmten Zeitpunkt innerhalb des Revolutionsgeschehens für sein Stück aus. Dafür muß es einen Grund geben. Und dieser Grund kann nur in Büchner selbst liegen. Stückinhalt und Dichter stehen in unmittelbarem Zusammenhang.

2. These

Dantons Tod ist kein Historiendrama sondern ein büchnerisches Gegenwartsstück. Die Historie liefert das Modell für Büchners zeitbezogene Einsichten und Fragen. Nicht nur die ehemals historischen Figuren des Stücks gilt es nach heutigen historischen Einsichten aufzuschlüsseln, sondern vor allem den Grund, warum Büchner seine Personenkonstellation »so und nicht anders« im Stück gewählt hat.

3. These

Das zentrale Thema in *Dantons Tod* ist das Verhältnis zwischen Einzelpersonen und Geschichte einerseits und ideellem Anspruch und Realität andererseits. Die Geschichte selbst ist der eigentliche Motor des Stückes. Die handelnden Figuren hingegen werden in ihrer geschichtlichen Wirksamkeit relativiert. Der Anspruch der Epoche selbst wird nicht in Frage gestellt, wohl aber werden es die persönlichen Denkmodelle der Kontrahenten im Stück. Die Methode Büchners dabei ist nicht idealer Anspruch, sondern dialektische Analyse.

4. These

Dantons Tod ist nicht nur ein Stück über unterschiedliche politische Auffassungen, sondern es werden alle Bereiche des Lebens antithetisch einbezogen. Das betrifft Vergangenheit, Gegenwart und Zukunft, das betrifft Raum und Zeit, Leben und Tod, erdachtes Weltmodell und kreatürliches Verhalten, ideale Liebe und Sexualität, Passivität und Aktivität, Epikuräismus und Askese, Selbstsucht und Verantwortung für das Allgemeinwohl. Der »Kosmos« geschichtlicher und zeitlicher Abläufe wird mit dem »Mikrokosmos« leiblicher Bedürfnisse konfrontiert. Ideeller Anspruch wird an der Wirklichkeit getestet.

5. These

Der Realismus Büchners verweist nicht auf die Vergeblichkeit individueller Anstrengung, sondern auf die Einordnung eben dieser Anstrengungen in geschichtliche Zusammenhänge. Oder anders gesagt, die »Mühen der Ebene« (Brecht) stellen nicht ihre geschichtliche Notwendigkeit in Frage. Büchner benennt das Problem, nicht aber eine direkte Lösung. Die Erkenntnis seiner eigenen revolutionären Tätigkeit besagt, daß eine Lösung des Grundkonfliktes zwischen »Armen« und »Reichen« (Büchner) in seiner Zeit nicht zu erwarten war. Andererseits steht die Notwendigkeit der Revolution, d. h. der Veränderung überlebter Gesellschaftsverhältnisse für ihn außer Frage. Aber an einer formalen Änderung von Unterdrückung hatte er kein Interesse. Büchner war sich im klaren, daß das gesellschaftliche Ergebnis der Französischen Revolution der Sieg der Bourgeoisie war, d. h. seine »Armen« gingen zweimal leer aus, wenn man die Juli-Revolution von 1830 mit einbezieht. Hier liegt das Interesse Büchners an dem Zeitpunkt von Dantons Tod innerhalb der Geschichte der Französischen Revolution von 1789. Nach Siegen über die innere und äußere Reaktion stand die Frage des Selbstverständnisses und des »Wie weiter?« der Revolutionäre auf der Tagesordnung. Die Auseinandersetzung lag dabei nicht in den kontroversen Ansichten zwischen Danton und Robespierre, sondern in der welthistorischen Frage, ob man die Revolution in geistig-politischen Bereichen fortsetzt, oder in ökonomischen. Sowohl Danton als auch Robespierre klammerten eine grundsätzliche Veränderung der Besitzverhältnisse aus. Der eigentliche Gegenspieler von Danton und Robespierre sind die »Armen«, die auf Verbesserung ihrer sozialen Mißstände warten. Für sie erweisen sich die »Heroenkämpfe« (Marx) Dantons und Robespierres als ökonomisch uninteressant. So ist die Entwicklung der beiden zu »Eckenstehern der Geschichte« (Büchner) folgerichtig. Und nochmals, weder Danton noch Robespierre bieten ein soziales Programm zur Befreiung der Massen. Weder in der Historie noch im Stück. Darüber hinaus waren beide an der Vernichtung der Hébertisten beteiligt, die eine Veränderung der Besitzverhältnisse durchsetzen wollten. Dantons und Robespierres Kampf »Wie der neue Mensch beschaffen sein soll« erweist sich als irreal. Der »epikuräische Mensch« und der »asketische Tugendmensch« sind beides Denkmodelle, die ohne Änderung der sozialen Situation geplant werden.

Und das ist der neuralgische Punkt der Revolution von 1789. Darum hat Büchner diesen Zeitpunkt für sein Stück gewählt. Anstatt die Revolution in ökonomischen Bereichen weiterzuführen, verwickeln sich die Kontrahenten in Selbstfindungsprozesse um die Erhaltung der eigenen fraktionellen Macht. Die politische Aussage Büchners ist demnach nicht in der Auseinandersetzung zwischen Danton und Robespierre zu suchen, sondern in deren Unvermögen, die eigentliche geschichtliche Notwendigkeit zu erkennen. Diese Erkenntnis war Büchners eigenes politisches Programm. Sein Programm war die ökonomische Revolution (*Hessischer Landbote*) und nicht eine rousseauistische. Büchner selbst stand im Brennpunkt dieser grundsätzlichen Auseinandersetzung, wie die Zeugnisse seiner illegalen Tätigkeit belegen (Auseinandersetzung mit dem liberaldemokratischen Flügel der Weidig-Gruppe in Gießen). Warum Büchner diese Auseinandersetzung auf das Theater verlegt, hat seine Ursache in seiner Biographie (bevorstehende Verhaftung). »Theater« als Sinnbild für »die Welt« taucht schon im Barock als emblematisches Modell auf. Bei Büchner ist nicht nur der theatralische Handlungsablauf ein politisches Erkenntnismodell, sondern der Begriff des »Theaters« selbst: »Wir stehen alle auf dem Theater, und werden am Ende im Ernst erstochen« (Büchner-Danton).

6. These

Dantons Tod ist ein theatralisches Modell und kein naturalistisches Abbild von Wirklichkeit. Das geht aus dem Stück selbst hervor. Nicht nur die zahlreichen »Stückzitate« von Shakespeare, Grabbe, Brentano, Heine, Goethe weisen das aus, sondern Büchner weist im Stück selbst darauf hin: »Gehen Sie ins Theater, ich rat es Ihnen!« In seinem »Kunstdialog« zwischen Camille Desmoulins und Danton wendet er sich gegen eine verklärte Idealvorstellung vom Leben, die er für verlogen hält. Er setzt dagegen die Realität der »Gasse«. Das Stück als solches ist in sich selbst antithetisch: historische Vorgänge umfunktioniert zum theatralischen Denkmodell – Theater und Wirklichkeit. Bei der Realisierung des Stückes auf dem Theater müssen demzufolge theatralische Mittel verwendet werden. Diese Mittel leiten sich aus dem Bänkelsänger, aus den kommentierenden Liedeinlagen, aus der Theatralik der Szenen her. Nicht umsonst tritt der »Souffleur Simon« auf.

Um das Anliegen Büchners theatralisch sinnfällig zu machen, liegt es nahe, die Mittel des Theaters sichtbar zu machen. Das kann dadurch erreicht werden, wenn die Schauspieler nicht so tun, als wären sie selbst historische Persönlichkeiten, sondern indem sie die Möglichkeit nutzen, mehrere Figuren antithetisch vorzustellen. Dieser theatralische »Trick« ermöglicht es, Situationen und Rollenverhalten der Figuren als Modelle zu erleben. Paradoxerweise hat diese Darstellungsweise mit Büchners eigenem Leben Parallelen.

7. These

Büchners Stück *Dantons Tod* ist kein Stück der direkten Aussage, sondern der indirekten. Büchner war Realist genug, daß er die Erfahrung seiner illegalen revolutionären Tätigkeit, die ihn fortwährend zur Tarnung und zu einem blitzschnellen »Rollenspiel« zwang, auch bei seinen literarischen Produktionen anwandte. Sein scheinbarer objektiver Dokumentarismus von sogenannten *Schreckensbildern aus der Französischen Revolution* (Erstveröffentlichung) diente dazu, überhaupt gedruckt zu werden. Wie recht er damit tat, erhellt sich daraus, daß in dem Kreis von Leuten, in dem sein Stück zum ersten Mal von Gutzkow vorgelesen wurde, bereits ein Spion Metternichs eingeschleust war. Der »Trick« Büchners besteht nun darin, daß er durch den theatralischen Realismus seiner Figuren Betroffenheit auslöst, die eine Auseinandersetzung mit seinem Anliegen provoziert, über den historischen Stoff hinaus.

Zu dieser indirekten Aussage gehören auch Büchners realistische, zeitbezogene »Bürgerszenen« im Stück. Seine »Besitzlosen« waren in der Lage, ihre »Magenfrage« zu formulieren, nicht aber ein ideologisches Gegenprogramm. Was er zeigen konnte, war ihre Verletzlichkeit, ihre Irrtümer, ihre Verzweiflung, die in Hilflosigkeit und Aggression umschlug. Karl Marx gab seine Dissertation *Differenz der demokritischen und epikureischen Naturphilosophie* am 6. April 1841 bei der Philosophischen Fakultät der Universität Jena ab. Büchner starb vier Jahre vorher dreiundzwanzigjährig.

Alexander Lang – 1. 1. 81

Lieber Alexander Lang,

es ist sicher von Vorteil für die schriftliche Fortsetzung unseres Gesprächs, daß ich inzwischen schon etwas Gelegenheit hatte, zu sehen, wie Sie die Arbeit mit diesem so herausfordernd unbequemen Erbstück nicht-klassischer deutscher Herkunft praktisch anpacken. Grau ist bekanntlich alle Theorie, und im Endeffekt zählt schließlich nur, was wirklich über die Rampe kommt. Vieles von Ihren Arbeitsthesen konkretisiert und verlebendigt sich mir durch den Einblick in die Probenarbeit.

Was mich fasziniert – um das gleich am Anfang zu sagen –, ist das ungezwungene und doch ungemein zwingende Ineinandergreifen von Inhalt und Methode des Schau-Spiels, das mir an Ihrer Erarbeitung des Stücks besonders auffällt. Ich erkenne darin Büchners Verfahren wieder, Inhaltsfragen (politische, moralische, weltanschauliche) als Darstellungsfragen herauszustellen und umgekehrt, in bestimmten Darstellungsweisen (Spielhaltungen, rhetorischen und gestischen Mustern), bestimmte verborgene inhaltliche Aufschlüsse aufzuspüren. Das eine reibt und entfaltet sich am anderen. Das erzeugt an den Stellen, wo die Reibepunkte richtig getroffen werden, ein Knistern, das hellhörig macht. Mit Vergnügen merke ich, daß die Lichter, die dann zwischen gesprochenen Worten und theatralisch zitierter Wirklichkeit aufflackern, auch einem, der glaubte, das Stück schon gut zu kennen, immer wieder Unbemerktes erhellen. Ich vermute, was da knistert und flackert, ist die Wahrheit, die sich uns bemerkbar machen will, und ich empfehle, darauf zu achten – aber wem sage ich das!

Was Sie als die »büchnersche Antithetik« bezeichnen und woraus Sie, wie ich meine, sehr richtig die unbeschreibliche Dynamik ableiten, die dem Stück innewohnt, das könnte man auch Büchners dialektische Methode der Verarbeitung von Wirklichkeit für das Theater nennen. Die äußere Handlung ist ja eher spannungsarm. Was geschieht, geschieht mit Zwangsläufigkeit und ist durch ein »ehernes Gesetz« von vornherein unabwendbar vorausprogrammiert, und Danton weiß es im Grunde auch schon. – Widerspricht das eine, die Dialektik der Methode, aber nicht dem anderen, der Zwangsläufigkeit des Geschehens? Ich glaube ja, und zwar absichtlich.

Es geht in dem Stück nicht so sehr um das einmalige Geschehen, das der geschichtlichen Vergangenheit angehört – darin stimme ich Ihnen zu –, als vielmehr um dessen Gesetzlichkeit als wiederholbares Geschehen zwischen Menschen, das heißt, um das Funktionieren bestimmter Mechanismen und das Ermitteln der Antriebskräfte. Das radikal Umwälzende (radikal, richtig verstanden im Sinne von ›an die Wurzel gehend‹

und umwälzend für die Sicht der Gesellschaft und des Individuums in ihr, sowie zugleich damit für die Kunst des Dramas) ist, daß die Gründe von Büchner nicht in einem immer und ewig gültigen metaphysischen Weltgesetz oder in der Brust besonders disponierter auserwählter Individuen, sondern primär in den Umständen des Geschehens selbst, in dessen eigenen Widersprüchen aufgesucht werden. Hier hört Geschichte auf, Gegenstand spekulativer Konstruktion zu sein, und beginnt – im theatralisch simulierten Nachvollzug –, als »gewöhnliche« Praxis des Lebens der Menschen – einsehbar zu werden. Geschichte als »großer Gegenstand« (hier das »erhabene Drama der Revolution«, wie Büchner Robespierre sagen läßt) und unprotokollarischer Alltag, eingeschlossen die »erbärmliche Wirklichkeit« der »Gasse«, gehen in einzigartiger Weise ineinander auf.

Sie haben allen Grund, davon auszugehen, daß *Dantons Tod* kein »Historiendrama« ist – jedenfalls nicht den herkömmlichen Begriffen nach. Es ist ganz gewiß auch kein politisches Tendenzdrama, ebenso keine heroische Tragödie, und ohne weiteres ließe sich die Reihe der negativen Bestimmungen noch fortsetzen. Nun kommt das Aber: In einem weitergefaßten, den traditionellen Gattungsbegriff sprengenden Sinne ist das Stück allerdings sehr wohl ein historisches Drama. Es stimmt schon, daß der Stoff dem Autor als Material zu einem Modell dient. Nur übersehen Sie bitte nicht, daß es sich dabei um authentisches Material handelt, das nicht austauschbar ist. Die Dialoge der historischen Figuren sind zum großen Teil sorgfältige Montagen von wörtlich aus den Quellen übernommenen Zitaten. Die Erfindung der neuen Einheit, der künstlerischen »Wirklichkeit« des Dramas bewahrt den Tatsachenwert des verwendeten Materials, Büchner baut auf dessen Beweiskraft über den Kunstraum hinaus, das heißt, mit den Worten Schillers, die hier umzukehren sind: die Form tilgt n i c h t den Stoff. Künstlerische und historische Wahrheit gehen konform, und kein historischer Fakt wird einer vorgefaßten künstlerischen Idee zugunsten »umgebogen«.

Ich fühle mich aus diesem Grund nicht ganz wohl bei der Formulierung »scheinbarer objektiver Dokumentarismus« in Ihrer letzten These. Man könnte aus dieser These entnehmen, der »Trick« der »indirekten Aussage« sei eine ausschließlich den Zensurverhältnissen von 1835 geschuldete Verlegenheitslösung. Meinen Sie nicht auch, daß eine tiefer begründete, genau berechnete Absicht darin liegt, die im Modell neu in Bewegung gesetzten, beglaubigten Tatsachen selbst, in ihrer eigenen Sprache, zum Sprechen zu bringen und die Zuschauer zu eigenen Reaktionen, zu eigenem Fragen und Schlußfolgern zu veranlassen?

Darin jedenfalls, denke ich, mit Ihnen einig zu sein: Der übergeordnete Zusammenhang, in den Büchner sein Drama stellt, ist die Wirklichkeit als praktische Aufgabe. Sie verlangt, um zur Erkenntnis des Notwendigen zu finden, das Messen der Ansichten an den Tatsachen, die Unterscheidung von Wirklichem und Scheinhaftem – und dazu wird Wirklichkeit ins Theater geholt und Theater in der Wirklichkeit entdeckt. Da zeigt sich: Die Moral kann die Natur nicht betrügen. Hinter dem Kampf der Ideen wird der materielle Kern der Sache, der Kampf um die fundamentalen sozialen Interessen, sichtbar. Das öffentliche Schauspiel der Macht erweist sich als Vordergrundgeschehen, das in seiner Wirkung nicht auf die grundlegenden Probleme durchgreift: die Maschine zum Abhacken von immer mehr Köpfen in immer kürzerer Zeit ist nicht geeignet, die proklamierte, für alle gleich sein sollende republikanische »Tugend« durchzusetzen, sie kann den »Riß« nicht schließen, der die Gesellschaft in Genießende, die immer reicher, und Arbeitende, die immer ärmer werden, teilt. Das Spektakulum, das sie, einer Schaubühne gleich, auf dem Revolutionsplatz der unzufriedenen Menge bietet, wird zur Ersatzhandlung, es kann das Verlangen nach Brot nicht lange betäuben. Die Helden des »erhabenen Dramas der Revolution«, die auf dem Schaugerüst der Reihe nach ihre glücklos ausgespielten Rollen als Freiheitsbringer beenden und »in Wirklichkeit« abtreten, sind schon gründlich demontierte Heilige. Robespierre und seine rigoristischen Parteigänger werden Danton und seinen gemäßigten Freunden bald folgen.

Die Rollenprobe führt sie auf das Maß von Menschen wie andere auch zurück. Sie waren ursprünglich einig in der »kolossalen Selbsttäuschung« (wie Marx sagt) angetreten, den antiken Heroen der römischen Republik gleich, deren Pathos sie nachahmen, allgemeines Menschenrecht zu vollstrecken. In Wirklichkeit erfüllten ihre Ideale nur die Funktion schöner Verkleidungen des Klassenegoismus' der Bourgeoisie, die sich als neue herrschende Klasse auf Kosten der Besitzlosen, zur Arbeit für sie Gezwungenen, etablierte. Danton ist Robespierre nur um einiges voraus im Verlust seiner heroischen Illusionen. Die noch und noch um ihre Hoffnungen Betrogenen, seit jeher gewohnt, auf andere zu hören, sind durch die Krise der Revolution genötigt, sich auf ihre eigene Rolle zu besinnen – »es rettet sie kein höh'res Wesen, kein Gott, kein Kaiser noch Tribun . . .« Das füge ich hier nicht als unpassendes anachronistisches Zitat ein. Es deckt sich voll und ganz mit der frühzeitigen Erkenntnis Büchners, der schon vom entstehenden Arbeiterkommunismus seiner Zeit, der seine Lehren aus den ersten Klassenschlachten des Proletariats in Frankreich 1831-34 zog, »gelernt (hatte), daß nur das nothwendige Bedürfnis der großen Masse Umänderungen herbeiführen kann, daß alles Bewegen und Schreien der Einzelnen vergebliches Thorenwerk ist.«

Eine Bemerkung möchte ich mir in diesem Zusammenhang noch erlauben. Wenn man, wie Sie es tun, den Autor Büchner zur inszenatorischen Schlüsselfigur des Stückes macht – wir sind uns ja erfreulich einig über die Gründe, die dafür sprechen –, dann wird dem Zuschauer nicht wenig abverlangt, um die zahlreichen Spannungsbögen zwischen unterschiedlicher Identifikation und Distanzierung und den oftmaligen Wechsel von Perspektiven mitzuvollziehen, vom Überraschungseffekt des ungewohnten vielfachen Rollenwechsels ganz abgesehen. Da müßte wohl für ausreichende Orientierungshilfen gesorgt werden. Und was nun die gedachte Schlüsselfigur Büchner angeht – die man sich, wenn wir uns richtig verstanden haben, als organisierendes Zentrum des Ganzen vorzustellen hat –, so halte ich es um so mehr für angebracht, daß als Grundhaltung, die hinter allem Spiel- und Entdeckungsantrieb steht, das ingrimmig verzweifelte, trotzig lustvolle Aufbegehren gegen die Fatalität herauskommt, in der bis auf Büchners Tage alle Revolutionen wegen ihres bürgerlichen Inhalts, und daher ihrer Halbheit, endeten – für die bürgerlichen Revolutionäre, die zu Opfern ihrer Selbsttäuschung wurden, vor allem aber für die »große Klasse«, die jedesmal für andere den Sieg erkämpft hatte.

Natürlich ist die Versuchung groß, lieber Alexander Lang, noch Ergänzungen zu Ihren Arbeitsthesen vorzuschlagen, Varianten im einzelnen zu erörtern und auch einige Fragezeichen zu setzen. Alles dies beruht auf Zustimmung in der Hauptsache und dem lebhaften Wunsch, Sie in Ihrem Vorhaben zu bestärken. Eine Reihe Ihrer Leitsätze möchte ich vor Freude rot umranden, weil sich darin entschieden eine Wende im Umgang mit diesem Stück ankündigt, das schon so viel von sich reden, aber noch so wenig Glück auf dem Theater gemacht hat. Die Idee, *Dantons Tod* als eine Art theatralisches Laboratorium zu inszenieren, in dem unterschiedliches Rollenverhalten von Menschen in einem bestimmten geschichtlichen Raum durchgespielt wird, verspricht einen überaus produktiven neuen Zugang. Sie ist in der Konsequenz, in der Sie sie entwikkeln, unbedingt einleuchtend.

Was mich von vornherein, noch bevor das Resultat ganz absehbar ist, für Ihre Unternehmung einnimmt, ist, daß Sie alles das, was uns so viel zu sagen hat, wirklich aus dem Stück selbst heraus zum Vorschein bringen und nichts Fremdes hineinlegen. Sie sind dabei, zu beweisen, daß die Arbeit und das Abenteuer, sich auf die Aussageabsichten des Autors einzulassen, sich auszahlen, und daß dies auch der beste Weg ist, echt originelle Möglichkeiten des »Machens« herauszufinden.

In so süßen Wein muß noch ein bitterer Tropfen. Eine ganz entscheidende Rolle im Stück scheint mir in den bisherigen Überlegungen noch nicht ausreichend ausgeschöpft zu sein, obwohl Sie deren Stellenwert in der Figurenkonstellation allgemeinhin als die des »eigentlichen Gegenspielers von Danton und Robespierre« richtig veranschlagen: das Volk, genauer, die »Armen«. Wie ist die anonyme Masse, aus der sich nur einzelne aufgeregte, einander widersprechende Stimmen erheben, darstell-

bar? Wie können die Sprach- und Namenlosen gegenüber den wortge-
wandten Berühmtheiten überhaupt in Erscheinung treten? Sie bilden ja
eine Figur, die erst noch zu sich selbst kommen muß, die erst am Anfang
ihres Subjektwerdens steht. Sicher läßt das Stück gerade an diesem
Punkt die meisten Fragen offen, es bietet aber immerhin Ansatzpunkte,
die ernst zu nehmen sind. Hierüber sollten wir noch sprechen – Briefe
sind ohnehin eine zu begrenzte Form.

Ich freue mich schon auf den Erfolg Ihrer Arbeit und grüße Sie ganz
herzlich

Ihr
Henri Poschmann

PS: Ich komme noch einmal auf Ihren Brief zurück: Der betrunkene
Phraseur Simon ein verkommener deutscher Lehrer? Darauf sind die
Büchner-Forscher noch nicht gekommen – danke für die Spur!

Kleinere Beiträge und Glossen

Bausteine und Marginalien

Von Thomas Michael Mayer (Marburg/Lahn)

Die folgenden kleinen und allenfalls durch ihre chronologische Anordnung locker zusammengehaltenen Studien, Hinweise und Glossen haben mit Absicht ihren etwas altväterlichen Obertitel bekommen; denn
die Büchnerforschung (der Friedrich Sengle jüngst ebenso lapidar wie
zutreffend attestiert hat, »der spekulative Geist« treibe in ihr »noch leb-
hafter als in andern Philologien der Biedermeierzeit sein Wesen« und sie
bewege sich »in nervösen Sprüngen statt mit der Stetigkeit« vergleichba
rer Forschungen; *Biedermeierzeit*, Bd. III, S. 316, 265) ist in der Tat darauf
angewiesen, ihre nicht zufällig versäumte Phase unprätentiös positivisti-
scher Materialerschließung und -sichtung, wie man sie zwischen etwa
1880 und der Jahrhundertwende mit dem Bild vom ›Turmbau der Wissenschaften‹ doch wieder gerne heroisiert hat, nun durch eine Art von
Fundamentergänzung, Lückenfüllung und mit diversem, selbst proviso-
rischem Verstrebungswerk nachzuholen. Nicht zuletzt Heinz Fischer hat
da mit seinem Bändchen *Georg Büchner. Untersuchungen und Marginalien* (Bonn 1972, ²1975) einen Anfang gemacht, der in der hier eröffneten
Rubrik noch viele Fortsetzer finden sollte.

Büchners Geburtshaus in Goddelau

Den Satz, daß Georg Büchners Vita ›von der Wiege bis zur Bahre‹ legen-
denüberfrachtet (gewesen) sei – und zwar im Sinne einer ›regulären‹

deutschen Dichterbiographie mit jugendlicher Rebellenphase, gereifter Skepsis und schließlich religiöser Spätbekehrung –, könnte man leicht für eine metaphorische Übertreibung halten. Indessen ist nicht nur buchstäblich das Totenbett von älteren religiösen[1] und neueren, dem Drogenbereich zugehörigen Mutmaßungen[2] umstellt, sondern anscheinend auch das Kindbett von einigen Unstimmigkeiten.

Jedenfalls bieten sich dem interessierten Besucher des Geburtsorts in Goddelau seit geraumer Zeit zwei konkurrierende Geburtshäuser dar: ein offiziöses mit Bronzegedenktafel in der Weidstraße (Nr. 9) sowie ein ›inoffizielles‹ in der Hospitalstraße (Nr. 22). Herbert Schnierle, dessen Büchner-*Chronik zu Leben, Werk und Wirkung*[3] wir eine erste photographische Gegenüberstellung der beiden weitgehend baugleichen Häuser verdanken, ergreift vielleicht etwas vorschnell die weniger arrivierte Partei, wenn er die in Goddelau tatsächlich nicht nur von dem Büchner-Sammler Helmut Kleinböhl, sondern ganz allgemein verbreitete Ansicht wiedergibt, das offizielle Geburtshaus sei »um 1920 vom damaligen Goddelauer Pfarrer [Fischer]« im Verein mit dem Kirchenvorsitzenden und anderen Notabeln gekürt und erst 1931 von Apotheker Donath mit einer Tafel geschmückt worden, während das 1776 erbaute, heute »vom Abbruch bedrohte Gebäude in der Hospitalstraße 22« nach »der Familienüberlieferung der Besitzer« (und laut Kleinböhls Überlegungen, die sich auf einige bauliche und sanitäre Details stützen) »das tatsächliche Geburtshaus darstellen dürfte«.[4] Nicht in Rechnung gestellt wurde dabei eine schon frühere Zuschreibung, die der ebenso seriöse wie engagierte Forscher Hermann Bräuning-Oktavio 1913 veröffentlichte:

»Auf meine Veranlassung war Herr Pfarrer Wilh. Schäfer in Crumstadt so liebenswürdig, das *Geburtshaus* Büchners ausfindig zu machen; es ist, was hier erstmalig mitgeteilt wird, das Haus *Weidstraße 9 in Goddelau*, das heute dem Landwirt Ludwig Heil gehört.«[5]

Immerhin ist die Sache einer weiteren, archivarisch orientierten Nachforschung wert, obgleich für den jungen Distriktsarzt Ernst Büchner, seine frischvermählte Gattin und beider Erstgeborenen (da sie offenbar zur Miete wohnten) jedenfalls kein Grundbucheintrag existiert.

---

1 Vgl. *GB I/II*, S. 423.
2 Vgl. *WuB*, S. 562 f., sowie dazu meinen Forschungsbericht in *Georg Büchner III*, hg. v. Heinz Ludwig Arnold. – München 1981, Text u. Anm. 127.
3 In: *Georg Büchner*. Dargest. v. H. Schnierle. – Salzburg 1980 (= Die großen Klassiker, Bd. 17), hier S. 14.
4 Ebd.
5 *Hessische Chronik* 2 (1913), S. 340, Anm. 2.

Familiendaten

Über Georg Büchners Vater, den am 3. August 1786 in Reinheim im Odenwald (Kirchstr. 12)[1] geborenen Mediziner Ernst Karl B., wissen wir noch erheblich zu wenig. Reinhard F. Spieß wird im Rahmen der geplanten Reihe ›Büchner-Studien‹ eine kommentierte Edition sämtlicher Schriften Ernst Karl Büchners vorlegen, die wichtigere Aufschlüsse über die theoretischen und praktischen Beschäftigungen des Familienoberhaupts geben soll: Fakten, deren Ergiebigkeit diejenigen zu Flauberts Vater, dem Chefarzt Achille-Cléophas F., in Jean-Paul Sartres *L'idiot de la famille* eher noch übertreffen dürfte und bestimmte Voraussetzungen der Mediziner-, Materialisten- und rebellischen Zelebritätenfamilie aus dem Darmstädter Biedermeier erheblich transparenter machen kann. Auch wenn es dabei (weil zu wenige private Dokumente und insbesondere Zeugnisse der Mutter vorliegen) nie gelingen dürfte, die entscheidende Familien- und Geschwisterkonstellation so zu erhellen, wie Sartre dies in seinem gesellschaftlichen Psychogramm glückte, sollen hier einstweilen doch einige Informationen gegeben werden, die die bei Anton Büchner[2] zusammengefaßten Daten ergänzen.

Ernst Karl Büchner, lutherischen Bekenntnisses, und Caroline L(o)uise Reuß (reformiert) heirateten am 28. Oktober 1812 in Crumstadt[3] südlich Goddelaus und ganz in der Nähe von Hofheim, wo der Brautvater und bislang Vorgesetzte des Bräutigams das Philippshospital, ein Irrenhaus, leitete. Dem polizeilichen Meldebogen[4] zufolge zog das junge Paar mit seinen bereits drei Kindern Georg, Mathilde und Wilhelm 1817 (nicht 1816)[5] nach Darmstadt, wo der »Arzt und Wundarzt« Ernst Karl Büchner am 3. August 1817 »Medicinalassessor« und am 30. März 1824 »MedicinalRath« wurde (anscheinend nach letzterem Datum auch »2ter Kreisarzt«). Ein zeitübliches Unglück widerfuhr der aufstrebenden Familie allein bei ihrem vierten, dem ersten in Darmstadt (am 1. Mai 1818)[6] geborenen Kind Karl Ernst, das bereits am 17. September desselben Jahres wieder verstarb.[7]

---

1 Vgl. Ludwig Stock: *Das Büchnerhaus in Reinheim.* – In: *Kultur & Gesellschaft* 1981, H. 4, S. 15.
2 *Die Familie Büchner. Georg Büchners Vorfahren, Eltern und Geschwister.* – Darmstadt 1963.
3 Vgl. Otto Büchner / Otfried Praetorius: *Georg Büchner. Vorfahren und Mannesstammverwandten.* – Glücksburg (Juni) 1955 (Deutsches Geschlechterhandbuch).
4 Durch freundliche Vermittlung von Carl Horst Hoferichter, Stadtarchiv Darmstadt.
5 Anton Büchner, a.a.O., S. 18.
6 Stammbaum Reuß.
7 Wie Anm. 4.

Korrektur

Die Information und entsprechende Schlußfolgerungen in meiner kurzen *Büchner-Chronik* (*GB I/II*, S. 377) zur Handschrift von Büchners Gymnasialrede *Helden-Tod der vierhundert Pforzheimer* beruhen auf einem Versehen. Der Schriftduktus der gesamten Rede (vgl. *HA* II/7-16) ist einheitlich und relativ sorgfältig. Flüchtiger dagegen ist die Handschrift des im selben Schulheft anschließenden Textes *Ueber den Traum eines Arcadiers* (vgl. *SW,* S. 589f., 768).

Ein Brief Adolph Stöbers an Georg Büchner

Das schmale Korpus der Briefe an Büchner ist durch eine Neuerwerbung der Hessischen Landes- und Hochschulbibliothek (Büchner-Archiv) von 1979 um das kurze Begleitschreiben vermehrt worden, mit dem Adolph Stöber seine und seines Bruders lyrische Beiträge für den (Deutschen) *Musenalmanach* einsandte, den Büchners Darmstädter ›Bekannte‹ Heinrich Kün(t)zel und Friedrich Metz mit seiner vorübergehenden vermittelnden Hilfe herausgaben.[1] Der Brief lautet:

»Hier, lieber Freund! meine Beiträge für den Musenalmanach, dem ich von Herzen einen guten Fortgang wünsche; es läge vielleicht im Interesse dieses Unternehmens, denselben noch vor Weihnachten auszugeben, da man um diese Zeit am liebsten Almanache kauft.

Ich muß mich kurz fassen, lieber Büchner; in einer Stunde ziehen wir Beide mit Böckel und *Lambossy* nach dem Odilienberg.[2]

Ich freue mich, dich bald wiederzusehen!

Dein

Straßburg, 23 Sept. 32.   Adolph Stöber«[3]

Ergänzend zu den Mitteilungen über das ebenso ambitionierte wie kurzlebige Projekt zur »Wiederbelebung« der »Muse der teutschen Dichtkunst« (wie Büchner den Almanach ironisch annoncierte[4]), vor allem aber in Ergänzung der Belege für die Prägnanz auch scheinbar nur beiläufiger Bemerkungen des Briefautors Büchner kann bei dieser Gele-

---

1 Zu dem von Büchner (*HA* II/414f.) deutlich ironisierten Unternehmen vgl. W. R. Lehmann / T. M. Mayer: *Ein unbekannter Brief Georg Büchners . . .* – In: *Euphorion* 70 (1976), S. 177-179; sowie Erich Zimmermann: *Scheitern eines stolzen Projektes. Ein Darmstädter Musenalmanach für 1833.* – In: *Darmstädter Echo,* 12. 4. 1980.
2 Zu einer ähnlichen »Partie«, an der Büchner an Pfingsten 1832 vermutlich ebenfalls mit Böckel und den Brüdern Stöber (»wir Beide«) teilnahm, vgl. *GB I/II,* S. 366f. – *Lambossy* im Ms. in lat. Schrift.
3 Nach einer Fotokopie, die E. Zimmermann freundlich zur Verfügung stellte. Der Erstdruck durch E. Zimmermann im *Archiv für hess. Geschichte u. Altertumskunde,* N.F. 38 (1980), S. 381, enthält nicht weniger als 9 kleine Unkorrektheiten.
4 *HA* II/414.

genheit zum Verhältnis Büchner/Küntzel[5] folgendes Detail nachgetragen werden: Büchner sagte Ende 1833, als ihm dessen »ästhetische[s] Geschlapp« ausdrücklich »am Hals« stand, »H[errn] Dr. H[einrich] K[üntzel]«, der »schon alle möglichen poetischen Accouchirstühle[6] probirt« habe, als Zukunft sarkastisch voraus, er könne »höchstens noch an eine kritische Nothtaufe in der Abendzeitung appeliren.«[7] Büchner kannte also nicht nur das Organ der auch von Tieck[8] verspotteten Dresdner Spätromantik, des Hofrats Winkler alias Theodor Hells Dresdner *Abend-Zeitung*, in deren *Literarische[m] Notizenblatt* knapp zwei Jahre später der Pseudonymus »Felix Frei« zu *Dantons Tod* denunziatorischen Klartext ausbreiten sollte[9], sondern der ganze Konflikt war in der Figur Küntzels eigentlich bereits präfiguriert; denn Küntzel, der überhaupt in allen möglichen Journalen sein lyrisches und kritisches Glück versuchte[10] und sich ebenso geschäftig allen ihm erreichbaren wirklichen Dichtern (insbesondere prominenten) persönlich aufdrängelte, gehörte in der Tat in diesen Jahren zu den Kritikern der *Abend-Zeitung*, deren Lesern er die ›duftigen Blumen des vaterländischen, des deutschen Gesanges‹ und das »Heldenlied« »[a]ller deutschen Dicherharfen«[11] schmackhaft zu machen suchte und dies – passe es oder nicht – auch 1835 noch mit deutlicher Reklame für den gescheiterten, »von uns herausgegebenen Darmstädter Musenalmanach«[12] zu verbinden wußte.

5 Vgl. auch *GR I/II*, S. 8, 186 (Anm. 886), 371.
6 Gebährstühle; dieselbe Assoziation (»Accoucheurs«/Geburtshelfer) auch im früheren Brief über den *Musenalmanach* (*HA* II/114, Z. 25).
7 An August Stöber, 9. Dez. 1833, *HA* II/421.
8 Ludwig Tieck: *Die Vogelscheuche* (1834).
9 Vgl. *GB I/II*, S. 197, 103f.
10 H. E. Scribas *Biographisch-literarisches Lexikon der Schriftsteller des Großherzogtums Hessen . . .*, Bd. 2 (1843), S. 424, erwähnt Küntzels Mitarbeit an »Dr. Dullers Phönix, der Augsburger und Leipziger allg. Zeitung, den Brockhausischen liter. Unterhaltungsblättern [. . .] u. a. m.« A. Estermanns Zeitschriften-Verzeichnis lassen sich noch eine ganze Reihe anderer Wirkungsfelder K.s entnehmen.
11 *Blätter für Literatur und bildende Kunst* (Beilage der *Abend-Zeitung*), 27. 2. 1836, S. 65, aus Küntzels Rezension der *Deutschen Sagen aus dem Munde deutscher Dichter und Schriftsteller* (hg. A. Nodnagel, 1836).
12 *Literarisches Notizenblatt* (Beil. der *Abend-Zeitung*), 13. 6. 1835, S. 165, aus Küntzels Rezension einer *Rheinischen Harfe* (hg. J. Hub u. P. J. Schmitz, 1835).

Lottchen Cellarius

Büchner war mit knapp Zwanzig in Darmstadt ›von einer Art mystischer Anbetung für ein gefallenes Mädchen (*une fille perdue*) ergriffen, das er auf die Höhe der Engel zu erheben träumte.‹[1] Da das harte Wort in Mustons Notizen auf Wilhelmine Jaeglé, die noch ihren Verlobten (und

1 Tagebuch Alexis Mustons zum Sommer 1833 in Darmstadt, wo Büchner nur während der Ferien war und den Straßburger Freund zu Besuch empfing; übersetzt nach H. Fischer: *Georg Büchner. Untersuchungen und Marginalien*. – Bonn 1972, S. 81.

noch den Todkranken!) immer in weiblicher Anstandsbegleitung besuchen wird[2], nicht passen wollte, lag die vielleicht etwas lockere Vermutung nahe, es könnte jenes »Fräulein Lottchen« gewesen sein, das später – auch? – dem kleinen Bruder Ludwig Pianostunden und Georg Anlaß zu dem folgenden ›Geheimauftrag‹ gab (im Brief an den elfjährigen Ludwig, Ende Dezember 1835):

»Ist Lottchen Cellarius mit dir zufrieden und ist es mit dem Stück am Weihnachtabend gut gegangen? Wenn du in die Clavirstunde gehst, so sage der Fräulein Lottchen einen schönen Gruß von mir, aber sage um des Himmelswillen Niemand ein Wort davon.«[3]

Zugegeben, eine Geschichte aus dem – zu Goethe, Heine[4] und anderen – beliebten Genre mit oft komischen Blüten, was jedoch auf der anderen Seite einen Ausdruck wie »Unterrockschnüffelei«[5] keinesfalls berechtigen sollte. Sowohl die lizensierte als auch die weniger lizensierte »Erotik im Juste Milieu«[6] bzw. im Biedermeier – und dabei eben auch die Liebe der Dichter – ist ein Thema, das Tatsachensammeln und Spekulieren so gut erlaubt, und braucht, als jedes andere.

In die Kategorie des auch hier nicht gestatteten (aber von Hubert Gersch mir schon sehr hilfreich angekreideten) groben Irrtums dürfte allerdings das in meiner kleinen Büchner-Chronik[7] auf frühe Libertinage bezogene Zitat eines Schulfreundes gehören, dem Büchner »im Sommer 1831« verriet, er habe »den ganzen Tag am Herzen der Geliebten« verbracht[8]. Auch wenn Franzos' Zitierweise der Freundesbriefe hier wie generell undurchsichtig ist[9], wird man jene »Geliebte« im engen Kontext eines besonders hervorgehobenen, unbescholtenen »sittlichen Wandel[s]« und statt dessen »mit Schwärmerei« geliebter, spaziergangsweise geradezu angebeteter *Natur*[10] doch auf diese letztere beziehen müssen und nicht auf ein Techtelmechtel des 18jährigen, den Franzos auf Grund »fast wörtlicher Uebereinstimmung« der späteren Erinnerungen »allen grobsinnlichen Vergnügungen« ausdrücklich entfernt wußte[11].

Nur eine läßliche Folgesünde hat dagegen neuerdings Hans Christian Kirsch alias Frederik Hetmann in seinem etwas flugs erschienenen Jugendbuch *Georg B. oder Büchner lief zweimal von Gießen nach Offenbach*

2 Im September 1834 »mit ihrer Tante« (F, S. CXLV), im Februar 1837 mit »Frau Pfarrer Schmid von Straßburg« (Büchner: *Werke und Briefe.* Hg. F. Bergemann. – München: dtv 1965, S. 321.
3 *HA* II/450. Vgl. *GB I/II*, S. 12.
4 Dolf Sternberger: *Heinrich Heine und die Abschaffung der Sünde.* – Hamburg 1972; dagegen Rudolf Walter Leonhardt: *Das Weib, das ich geliebet hab. Heines Mädchen und Frauen.* – Hamburg 1975.
5 Jost Hermand: *Streitobjekt Heine. Ein Forschungsbericht 1945-1975.* – Frankfurt a. M. 1975, S. 117 (zu F. Hirth).
6 Vgl. unter diesem Titel, besonders aufschlußreich, ebenfalls Jost Hermand über *Heines »Verschiedene«.* – In: Wolfgang Kuttenkeuler (Hrsg.): *Heinrich Heine. Artistik und Engagement.* – Stuttgart 1977, S. 86-104; sowie neuerdings Helga Grubitzsch / Loretta Lagpacan: *»Freiheit für die Frauen – Freiheit für das Volk!« Sozialistische Frauen in Frankreich 1830-1848.* – Frankfurt 1980, und die ebenfalls brauchbare, von Claudia v. Alemann, Dominique Jallamion u. Bettina Schäfer hrsg. Sammlung: *Das nächste Jahrhundert wird uns gehören. Frauen und Utopie 1830 bis 1840.* – Frankfurt a. M. 1981 (Fischer Tb 3708), die – S. 32ff., 38, 40 – auch etwas näher über die Mission der von Büchner porträtierten Saint-Simonisten A. Rousseau und A. M. I. Massol informiert.
7 *GB I/II*, S. 365; vgl. dagegen mit Recht auch Werner R. Lehmanns Nachwort in *WuB*, S. 539.
8 Zit. nach Franzos' Einleitung (F, S. XXXV).
9 Vgl. die Texte Friedrich Zimmermanns von 1877 bei F, S. XXXIIff., mit Büchner, 1965, S. 300ff.
10 Fr. Zimmermann, Büchner, a.a.O., S. 301; bei Franzos (F, S. XXXIVff.) eine dichte Montage solcher Andekdoten und Zitate zur Naturschwärmerei.
11 F, S. XXXIV.

und wieder zurück[12] begangen. Dort wird nämlich die lockere Vermutung über das Fräulein Cellarius etwa so zu einer »Geschichte« weitergesponnen: Die Klavierlehrerin, »Mademoiselle Charlotte«, in der kleinen Residenz wie aus »einer anderen Welt«, früher »Sängerin an einem Theater«, hat ihr Kind bei Leuten »in einer anderen Stadt« und lebt als gehobene Mätresse eines »einflußreichen« Kavaliers, mit dem sie sich – in »ziemlich gewagter« Toilette, und von Georg wohlgefällig beobachtet – auch in der Loge des Hoftheaters zeigt. Während der Stunde redet sie »mit Georg wie mit einem Erwachsenen. Das gefällt ihm«, usw. »Er küßt sie. Sie läßt sich von ihm küssen«, und nicht viel weiter. Mademoiselle Cellarius gibt den Schüler dann lieber an den »Herrn Hofkapellmeister« weiter.[13] Man »könnte« die Geschichte nicht nur »auch anders erzählen«, wie Hetmann vorausschickt[14], sondern man *müße* sie – wenn es denn im Sommer 1833 überhaupt noch, oder schon, diese Geschichte gewesen sein sollte – anders erzählen; denn das Fräulein Lottchen war ausweislich der polizeilichen Meldebogen (die ich der freundlichen Vermittlung von Herrn Carl Horst Hoferichter, Stadtarchiv Darmstadt, verdanke) 1833 gerade 16 Jahre alt. Bezaubernder hätte sich das allerdings nicht ausdenken lassen.

Tochter der 1822 bereits verwitweten Marie Cellarius geb. Mayer aus Dietenheim und des Gießener Kammerregistrators Cellarius, war Charlotte mit ihrer Mutter und ihrer jüngeren Schwester 1822 vermutlich aus Gießen nach Darmstadt zugezogen, von dort schon im folgenden Jahr ins benachbarte, wahrscheinlich weil billigere Bessungen und erst 1833 wieder in die Residenz, um anscheinend frühbegabt als Musiklehrerin dem Unterhalt dieser Familie ohne männlichen ›Halt‹ und ›Ernährer‹ beizusteuern.

Dem schönen Dokument

Namen.	Bemerkungen.
Cellarius, Maria	
Charlotte / von ... / ..., im Jahr 1833 / angibt 16 Jahre alt l. d.	*Hierb am 2. Octbr. 1833*

---

12 *Zeit- und Lebensbild. Erzählung mit Dokumenten.* – Weinheim u. Basel: Beltz 1981.
13 Ebd., S. 29ff.
14 Ebd., S. 28.

ist wirklich nur noch zu entnehmen, daß Lottchen der »l:[utherischen] R:[eligion]« angehörte und nach vielen weiteren, nicht datierbaren Wohnungswechseln sowie offenbar unverheiratet in Darmstadt am 2. Oktober 1853 gestorben ist; das »angeblich« vor ihrem zarten Alter ist eindeutig die Polizeifloskel bei nicht vorgewiesenem Taufschein[15].

War Charlotte jene *fille perdue?* Sie wäre vielmehr mit sechzehn schon *immortelle* gewesen; ja, sie ist dies, auch in dem wahrscheinlicheren[16] Falle, daß Büchner zwei ganz verschiedene[17] Geheimnisse in Darmstadt hatte.

Nachtrag: Nach Abschluß dieser Notiz erscheint am 9. 5. 1981 im *Darmstädter Echo* ein Artikel von Erich Zimmermann mit dem Titel *Grüße an Fräulein Lottchen. Eine Darmstädter Jugendliebe Büchners?* Gestützt auf dieselben Quellen, die mir der Leiter des Darmstädter Stadtarchivs allerdings bereits über ein Jahr zuvor (am 25. 4. 1980) auf meine Anfrage zur Verfügung stellte, korrigiert nun auch E. Zimmermann meine beiden Irrtümer, versucht bei dieser Gelegenheit jedoch auch auf polemisch-ironische Weise, »ein neues [. . .] Büchner-Bild«, das »in letzter Zeit einiges Aufsehen erregt« habe, dadurch zu diskreditieren, daß er es in die Nähe »trübe[r] Mischungen von Tatsachen, Zitaten, Kombinationen und freien Erfindungen« rückt, wie sie »heute zuweilen« (so, »nur das jüngste Beispiel«, in F. Hetmanns Jugendbuch) »Mode« würden. Über den Stil, mit dem E. Zimmermann, der Leiter des Darmstädter ›Büchner-Archivs‹, dabei während der unmittelbaren, gemeinsamen Vorbereitung des ›Internationalen Georg Büchner Symposiums‹ in der lokalen Presse Ressentiments gegen die neuere Büchner-Forschung weckt, soll hier ebensowenig gerechtet werden wie über das den Artikel leitende ›alte Büchner-Bild‹, das auch für Büchners Erotik ausdrücklich als Grenze mit veranschlagt, was »für den noch nicht Achtzehnjährigen im damaligen Darmstadt überhaupt in Betracht kam«. – Da es sich nicht um den ersten vergleichbaren Fall handelt, möchte ich E. Zimmermann jedoch deutlich darauf hinweisen, daß es wissenschaftlichen Gepflogenheiten nicht entspricht, archivalische Quellenfunde bei Kenntnis der Prioritäten binnen Jahresfrist in die Zeitung zu setzen. Die betr. Erkenntnisse dabei auch noch polemisch gegen den Finder zu kehren, ist mehr als unüblich. – Der Gewinn von Zimmermanns Artikel liegt allein in dem zusätzlichen Nachweis, daß Lottchen Cellarius zu zwei verschiedenen Perioden (u. a. 1839) »ein Haus in der Grafenstraße, schräg gegenüber vom Hause Büchner« bewohnte, woraus aber selbst bei Unterstellung, diese Adresse habe auch 1833 gegolten, Zimmermanns Schluß keineswegs triftig ist, »Lottchen Cellarius, etwa vier Jahre jünger als Georg«, wäre dann »nichts mehr als ein ihm gut bekanntes Nachbarkind« gewesen. Auch Zimmermanns Erläuterung zur Geheimhaltung des Grußes (»vermutlich deshalb, weil sein Aufenthalt in Straßburg nicht zu publik werden sollte«) entbehrt jeder Plausibilität, denn Büchner trug ja nicht etwa Lottchen auf, nichts weiterzuplaudern, sondern dem Briefempfänger und Grußbesteller Ludwig; und auch dieser war eben nicht gehalten, den Aufenthalt seines Bruders in Straßburg zu verschweigen, sondern den »schönen Gruß« an Lottchen.

---

15 Im betr. Eintrag von 1822 steht für Charlotte Cellarius »angeblich 5 Jahre alt«; für ihre Schwester Auguste »angeblich 3 Jahre«, 1833 dann »angeblich 14 Jahre alt«.
16 Denn es ist kaum denkbar, nachdem Muston schon im Sommer 1833 aus Büchners Geständnis auf eine »fille perdue« schloß, die ganze Stadt habe davon noch zwei Jahre später so wenig gerochen, daß die Eltern Büchner ihren jüngsten Sprößling unbesorgt in eine solche »Clavirstunde« schicken konnten. Büchners Grüße an Lottchen sind (im Brief an einen 11jährigen) gegenüber den Eltern natürlich auch nicht ernstlich geheim, sondern sie kokettieren mit einer Zuneigung, hinter der es kaum einen zu verbergenden Skandal gegeben haben dürfte.
17 Die »Scala der Liebe« (Leonce, *HA* I/112), die Reinhold Grimm im Werk so glänzend nachgezeichnet hat (*GB* I/II, S. 299-326), macht mir, wie gesagt, keinen papiernen Eindruck.

Büchner und Joseph Hillebrand
im Gießener Sommersemester 1834

Wieviel Büchner zwischen März und August 1834 gereist ist, was er erlebt, getan und dabei gelernt hat, grenzt schon physisch ans Unglaubliche. Im März Studium der Revolutionsgeschichte, Entwurf des *Landboten* und Gründung der Gießener ›Gesellschaft der Menschenrechte‹; dann Fahrt nach Straßburg in die brennende Julimonarchie[1]; in der zweiten Aprilhälfte Gründung der Darmstädter ›Gesellschaft‹; dann Studium und konspirative Gänge wie Versammlungen an einer Reihe; und dazwischen – was bislang noch gar nicht bekannt war – zu Pfingsten noch einmal nach Straßburg.[2]

Wie und wann er dabei die Kollegs seines engeren Fachgebiets mit – wie es belegt[3] und zu erschließen[4] ist – wissenschaftlichem Gewinn besucht haben will, ist schon schwer vorstellbar. Um so erstaunlicher, daß sich darüber hinaus auch noch eine andere universitäre Bescheinigung, sozusagen ein Nebenfachtestat, erhalten hat:

»Herr G. Büchner aus Mainz hat bei mir in diesem Sommer die Vorlesungen über die Logik u. das Naturrecht mit lobenswerthem Fleiße gehört.

Gießen, d[en] 6 Sept. 1834   Dr Hillebrand«[5]

Der Gießener Oberstudienrat und Professor für Philosophie (auch Psychologie, Ästhetik, »Schöne Wissenschaften« und Literaturgeschichte), Joseph Hillebrand, 1788-1871, bescheinigt hier dem Medizinstudenten und meistgesuchten ›Hochverräter‹ des Großherzogtums, kurz bevor dieser Gießen in Richtung Darmstadt (nicht »Mainz«[6]) verläßt[7], nicht mehr und nicht weniger als den ›fleißigen‹, d. h. damaligen Bräuchen zufolge auch sicher nicht ganz unregelmäßigen, Besuch von 7 Semester-Wochenstunden, und zwar

– »*Logik,* dreimal wöchentlich, Dienstags, Donnerstags und Freitags«, sowie
– *Naturrecht und allgemeine Politik,* viermal wöchentlich, Mittwochs und Sonnabends von 8-9 und von 11 12 Uhr«.[8]

---

1 Vgl. *GB/ I/II,* S. 42 ff., 376.
2 Den Nachweis hierfür erbringt Heinz Fischer in seinem Referat auf dem ›Internationalen Georg Büchner Symposium‹ (Darmstadt, 25.-28. Juni 1981), dessen Protokollband 1982 erscheinen soll. Fischer bestätigt dort auch quellenmäßig den *GB I/II,* S. 424, Anm. 5, nur erschlossenen Beginn der Osterferien mit dem Montag der Karwoche.
3 Vgl. Carl Vogt: *Aus meinem Leben, Erinnerungen und Rückblicke.* – Stuttgart 1896, S. 121 (angesichts der längeren Erkrankung Büchners im WS allgemein wohl auch auf den Sommer beziehbar).
4 Vgl. *GB I/II,* S. 369 f., 377 f.
5 Nach einer Fotokopie des im Nov. 1979 auf der Autographenauktion Stargardt (Marburg/L.) von der Hessischen Landes- und Hochschulbibliothek Darmstadt erworbenen Originals. Der teilweise Erstdruck durch Erich Zimmermann im *Archiv für hessische Geschichte u. Altertumskunde,* N. F. 38 (1980), S. 382 ff., enthält vier Unkorrektheiten (so »Georg Büchner« statt »G. Büchner«). Vgl. auch E. Zimmermann: *Ein Mann, auf den Büchner hörte. Prof. Joseph Hillebrand, als Gießener Lehrer des Dramatikers wiederentdeckt.* – In: *Darmstädter Echo,* 8. 2. 1980.
6 Da nach den Verzeichnissen der Studierenden kein Student dieses Namens aus Mainz um 1833-1836 in Gießen gemeldet war, kommt als Adressat der zitierten Bescheinigung nur G. Büchner aus Darmstadt und mithin ein Irrtum Hillebrands in Frage.
7 Da die Bescheinigung mit dem Ortsirrtum kaum brieflich zugesandt worden sein dürfte, ergibt sich ein näherer terminus post quem für Büchners »Abgang« von Gießen (vgl. *GB I/II,* S. 386).
8 Vgl. das Gießener Vorlesungsverzeichnis für SS 1834, in: *Intelligenzblatt der Allgemeinen Literatur-Zeitung* (März 1834), Sp. 158.

Man begreift mehr und mehr, warum sich bei näherem Hinsehen in Büchners theoretischen Äußerungen wie in seinem Werk auf den verschiedensten Gebieten äußerste, ja geradezu professionelle Beschlagenheit herausstellt – so natürlich auch bei der »Logik«[9] und vor allem im »Naturrecht«[10], von der »allgemeine[n] Politik« gar nicht zu reden.

Sollte Büchner bereits im Wintersemester 1833/34 auf Hillebrand aufmerksam geworden sein, so hätte er die folgenden Kollegien bei ihm hören können: »*Logik*« (wöchentlich 3mal), »*Psychologie*« (4mal) und »*Ästhetik* in Verbindung mit *allgemeiner Geschichte der Kunst und ästhetischen Literatur*« (4mal).[11]

Die Rolle, die der 1830 aus politischen Gründen praktisch zwangsemeritierte Hillebrand im Vormärz überhaupt für die oppositionellen Studenten in Gießen spielte, lassen die (allerdings auf die 40er Jahre bezogenen) Erinnerungen des radikalen Achtundvierzigers Rudolf Fendt erkennen:

> »*Joseph Hillebrand*, ein universell gebildeter, ächt humanistischer und humoristischer Jüngling in grauen Haaren, dem ein geistreicher Witz stets auf der Zunge lag [. . .]. Sobald er den Katheder bestieg, herrschte Todtenstille im Saale [. . .]. Nachdem er ein [. . .] kurzes Resumé der letzten Vorlesung gegeben, ging es in freiem Redestrom, mit seltenem Seitenblick auf das vorliegende Notizheft, weiter. Und da fehlte es denn nicht an da und dort eingeworfenen witzigen Epigrammen über die literarischen, sowie auch, was damals viel heißen wollte, politischen Zustände der unmittelbarsten Gegenwart, welche immer ein dumpfes Beifallsgemurmel unter der Zuhörermenge hervorriefen und von gar manchen Studiosen, darunter auch mir, mit erpichterer Hast an den Rand des Heftes nachgeschrieben wurden, als der eigentlich offizielle wissenschaftliche Theil in der Mitte. Er wußte diese geistvollen Bonmots geradezu aus dem Aermel zu schütteln, und wenn er die Heiterkeit seines Publikums gewahrte, pflegte ihm in der Regel ›noch eine Geschichte einzufallen.‹«[12]

Hillebrand seinerseits hat im Druck jener Vorlesungen über *Die deutsche Nationalliteratur [. . .] besonders seit Lessing*, die Fendt hier vor allem schildert, seinen früheren Hörer Büchner und dessen Drama *Dantons Tod* mit zunächst (1846) verhaltener, später (1851) sehr deutlicher Anerkennung bedacht.[13] Hillebrands Urteil über den, wie er es ausdrückt, von den »demagogischen Untersuchungen« (!) exilierten Autor und seine »ungewöhnliche Gabe dramatischer Auffassung und Belebung« ist auf jeden Fall ästhetisch fundierter und politisch implikationsreicher als dasjenige des zweiten Gießener Bekannten Büchners, der sich dann über das Stück geäußert hat; jenes Philologiestudenten und mutmaßlichen Mithörers bei Hillebrand, Joseph Kehrein, der mit Büchner Tür an Tür zur Untermiete wohnte und den später vor *Dantons Tod* wahrhaft ge»graußet« hat.[14]

9 Vgl. z. B. die gestrichene Stelle der *Danton*-Handschrift (Replik 384):»Ein schöner Cirkelschluß der sich selbst im Hintern leckt«; sowie überhaupt das sog. ›Atheismus‹-Gespräch des 3. Aktes.
10 Vgl. *GB I/II*, S. 125-133.
11 Wie Anm. 8, jedoch Sept. 1833, Sp. 590.
12 [Rudolf Fendt]: *Von 1846 bis 1853. Erinnerungen aus Verlauf und Folgen einer akademischen und politischen Revolution. Von einem weiland Gießener Studenten und badischen Freischärler.* – Darmstadt 1875, S. 41 f. (vgl. auch S. 54 u. 114).
13 Die Texte aus beiden Auflagen demnächst in meinem Band zur frühen Wirkungsgeschichte Büchners.
14 Vgl. vorläufig *GB I/II*, S. 109.

»Wie ein Hanswurst verkleidet«

Mitte der 1830er Jahre in einem Darmstädter Bürgerhaus folgendes Gespräch zwischen Metzgermeister Knippelius und seiner Tochter Bärbel – es geht um den in Gießen als Student nicht gut tuenden Sohn Fritz, der sich soeben brieflich gegen ›Gerüchte‹ verteidigt, die zu Hause »mancherlei zu meinem Nachtheil gemeldet«:

BÄRBEL. [. . .] e gut Freindin hot mer gesogt, neilich wie ich in dehre Kaffevisitt wor, sie hett gehehrt, er hett sich e Bolenehs [Polonaise] mache losse.
KNIPPELIUS. Wos is dann des for e Ding?
BÄRBEL. Ei des is so e Schnihrrock, wo so e Meng Schnihrn un Kwaste droh erumbambele.
KNIPPELIUS. Wos, so en Hansworschderock? Do soll er mer net mit iwwer die Schwell kumme [. . .].

Der mißratene Filius, zumal von Geldmangel getrieben, betritt gleichwohl die Stube:

KNIPPELIUS. [. .] Wos host-de dann do for en Rock uh, die Schwernoth, mer mahnt, du wehrscht e Sahldenzer [Seiltänzer]!
FRITZ. Ach, der Rock wor so obgeschohbt, do how ich mer die Neth mit Schnihrn besetze loo se, daß mer's net so sieht, un dann, daß ahm die Philister kennc, daß mer e Studio is.
KNIPPELIUS. Philister? Wos sinn des för Leit?
FRITZ. Des sinn die Berjer [Bürger].
KNIPPELIUS. Ich will der wos soge, Fritz, un zwor in Giht: des Wort kimmt der net mehr iwwer die Zung in meiner Gejewort, dei Vadda is aach e Philister! Host-de mich vastanne? E orndlicher Berjer is mer liewer, als so e verdorwener, hochmihdiger Student!
FRITZ. No, Vadda, komme Se nor net glei aus dem Heisje, es is jo kah Schimpfnome.

Und sogleich weiter über die lange Pfeife des Studenten:

FRITZ [. . .] E flodder Studio raacht en lange Klowe.
KNIPPELIUS. Des is e narrig Mode! Wann do Ahner herkimmt, un hot e bundig Dihbche uf em Kopp, un so en Bojazzerock oh, un e Peif, wo lenger is als wie er, un e poor faustedicke Kwaste droh henke, do mahnt er, er wehr der Großmohkel [Großmogul], un wann er seim Hund peift, do guckt er sich stolz uf alle Seide um, ob's aach die Leid bemerkt howwe. Geht mer eweck mit eiere Nansbosse!

Wenn der Filius zuletzt reumütig ins Milieu zurückkriecht, ungefragt die Metzgersschürze anlegt und zum Wurstmachen die Hemdsärmel aufkrempelt, dann ist es für den Vater erstes Zeichen der Besserung gewesen:

KNIPPELIUS. [. . .] Den narrige Rock host-de aach in de Schank gehenkt [. . .] – alle bunehr. –

Was hier in dem 1837 gedruckten Lustspiel *Des Burschen Heimkehr, oder: Der tolle Hund*[1], das der ehemalige Mitschüler und dann zugleich mit Georg Büchner in Gießen studierende Ernst Elias Niebergall (1815 bis 1843) insbesondere deshalb an seinem Studienort zu schreiben begann, weil er seit 1834 in die Untersuchung wegen ›burschenschaftlicher

---

1 Zit. nach Ernst Elias Niebergall: *Datterich / Des Burschen Heimkehr, oder: Der tolle Hund,* hrsg. v. Horst Denkler u. Volker Meid. – Stuttgart 1975, hier S. 12, 14 f., 29 ff., 63.

Umtriebe‹ verwickelt und darum zur theologischen Prüfung nicht zugelassen war, was in dieser Komödie also zu lesen ist, das ist in vielfacher Weise auch aufschlußreich über die Spannungen zwischen dem Gießener Medizinstudenten Georg Büchner und seinem Darmstädter Elternhaus; nicht daß einerseits etwa Inhalt und Stil der Auseinandersetzungen im Hause des Medizinalrats Ernst Büchner ganz dieselben gewesen wären wie beim Metzger, andererseits aber auch nicht nur auf die »Kleiderfrage« bezogen.

An anderer Stelle konnte bereits angedeutet werden, wie wenig Büchners Gießener Aufzug – der »hohe Cylinderhut [. . .] immer tief unten im Nacken« und eben die »Polonaise« – mit ›dandyhafter Eleganz‹ zu tun hatte und wieviel eher mit demonstrativer Bekräftigung der Sache des gescheiterten polnischen Volkswiderstandes.[2]

Hier soll zunächst nur noch ergänzend darauf aufmerksam gemacht werden, wie frappant sich die Beurteilungen in Niebergalls Lustspiel und in dem (unten erstmals vollständig mitgeteilten) Brief des ehemaligen Gießener Studenten Ludwig Rosenstiel vom 22. Oktober 1834 aus Darmstadt an Büchners Freund Clemm in Gießen gleichen: Für den Metzgermeister, der den hochmütig-standesbewußt das eigne Nest beschmutzenden Studiosus Stück für Stück demaskieren kann[3], ist der polnische Rock mit »Schnihrn un Kwaste« auf Anhieb »en Hansworschderock«; und der selbst vorsichtig gewordene, ehemalige Burschenschafter und Wachenstürmer Rosenstiel, der sich mit dem »höchst verdächtigen« Büchner »niemals in das Geringste einlassen« will, kommentiert aus ministeriellen Informationen – und aus halb eigener, halb ministerieller Sicht – die beiden konspirativen Gänge Büchners (Anfang Juli 1834 der Transport des *Landboten*-Manuskripts zum Drucker Preller in Offenbach, Anfang August nach Minnigerodes Verhaftung zur Warnung der Beteiligten), deren zweiten jedenfalls Büchner überstürzt in seiner auch sonst bevorzugten »Polonaise mit Schnüren auf Brust und Rücken« angetreten zu haben scheint, mit dem Satz: »Es ist hier sogar dem Ministerium bekannt, daß Büchner, wie ein Hanswurst verkleidet in geheimen Aufträgen zu Offenbach war.«[4] Das zweimalige Auftauchen des Wortes verbürgt, daß ein Student, der um 1834 in Hessen eine Polonaise trug, jedem ›normalen Bürger‹ wirklich für einen Hanswursten galt. Beides, der demonstrative Habitus und die Reaktion der ›Philister‹, scheint mir nicht allzuweit weg von jener Situation, die 1967 Heinrich Böll Anlaß zu Verdacht gegen ein Einladungsprotokoll, das zu »Dunklem Anzug« oder

---

2 Vgl. *GB I/II*, S. 6, 10 u. 15 (Anm. 35). Die Verbreitung der »Kurtka« oder des Polenrocks in der ersten Hälfte der 1830er Jahre beschreibt auch der Darmstädter Wilhelm Hamm, dem bei einem Besuch in Heidelberg »die seltsamen Studententrachten – bunte Glockenmützen mit viereckigem Boden und langer Quaste, Kurtka, Koller und Kanonen – nebst den riesigen betroddelten Tabakspfeifen wunderbar imponierten« (Wilhelm Hamm: *Jugenderinnerungen an Darmstadt im Biedermeier*. In der Bearbeitung von Karl Esselborn hrsg. von Reinhold Staudt. – Darmstadt 1970, S. 98). In Gießen war Büchner mit der Kurtka vielleicht sogar ›modebildend‹.
3 Vgl. auch Volker Klotz: *Bürgerliches Lachtheater. Komödie, Posse, Schwank, Operette*. – München 1980, S. 135.
4 Vgl. unten S. 283.

»Smoking« verpflichtete – und Werner R. Lehmann wiederum Anlaß zu
Ausführungen gab, die hier jede Legitimität des Beerbens abschneiden
sollten: »Büchner hatte anderes zu tun, als über Kleiderfragen zu lamen-
tieren. Er liebte es zudem, sich elegant, fast dandyhaft zu tragen.«[5]
Doch in der Tat war nicht nur der Medizinalrat kein Metzger, sondern
natürlich auch Georg Büchner nicht Fritz Knippelius. Büchners Gießener Briefe an die Eltern in Darmstadt zeigen vielmehr (und gerade weil
es sich um dieselbe Situation in derselben Zeit handelt, mit der größten
Sinnfälligkeit) eine ganz entgegengesetzte Strategie im gewissermaßen
politischen Generationenkonflikt.

Auf Grund von Berichten Dritter machen sich beide Elternhäuser Sorgen: das Büchners über Georgs scheinbar hochmütig verächtlichen
Rückzug von »alte[n] Bekannte[n]«[6]; bei Knippelius umgekehrt über Frit-
zens liederlichen Lebenswandel mit den gleichgesinnten Trinkgenos-
sen. Gut denkbar, daß Fritz Anfang 1834 – wie möglicherweise sein Er-
finder Niebergall, der damals tatsächlich dieser Verbindung angehörte –
unter jenen Mitgliedern der ›Palatia‹ war, die »nicht selten« beim abend-
lichen Rückweg »von der Kneipe« vor Büchners »Wohnung still hielt[en]
und ihm ein ironisches Vivat brachte[n]: ›Der Erhalter des europäischen
Gleichgewichtes, der Abschaffer des Sklavenhandels, Georg Büchner, er
lebe hoch!‹« Carl Vogt, der diese Szene berichtet[7], fügt noch hinzu, daß
Büchner das »Gejohle« ignorierte, »obgleich seine Lampe brannte und
zeigte, daß er zu Hause sei«; »sehr eifrig« war Büchner nicht nur im Wintersemester u. a. »[i]n Wernekincks Privatissimum« über »vergleichende
Anatomie«, sondern auch im Semester des *Hessischen Landboten* noch in
verschiedenen Kollegs.[8] Dieser offenkundige Gegensatz zu Fritz Knippelius wird nun scheinbar in erwartungskonformer Richtung noch ver-
stärkt, wenn Büchner seinen Eltern etwa am 25. Mai 1834 schreibt:

»Das Treiben des ›Burschen‹ kümmert mich wenig, gestern Abend hat er von dem Philister
Schläge bekommen. Man schrie *Bursch heraus!* Es kam aber Niemand, als die Mitglieder
zweier Verbindungen, die aber den Universitätsrichter rufen mußten, um sich vor den Schu-
ster- und Schneiderbuben zu retten. Der Universitätsrichter [Georgi, T. M. M.] war betrunken
und schimpfte die Bürger; es wundert mich, daß er keine Schläge bekam; das Possierlichste
ist, daß die Buben liberal sind und sich daher an die loyal gesinnten Verbindungen machten.
Die Sache soll sich heute Abend wiederholen, man munkelt sogar von einem Auszug; ich hoffe, daß der Bursche wieder Schläge bekommt; *wir* halten zu den Bürgern und bleiben in der
Stadt.«[9]

Wer ist hier *wir*? Wir, alle ›eifrigen‹, »ordnlichen«, pflichtbewußten, politisch nicht verdächtigen oder organisierten Studenten? Büchners Eltern, denen Georg schon im vorausgegangenen Sommer mit derselben

5 W. R. Lehmann: »*Geht einmal euren Phrasen nach . . .« Revolutionsideologie und Ideologiekritik bei Georg Büchner.*
  – Darmstadt 1969, S. 6.
6 *HA* II/422.
7 Carl Vogt: *Aus meinem Leben. Erinnerungen und Rückblicke.* – Stuttgart 1896, S. 121.
8 Vgl. die vorstehende Notiz sowie *GB I/II*, S. 369f., 377f.
9 *HA* II/429.

Virtuosität und ganz zutreffend versichert hatte, er werde sich »in die Gießener Winkelpolitik und revolutionären Kinderstreiche nicht einlassen«[10], haben es fast sicher so verstanden, wollten und sollten es so verstehen.

Der Verfasser des *Hessischen Landboten* also auf der Seite der »Philister«, der bürgerlichen Ordnung, der Familie und des Staates? Der »flodde« Metzgerssohn als »Studio« gegen alle diese Instanzen des status quo im Biedermeier?

Aufs Ende gesehen ist die Umkehrung dieses Scheins natürlich überdeutlich: Fritz Knippelius, der im Kreise der Dummbachs nur durch relative Gewitztheit auffällt, aber den Hinauswurf Datterichs, des Teils und Stachels der Darmstädter Philisterei, nicht nur einfädelt, sondern auch im »Familjezerkel« mitgestaltet[11]; und Büchner als steckbrieflich verfolgter ›Hochverräter‹ außer Landes.

Aber schon im Ansatz lassen sich die nur bellenden Hunde vom beißenden gut auseinanderhalten. Die entscheidende Frage ist auch hier: Wie, wo und wann wendet man sich für oder gegen wen?

»Hochmuth«, »Verachtung« und ›Herablassung‹ des Studenten Fritz Knippelius haben sich als Zeichen studentischer Exklusivität etwa gegen »Schuster- und Schneiderbuben«, die »Geistesarme[n] und Ungelehrte[n]« gerichtet. Büchner kehrte, wie er es den Eltern im Gießener Februarbrief von 1834 generell erläuterte, gegen diesen verächtlichen »Aristocratismus [. . .]« seine eigenen Waffen; Hochmuth gegen Hochmuth, Spott gegen Spott.«[12] »Der Bursche« rief im Notfall verschreckt den Universitätsrichter zu seinem Schutz, Büchner schützte sich vor dem Universitätsrichter im Notfall »ganz kaltblütig« »mittelst des höflichsten Spottes« und mit »beißende[r] Ironie«[13] – dies wahrscheinlich sogar unter Ausnützung des sozialen Gefälles zwischen dem Sohn des residenzstädtischen Medizinalrats und dem Provinzbürokraten. – An die Adresse des Medizinalrats wiederum richtete Büchner nicht von außen modische Abgrenzungsgesten, sondern eine ständige, gewissermaßen auf das Zentrum des bürgerlichen Selbstverständnisses gezielte Lektion in Staatsbürgerkunde: daß zum »Schutz gegen die Willkür« auf der »gesetzliche[n] Garantie« zu bestehen sei; daß das »verletzte Recht [. . .] Genugthuung« verlange[14], daß aber freilich bei näherem Hinsehen »*gesetzliche Anarchie*« herrsche, »gegen die es«, im Notfall, »keine Appellation als Sturmglocken und Pflastersteine gebe.«[15] Das rechte immer am rechten Platz.

---

10 *HA* II/418. *Der Hessische Landbote* hat mit »Winkelpolitik« und »Kinderstreichen« ja auch wirklich nichts zu tun. Vgl. ausführlicher meinen Beitrag auf dem Darmstädter Büchner-Symposium.
11 In den *Datterich*, Niebergalls Hauptwerk, wird der gewandelte Fritz Knippelius mit übernommen; Niebergall, a.a.O., hier bes. S. 136, 159ff.
12 *HA* II/423.
13 Ebd., S. 431f.
14 Ebd.
15 Ebd., S. 433.

Auch Büchners auffällig gemischte ›Verkleidung‹ mit rebellischer Polonaise, aber dem eher feinen und steifen »hohen Cylinderhut« statt der Mütze (»Dibbche«) der »niederen Stände« wie der Studenten[16] kann in diesen Zusammenhängen geradezu als die Koppelung von Demonstrationsaufzug und Tarnkleidung verstanden werden. Er sehe »nicht liederlich und sclavisch genug aus [. . .], um für keinen Demagogen gehalten zu werden«[17], so beschrieb Büchner seinen eigenen Eindruck. Das heißt, die Behörden scheinen bei ›normaler‹, nämlich – wie die erhaltenen Protokolle des Disziplinargerichts der Universität Gießen[18] ausweisen – bei den Studenten üblicher ›Lüderlichkeit‹ schon beinahe automatisch auf nur trinkend bellende[19], tatsächlich »sclavische« Hunde geschlossen zu haben – womit sie sich allenfalls bei dem wirklich radikalen ›Angebsteiger‹ August Becker getäuscht haben dürften. Büchner »schämte [s]ich« in Gießen, »ein Knecht mit Knechten zu sein«[20], aber er war auch alles andere als ein ›liberaler Bube‹ und hütete sich, mit einem solchen verwechselt zu werden. Den exzentrischen Ort jenseits dieser beiden Positionen dürfte, weil es einer Haltung entsprach, jener Aufzug auch äußerlich ausgedrückt haben, der Georgi als nicht »sclavisch genug«, aber auch Rosenstiel und Vogt als »nicht sympathisch«[21] oder gar »verdächtig« erschien.

---

16 Vgl. Bruno Köhler: *Allgemeine Trachtenkunde*. Teil VI. – Leipzig: Reclam o. J., bes. S. 212 ff.
17 *HA* II/432.
18 Vgl. oben Anm. 22 zum Beitrag über die *Verbreitung und Wirkung des Hessischen Landboten*. Büchner ist in den Akten nicht erwähnt. Sein Auftritt vor Georgi vor allem wohl deshalb nicht, weil Georgi in der entscheidenden Sache als »Regierungscommissär« tätig war (*HA* II/433).
19 Vgl. *HA* II/420: »Die Leute gehen ins Feuer, wenn's von einer brennenden Punschbowle kommt!«
20 *HA* II/429.
21 Vogt, a.a.O.

Zu August Lewalds ›Lustspiel-Preisaufgabe‹ und zu Datierung und »Vorrede« von *Leonce und Lena**

Georg Büchners Komödie wurde bekanntlich aus Anlaß eines literarischen Preisausschreibens verfaßt.

Diese »Preisaufgabe« für ein Lustspiel, die unter dem Datum des 1. Januar 1836 von der J. G. Cottaschen Buchhandlung ausgeschrieben, jedoch erst am 3. Februar im *Intelligenz-Blatt Nro. 3* (einer Beilage des

---

* Vollständige Fassung eines Kurzvortrags auf der Jahresversammlung der ›Georg Büchner Gesellschaft‹ am 13. 12. 1980. Kurz nach Abschluß der in *GB I/II*, S. 425, Anm. 27, angedeuteten Nachforschungen und des vorliegenden Textes erschien der wichtige, z.T. auf dieselben Quellen gestützte, aber das ganze Umfeld viel breiter und genauer einbeziehende Aufsatz von John R. P. McKenzie: *Cotta's Comedy Competition (1836)*. – In: *Maske und Kothurn* 26 (1980), H. 1/2, S. 59–73, der die chronologischen Fragen allerdings außer Betracht läßt und auf den ich jetzt in den Anmerkungen jeweils ergänzend verweise.

hauseigenen *Morgenblatts für gebildete Stände,* deren andere, wichtigere Beilage Wolfgang Menzels berüchtigtes *Literatur-Blatt* war) annon-
ciert wurde, ist sogar in der Geschichte des Verlages so gründlich vergessen worden, daß Fritz Bergemann, als er 1922 die betr. Anzeige entdeckte, ein noch ganz frisches und relativ kategorisches Dementi der damaligen Verlagsleitung richtigstellen konnte[1].

   Da die näheren Umstände dieses Preisausschreibens mit Ausnahme
des neuesten Beitrags von McKenzie bislang in der Forschung höchst
beiläufig und unzureichend behandelt wurden, aber sowohl für die lite-
raturpolitischen Hintergründe[2] als auch schon für die schlichte Datierung von *Leonce und Lena* von ganz entscheidender Bedeutung sind, sollen die vorläufigen Ergebnisse einer näheren Recherche im Marbacher
Cotta-Archiv zunächst mit dem Text der Ausschreibung selbst eingelei-
tet werden.

   Die zuerst am 3. Februar 1836 im *Intelligenz-Blatt* veröffentlichte, dann
am 17. und 18. Februar in den Beilagen der Augsburger *Allgemeinen Zeitung* (dem wichtigsten Organ des Baron Cotta) wiederholte Anzeige lautet:

»Preisaufgabe.
Die Unterzeichnete hat einen Preis *für das beste ein- oder zweiaktige Lustspiel in Prosa oder
Versen* festgesezt.
   Die Bewerber belieben ihre Manuscripte, in der üblichen Art mit Devisen versehen, durch
B u c h h ä n d l e r g e l e g e n h e i t oder postfrei hieher gelangen zu lassen.
   Drei Männer von anerkannter Urtheilsfähigkeit werden Schiedsrichter seyn; nach erfolg-
tem Ausspruche werden ihre Namen genannt werden.
   Das Lustspiel wird in der *Allgemeinen Theater-Revue für 1836* abgedruckt, und dem Dichter
desselben der Preis von
Dreihundert Gulden R. W.
gleich nach erfolgtem Drucke durch die Unterzeichnete ausbezahlt.
   Man darf jedoch annehmen, daß die besseren Bühnen, welche das Stück zur Aufführung
bringen, nach der in Frankreich üblichen Art, trotz des vorausgegangenen Druckes, dem
Dichter das Honorar nicht vorenthalten werden. Nach drei Jahren steht das Stück dem Dich-
ter wieder als freies Eigenthum zu.
   Die Einsendung muß *spätestens bis zum 1. Juli* erfolgen; die *Revue* erscheint bis zum Okto-
ber im Drucke.
   [Folgt Anzeige und Inhaltsverzeichnis des ausgelieferten ersten Jahrgangs der *Theater-
Revue,* T. M. M.]
   Stuttgart und Tübingen, den 1. Januar 1836.
J. G. Cotta'sche Buchhandlung.«

   Der Text stammt offenbar weitgehend vom Herausgeber der *Allgemeinen Theater-Revue,* August Lewald[3], der dem Verleger Cotta in einem
Brief vom 23. Januar 1836 seine Absichten auch im Zusammenhang
eines weiteren (anschließenden?) Projekts für Sammelbände prämierter
»Originalstücke« »ernster und heiterer Gattung« erläuterte:

---

1 Briefwechsel zwischen Bergemann und dem Cotta-Verlag, Nov./Dez. 1922; Deutsches Literaturarchiv Marbach,
  Cotta-Archiv (*Cotta Br.*). Vgl. McKenzie, S. 69 ff.
2 Vgl. *GB I/II,* S. 407, 411f., 417.
3 Einen »Entwurf für die Ankündigung der Preisbewerbung« sandte Lewald jedoch, dem Datum der Verlagsannon-
  ce widersprechend, erst am 12. Januar 1836 an Cotta, »das Uebrige« dessen »Ermessen ruhig überlassen« (Cotta-
  Archiv, *Cotta Br.*); vgl., auch zur Vorgeschichte, McKenzie, S. 60.

202

»Die Hebung des Nationaltheaters kann nur durch die Dichter bewirkt werden, u es liegt Alles daran, sie von der Unwissenheit und Arroganz, der Einseitigkeit u Chicane, die mehr oder weniger bei allen Bühnen herrschen loszumachen u zu emancipiren. [. . .] so muß darauf gedacht werden [. . .] dem dichtenden Künstler [. . .] Gelegenheit zu verschaffen ohne die Schauspieler zum Publicum sprechen zu können u sein Werk der allgemeinsten Beurtheilung auszusetzen. Wird aber der Weg zu den Bühnen dem Dichter erschwert, so wird es der Weg zu einem tüchtigen Verleger ihm nicht minder seyn. Ein unbekannter Name, ein Stück das noch nicht aufgeführt wurde, endlich ein dramatisches Werk überhaupt, findet nur selten u stets nur bedingungsweise einen Verleger, u so kommt es, daß bei der Schläfrigkeit der Bühnenvorstände, die ich aus Erfahrung kenne, u bei der Abneigung der Buchhändler für diesen wenig Gewinn versprechenden Zweig des Geschäfts, sehr viele Werke nie zur Kenntniß des Publicums kommen, sehr viele Dichter verkümmern, die es eher wie vieles [sic] Andre verdient hätten, bekannt zu werden. Hierin liegt der Hauptgrund daß der dramatische Born zu versiegen droht. Ich kenne selbst Manche die Stücke mit Talent, aber ohne allen Erfolg schrieben, u als sie ihre Gedanken in andre Form als die dramatische gossen, nun bekannte u beliebte Schriftsteller geworden sind.«[4]

Während Stücke von Autoren wie Albini oder Louis Angeli besser »nicht gedruckt u nicht gegeben werden sollten«, komme es denn darauf an, durch die geplanten Sammelbände, für deren ersten auch Grillparzers *Der Traum ein Leben* oder Münch-Bellinghausens *Griseldis* vorgesehen war und zu denen Eduard v. Schenk, Eduard v. Bauernfeld, Franz v. Elsholtz, Joseph Christian v. Zedlitz »u.s.w.« besonders eingeladen werden sollten, die Chancen der Autoren bei den Bühnen zu verbessern. Ein solches »Pantheon« der dramatischen Poesie »wäre wirklich eine National-Angelegenheit, in dieser Zeit des allgemeinen Verfalls der Bühnen.«[5]

Eine nicht geringe Rolle innerhalb des ganzen Projekts spielte die auch in der Ausschreibung der damit zusammenhängenden, möglicherweise als ›Pilotunternehmen‹ zu verstehenden Lustspiel-»Preisaufgabe« skizzierte Honorarstrategie, wobei allein der ausgesetzte Preis von 300 Rhein. Gulden etwa dem entsprach, was Campe in Hamburg für Stücke seiner renommierteren Autoren Immermann und Raupach bezahlte, und damit immerhin etwas mehr als das Dreifache dessen war, was Büchner mit 10 Louisdor von Sauerländer für die beiden Drucke seines *Danton* im vorausgegangenen Jahr erhalten hatte.[6]

Leicht verständlich also, daß Büchner, der während und nach der Arbeit an seiner naturwissenschaftlichen Dissertation »eine Zeitlang vom lieben Credit leben« mußte, hier die Gelegenheit sah, sich »in den nächsten 6-8 Wochen Rock und Hosen aus meinen großen weißen Papierbogen, die ich vollschmieren soll, [zu] schneidern«, wie er es in seinem Brief an Boeckel vom 1. Juni 1836 ausdrückte.[7]

Auch die Tatsache, daß er sein Stück nach Stuttgart senden und damit mutmaßlich dem Urteil desjenigen Wolfgang Menzel unterwerfen würde, der mit seiner Kampagne erst gut ein halbes Jahr zuvor die gesamte

4 Lewald an Cotta, Stuttgart, 23. Januar 1836, a.a.O., (*Cotta Br.*).
5 Ebd.
6 Auch zu anderen Vergleichswerten s. Michael Werner: *Genius und Geldsack. Zum Problem des Schriftstellerberufs bei Heinrich Heine.* – [Hamburg u. Düsseldorf] 1978 (= Heine-Studien), S. 58ff.
7 *HA* II/457.

literarische Opposition proskribiert und Gutzkow sogar in Haft gebracht hatte, scheint ihn dabei nicht gehindert, sondern vielleicht eher noch mit Witz und Hintersinn beflügelt zu haben.

Mit diesen Ausgangsbedingungen sind wir aber auch schon am Ende des sachlich und chronologisch verläßlichen Terrains, denn bereits Büchners Ankündigung vom 1. Juni, er werde »in den nächsten 6-8 Wochen« seine »Papierbogen [...] vollschmieren«, paßt weder zu dem angesetzten Einsendeschluß vom 1. Juli noch zu der – inzwischen sehr fragwürdigen – Verlängerung »fast um zwei Monate«, von der die Forschung bislang ausging.

Was diese ominöse Verlängerung betrifft, so hat zuerst Fritz Bergemann von einer »bis Ende August verlängerte[n] Frist«[8] gesprochen, und zwar anscheinend auf Grund einer neuerdings auch von Jürgen Sieß[9] zitierten Quelle, des Zweiten Jahrgangs der *Allgemeinen Theater-Revue*, in deren »Vorwort« August Lewald allerdings erst am 2. Dezember 1836 rückblickend folgende Darstellung gab:

> »Die Beurtheilung der eingesandten Preisstücke verzögerte die Ausgabe [des schon für Oktober 1836 angekündigten Zweiten Jahrgangs der *Theater-Revue*, der jetzt erst Anfang 1837 erscheinen konnte, T. M. M.]. Die Aufforderung der Verlagshandlung hatte die Folge, daß über 60 Stücke einliefen, und obgleich der anfänglich anberaumte Termin fast um zwei Monate hinausgeschoben wurde, so kamen doch noch spätere Einsendungen an, die wir nicht mehr zur Concurrenz zulassen konnten«.[10]

Walter Hinderers aus Sieß' Teilzitat gezogene Darstellung, als sei die »Einsendefrist [...] durch eine Bekanntmachung in der ›Allgemeinen Theater-Revue‹ um ›fast zwei Monate‹ verlängert« worden[11], trifft demnach nicht zu; es wäre nicht nur eine merkwürdige »Bekanntmachung«, die eine Frist nur ungefähr verlängert, sondern überhaupt ließ sich natürlich weder im Ersten Jahrgang der *Theater-Revue,* der ja bereits Anfang 1836 ausgeliefert war, noch in deren Zweitem Jahrgang, der erst Anfang 1837 erschien, noch auch im *Morgenblatt* oder der *Allgemeinen Zeitung* und in all deren Beilagen eine entsprechende öffentliche Notiz nachweisen, die es doch hätte geben müssen, wenn von einer regulären ›Verlängerung‹ die Rede sein sollte.

Dagegen gibt es zwei deutliche Indizien, die – zusammengenommen – nahelegen, daß Lewalds vage Darstellung einer Verlängerung um »fast [...] zwei Monate« einen bestimmten, wahrscheinlich rechtfertigenden Zweck verfolgte.

Zunächst können wir einem Brief Lewalds schon vom 12. Juli 1836, der auf eine diesbezügliche Anfrage durch ein Billett Cottas vom 10. Juli

---

8 Büchner: *Werke und Briefe,* hg. v. Bergemann. – München: dtv. 1965, S. 344.
9 Jürgen Sieß: *Zitat und Kontext bei Georg Büchner. Eine Studie zu den Dramen »Dantons Tod« und »Leonce und Lena«.* – Göppingen 1975 (= Göppinger Arbeiten zur Germanistik, Nr. 147), S. 114, Anm. 16.
10 *Allgemeine Theater-Revue.* Herausgegeben von August Lewald. Zweiter Jahrgang. – Stuttgart und Tübingen: Cotta 1836, S. III (Exemplar des Theatermuseums München, durch freundliche Vermittlung von Tina Krüger). – Zur Rolle Wolfgang Menzels vgl. McKenzie, S. 61.
11 Hinderer, S. 129 u. 81.

antwortete, entnehmen, daß Lewald bereits um diese Zeit, also keine 14 Tage nach Ablauf der regulären Frist, mit der Sichtung der eingegangenen Bewerbungen beschäftigt war:

»Ich beeile mich Ihnen hiermit [. . .] zu erwidern, daß ich bemüht bin, mich durch den Wust von Lustspielen durchzuarbeiten, u in wenigen Tagen damit zu Rande zu kommen hoffe. Ich werde dann sogleich die zur Circulation bestimmten Werke übergeben, u die anderen können ungesäumt an die Verf. zurückgehen.«[12]

Daß nach diesem Modus (nämlich auf Grund von Lewalds Vorentscheidung genau acht ›gute‹ Stücke unter den Preisrichtern ›circuliren‹ zu lassen[13], die ›schlechten‹ dagegen auf der Stelle zu retournieren) in der Tat einigermaßen rigoros verfahren wurde, dies scheint auch der Brief eines der meistgespielten Dramatiker und Lustspielautoren der Zeit, Eduard von Bauernfelds (1802-1890)[14], zu bestätigen, der sich am 24. Oktober 1836 aus Wien hörbar bei Cotta beklagte:

»Geehrter Herr Baron!
Bei meiner Ankunft in Wien fand ich mit Erstaunen das Manuscript meines 2aktigen Lustspiels ›Das Tagebuch‹ wieder, welches ich im Juni zur Preisbewerbung nach Stuttgart gesendet hatte, und welches mir zurückgeschickt wurde, da es zufällig den Einsendungstermin um einige Tage überschritten hatte.«[15]

Eduard von Bauernfeld war es also nicht anders ergangen als Georg Büchner – nur mit dem Unterschied, daß jenes dem Verleger und der Jury peinlicher war als dieses. Lewald schrieb denn auch unmittelbar im Anschluß an die oben zitierte Passage im »Vorwort« des Zweiten Jahrgangs der *Theater-Revue:*

»Wir haben jetzt in Erfahrung gebracht, daß sich unter diesen Spätlingen Arbeiten eines unserer ausgezeichnetsten Bühnen-Dichter befanden, und müssen es daher doppelt bedauern, daß sie nicht zur rechten Zeit eingetroffen sind.«[16]

Wer immer damit gemeint sein mochte, Bauernfeld oder einer der anderen Favoriten Lewalds, Büchner war es sicher nicht.

Ohne damit allen denkbaren Imponderabilien gerecht zu werden, gewinnt man doch insgesamt den Eindruck, daß spätestens um Mitte Juli 1836, als Lewald »durch den Wust« hindurch war, das ›ungesäumte Zurückgehen‹ einsetzte und unter diesen Rückgängen sich auch die Stücke von Büchner und Bauernfeld befanden, die – damalige Postwege einberechnet, und bei Bauernfeld ja ausdrücklich – gut schon Ende »Juni«, vielleicht Anfang Juli auf den ›Hinweg‹ gegangen sein konnten. Nachträglich mag sich dann Lewald, möglicherweise auf Geheiß des durch v. Bauernfelds Brief beeindruckten Barons Cotta, die Zeit von Anfang bis Mitte Juli, in der sich der »Wust« vielleicht wirklich noch unter der Hand

12 Lewald an Cotta, 12. Juli 1836, a.a.O., (*Cotta Br.*). Vgl. McKenzie, S. 60.
13 Vgl. auch *Allgemeine Theater-Revue*, a.a.O., S. IV.
14 Vgl. Friedrich Sengle: *Biedermeierzeit. Deutsche Literatur im Spannungsfeld zwischen Restauration und Revolution 1815-1848*, Bd. II. – Stuttgart 1972, S. 407 ff., 422 ff. u. ö.; Horst Denkler: *Restauration und Revolution. Politische Tendenzen im deutschen Drama zwischen Wiener Kongreß und Märzrevolution*. – München 1973, S. 193 ff., 309 ff. u. ö.
15 Bauernfeld an Cotta, Wien, 24. Oktober 1836, a.a.O., (*Cotta Br.*). Vgl. McKenzie, S. 69.
16 Wie Anm. 10.

durch Nachzügler vermehrte, als ›fast zwei Monate‹ dargestellt haben, um immerhin bei ernsten Protesten noch ein Mehreres etwa auf die Postwege schieben zu können.

Jedenfalls: Wenn nicht Eduard v. Bauernfeld seinerseits den Absendetermin seines *Tagebuchs* zur Ausschmückung der Beschwerde wegen Kleinlichkeit auf Ju*no* zurückdatierte und wenn auch er offensichtlich von einer Verlängerung nichts wußte, dann dürfte auch Büchner (in Straßburg nicht ganz so weit von Stuttgart wie Wien von dort) spätestens um den Monatswechsel Juni/Juli und nicht, wie man bislang mit einigen Schwierigkeiten annehmen mußte, erst Anfang September sein Lustspiel abgeschickt haben. Des Dichters überaus praller Sommer 1836 wäre damit doch auch etwas übersichtlicher zu periodisieren.

Zu den gedachten Imponderabilien, über die sich im Cotta-Archiv vorläufig keine näheren Anhaltspunkte finden ließen, denen aber auch in Briefen und Nachlässen weiterer Lustspiel-Einsender sowie der Stuttgarter Juroren Lewald, Georg Reinbeck und Carl Seydelmann nachgegangen werden sollte, zählen etwa folgende Fragestellungen:

Gab es nicht vielleicht doch eine interne Benachrichtigung betreffs Verlängerung der Frist an solche Bewerber, die sich danach besonders erkundigten oder schon vorher nähere Bedingungen erfragt hatten? Oder gab es eine öffentliche Benachrichtigung auf anderen, vielleicht buchhändlerischen Wegen? Wie war generell das Procedere der »Schiedsrichter«, und kamen überhaupt noch (ggf. bis wann) »Spätlinge« nach Mitte Juli in jene »Circulation«, aus der dann Wolfgang Gerle und Uffo Horn mit ihrem Lustspiel *Die Vormundschaft* siegreich hervorgehen sollten? Immerhin gab es dabei feste Regeln, »das Urtheil« etwa »erfolgte schriftlich und versiegelt, ohne daß die Schiedsrichter sich darüber Mittheilungen gemacht hätten.«[17]

Was Büchners Seite betrifft, so würde die Absendung wenigstens einer ersten, vermutlich ausschreibungsgemäß nur zwei- und nicht dreiaktigen Fassung von *Leonce und Lena* schon Ende Juni/Anfang Juli zwar einige zusätzliche Schwierigkeiten beim Verständnis seines Briefes vom 2. September bereiten, in dem er seinem Bruder Wilhelm schrieb, er sei »gerade daran, sich einige Menschen auf dem Papier todtschlagen oder verheirathen zu lassen, und bitte den lieben Gott um einen einfältigen Buchhändler [Cotta?! T. M. M.] und ein groß Publikum mit so wenig Geschmack, als möglich«[18], was sich in dieser Reihenfolge gut auf die Arbeit an *Leonce und Lena* und *Woyzeck* beziehen konnte. Indessen mußte schon im Fall einer Verlängerung der Einsendefrist »fast um zwei Monate«, also auf Ende August, entweder von einer Weiterarbeit an der bereits eingeschickten Komödie oder aber von einer Stilisierung der von Lud-

17 Ebd., S. IV.
18 *HA* II/460.

206

wig Büchner berichteten Dichtergeschichte ausgegangen werden, nach der Büchners »Trägheit im Abschreiben des Concepts [. . .] ihn leider die Zeit versäumen [ließ]; er schickte das Manuscript zwei Tage zu spät, und erhielt es uneröffnet zurück.«[19] Auch der weitere Brief vom September an die Familie, in dem es heißt, er »habe [s]eine zwei Dramen noch nicht aus den Händen gegeben«[20], verträgt sich, wenn *Leonce und Lena* mitgemeint sein soll, kaum mit weniger als zwei Monaten Verlängerung und dann nur »zwei Tagen« Verspätung.

Als schwächstes Kettenglied in dieser widersprüchlichen Datenreihe ist nun zwar auf Anhieb eben jenes bedauernswerte Malheur einer nur 48stündigen Verspätung auszumachen, das gewissermaßen im Rahmen bestimmter, nämlich deutscher Dichterbiographien und -legenden, wie sie auch bei Büchner nicht wenige Blüten getrieben haben[21], zu schön paßt, um noch wahr zu sein. Diese 48 Stunden lassen sich jetzt auch dann und um so mehr bezweifeln, als hier einmal nicht die Familie, also Ludwig Büchner, der ja sonst doch immer auch durch nicht veröffentlichte, später verbrannte Briefe und Briefteile Georgs unterrichtet gewesen sein kann, die alleinige Patenschaft der Information hat, sondern sie sich mit Gutzkow und über diesen offenbar mit Minna Jaeglé zu teilen scheint. Gutzkow nämlich veröffentlichte im September 1837 (zu der Zeit, als er mit Büchners trauernder Verlobter u. a. auch wegen *Leonce und Lena* in Briefwechsel stand) im *Telegraphen* folgende Notiz:

»Zwei Tage nach dem Termin, welchen die J. G. Cotta'sche Buchhandlung für das beste Lustspiel setzte, lief von *G. Büchner*, dem verstorbenen talentvollen Dichter, eines ein, und würde jedenfalls die *Vormundschaft* übertroffen haben.«[22]

Dies dürfte dann Ludwig Büchners Quelle gewesen sein, und worauf sich seine zusätzliche Information über Georgs »Trägheit im Abschreiben des Concepts« stützte, stehe dahin; vielleicht war es stilvoller als nur einfach nicht Fertigwerden.

Dennoch bleibt insbesondere die zweite zitierte Briefstelle vom »September« (»zwei Dramen noch nicht aus den Händen gegeben«) schwer zu beurteilen; sie schien auch Ludwig Büchner »räthselhaft«[23] – und wohl nicht nur, weil er sich das »ziemlich weit gediehene Fragment eines bürgerlichen Trauerspiels ohne Titel«, also *Woyzeck [und Marie]*[24], nur widerwillig als das zweite gemeinte Drama vorstellen wollte. Doch gerade der für Ludwig Büchners Zweifel hier maßgebliche Grund bringt uns auf die Spur des vermutlichen Sachverhalts. Ludwig Büchner teilte nämlich unmittelbar vor dem auch von ihm nur auszugsweise zitierten Brief vom September mit, Georg habe »von zwei fertigen Dramen schon

19 *N*, S. 37.
20 *HA* II/460 und *N*, S. 37.
21 Vgl. *GB I/II*, S. 385, 594f.
22 *Beurmann's Telegraph* [d. i. *Der Telegraph* bzw.: *Frankfurter Telegraph*] (Neueste Folge) No. 41, Sept. 1837, S. 328.
23 *N*, S. 59.
24 Ebd., vgl. die folgende Miszelle.

in früheren Briefen gesprochen«[25], also vor September. »Fertig« ist ein
relativer Ausdruck, zumal in dem Brief eines ›Schwarzen Schafes‹ an seine Eltern, in dem es nicht zuletzt um eine Art ›Leistungsnachweis‹ ging.
»Fertig«, aber »noch nicht aus den Händen gegeben« – damit konnte im
September (um von anderen Kombinationen wie Unsicherheiten der
Briefdatierung bei Ludwig Büchner, wie *Pietro Aretino* und/oder einer
verschollenen *Woyzeck*-Endfassung abzusehen) gut das aus Stuttgart
längst wieder ›zurückgegangene‹ und inzwischen von zwei auf drei Akte
gebrachte Lustspiel sowie das ›bürgerliche Trauerspiel ohne Titel‹, also
Leonce und Lena zusammen mit *Woyzeck* oder auch *Woyzeck und Marie*
gemeint sein. Die quasi rechtfertigende Formulierung: doch (gegenüber
früheren Berichten in Briefen oder mündlich beim Straßburg-Besuch[26]
der Mutter und Schwester im Sommer 1836?) »noch nicht aus den Händen gegeben« muß sich ja ohnehin wenigstens für das zweite Drama auf
das Projekt einer eigenen selbständigen Veröffentlichung beziehen; warum nicht den eilends gefaßten, in Zürich Anfang 1837 um ein weiteres
Drama[27] ergänzten Plan, zwei Stücke gemeinsam in einem Band drukken zu lassen? Die Enttäuschung über die »uneröffnet« zurückgegangene Preisbewerbung niederzukämpfen durch eine inhaltlich noch attrak-
tivere, finanziell wenigstens vergleichbar einträgliche Publikation, dies
schiene mir Büchners »Naturell« am ehesten zu entsprechen und die unklare Quellenlage zur Situation um Anfang September plausibel aufzu-
klären. Daß ein solcher Plan, dessen vermutlichen, schönen Sinn die folgende Marginalie darzulegen versucht, dann doch aufgeschoben wurde,
und zwar weil sich gewissermaßen eine nichtpoetische ›Kompensation‹
anbot, dies würde sich auch zeitlich stimmig mit der am 3. September
durch die Zürcher Fakultät verliehenen Doktorwürde erklären lassen,
einer Nachricht, die Büchner spätestens um den 10./15. September erhalten haben muß und auf die er umgehend mit dem Ersuchen um Ein-
reisepapiere am 22. und mit der Bewerbung um eine Privatdozentur am
26. September reagierte.[28]

Das Lesen und Verstehen der höchst fragmentarischen Quellen zu
Büchners kurzem Leben, das dennoch in entscheidenen Phasen durch
weiße Flecken der Überlieferung verunklärt war, mag kompliziert und
sogar ermüdend sein. Und auch wenn sich, wie generell in den Wissenschaften, ohne immerhin weitestmöglich begründbare und begründete
Hypothesen die weiter verbliebenen Lücken nicht überbrücken lassen,
so hat die engere biographische Forschung als eine relativ bescheidene
Hilfswissenschaft doch ihre notwendige Berechtigung, und sie findet ge-

---

25 Ebd., S. 37. Daß diese Problematik der Forschung nicht schon längst allgemein bewußt wurde, liegt u. a. an der
   auch in W. R. Lehmanns Büchner-Edition nicht aufgegebenen getrennten Publikation der Briefe von und an Büchner (bei fehlenden Regesten erschließbarer Briefe).
26 Ebd., S. 53.
27 *HA* II/464.
28 Vgl. *GB I/II*, S. 417f.

rade bei Büchner nicht zuletzt auch darin ihre befriedigenden Resultate, daß sie bislang mit jedem neu auftauchenden Dokument den Nebel jenes Befremdlichen, Merkwürdigen, unzusammenhängend Sprunghaften und teilweise als nur exaltiert Verstandenen lichten konnte. An dessen Stelle traten noch immer einsichtige Zusammenhänge, Witz und Realismus, ja die eher pragmatische Konsequenz dieser Biographie.

Das hier ausgebreitete Quellenmaterial erlaubt noch eine weitere solche Hypothese, die sich auf die Evidenz berufen kann – und dasselbe belegt. Sie betrifft die zuletzt von Kurt Ringger kenntnisreich abgeklopfte, jetzt von Wolfgang Proß[29] bei Goldoni geortete »Vorrede« zu *Leonce und Lena,* die beiden fiktiven, »aber assoziationsintensiv arrangiert[en] Fragen«:

Alfieri: »E la fama?«
Gozzi: »E la fame?«,

die »ein ganz persönliches Spannungsfeld im Leben Büchners ironisch signalisieren und mithin wirkungsvoll maskieren.«[30]

Nicht nur und wahrscheinlich sogar weniger diese persönlichen Hintergründe des auf öffentliche und finanzielle Anerkennung bedachten Autors scheinen für die »Vorrede« maßgeblich, wenn man sich vor Augen hält, daß es sich bei ihr vermutlich um die (etwa im August/September dann nur umbenannte) sog. »Devise« gehandelt haben dürfte, d. h. jenes in der Ausschreibung des Lustspiel-Wettbewerbs ausdrücklich geforderte, versiegelte Zettelchen mit einem Wahl-, Denk- oder Sinnspruch, das für die Schiedsrichter die namentliche Identität des Verfassers ersetzte, um ihnen eine unbefangene Entscheidung zu ermöglichen. Lewald beschreibt die Ermittlung der Gewinner, nachdem sich alle Juroren einhellig für das Stück *Die Vormundschaft* entschieden hatten, folgendermaßen:

»Der Zettel mit dem Motto von Chamisso wurde hierauf geöffnet. Er enthielt die Namen: W. A. Gerle, und Uffo Horn.«[31]

Was Büchner den beiden ersten Akten seines Lustspiels als gesonderte Motti voranstellte, die Zitate aus Shakespeare und ebenfalls Chamisso[32],

29 Vgl. den betr. Beitrag weiter unten im vorliegenden Band.
30 Kurt Ringger: *Büchner zwischen FAMA und FAME.* In: *Archiv f. d. Studium der neueren Sprachen und Literaturen,* 213. Bd., 128. Jg. (1976 I), S. 100-104, hier S. 104. Vgl. auch Rudolf Majut: *Studien um Büchner. Untersuchungen zur Geschichte der problematischen Natur.* – Berlin 1932, S. 9ff. (im Abschnitt: »Büchner und das italienische Theater«).
31 Wie Anm. 10, S. V. – Die Darstellung von McKenzie, S. 61, ist hier unpräzise.
32 »ERSTER ACT

O wär' ich doch ein Narr!
Mein Ehrgeiz geht auf eine bunte Jacke.
Wie es Euch gefällt.«

»ZWEITER ACT

Wie ist mir eine Stimme doch erklungen
Im tiefsten Innern,
Und hat mit Einemmale mir verschlungen
All mein Erinnern.

Adalbert von Chamisso«   (*HA* I/105, 118).

waren möglicherweise die Alternativen seiner Überlegung zu einer »Devise«, mit denen jedoch jeweils nur die eine Seite einer Polarität seiner Absichten gefaßt war, ohne die Narrenrolle des Autors und zugleich das Bekenntnishafte in ein Zitat zusammenzuführen. Daß der Dritte Akt kein Motto trägt, ließe im übrigen sogar auf eine nachträgliche Umgruppierung von ursprünglich zwei zu später drei Akten schließen.

Die Entscheidung zugunsten der Alfieri- und Gozzi-›Zitate‹ aber bekäme – für die Jury des Cotta-Verlags und nicht zuletzt ja für Wolfgang Menzels Hände bestimmt – einen nicht nur den Autor privat betreffenden, sondern zugleich diskret auf die allgemeine Situation anspielenden Sinn: *Unsere* Frage ist: Wer bekommt den Ruhm? Eine *andere* Frage ist: Wie sieht es mit dem Hunger aus? Daß es sich dabei weniger um den ja gewiß nur metaphorischen Hunger des Autors handelte[33] als um denjenigen etwa der Bauern, das möchte man Büchner zutrauen. Welche theoretischen Assoziationsreihen, aber auch welche politischen Konsequenzen und Absichten sich mit dem *Hunger* für Büchner immer zwingend verstanden, dies hätten die Preisrichter insbesondere aus den Anspielungen der Szene *vor dem Schlosse,* in der von »Cocarden« die Rede ist und in der die Jubelbauern Tannenzweige wie im *Macbeth* vor sich halten, vielleicht ahnen können, ohne freilich als potentielle Vor- und Radikalzensoren so sicher zu sein, wie es uns heute möglich ist.

In Chamissos Gedichtzyklus *Die Blinde,* aus dem Büchner hier anscheinend nach dem Gedächtnis zitiert, lautet die erste Strophe des 2. Stücks:

»Wie hat mir *einer* Stimme Klang geklungen
Im tiefsten Innern,
Und zaubermächtig alsobald verschlungen
All mein Erinnern!«

(Chamisso: *Sämtl. Werke,* Bd. 1. – München: Winkler o. J., S. 161; Erstdruck des Zyklus im *Deutschen Musenalmanach für 1834,* sodann in der zweiten Auflage der bei Cotta verlegten *Gedichte* sowie in der Ostern 1836 erschienenen *Werk*ausgabe).

33 »... Sie sollen noch erleben, zu was ein Deutscher nicht fähig ist, wenn er Hunger hat. Ich wollte, es ginge der ganzen Nation wie mir« (Büchner an Gutzkow, Straßburg, um 12.-15. März 1835, *HA* II/436). Aber: »Ruhm will ich davon haben, nicht Brot« (mündliche Äußerung, nach einer von Franzos nicht genannten Quelle, F, S. CLXII).

Wozzeck – Woyzeck – Woyzeck und Marie
Zum Titel des Fragments

Es gibt Konventionen, gegen die wahrscheinlich nicht anzukommen ist. Allein die Beharrungskraft des Gewöhnten würde natürlich verhindern, daß von zwei gleichwertig begründeten Hypothesen, einer althergebrachten und einer jüngeren Datums, die neu formulierte sich durchsetzte. Gälte dies auch, wenn die neuere immerhin um einiges mehr begründbar wäre?

Die Rede ist beileibe nicht davon, Alban Bergs unter ihrem Namen eigenständig gewordene Oper *Wozzeck* nach der seit 1920 bekannten richtigen Lesung umzutaufen; sondern es geht um nichts weniger als um den gebräuchlichen Titel von Büchners Fragment selbst, dessen Handschriften an keiner Stelle ihren vom Autor etwa beabsichtigten Titel tragen oder auch nur verraten und das auch der Bruder Ludwig Büchner als ein »ziemlich weit gediehene[s] Fragment eines bürgerlichen Trauerspiels ohne Titel«[1] bezeichnet hat.

Obgleich in der Forschung zuletzt Egon Krause deutlich darauf hingewiesen hatte, daß »[k]eine der Handschriften [. . .] mit einem *Titel* versehen« sei[2], wurde das Problem erst unlängst durch den Regisseur Manfred Karge allgemein bewußt gemacht, der das Stück zusammen mit Matthias Langhoff in Bochum inszenierte und auch die Rolle des Woyzeck spielte. Aus dem gemeinsamen Verständnis des Teams, das nicht zuletzt die Rolle der Marie fürs Ganze wichtiger nahm als – auch in der Forschung – jemals zuvor (»Marie ist der Dreh und Angelpunkt der Geschichte«[3]), hat Karge den nichtautorisierten Titel verworfen, und das Schauspielhaus Bochum gab Büchners Stück in der Spielzeit 1980/81 unter dem Namen *Marie. Woyzeck,* der sich u. a. auf die Szenenüberschrift von H 4,7 stützen kann.

Ohne daß Büchner – und gerade mit diesem Stück[1] – auf Zeitkonventionen festzulegen wäre, sollte immerhin die Wahrscheinlichkeit geprüft werden, mit der ein Lapidartitel wie *Woyzeck* 1836/37 überhaupt denkbar war – oder ob er nicht vielmehr der Zeit um 1879 gemäß ist, als sich Franzos z. B. von Wilhelm Raabes Roman *Horacker* (1876) konnte inspirieren lassen. *Faust* und *Merlin* (Immermann, 1832) z. B. wären dagegen noch historisch und mythologisch bekanntere Namen, allerdings gibt es etwa (1830) Balzacs *Gobseck*.

Aber gibt es nicht auch Büchners *Lenz*? Es ist erstens kein Titel eines Namenlosen, sondern der Name des Dichters; und vor allem ist auch *Lenz* alles andere als ein autorisierter Titel der Erzählung, d. h. umständlich ganz genau: des Fragments eines Entwurfs einer Erzählung. Hubert Gersch weist mich darauf hin (und wird dies noch ausführlich erörtern), daß aus ästhetischen, erzählökonomischen Gründen ein Verhältnis von Titel und Erzählanfang wie

»Lenz.
Den 20. ging Lenz durch's Gebirg. [. . .]«

kaum denkbar ist.

---

1 *N*, S. 39. – F gibt als Titel: *Wozzeck. Ein Trauerspiel-Fragment.*
2 Büchner: *Woyzeck.* Krit. hrsg. von Egon Krause. – Frankfurt 1969, S. 80; vgl. ebd., S. 12, 78–81.
3 Vgl. den Programmheft-Beitrag von Matthias Langhoff: *Zu Büchners WOYZECK – Sehnsucht nach einem Theater des Asozialen* (abgedruckt auch in: *Theater heute* 22 [1981], H. 1, S. 24–39, hier S. 36).

Danton's Tod, Leonce und Lena, die beiden autorisierten, schlichten Titel der abgeschlossenen Werke Büchners, entsprechen den seit Shakespeare überlieferten Mustern. Ihre Untertitel *Ein Drama* bzw. *Ein Lustspiel* (letzteres handschriftlich nicht gesichert) lassen einige gattungstheoretische Kenntnisse und Bestimmtheit erkennen.[4]

Wie könnte man sich in diesen Koordinaten einen *Woyzeck* nebst Untertitel denken?

Mir scheint, die bekannte, im Zusammenhang der vorangehenden Miszelle bereits zitierte Briefpassage vom 2. September 1836, nach der Büchner »gerade daran« war, »sich einige Menschen auf dem Papier todtschlagen oder verheirathen zu lassen«[5], kann uns in ihrer typischen[6], obzwar locker ironischen Bezogenheit eine Richtung weisen.

Wäre es nicht denkbar, daß Büchner unter dem ebenfalls vorerläuterten Eindruck der Rücksendung seines *Lustspiels* im Herbst 1836 einen Plan faßte, der beide vorbereiteten Stücke in eine ernsthaftere Bezogenheit setzte? Gewissermaßen als die im Schweizer Exil[7] beschönigungslos mögliche Sicht auf zwei gegensätzliche ›Liebes‹paare an den beiden äußersten Polen der deutschen Sozietät; etwa in der Form:

<table>
<tr><td align="center">*Leonce und Lena*
Ein Lustspiel.</td><td align="center">*Woyzeck (Franz)*[8] *und Marie*
Ein Trauerspiel.</td></tr>
</table>

Da beide Stücke zusammen in der Tat wie keine anderen in der Epoche das Ganze der staatlichen, ideologischen[9], sozialen und emotionalen Verhältnisse von ganz unten bis ganz oben in der zugleich revolutionierten Kunstform des Dramas erfaßten, warum soll ihr poetologisch hochinformierter Autor dem nicht auch in den Titeln seiner Werke Ausdruck gegeben, zu geben gedacht haben?

---

4 Vgl. Alfred Behrmann / Joachim Wohlleben: *Büchner: Dantons Tod. Eine Dramenanalyse.* – Stuttgart 1980, S. 63 bis 65. – Die Terminologie der heiteren Gattung ist demgegenüber weniger prägnant, die Überlieferung des Untertitels unsicherer, und *Ein Lustspiel* wäre (im nur minimalen Unterschied etwa zu *Komödie*) auch durch den Wortlaut der *Preisaufgabe* vorgegeben.

5 *HA* II/460.

6 »... die Leute [...] studiren aus Langeweile, sie beten aus Langeweile, sie verlieben, verheirathen und vermehren sich aus Langeweile und sterben endlich [aus] Langeweile« (*HA* I/106).

7 Daß der Kontakt mit Gutzkow im Herbst 1836 tatsächlich abgebrochen (vgl. *GB* I/II, S. 416) und damit die minimalen Publikationschancen Büchners in Deutschland noch gesunken waren, wird nun auch durch die Tatsache bestätigt, daß Gutzkow Büchner noch im Februar 1837 in Straßburg glaubte (vgl. K[arl] G[utzkow]: *Der Vogel Phönix.* – In: *Frankfurter Telegraph,* No. 14, Februar 1837).

8 Diese Frage könnte nicht nur unter dem bekannten Aspekt (Woyzeck und Marie gegenüber z. B. Hauptmann, Doktor), sondern auch unter dem eine gewissen, freilich ähnlich gefühlsmäßig begründeten ›Inkonsequenz‹ der Sprecherbezeichnungen des Revolutionsdramas (Danton, aber Camille) reflektiert werden.

9 Vgl. besonders den Beitrag von Henri Poschmann oben in diesem Band.

Warum friert's die Köchin?

Im ersten oder zweiten Szenenverband der bekannten *Woyzeck*-Ausgaben, dem sog. »Mordkomplex«, genauer in der eigentlichen Mordszene selbst, kommt ein Satz vor, mit dem Marie (in dieser Textstufe noch: Margreth) anscheinend mit plausiblen Gründen gerade noch rechtzeitig das Weite suchen will:

»Ich muß fort das Nachtessen richten«,

sagt sie, während Woyzeck/Louis sie fast *schweigend* bedroht; jedenfalls sagt sie das so in allen Editionen des *Woyzeck* von Bergemann über Lehmann bis Bornscheuer, seit Witkowski die Stelle 1920 erstmals in dieser Form falsch entziffert hat. Lediglich Egon Krause läßt Marie 1969 sagen: »Ich muß fort das Nachtessen halten«, wobei nicht nur Krauses Lesartenapparat offenlegt, daß auch hierfür einige Buchstaben des Manuskripts fehlen würden, sondern womit er in beinahe noch peinlichere Nähe dessen kommt, was den Satz schon immer ›falsch‹ klingen ließ: Nachtessen bereiten, Nachtmahl halten, nachtmahlen . . .

Abgesehen von solchen Zungenschlägen mußte Woyzecks unmittelbare Antwort an die plötzlich so eifrige Köchin – nämlich ›ein. »Friert's dich, Ma[rg]reth, und doch bist du warm« – bislang als schlechterdings surrealistisch erscheinen.

Um es kurz zu machen, und damit in erster Linie die Aufmerksamkeit auf die philologisch und technisch vorzügliche Farbfaksimile Ausgabe aller *Woyzeck*-Handschriften nebst buchstabengetreuer Umschrift hinzulenken, die Gerhard Schmid von den ›Nationalen Forschungs- und Gedenkstätten der Klassischen deutschen Literatur / Goethe- und Schiller-Archiv in Weimar‹ kürzlich vorgelegt hat[1] und in der sich die Lösung findet: Die Stelle lautet in der Handschrift eindeutig, und kann auch eindeutig nur so lauten:

Ma[r]g[re]th. Ich muß fort der Nacht[t]hau fal[l]t.
Loui[s]. Friers' dich Ma[rg]reth, und doch bist du warm. Was du heiße Lippen hast! (heiß, heiße Hurenathem) und do[c]h möcht' ich den Himmel gebe sie no[c]h einmal zu küsse . . . und wenn man kalt ist, so friert man nicht mehr. Du wirst vo[m] Morgen[t]hau ni[c]ht fr[i]e[ren].«

Nachtthau/Morgenthau – und selbstredend nicht Nachtessen/Morgenthau; wie man sich jetzt an den Kopf schlägt. Georg Büchner war ein erstklassiger Dramatiker, »durch und durch ein Dichter«, wie Wilhelm Schulz urteilte, und jedenfalls nicht Sudermann.

---

1 Georg Büchner: *Woyzeck. Faksimileausgabe der Handschriften.* Bearbeitet von Gerhard Schmid. – Leipzig 1981 [desgl. Wiesbaden: Dr. Ludwig Reichert Verlag 1981] (= Manu scripta. Faksimileausgaben literarischer Handschriften. Hrsg. von Karl-Heinz Hahn, Bd. 1). [Mit 46 Folio-S. Farbfaksimiles, 46 S. *Transkription,* 67 S. *Kommentar* u. 59 S. *Lesartenverzeichnis*]. Ausführliche Rezension im folgenden Band des Jahrbuchs, vgl. aber bereits den von Heinz Ludwig Arnold hrsg. Band *Georg Büchner III.* – München 1981.

»Boire sans soif . . .« in Zürich
oder: Büchner-Miszellen

Die *Deutsche Vierteljahrsschrift* des Jahrgangs 1978 enthält zwei Büchner-Miszellen von Richard Thieberger (Heft 3, S. 521) und – hierauf bezüglich – von Peter Michelsen (Heft 4, S. 691), die beide gleichermaßen und in vieler Hinsicht, wenn auch en miniature, symptomatisch für den gegenwärtigen Zustand der Büchner-Forschung sind.

Thieberger teilt einen Text mit, der seit mehr als einem halben Jahrhundert in der kritischen Ausgabe Bergemanns von 1922[1] gedruckt vorliegt und der seit Jahren als wörtliches Zitat aus Beaumarchais' *Figaro* (II, 21) nachgewiesen ist.[2]

Die Unkenntnis der ersteren Tatsache verstellt Thieberger den Blick auf praktisch das einzige stichhaltige Ergebnis seiner Miszelle, nämlich die in einem Punkt gegenüber Bergemanns Lesung korrektere Zitation »ça« statt »ce« in jenem von Büchner zum Aphorismus (?) umgewandelten oder als solchen aufgeschnappten Dramendialog:

> »Boire sans soif et faire l'amour en
> tout temps, il n'y a que ça qui
> nous distingue des autres bêtes.
> *G. Büchner.*«

Thieberger liest, wie gesagt – und aus dem nebenstehenden Faksimile leicht ersichtlich –, innerhalb des Textes besser als Bergemann. Es fehlt jedoch der von Bergemann richtig gesetzte Punkt nach dem Text, und ganz irrig liest Thieberger die Unterschrift, die er – obgleich der Text eigener Bekundung zufolge »nach einiger Mühe« »einwandfrei zu entziffern« war – mit »Georg Büchner« wiedergibt, während tatsächlich abgekürzt »G. Büchner.« dasteht. Was diese erste Miszelle auch sonst alles hinzudichtet, werden wir noch sehen. Wenden wir uns erst zur zweiten.

Michelsen stellt fest, die bewußten drei Zeilen habe » – mit einem kleinen Lesefehler: ›ce‹ statt ›ça‹ – schon Fritz Bergemann [. . .] 1922 abgedruckt«. Zwei Drucke also lagen Michelsen vor, die an vier (ja fünf: »c«, »ç«) Stellen voneinander abweichen. Bergemann und Thieberger haben immerhin das Dokument selbst »in Augenschein« genommen. Auf welcher Basis entscheidet Michelsen die Frage, welcher der beiden Hrsg. die nicht unkomplizierte (weil überwiegend, aber nicht konsequent lateinisch notierte) Handschrift ›fehlerhaft‹ gelesen habe? Es trifft wohl zu, daß der an Büchners deutsche Schreibschrift gewöhnte Bergemann das eigenartige *a* in »ça« (das von den betr. Buchstaben in »faire«, »amour«

---

1 *SW*, S. 765, Anm. 1.
2 Vgl. M. B. Benn: *Büchner and Gautier.* – In: *Seminar* IX, H. 3, Okt. 1973, S. 204ff., sowie danach auch vom selben Autor die wohl beste bislang überhaupt vorliegende Büchner-Monographie: *The Drama of Revolt. A critical study of Georg Büchner.* – Cambridge, London u. a. 1976, S. 61 u. 282 (Anm. 30).

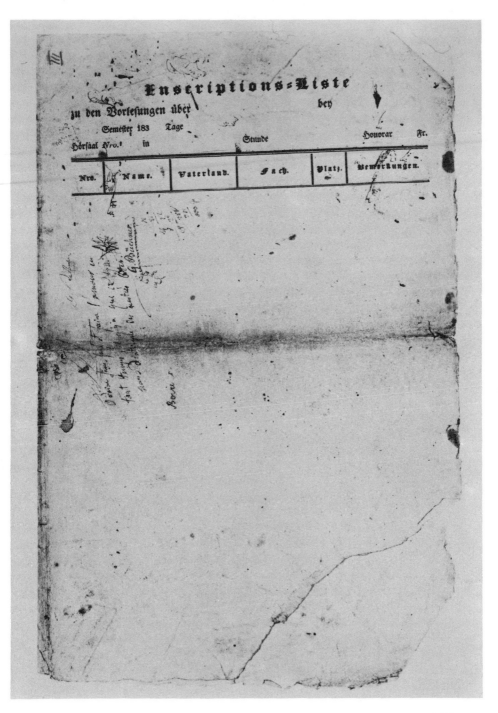

Inscriptions-Liste

zu den Vorlesungen über   bey

Semester 183   Tage

Hörsaal Nro.   in   Stunde   Honorar   Fr.

Nro.	Name.	Vaterland.	Fach.	Platz.	Bemerkungen.

und »autres« stark abweicht) als deutsches *e* mißdeutet hat; doch da Michelsen andererseits die beiden bei Thieberger fehlenden Punkte und den irrig ausgeschriebenen Vornamen nicht registriert, gewinnt man den Eindruck, daß er auch über den einen festgestellten »Lesefehler« nicht nach Autopsie der Handschrift urteilte, sondern der Grammatik des französischen Kollegen mehr vertraute. Michelsen fährt abschließend fort: »Der Text stammt aber nicht von Büchner, wie Bergemann und Thieberger annehmen. Er ist vielmehr ein wörtliches Zitat aus Beaumarchais, *Le mariage de Figaro*, II, 21 (*Thé[â]tre complet. Lettres relatives à son thé[â]tre*, ed. Maurice Allem, Bibliothèque de la Pléiade 22 [1934], S. 307).« Punkt, Ende der Miszelle. Der Leser erfährt nicht, daß schon fünf Jahre zuvor Maurice B. Benn den Sachverhalt aufgeklärt hat, sondern dankt Michelsen die Trouvaille. So weit, so schlecht – und das um so mehr, als Thiebergers Miszelle allen Grund zu einer wirklich replizierenden Glosse hätte abgeben müssen.

Das beginnt bereits mit dem ersten Satz, in dem Thieberger mitteilt, daß »der Katalog« des Weimarer Goethe- und Schiller-Archivs »eine ›Enskriptionsliste‹ (sic)« verzeichnet, auf der die drei Zeilen von Büchners Hand stehen; dies gibt zwar, was den graphisch tatsächlich leicht mißdeutbaren Anfangs-Zierbuchstaben »I« betrifft, sorgfältigst die handschriftlich allerdings verbesserte Aufnahme im internen Repertorium des Archivs wieder, ist aber sicher weniger interessant (etwa für die Verifizierung, von welcher Universität die betr. Liste denn nun tatsächlich stammt) als die schlichte Auskunft über den Titel des Dokumentes selbst; dieser lautet aber weder »Enskriptionsliste« noch »Inskriptionsliste«, wie Thieberger dann selbst im Text schreibt, sondern, wie wir sehen, »Inscriptions-Liste«. Mit dieser (womöglich sogar noch um die dazugehörende Fortsetzung »zu den Vorlesungen über   bey« ergänzten) Überschrift ließe sich z. B. schon eher mit Aussicht auf Erfolg eine schriftliche Anfrage in Gießen, Straßburg und Zürich dahingehend starten, wo ein solches Formular seinerzeit in Gebrauch war. Ich habe dies jetzt zwar getan mit dem Ergebnis, daß keine der dortigen Universitäten zur betr. Zeit einen derartigen Bogen[3] verwendet haben will, jedenfalls soweit die erhaltenen Archivunterlagen eine solche Aussage erlauben.

Doch auch ohne die Investition des Portos und entgegen Thiebergers Auskunft, der »Augenschein« des Dokuments lasse »nicht ermitteln, von welcher Universität diese Inskriptionsliste, ein Verwaltungsformular, ausgegeben worden ist«, hätte sich eben dies doch wenigstens etwas näher einkreisen lassen. Auch Bergemann, der das deutschsprachige Formular »offenbar der Gießener Universität« zuschrieb[4], übersah nämlich,

---

3 Tatsächlich handelt es sich nicht um ein »Blatt« (Thieberger), sondern um einen Bogen, von dem hier die erste und letzte Seite abgebildet sind.
4 *SW*, S. 765.

daß die Rubrik für das einzutragende Honorar »Fr.«, also Franc oder Franken, ausweist und nicht, wie im Großherzogtum Hessen, in Gießen, zwingend zu erwarten, »Fl.«, also Gulden. Auch ich selbst habe, nach wie vor von der in der Forschung wie selbstverständlich angenommenen Vorstellung geleitet, nur der *Student* Büchner habe einen Vordruck dieser Art benützen können, zunächst lediglich auf Francs und nicht etwa Franken geschlossen.[5] Wie solche ›automatischen‹ Voraussetzungen entstehen und sich dann spekulativ bis zur praktischen Unbefragbarkeit fortspinnen, läßt sich an Thiebergers weiteren Ausführungen verfolgen:

»Das nicht ordnungsgemäß ausgefüllte Blatt diente dem von seinen Professoren sichtlich gelangweilten Studiosus Georg Büchner zu zeitvertreibenden Kritzeleien. Neben einigen mehr oder weniger verblaßten Karikaturen finden sich [. . .] drei Zeilen französischen Textes, darunter der mit einer Wellenlinie unterstrichene Namenszug *Georg Büchner*. Man errät, wie sich der künftige ›Autor‹ einen bescheidenen Vorschuß auf Dichterlorbeeren gewährt, indem er auf eine schwungvolle Unterschrift trainiert.« Und nach dem mitgeteilten Text: »Ob der akademische Lehrer, der den Studenten zu einer solchen Digression anregte, gerade von menschlichen oder von tierischen Funktionen sprach, ist nicht ersichtlich.« Und nach einem kursorischen Verweis auf »Verbindungen zu Textstellen aus dem *Danton* oder dem *Woyzeck*«: »Man könnte sich verleiten lassen [,] diese Studentenkritzelei mit Büchners ›Kulturpessimismus‹ in Verbindung zu bringen. Immerhin, der Studiosus trieb hier ernste Späße . . .«

Woraus läßt sich schließen, daß der Bogen in der Universität selbst ›bekritzelt‹ wurde und nicht etwa zu Hause? Warum »sichtlich gelangweilt« und nicht etwa ›in Gedanken‹? Warum »von seine*n* Professor*en*« und nicht einem ganz bestimmten? Warum überhaupt ein Professor und nicht etwa ein Pedell oder Assistent, der sich beim Einsammeln solcher auszufüllender oder ausgefüllter Formulare in seiner Amtsstube viel Zeit nahm (wenn es sich denn um »zeitvertreibende Kritzeleien« gehandelt haben sollte)? Daß die »Karikaturen«, d. h. die verschiedenen Profile, wie sich ein knappes Dutzend ganz ähnlicher auch in den Foliohandschriften des *Woyzeck* findet, »mehr oder weniger verblaßt« seien, kann ich nicht finden; sie sind nur mehr oder weniger flüchtig bzw. kräftig ausgeführt. Daß es sich um den »künftige[n] ›Autor‹« und nicht bereits um den Verfasser des *Danton* handelte, ließe sich so nur entscheiden, wenn man die zweite Straßburger Studienzeit für die Datierung von vornherein ausschlösse. Daß man sich »auf Dichterlorbeeren« überhaupt »Vorschuß« durch »schwungvolle« Unterschriftsübungen ›gewähren‹ könne, ist eine schlecht psychologisierende, ja den betr. Dichteraspiranten eindeutig abwertende, belächelnde Unterstellung. Dies um so mehr, als das Dokument noch nicht einmal äußerlich Anlaß hierfür gibt. Es zeigt nämlich neben einem einzigen, ganz schemenhaften Namenszug, der zweifellos von Büchners Hand stammt (über den französischen Zeilen), nur noch eine weitere ›Unterschrift‹, die jedoch offenkundig nicht dem ›Training‹ diente, sondern sich tatsächlich als Unterzeichnung

---

5 *GB I/II*, S. 75f. u. 149 (Anm. 411).

des Zitats verstehen läßt. Auch diese Unterschrift, deren Wortlaut Thieberger schon fehlerhaft wiedergibt, ist alles andere als megalomanisch »schwungvoll«, vielmehr fast kalligraphisch starr und in mehreren Buchstaben (B, h) für Büchners Unterschrift ganz untypisch[6].

Thiebergers Manuskriptbeschreibung und -deutung ist mithin eine einzige Aufeinanderschichtung von Vorentscheidungen (die unter der Hand auf den Lehrbetrieb der Universität Gießen und jedenfalls eine frühe Datierung setzen), Irrtümern und Invektiven.

Liest man das Dokument sorgfältiger und ohne Vorurteile, dann gibt bereits der vorgedruckte Text noch über Franc/Franken hinaus die folgenden Auskünfte:

Ein Straßburger Formular müßte (abgesehen davon, daß nach freundlicher Auskunft von Herrn F.-J. Himly die dortige Universität zu Büchners Zeit gar keine deutschsprachigen Formulare verwendete) mindestens zweisprachig sein. Die vorgedruckten Achtzehnhundert*dreißiger*-Jahre sprechen – ein zwar minimales Argument – für keine lange Sicht, eher für den Gründungsperfektionismus der jungen, 1833 gegründeten Universität Zürich. Vor allem das »Vaterland« aber ist, nicht nur der »Fr.« wegen, in einem Amtsformular des deutschen Vormärz undenkbar, sondern deutlich schweizerischen Tonfalls. Auf der Rückseite des Bogens steht, eindeutig von Büchners Hand und wahrscheinlich als Teil einer Adresse, der Ortsname »Hottingen« unmittelbar bei Zürich gelegen und in den 1830er Jahren Vorzugskolonie gerade deutscher Emigranten.

Gehen wir noch einen Überlegungsschritt weiter: Was war der Zweck eines solchen Formulars? Es diente offenkundig nicht etwa dem einzelnen Studenten zum Eintrag mehrerer verschiedener Kollegs, sondern im Gegenteil dem einzelnen Hochschullehrer zur Erfassung seiner Studenten, die sich in die zirkulierende oder büroausliegende Liste einzutragen hatten. Zugang zu dem Vordruck hatte demnach eher ein Dozent als ein Student. Findet man also bei einer Person gerade ein »nicht ordnungsgemäß ausgefülltes Blatt« (Thieberger), d. h. genauer einen ganz unausgefüllten Bogen, so läßt sich um so mehr auf jemanden schließen, der über ein solches Papier frei verfügte, und nicht auf jemanden, der mit ihm in der Regel nur während eines Verwaltungsvorgangs kurz in Berührung kam. So ›antiautoritär‹ waren damals die Verhältnisse nirgendwo, daß ein Student – und habe er auch Büchner geheißen – während eines Kollegs in Anwesenheit des Professors gelangweilt hätte ein Formular bekritzeln können, in das er eigentlich nur seinen Namen und ein paar Daten schreiben sollte.

---

6 Im erhaltenen Protokoll der Straßburger Studentenverbindung ›Eugenia‹, das im folgenden Band des *Jahrbuchs* veröffentlicht wird, findet sich in der Liste der ›immerwährenden hospites‹ (p. 4) ein lateinisch geschriebener Eintrag »Büchner Georg [. . .]«, der mit dem hier vorliegenden einige Gemeinsamkeiten aufweist (ähnlich, allerdings in umgekehrter Richtung geschweifte Umlautstriche, »B«). Dasselbe Merkmal trägt jedoch auch p. 3 der Eintrag des ›erwählten Bruders‹ »*Müntz*, Adolphe«, so daß Büchners Namenseintrag nicht ganz sicher als eigenhändig angesehen werden kann.

Gerade wenn nach Auskunft des Staatsarchivs Zürich »damals an der Zürcher Hochschule« ähnliche erhaltene Verzeichnisse »nicht auf vorgedruckten Formularen erstellt [waren], sondern auf Blättern bzw. in Heften, die ad hoc von Hand in Kolonnen unterteilt und mit Titeln versehen wurden«, so spricht alles für den Dozenten Büchner, der 1836/37 einen bald außer Gebrauch gekommenen, da vielleicht, wie angedeutet, gründungsperfektionistischen Vordruck als Schmierpapier verwendete. Er strich auf ihm seine Feder ab, probierte dieselbe aus, notierte ein Zitat, schrieb sich Adressen und Zahlen auf oder stellte kleine Rechnungen an, zeichnete (Männchen-)Gesichter usw. Das alles vermutlich nicht in einer einzigen, auch nicht notwendig »gelangweilten« Situation, sondern eher über einen gewissen Zeitraum hinweg. Es sieht so aus, als habe der Bogen einfach auf seinem Schreibtisch in der Nähe des Tintenfasses gelegen – wie lange und ob in der Universität oder zu Hause, wissen wir nicht. Vielleicht hat ihn sich, als Büchner dann starb, irgend jemand als Reliquie aufgehoben.

Über die Stimmung des Schreibers sagt das Dokument nichts aus (außer allenfalls, daß jedermann so seine schwankenden hat). Auch die Absicht, mit der das Beaumarchais-Zitat notiert ist, d. h. über Büchners ›Meinung‹ zu ihm, läßt das Dokument selbst nichts erkennen. Man könnte es zunächst so sehen, als habe er den Text »per Unterzeichnung mit dem eigenen Namen« gewissermaßen »vereinnahmt«[7]. Der in ganz anderem Duktus gehaltene Namenszug kann jedoch auch schon früher an seinem Platz gestanden haben oder später hinzugekommen sein, möglicherweise sogar von fremder Hand.

Streng genommen wissen wir also trotz aller Miszellen (einschließlich der vorliegenden) nicht mehr und nicht weniger, als daß Büchner 1836/37 in Zürich eine Stelle aus Beaumarchais' *Figaro* aufschreibenswert fand und daß dieses Zitat selbst einer bestimmten Richtung des französischen Materialismus zuzuordnen ist[8] oder aber diesen seinerseits karikiert.

Sonst viel Lärm um Nichts.

---

7 *GB I/II*, S. 76.
8 Vgl. ebd., S. 69 ff.

Zu einer Textvariante in Ludwig Büchners
Danton-Druck von 1850

Gegen Ende des Vorworts zu den *Nachgelassenen Schriften* (*N*) seines Bruders versicherte Ludwig Büchner, er habe »[d]as Drama ›Danton‹ [. . .] nach dem Manuscript vervollständigt und corrigirt«[1] – d. h. also gegenüber den beiden von Gutzkow und Duller 1835 verantworteten Drukken. Schon Karl Emil Franzos, der in den Jahren zuvor schlimmsten Ärger mit der nicht nur auf weitere Zensur verlegten, sondern auch um schmeichelhafteste Selbstdarstellung bemühten und finanziell grotesk raffgierigen Sippe hatte (die Wiederveröffentlichung des betreffenden, höchst lesenswerten, im einzelnen aber an Hand der Dokumente in Wien und Weimar noch zu ergänzenden und überprüfenden Berichts von Franzos ist Dietmar Goltschniggs[2] großes Verdienst), widersprach 1879 dieser Behauptung mit der immer noch euphemistischen Feststellung, Ludwig Büchners Edition des Revolutionsdramas habe zwar »alle Druckfehler« getilgt und »etwa zwanzig Stellen des O[riginal-]M[anuskripts] [restituiert]«, aber »weitere(n) neunzig Stellen unberichtigt« gelassen,[3] Franzos gab anschließend[4] auch das einzige bislang vorliegende Variantenverzeichnis, das auch *N* berücksichtigt, während später Bergemann mit dem (auch von Werner R. Lehmann geteilten, aber vielleicht doch etwas voreiligen) Argument darauf verzichtete, daß *N* »über mehr authentisches Material, als noch heute benutzt werden kann, nicht verfügt zu haben schein[t]«[5]; Lehmann nennt ebenfalls *N* »textkritisch unergiebig«, da Ludwig Büchner wie später Franzos außer der heute in Weimar aufbewahrten Handschrift (*H*), dem *Phönix*-Druck (*j*) und der Buchausgabe (*e*) von 1835 »kein weiteres Material zur Verfügung stand.«[6] Was alle prinzipiellen editorischen Konsequenzen betrifft[7], wird man dem ganz fraglos zustimmen können. Weniger sicher scheint die Ausgangsannahme als solche, denn Franzos berichtet immerhin über »einige Blättchen des ersten Entwurfs« zu *Dantons Tod* »von Büchners Hand«, die er 1875 zusammen mit der kompletten Handschrift des Dramas von Ludwig Büchner zugesandt erhalten hatte, aber (den Anforderungen seiner Ausgabe entsprechend) nicht verwertete.[8]

Möglicherweise aber hatte Ludwig Büchner dies getan, als er 1850 seine halbherzige Textbesserung veranstaltete. Jedenfalls »restituirte« er

1 *N*, S. 49.
2 D. Goltschnigg (Hrsg.): *Materialien zur Rezeptions- und Wirkungsgeschichte Georg Büchners.* – Kronberg Ts. 1974, S. 92 ff., 125 ff.
3 F, S. 100.
4 Ebd., S. 101-106.
5 *SW*, S. 667.
6 Lehmann: *Textkritische Noten. Prolegomena zur Hamburger Büchner-Ausgabe.* – Hamburg 1967, S. 17.
7 Vgl. ebd., S. 17-22.
8 F, S. 100; Goltschnigg (Hrsg.), a.a.O., S. 103, 111.

an der im *Phönix*-Druck wie in der Buchausgabe von 1835 ramponierten Stelle

»*Lacroix*. Wir hätten die Freiheit prostituirt!
Danton. Ich lasse ihm keine sechs Monate Frist, ich ziehe ihn mit mir.« (*j* = *Phönix*, S. 326; *e*, S. 140)

nicht etwa die vollständige und in dieser Passage ganz eindeutige, nicht überarbeitete Handschrift:

»*Lacroix*. Wir hätten die Freiheit zur Hure gemacht!
Danton. Was wäre es auch! Die Freiheit und eine Hure sind die kosmopolitischsten Dinge unter der Sonne. Sie wird sich jezt anständig im Ehebett des Advokaten von Arras prostituiren. Aber ich denke sie wird die Clytemnaestra gegen ihn spielen, ich lasse ihm keine sechs Monate Frist, ich ziehe ihn mit mir.« (*H*, p. 151f.; vgl. *HA* I/70),

sondern er gab einen Text, der offensichtlich mit Büchners Hauptquelle, dem 12. Band des Sammelwerks *Unsere Zeit* übereinstimmte:

N, S. 141f.	*U. Z.* XII, S. 124
»*Lacroix*. Wir hätten die Freiheit zur Dirne gemacht!	»Im Kerker sagte er [Danton] zu seinen Freunden: ›Könnte ich Robespierre meine H. . .n und Couthon meine Waden hinterlassen, so würde sich der Wohlfahrtsausschuß noch eine Zeitlang halten. Die Tempelherren citirten ihren Mörder, Philipp den Schönen, vor das Tribunal der Unterwelt, und es verging kein Jahr, als er dort erschien; ich gebe den meinigen nicht vier Monate. Sie sind Kains Brüder. [. . .]‹«
Danton. Die Tempelherren citirten ihren Mörder, Philipp den Schönen, vor das Tribunal der Unterwelt, und es verging kein Jahr, als er dort erschien; ich lasse meinen Mördern keine sechs Monate Frist, ich ziehe sie mit mir.«	

Nun ist zwar nicht auszuschließen, daß sich Ludwig Büchner, als ihm an dieser Stelle die vollständige Handschrift seines Bruders mit der ›kosmopolitischen Freiheit und Hure‹ zur ›Restitution‹ nicht geeignet erschien, mit einem Griff ins elterliche Bücherregal zu eben jenen Bändchen behalf, die – wie man in der Familie wußte – auch Georg 1834/35 benützt hatte und wo er den historischen Ausspruch Dantons unschwer gegen Ende des Kapitels über die »Verhaftung und Hinrichtung Dantons [. . .]« finden konnte – auf einer Seite, aus der auch Georg selbst noch einige andere Zitate übernommen hatte. Vielleicht aber heißt dies Ludwig Büchner, dem es überhaupt ›wenig darauf ankam‹[9], zuviel Umsicht und Mühe zuzuschreiben – etwa gar den Hintersinn, das Anstößige durch noch größere Quellentreue auszumerzen.

Denkbar ist dagegen immerhin auch, daß Ludwig aus dem gesamten *Danton*-Konvolut, also auch den von Franzos erwähnten »Blättchen des ersten Entwurfs«, bevor er dann all diese Papiere der ›nagenden Kritik der Mäuse‹ überließ[10], seinen Text redigierte und hierbei eine von Georg verworfene, möglicherweise noch in der Art eines vorläufigen Quellen-

---

9 Goltschnigg (Hrsg.), a.a.O., S. 99.
10 Ebd., S. 104, 111.

konspekts angelegte Fassung wiederherstellte. Dies wäre zugleich ein Hinweis auf die Form vermutlicher Vorarbeiten und Entwurfsstufen des Stückes, aus deren ökonomischer Anlage sich seine in jedem Fall erstaunlich kurze Entstehungszeit[11] erklären ließe.

Wie dem auch sei, Ludwig Büchner verfügte auch für *Dantons Tod* zweifellos noch über »mehr [. . .] Material, als [. . .] heute benutzt werden kann«. Eine historisch-kritische Ausgabe des Revolutionsdramas hätte beim Vergleich des Drucks in *N* mit den übrigen Textzeugen insbesondere auch erneut die Frage zu stellen, was es (zunächst unabhängig von W. R. Lehmanns Nachweisen zur – mittelbaren[12] – Druckvorlage von *j* und *e*)[13] mit jener Zweitkopie des Manuskripts auf sich haben könnte, deren Existenz Franzos gleichfalls behauptet[14], ohne daß man dies nach den bislang vorliegenden Indizien für wahrscheinlich halten dürfte. Die hypothetischen Möglichkeiten, die sich hieraus für eine Modifikation des Stemmas ergeben könnten, wären indes äußerst vielfältig.

---

11 Vgl. dagegen *WuB*, S. 559.
12 Da *H* keine entsprechenden Redaktionsspuren trägt, ist bislang von zwei verschiedenen redaktionellen Abschriften auszugehen, die *j* und *e* als unmittelbare Druckvorlage dienten.
13 Lehmann, a.a.O., S. 17ff.
14 »Der Dichter hatte das Manuskript in den letzten Tagen, ehe er aus Darmstadt flüchtete, gleichzeitig zweimal kopiert; die eine Kopie ging an Gutzkow, die andere lag mir vor.« (Goltschnigg [Hrsg.], a.a.O., S. 112) Dies angeblich nach »Mitteilungen« Wilhelm Büchners, die sich in dessen veröffentlichten Briefen an Franzos jedoch nicht verifizieren lassen.

Büchners Rezension eines Schulaufsatzes
Über den Selbstmord

Von Gerhard Schaub (Trier)

Von den Quellenfragen, die Büchners expositorische ›Schriften aus der Gymnasialzeit‹ betreffen[1], ist nur e i n e bisher noch ungeklärt: die Frage, welchen Aufsatz über den Selbstmord bzw. was für eine Art von Aufsatz der Gymnasiast in seiner Rezension[2] kritisch beurteilt hat. Während sich Werner R. Lehmann 1963 mit der Feststellung begnügte, daß sich Büchners kleine Rezensionsübung »mit einem quellenmäßig noch nicht nachweisbaren Aufsatz über den Selbstmord befaßt«[3], hat A. H. J. Knight – ausgehend von der Behauptung, daß der Autor der von Büchner rezensierten Arbeit an einer Stelle der Rezension als »der Herr Professor« (*HA* II, S. 21/18) bezeichnet werde – in seiner Büchner-Monographie von 1951 die These vertreten, »that the said author is one of his own [Büchners] teachers.«[4] Diese Vermutung kann anhand der Darmstädter Schulprogramme, die in einer Art periodischer Bibliographie zumeist die Schriften der Lehrer des Gymnasiums verzeichnen, nicht verifiziert werden. Eine weitere Auseinandersetzung mit der These Knights erübrigt sich jedoch vor allem deshalb, weil sie auf einer falschen Prämisse beruht. Denn mit dem von Büchner erwähnten »Herrn Professor« kann, wie aus dem Kontext und einem neuen Zitatnachweis[5] eindeutig hervorgeht,

---

1 Zu den Quellen für Büchners Schülerarbeiten vgl. vorläufig Gerhard Schaub: *Georg Büchner und die Schulrhetorik. Untersuchungen und Quellen zu seinen Schülerarbeiten.* – Bern und Frankfurt a. M. 1975 (= Regensburger Beiträge zur deutschen Sprach- und Literaturwissenschaft. Reihe B: Untersuchungen, Bd. 3), S. 31–37 (zitiert als: Schaub 1975). – Der vorliegende Aufsatz ist ein Auszug aus meiner maschinenschriftlichen Habilitationsschrift: *Die schriftstellerischen Anfänge Georg Büchners unter dem Einfluß der Schulrhetorik* (Trier 1980), deren zweites Kapitel (Schulrhetorik und Schulberedsamkeit) eine erheblich erweiterte, zum größten Teil neuformulierte und vielfach verbesserte Neufassung meiner von vornherein als ergänzungsbedürftige Prolegomena gedachten Voruntersuchungen von 1975 darstellt.
2 Vgl. *HA* II, S. 19-23.
3 Werner R. Lehmann: *Prolegomena zu einer historisch-kritischen Büchner-Ausgabe. – In: Gratulatio. Festschrift für Christian Wegner zum 70. Geburtstag am 9. September 1963.* – Hamburg 1963, S. 204.
4 A. H. J. Knight: *Georg Büchner.* – Oxford 1951, S. 12, Anm. 2 (Reprint: London/New York 1974).
5 Im unmittelbaren Anschluß an die Erwähnung Osianders (*HA* II, S. 21/11) spricht Büchner von einem »Menschen, welcher den Cato einen Monolog halten läßt, worin derselbe ungefähr sagt, daß Cäsar doch bös mit ihm umgehen würde, es sey also gerathner sich bey Zeit auf dem kürzesten Wege davon zu machen, zumal da die Narren der Nachwelt wahrscheinlich ein großes Mirakel aus dießer That machen würden« (*HA* II, S. 21/13–18). Darauf folgt der Satz: »Es fehlt nur wenig, daß der Herr Professor in seinem heiligen Eifer über die blinden Heiden eine Section des Cato vornähme und bewieße, daß derselbe einige Loth Gehirn zu wenig gehabt hätte« (*HA* II, S. 21/18-21). Inhalt und Konnex der beiden aufeinanderfolgenden Sätze zeigen unmißverständlich, daß der »Mensch«, der »den Cato einen Monolog halten läßt«, und der ›Herr Professor‹ identisch sind. Ließe sich in Osianders Buch *Über den Selbstmord* ein Monolog Catos, wie ihn Büchner in seiner Rezension sinngemäß wiedergibt, nachweisen, so wäre dies der Beweis dafür, daß Büchner mit dem »Menschen«, der den Cato einen Monolog halten läßt«, und dem »Herrn Professor« nur den Göttinger Medizinprofessor Osiander gemeint haben kann. Tatsächlich findet sich bei Osiander ein längerer Monolog Catos, der damit beginnt, daß Cato »den Triumph des Cäsars nicht überleben« will, und der mit folgenden Worten endet: «den Dolch in die Brust will ich mir stoßen [...]. Nach der Gleichheit meines vorigen patriotischen Charakters werden die Schriftsteller ohne tiefsinnige Raisonnements diese entscheidende Handlung mit lebhaften Farben schildern; sie werden dem unsterblichen Rufe noch einen vermehrten Glanz geben« (Friedrich Benjamin Osiander: *Über den Selbstmord, seine Ursachen, Arten, medicinisch-gerichtliche Untersuchung und die Mittel gegen denselben.* – Hannover 1813, S. 287f.).

nicht der Autor des rezensierten Aufsatzes über den Selbstmord, sondern nur der von diesem in seiner Untersuchung – wie auch von Büchner in seiner Rezension (vgl. *HA* II, S. 21/11 ff.) – genannte und kritisierte Friedrich Benjamin Osiander (1759–1822) gemeint sein, der 1813 ein umfangreiches Werk *Über den Selbstmord* veröffentlichte und der – wie auf dem Titelblatt seines Buches zu lesen – »Professor« der Medizin und Entbindungskunst in Göttingen war.

Unter der falschen Voraussetzung, der Autor der von Büchner rezensierten Arbeit sei Professor, scheint man bisher stillschweigend davon ausgegangen zu sein, daß es Büchner mit einer gedruckten Abhandlung über den Selbstmord zu tun gehabt hat. Versteift man sich nicht unbedingt auf eine gedruckte Quelle, so kann man ebenso gut eine handschriftliche, nicht zur Veröffentlichung gedachte Arbeit eines Mitschülers, den Schulaufsatz eines Klassenkameraden als mutmaßliche Vorlage Büchners in Betracht ziehen. Für eine solche Annahme und Möglichkeit, die neuerdings auch Gerhard P. Knapp – allerdings lediglich in Form einer beiläufigen und vagen Vermutung ohne jede schul- und unterrichtsgeschichtliche Begründung – angedeutet hat[6], spricht der Umstand, daß es in der Schulzeit Büchners im Rahmen der Stilübungen durchaus üblich war, die Gymnasiasten der höheren Klassen die schriftliche Arbeit eines ihrer Mitschüler in Form einer Rezension beurteilen zu lassen.[7]

Wenn Büchner in seiner Rezension häufig die genaue Seitenzahl von zitierten, kritisierten oder diskutierten Textstellen des rezensierten Aufsatzes angibt – was als Beleg für den Druck der Arbeit angesehen werden könnte –, so ist dies kein Einwand gegen meine These, da eines der am Darmstädter Pädagog benutzten Stilistik- bzw. Rhetoriklehrbücher ausdrücklich verlangt, daß die zu beurteilende Arbeit eines Mitschülers »mit Seitenzahlen versehn (paginirt) sey.«[8]

Nach den hier angeführten Belegen und Indizien dürfte die weitere Suche[9] nach einer gedruckten Vorlage für Büchners Rezension erfolg- und aussichtslos bleiben; genauso aussichtslos wie die Suche nach dem mutmaßlichen, von Büchner rezensierten, handschriftlichen Aufsatz eines Klassenkameraden, von dem sich außer den Zitaten in der Büchnerschen Rezension nichts erhalten haben dürfte. Hinsichtlich der Frage

6 Vgl. Gerhard P. Knapp: *Georg Büchner.* Stuttgart 1977 (= Sammlung Metzler 159), S. 14: »Ungeklärt ist bislang, welchen Aufsatz Büchner hier rezensiert. Die Arbeit eines Mitschülers – Gymnasiallektüre?«

7 Vgl. Ch.[ristian] F.[erdinand] Falkmann: *Hülfsbuch der deutschen Stylübungen für die Schüler der mittlern und höhern Klassen bei dem öffentlichen und beim Privat-Unterrichte.* – Hannover, 1822, S. 302-308: »Beurtheilung der Arbeit eines Mitschülers.« Zitiert als: Falkmann 1822.

8 Falkmann 1822, S. 303. Vgl. auch Falkmann 1822, S. 16, wo es von der »Einrichtung« eines Aufsatzbuches für die Schüler heißt: »Im Uebrigen richtet sich unser Buch möglichst nach den gedruckten, z. B. jede Seite hat ihre verhältnißmäßigen weißen Ränder, ihre Seitenzahl etc.«

9 Die Suche nach infrage kommenden Titeln von Aufsätzen bzw. Abhandlungen über den Selbstmord anhand der *Bibliographie des Selbstmords* von Hans Rost (Augsburg 1927) habe ich bald aufgegeben. Von den in dieser Bibliographie verzeichneten, zwischen 1813 – dem *terminus post quem* (Erscheinungsjahr des Werkes von F. B. Osiander *Über den Selbstmord*) – und 1831 – dem *terminus ante quem* (Abgang Büchners vom Gymnasium) – erschienenen deutschsprachigen Publikationen über den Selbstmord, die kaum mehr als 16 Seiten Umfang aufweisen dürften (vgl. *HA* II, S. 21/27), hat sich keine als Vorlage für Büchners Rezension nachweisen lassen.

nach der Vorlage für Büchners Rezensionsübung wird man sich mit der Antwort zufrieden geben müssen, daß er einen nicht erhaltenen Aufsatz eines Mitschülers über den Selbstmord rezensiert hat.

Da ich mir bei der Abfassung meiner 1975 erschienenen Vorstudie über *Georg Büchner und die Schulrhetorik* noch nicht über die schulrhetorische Bedeutung der Büchnerschen Rezension im klaren gewesen bin und ich ihr daher damals nur wenige, den mageren Forschungsstand referierende Sätze widmen konnte[10], soll im folgenden untersucht werden, aus welchem Unterrichtsfach und Unterrichtszweig die Rezension Büchners hervorgegangen ist, um aufgrund dieser Ermittlungen neue Aufschlüsse über die Bedeutung und den Stellenwert des Rezensierens innerhalb des gymnasialen Rhetorikbetriebs zu gewinnen. Da sich unter den in der Selekta Büchners zu Ausarbeitungen aufgegebenen Themata des Faches Latein keine Rezensionsübungen finden, kann man davon ausgehen, daß Rezensieren nicht zu den Aufgaben des Lateinunterrichts gehörte. Diesen negativen Schluß läßt freilich bereits die Tatsache zu, daß Büchner eine in deutscher Sprache abgefaßte Arbeit in seiner Muttersprache rezensiert. Konsultiert man die in den verschiedenen philologischen Fächern benutzten Lehrbücher, so läßt sich leicht feststellen, daß die theoretische »Erkenntniß von der Art, wie man eine schriftliche Arbeit beurtheilt«[11], wie auch das Verfassen von Rezensionen zum Pensum und zur Domäne des Deutschunterrichts und innerhalb des Faches Deutsch zum Unterrichtszweig der rhetorischen Stilübungen gehörte.

Daß am Darmstädter Gymnasium die Korrektur eigener und wahrscheinlich auch fremder schriftlicher Hausarbeiten durch die Schüler selbst gang und gäbe war, läßt sich durch die *Instruction für den Unterricht* von 1827 belegen, nach der »die schriftlichen Arbeiten der Schüler, bald von den Lehrern, bald nach deren Anweisung von den Schülern selbst corrigirt«[12] wurden.

Die beiden am Darmstädter Gymnasium im Deutschunterricht verwendeten stilistisch-rhetorischen Lehrbücher, Falkmanns *Hülfsbuch der deutschen Stylübungen* und das Pölitzsche *Lehrbuch der teutschen prosaischen und rednerischen Schreibart*, enthalten Anweisungen zum Rezensieren, Hinweise zur angemessenen Rezensionsform sowie je ein Musterbeispiel einer Rezension. Pölitz ordnet die Textsorte ›Rezension‹ dem »Lehrstyl« zu und zwar jener besonderen Ausprägung, die er als »dialektisch-kritisirenden Lehrstyl«[13] bezeichnet. Die Rezension, die »als stylistische Form« selbst »unter dem Gesetze der Form steht«, soll nach Pölitz »nicht blos auf eine Relation sich beschränken, welche nur den Inhalt

---

10 Vgl. Schaub 1975, S. 35f.
11 Falkmann 1822, S. 17.
12 *Instruction für den Unterricht in dem Großherzoglichen Gymnasium zu Darmstadt 1827.* – o. O. [1827], S. 4.
13 Vgl. Karl Heinrich Ludwig Pölitz: *Lehrbuch der teutschen prosaischen und rednerischen Schreibart für höhere Bildungsanstalten und häuslichen Unterricht.* – Halle 1827, S. 110–118 (zitiert als: Pölitz 1827). Zum »dialektisch-kritisirenden Lehrstyl« gehören nach Pölitz außer der Rezension die Disputation und die schriftliche Prüfung.

eines zu beurtheilenden Werkes anzeigt und mittheilt; sie soll vielmehr den Geist, die Bestimmung, den wissenschaftlichen und stylistischen Charakter, und das Verhältniß des zu beurtheilenden Werkes gegen die über denselben Gegenstand bereits vorhandenen Schriften, so wie überhaupt seine Vorzüge, und seine Fehler und Mängel, theils im Allgemeinen, theils im Einzelnen, gründlich und wahrhaft bezeichnen, und das ausgesprochene Urtheil mit betreffenden Belegen aus dem Werke bestätigen.«[14]

Besonders Falkmann hält die kritische Beurteilung von Aufsätzen, Büchern und Schülerarbeiten für ein wichtiges Aufgabengebiet im Bereich der deutschen Stilübungen. Unter den mit »ausführlichen Anweisungen« versehenen, stilistischen »Aufgaben« führt er nicht nur den »Bericht von einem gelesenen Buche«, sondern auch die »Beurtheilung der Arbeit eines Mitschülers« an[15], wobei er die letztere Übung ausdrücklich mit der Rezensiontätigkeit des Gelehrten parallelisiert.[16] Aufschlußreich sind vor allem die Ansatzpunkte und Maßstäbe, die Falkmann für die kritische Beurteilung eines Aufsatzes nennt. In der »tabellarischen Uebersicht der Gegenstände der Beurtheilung eines Aufsatzes«, die sich in dem Kapitel ›Von der Beurtheilung des Aufsatzes‹ findet, gibt er dem kritisch urteilenden Schüler eine Reihe von Leitfragen an die Hand, die das Thema, den Stoff, den Stil, die Form und das Äußere der zu rezensierenden Arbeit betreffen. Fragen wie etwa die folgenden: »ob die rechte Form, der rechte Ton, die rechte Sprache, die zu dem Thema paßt, gewählt worden sey«, »ob die Ordnung des Stoffes zu billigen«, also z. B. »die Einleitung und der Schluß nicht zu tadeln« sei, »ob der gehörige Styl (Schreibart) getroffen worden«, »ob keine einzelne Eigenschaft des Styls verletzt worden sey« wie z. B. die »Deutlichkeit« oder die »Würde«[17]: all diese Ansatzpunkte einer Kritik machen deutlich, daß der zu beurteilende Aufsatz auf die Befolgung bestimmter rhetorischer Regeln, Prinzipien und Kategorien hin befragt werden soll, handelt es sich doch bei dem Fragenkatalog Falkmanns zum großen Teil um genuin rhetorische Fragestellungen, bei den hier zitierten um solche nach dem *aptum,* der *dispositio,* der adäquaten Stilart (dem *genus elocutionis*) und den zu beachtenden Stilprinzipien der *perspicuitas* (»Deutlichkeit«) und der *dignitas* (»Würde«).

Schulische Rezensionsübungen sind also nach dem Verständnis und der Intention Falkmanns und anderer Schulrhetoriker[18] vor allem prak-

---

14 Pölitz 1827, S. 113.
15 Vgl. Falkmann 1822, S. 376-384 und S. 302-308.
16 Vgl. Falkmann 1822, S. 302: »Die Gelehrten schreiben mehr oder weniger ausführliche Recensionen (Kritiken) von den herauskommenden Büchern zur Belehrung der lesenden Welt: Etwas Aehnliches soll der Schüler thun mit der schriftlichen Arbeit eines Mitlernenden zu seiner eignen Belehrung.«
17 Falkmann 1822, S. 17f.
18 Vgl. etwa S. H. A. Herling: *Theoretisch-praktisches Lehrbuch der Stylistik für obere Classen höherer Schulanstalten und zum Selbstunterricht. Erster Theil. Theorie des Styls.* – Hannover 1837, S. 286-318, der ausführlich ›Von der Kritik und Verbesserung der Darstellung‹ handelt und dabei zum guten Teil rhetorische Kriterien und Kategorien für die kritische Beurteilung prosaischer und poetischer Formen empfiehlt.

tische Übungen in rhetorischer Kritik, d. h. in einer Kritik, die ihre Beurteilungskriterien hauptsächlich aus den Kategorien der rhetorischen Systematik und Analytik bezieht, deren Maßstäbe größtenteils rhetorischer Provenienz sind. Übungen im Rezensieren sollten nicht zuletzt der Handhabung rhetorischer Produktionskategorien als kritischer Wertungs- und Beurteilungskategorien dienen. Nicht nur die theoretischen Mittel der Hermeneutik sind, wie Gadamer und Dockhorn gezeigt haben, »weitgehend der Rhetorik entlehnt«[19], auch nicht wenige Kriterien und Prinzipien der Literaturkritik dürften, was freilich noch näher zu untersuchen wäre[20], auf Maximen, Regeln und Kategorien der Rhetorik zurückzuführen sein. Dies jedenfalls trifft auf besondere Weise auf die in der Schule gelehrte und geübte Aufsatz-Kritik zu, die vor allem deshalb rhetorische Kritik war, weil der nach rhetorischen Produktionskategorien verfaßte, aus der Rhetorik hervorgegangene, bis etwa 1900 dominierende, rhetorische Schulaufsatz[21] als rhetorische Textform am angemessensten zweifellos nach rhetorischen Kriterien zu bewerten und zu beurteilen ist.[22] Die von mir angewendete Methode, die Schülerarbeiten Büchners unter rhetorischen Aspekten zu analysieren und nach rhetorischen Maßstäben zu beurteilen, läßt sich also nicht zuletzt durch das von Schülern, Lehrern und Theoretikern in der Gymnasialzeit Büchners praktizierte und geforderte Verfahren rhetorischer Aufsatz-Kritik rechtfertigen.

Wenn in Büchners Schulzeit die Hauptaufgabe des Schülers beim Verfertigen einer Rezension darin bestand, rhetorische Kritik an der zu beurteilenden Schrift zu üben, dann ist es naheliegend, die Rezension Büchners vornehmlich in dem hier skizzierten Kontext rhetorischer Aufsatz-Kritik zu sehen und zu würdigen. Mit anderen Worten: Es empfiehlt sich, Büchners Rezension einer Arbeit über den Selbstmord auf rhetorische Beurteilungskriterien hin zu untersuchen. Das Ziel der Untersuchung besteht in der Verifizierung der These, daß die Rezensionsübung Büchners vor allem eine Übung in rhetorischer Kritik ist.

Schon der erste kritische Einwand Büchners, daß »der gleich im Anfang« des rezensierten Aufsatzes »ausgesprochne *Grundsatz, daß von ei-*

---

19 Hans-Georg Gadamer: *Rhetorik, Hermeneutik und Ideologiekritik. Metakritische Erörterungen zu ›Wahrheit und Methode‹.* – In: H.-G. G.: *Kleine Schriften I: Philosophie, Hermeneutik.* – Tübingen 1967, S. 117. Zu den Zusammenhängen zwischen Rhetorik und Hermeneutik vgl. besonders auch Klaus Dockhorns Rezension von Gadamers ›Wahrheit und Methode‹ in: *Göttingische Gelehrte Anzeigen* 218 (1966), H. 3/4, S. 169-206 sowie Hans-Georg Gadamer: *Rhetorik und Hermeneutik.* Als öffentlicher Vortrag der Jungius-Gesellschaft der Wissenschaften gehalten am 22. 6. 1976 in Hamburg. – Göttingen 1976.
20 Zu den weder historisch noch systematisch eingehender untersuchten Beziehungen zwischen Rhetorik und Literaturkritik vgl. Northrop Frye: *Analyse der Literaturkritik.* – Stuttgart 1964 (= Sprache und Literatur 15), S. 244ff. (»Rhetorische Kritik: Theorie der Gattungen«) und Norbert Mecklenburg: *Die Rhetorik der Literaturkritik. Ein Gedankengang mit Vorschlägen zur Praxis.* – In: Jörg Drews (Hrsg.): *Literaturkritik – Medienkritik.* – Heidelberg 1977 (= medium literatur 8), S. 54-48.
21 Zu den Einflüssen der Rhetorik auf den älteren Aufsatzunterricht, wie er bis etwa 1900 praktiziert wurde, vgl. jetzt Bernhard Asmuth: *Die Entwicklung des deutschen Schulaufsatzes aus der Rhetorik.* – In: Heinrich F. Plett (Hrsg.): *Rhetorik. Kritische Positionen zum Stand der Forschung.* – München 1977 (= Kritische Information 50), S. 276-292.
22 Vgl. hierzu auch die Forderung von Pölitz an eine angemessene Kritik: »Die Gerechtigkeit der Kritik verlangt zugleich, daß jedes zu recensirende Werk aus sich selbst, nicht nach den individuellen Ansichten und vorgefaßten Meinungen des Recensenten, geprüft werde« (Pölitz 1827, S. 113).

nem durchgängig anwendbaren Urtheil die Rede nicht seyn könne«, »uns zuerst am *Schlusse,* als ein *Hauptresultat* dießer Arbeit hätte entgegenkommen dürfen« (*HA* II, S. 19/14-18), impliziert eine deutliche rhetorische Kritik, und zwar eine Kritik an der Disposition des Aufsatzes, d. h. an der falschen und unzweckmäßigen Placierung des Hauptergebnisses, das – wie Büchner in seiner *Cato*-Rede beherzigte (vgl. *HA* II, S. 31/3 ff.) – gegen Ende eines Textes seinen optimalen Platz hat. Im Verlauf seiner Rezension beschränkt sich Büchner im wesentlichen darauf, »einige« der in seiner Vorlage ausgesprochenen »Gedanken und Meinungen in der von dem Verfasser befolgten Reihenfolge zu beleuchten« (*HA* II, S. 19/6 f.). Mit dem hier praktizierten Verfahren einer punktuellen Detailkritik hält sich Büchner offensichtlich an eine gängige, im Rhetorikunterricht vermittelte Rezensionspraktik, braucht doch nach Falkmanns *Hülfsbuch der deutschen Stylübungen* eine Rezension »nicht immer das Ganze zu umfassen, sie kann sich auf einzelne S e i t e n desselben beziehn, die etwa vorzüglich fehlerhaft sind, oder vorzüglich bequem zur weitern Ausführung«.[23]

Büchner übt rhetorische Detailkritik, indem er die Behauptung des Rezensierten, daß der, welcher Selbstmord aus Patriotismus begehe, »kein eigentlicher Selbstmörder sey«, für »klar und bestimmt ausgesprochen und deutlich bewiesen« hält (*HA* II, S. 22/10 f.), wogegen ihm die Gedanken über den Selbstmord aus physischen und psychischen Leiden »etwas dunkler« und »ohne bestimmtes Resultat« formuliert vorkommen (*HA* II, S. 22/12), so daß er sich genötigt sieht, das, was er für »das eigentliche Resultat« hält (*HA* II, S. 22/13), hinzuzufügen und zu explizieren. In seiner positiven wie negativen Kritik operiert Büchner hier ausdrücklich mit rhetorischen Wertkategorien, und zwar mit solchen aus der stilistischen Tugend- und Fehler-Lehre: er lobt die *virtus* der Klarheit, Bestimmtheit und Deutlichkeit (*perspicuitas*), und er tadelt das dieser *virtus elocutionis* entgegenstehende *vitium* der Dunkelheit und Unklarheit (*obscuritas*)[24]. Gegen Ende der Rezension hebt Büchner sowohl die »sachgemäße Ordnung« (*HA* II, S. 23/10 f.) der Argumente und Gegenargumente, d. h. die Berücksichtigung des *ordo*-Aspekts in der Disposition, wie auch den gelungenen sprachlichen Ausdruck, d. h. die in der Bearbeitungsphase der *elocutio* erfolgte Stil- und Sprachgebung des Aufsatzes lobend hervor: »Noch anziehender werden dieße Gedanken durch eine klare, schöne und kräftige Sprache« (*HA* II, S. 23/19 f.). Diesem Zitat läßt sich entnehmen, daß Büchner den *ornatus* als ein im Dienste der Wirkungsintention des *persuadere* stehendes Wirkmittel betrachtete, werden doch nach seiner Auffassung die »schätzenswerthen« Gedanken des

---

23 Falkmann 1822, S. 307.
24 Zum *vitium* der *obscuritas* vgl. Heinrich Lausberg: *Handbuch der literarischen Rhetorik. Eine Grundlegung der Literaturwissenschaft.* 2., durch einen Nachtrag vermehrte Aufl. – München 1973, S. 513 f. (zitiert als: Lausberg 1973).

Aufsatzes über den Selbstmord durch die ›Ausschmückung‹ mittels »schöner« Sprache noch »anziehender«, d. h. gefälliger, einleuchtender, annehmbarer, überzeugender, kurz: persuasiver gemacht. Die hier angesprochene Trennung von »Gedanken« und »Sprache« läßt den Schluß zu, daß der Schüler Büchner noch wie selbstverständlich von der kategorialen, für die traditionelle Lehrsystematik der Rhetorik konstitutiven, Differenzierung von *res* und *verba* ausgegangen ist.

Außer den zitierten Stellen läßt sich auch der letzte Satz der Büchnerschen Rezensionsübung, in dem der »würdige Schluß« (*HA* II, S. 23/30) der Arbeit gelobt wird, als Beleg dafür anführen, daß Büchner nach rhetorischen Wertmaßstäben und Kategorien urteilt. Denn das von ihm verwendete Adjektiv »würdig« sowie das entsprechende Substantiv ›Würde‹ und sein lateinisches Äquivalent *dignitas* sind Begriffe, die seit der aus dem ersten vorchristlichen Jahrhundert stammenden *Rhetorica ad Herennium* (IV, 12, 17) eine wichtige Stilqualität bzw. Stileigenschaft bezeichnen. Da die *elocutio*-Tugend der *dignitas* von vielen späteren Rhetoriken und Poetiken[25] übernommen worden ist, wird sie Büchner nicht direkt durch den Auctor ad Herennium, sondern durch die in seiner Schulzeit am Darmstädter Pädagog benutzten Schulrhetoriken von Falkmann und Mühlich kennengelernt haben, die beide die Stileigenschaft der Würde unter den Stiltugenden aufzählen.[26] Wenn sich bei Büchner das Lob eines würdigen Schlusses auch primär auf den »letzten erhabnen Gedanken« der Arbeit (*HA* II, S. 23/31), d. h. auf den gedanklichen *ornatus*[27] bezieht, so dürfte er mit der Kennzeichnung ›würdig‹ doch auch den sprachlich-stilistischen *ornatus* mitgemeint haben.[28]

Daß Büchner eine klare Vorstellung von der Form und Norm einer Rezension hatte, daß er genau wußte, was er zu tun und zu lassen hatte, dokumentiert die metakritische Bemerkung in seiner Aufsatz-Kritik, eine von ihm angestellte, weiterführende Überlegung zu einem Gedanken der rezensierten Arbeit passe »eigentlich« nicht »in die Form einer Recension« (*HA* II, S. 22/8). Büchner glaubt, durch die Hinzufügung eines längeren, eigenständigen Exkurses (vgl. *HA* II, S. 22/16ff.) die Form einer Rezension zu verletzen, mit welcher Normabweichung er allerdings nicht zu Falkmann[29], sondern wohl zu einem seiner Lehrer, der hier eine andere Auffassung vertrat, im Widerspruch steht. Mit dem Blick vom späteren Dichter her, der aus Ungenügen an den traditionel-

---

25 Vgl. etwa Martin Opitz: *Buch von der deutschen Poeterei* (6. Kapitel) sowie Johann Christoph Adelung: *Ueber den Deutschen Styl*. Erster Theil. – Berlin 1785, S. 209-223 (»Von der Würde des Styles«); Reprint: Hildesheim/New York 1974.
26 Vgl. Falkmann 1822, S. 18, 305 sowie Andreas Mühlich: *Leitfaden bei dem Unterrichte in der Rhetorik im engeren Sinne zum Gebrauche in den Obergymnasialklassen.* – Bamberg 1825, S. 34, § 42.
27 Zum gedanklichen, geistigen *ornatus* vgl. Lausberg 1973, S. 278, § 539.
28 Die Herennius-Rhetorik unterscheidet eine *verborum exornatio,* einen sprachlichen *ornatus,* und eine *sententiarum exornatio,* einen gedanklichen *ornatus,* die beide zusammen *dignitas* genannt werden (Her. IV, 13, 18); vgl. hierzu Lausberg 1973, S. 267, § 539.
29 Wie oben erwähnt, betrachtet Falkmann (1822, S. 307) als Ansatzpunkte für eine mögliche Kritik unter anderen solche Textstellen, die »vorzüglich bequem zur weitern Ausführung« sind.

len Formen des Dramas und der Erzählung zu einem unzeitgemäßen Innovator neuer Ausdrucksweisen und Literaturformen wurde, könnte man schon im Schüler Büchner einen frühreifen literarischen Normverletzer sehen, der bereits deutliche Anzeichen einer kritischen Auseinandersetzung mit überlieferten Formen erkennen läßt.

Bei aller Vorsicht gegenüber einer vorschnellen Stilisierung Büchners zu einem Ausnahmefall geistiger Frühreife läßt sich doch festhalten, daß Büchner im Bereich des Formalen wie des Inhaltlichen schon früh ein relativ selbständiger Kopf war. Was Büchner an dem von ihm rezensierten Verfasser positiv bewertet – daß dieser alles »von einem eignen selbständigen Standpunkte aus betrachtet und beurtheilt und durch eignes Nachdenken schon einen tiefern Blick in die In und Außenwelt des Menschen gethan habe« (*HA* II, S. 23/16-19) –: all dies trifft auf den Rezensenten selbst zu. Denn nicht nur in der Rezensionsübung, auch in den beiden Schülerreden über die *vierhundert Pforzheimer* und *Cato von Utika* hat der Gymnasiast, wie Dilthey, sein Lateinlehrer, mit Bezug auf Büchners Leistungen im Religionsunterricht feststellte, »manche treffliche Beweise von selbständigem Nachdenken gegeben.«[30]

Wie die Entwicklung Büchners vom Schulaufsatz- zum Literatur-Kritiker verlaufen ist, wissen wir nicht, da sich die 1835 von ihm auf eine Aufforderung Gutzkows hin geschriebenen »Kritiken über *neueste* franz. Literatur« (*HA* II, S. 478/29) nicht erhalten haben.[31] Das zu einer *opinio communis* der Literaturwissenschaft gewordene Urteil, daß alle seine schriftstellerischen Äußerungen von unverwechselbarer Singularität und hoher literarischer Qualität seien, spricht für die Vermutung, daß Büchner auch auf dem Gebiet der Literaturkritik Bedeutendes geleistet hat bzw. hätte. Inwieweit, d. h. in welchem Ausmaß in seinen späteren Kritiken rhetorische Aspekte und Beurteilungskriterien eine Rolle spielten, muß in Ermangelung überlieferter literarkritischer Zeugnisse eine offene Frage bleiben. Daß Büchner für seine Literaturkritik die Rhetorik als Bewertungs- und Analyseinstrumentarium auf die eine oder andere Weise nutzbar gemacht hat, dürfte jedoch außer Frage stehen.

Was immer der spätere Literatur- dem jugendlichen Aufsatz-Kritiker verdankt haben mag – im Hinblick auf Büchners schulische Rezensionstätigkeit wie auch auf seine anderen Schülerarbeiten gilt es festzuhalten und zu resümieren: 1. Büchner verwendet in seiner Rezension eine Reihe rhetorischer Beurteilungs- und Bewertungskriterien, die zumeist aus dem rhetorischen Tugendsystem, d. h. aus dem System der *virtutes* bzw.

---

30 Georg Büchner: *Werke und Briefe. Gesamtausgabe.* Hrsg. von Fritz Bergemann. 11. Aufl. – Frankfurt a. M. 1968, S. 552 (zitiert als: Bergemann 1968).
31 Daß Büchner die von Gutzkow im Brief vom 7. April 1835 angeregten »Kritiken über die neu erscheinenden französischen Werke« (*HA* II, S. 437/33 f.) höchstwahrscheinlich geschrieben und auch an Gutzkow abgeliefert hat, läßt sich sowohl seinem Brief an die Familie vom 5. Mai 1835 (vgl. *HA* II, S. 438 f./35 ff.) wie auch Gutzkows Brief an Büchner vom 12. Mai 1835 entnehmen: »Ihre Äußerungen über neure Lit. vermag ich nicht aufzunehmen, weil mir jezt die Muße fehlt.« (*HA* II, S. 479/5 f.).

vitia elocutionis stammen. 2. So wie Büchner rhetorische Kritik am Aufsatz eines Mitschülers übt, so dürften auch seine Klassenkameraden und Lehrer[32] an seinen Aufsätzen und Reden rhetorische Kritik geübt haben. 3. In Erwartung rhetorisch fundierter Kritik werden Büchner und seine Mitschüler verständlicherweise besonders auf das Rhetorische in ihren Texten geachtet haben. Die erwartete, gefürchtete oder erhoffte, rhetorische Kritik provozierte eine rhetorische Sprach- und Stilgestaltung. Die Verfasser von Schulreden und Schulaufsätzen berücksichtigten den ›Erwartungshorizont‹ ihrer potentiellen Rezensenten und Kritiker, zu dem es gehörte, daß ein Text nach rhetorischen Regeln konzipiert, aufgebaut und gestaltet war.

---

32 Einen Beleg dafür, daß die Lehrer des Darmstädter Gymnasiums die Leistungen ihrer Schüler in den philologischen Fächern nach rhetorischen Maßstäben beurteilen, bietet das Reifezeugnis Georg Büchners, das ihm sein Lateinlehrer und Direktor Dilthey am 30. März 1831 ausstellte. Darin lobt Dilthey Büchners »schriftlichen Ausdruck im Lateinischen«, weil er »verständlich, ziemlich correct und fließend und zuweilen bis zur Fülle des oratorischen Numerus gesteigert« sei (Bergemann 1968, S. 551). Dilthey urteilt hier mit Hilfe der rhetorischen Stilprinzipien der *perspicuitas* (»verständlich«) und der *puritas* bzw. *latinitas* (»ziemlich correct«) sowie mit dem rhetorischen *terminus technicus* des *numerus oratorius*, worunter man den rednerischen Wohlklang der Prosasprache versteht (zum *oratorius numerus* vgl. Lausberg 1973, S. 480-507). Auch andere Lehrer des Darmstädter Gymnasiums, wie z. B. Karl Friedrich Weber, haben bei der Analyse von Texten rhetorische Kategorien benutzt (vgl. hierzu Kapitel II. 3. meiner Habilitationsschrift: ›Rhetorische Schulschriften und Rhetorik-Übersetzungen von Lehrern des Gymnasiums‹, S.40-43).

(Un)bekannte Stammbuchverse Georg Büchners
Weitere biographische Miszellen aus dem Nachlaß der Gebrüder Stoeber

Von Jan-Christoph Hauschild (Düsseldorf)

Ein Gutteil der Fehler und Versäumnisse der Büchner-Forschung hätte vermieden werden können, wäre es um Kooperation und Kommunikation besser bestellt gewesen. Diese Klage gilt schon den Zeitgenossen Büchners: Gutzkows tragisch-ignorante Einschätzung von *Leonce und Lena* in seinem Brief an Büchners Braut[1] hat mit Sicherheit entscheidend zu Minnas beharrlicher Weigerung beigetragen, selbst Jahrzehnte später Franzos Einblick in die in ihrem Besitz befindlichen Originalmanuskripte zu gewähren[2]; unter Berufung auf Verfehlungen Gutzkows wurde Wilhelm Schulz' Nachlaß von dessen Witwe vernichtet.[3]

Vergleichbare Kommunikationsprobleme erklären es wohl auch, daß eine bereits vor annähernd vierzig Jahren veröffentlichte Monographie über die Brüder Stoeber mit entsprechenden Belegen zu Büchners Straßburger Zeit von der gesamten Forschung bislang unbeachtet bleiben konnte. Es handelt sich um die trotz des stramm ideologischen Untertitels auf solider Quellenbasis beruhende Arbeit des Mühlhauser Heimatforschers

Karl Walter: *Die Brüder Stoeber. Zwei Vorkämpfer für das deutsche Volkstum im Elsaß des 19. Jahrhunderts.* – Kolmar im Elsaß: Alsatia Verlag o. J. [1943].

Das Material zu seiner fast 250 Seiten starken Arbeit ermittelte Walter in gut einem Dutzend Archiven und Bibliotheken und in verschiedenen

---

1 Vgl. Gutzkows Brief an Minna Jaeglé vom 26. 6. 1838: »Ich [. . .] ließ in den Mainummern des Telegraphen diejenigen Stellen aus Leonce und Lena abdrucken, die mir für ein Zeugniß von Büchners poetischen Gaben erheblich schienen. Ich konnte das ganze Lustspiel nicht mittheilen, weil Büchner es in der That ein wenig zu schnell hingeworfen und als Ganzes es selbst seine Freunde nicht würde befriedigt haben.« (Erstdruck bei: Charles Andler: *Briefe Gutzkows an Georg Büchner und dessen Braut.* – In: Euphorion, 3. Erg.-H. (1897), S. 192f. – Das gepreßt klingende Lob des Lustspiels an früherer Stelle (»fand darin Büchners feinen Geist wieder«, vgl. Andler, a.a.O., S. 191) liegt auf derselben Linie. Gutzkow war von der »idyllischen« Komödie enttäuscht; ja, er scheint sich geradezu davor gefürchtet zu haben, daß ein vollständiger Abdruck ihn kompromittieren könne. Wenn er um sein Ansehen beim Publikum bangte, heißt das jedoch nicht, daß er selbst vom Mangel an »Mise en Scene« überzeugt war. Seine Polemik gegen die »grassirenden Lustspieldichter« im Anschluß an den Journaldruck von *Leonce und Lena* (im *Telegraph für Deutschland*, Nr. 80 v. Mai 1838, S. [601]) könnte das bestätigen. Wer es wagt, die Hanswurstiaden eines Nestroy oder die aus Novellengarn gestrickten dramatischen Strümpfe der Birch-Pfeiffer über Arnim und Brentano zu stellen, der kann kein Dummkopf, dem muß ein Schelm sein.
2 Vgl. Wilhelmine Jaeglé an K. E. Franzos, 2. 4. 1877, zit. nach Büchner: *Werke und Briefe*, ed. Bergemann. – München: dtv 1965, S. 335: »Das Andenken an Georg Büchner ist mir zu teuer, als daß ich wünschen könnte, etwas Unfertiges von ihm der Kritik der Rezensenten auszusetzen.« Gutzkow jedenfalls hatte sie als einen solchen in Erinnerung.
3 Vgl. Walter Grab: *Ein Mann, der Marx Ideen gab. Wilhelm Schulz, Weggefährte Georg Büchners, Demokrat der Paulskirche. Eine politische Biographie.* – Düsseldorf: Droste 1979, S. 364.

privat aufbewahrten Dichter- und Gelehrtennachlässen des In- und Auslandes. Vor allem hatte er auch Gelegenheit, Einsicht in den umfangreichen *Fonds littéraire* der Stoebers zu nehmen. Dieser auch heute noch in Privatbesitz befindliche Nachlaß ist zuletzt von Werner R. Lehmann und Thomas Michael Mayer im Hinblick auf Büchner-Funde ausgewertet worden.[4]

Aus der Lektüre von Walters Buch ergibt sich nun die überraschende Feststellung, daß selbst der Druck und die Publikation eines Büchner-Textes noch nicht die Gewähr dafür bietet, daß er von der Forschung auch erfaßt und allgemein zugänglich gemacht wird.

Selbst wenn man einräumt, daß das im Krieg erschienene Buch von Walter den damaligen Spezialisten Viëtor und Bergemann nicht zur Hand gewesen ist, so müßten neuere Editionen längst darauf gestoßen sein – zumal Walter bereits durch frühere Veröffentlichungen zum Stoeber-Kreis hervorgetreten ist.[5]

Eine andere Frage ist, warum einige der von Karl Walter beschriebenen Büchneriana nicht auch später wieder aufgetaucht sind. Nach Versicherung von Thomas Michael Mayer, dem ich auch für eine ganze Reihe anderer Hinweise herzlich danke, hat sich bei der seinerzeit relativ gründlichen Durchsicht des ja Tausende von Einzelstücken zählenden Nachlasses von ihnen keine Spur mehr gefunden. Und obgleich man mit völliger Gewißheit nicht ausschließen kann, daß der Stoeber'sche *Fonds littéraire* sie – vielleicht an entlegener Stelle – doch enthält, muß damit gerechnet werden, daß auch diese Dokumente einen Weg genommen haben, der sich nicht mehr rekonstruieren läßt; daß sie, wenn nicht überhaupt verloren, so doch verschwunden sind. Vielleicht bringt ihre Wiederentdeckung auch jene verschollene Widmungsseite des Stoeber'schen Dedikationsexemplares von *Danton's Tod* ans Tageslicht, die vor der Versteigerung der Familienbibliothek im Februar 1891[6] herausgetrennt worden sein muß.[7]

Karl Walter verdanken wir immerhin die Auffindung und Beschreibung jenes in Leder gebundenen Freundschaftsalbums, August Stoebers *Souvenir d'amitié,* das neben diversen blütenkranzgeschmückten Eintragungen eben auch ein paar eigenhändige Zeilen von Georg Büchner enthält. Bis eine erneute Nachforschung dieses Albumblatt für uns möglicherweise wiederentdeckt, solange werden die Büchner-Exegeten gebeten, mit dem hier (in diplomatischer Wiedergabe von Karl Walters

4 Vgl. Werner R. Lehmann/Thomas Michael Mayer: *Ein unbekannter Brief Georg Büchners. Mit biographischen Miszellen aus dem Nachlaß der Gebrüder Stoeber.* – In: Euphorion 70 (1976) S. 175-186.
5 Vgl. z. B. *Die Brüder Stöber und Gustav Schwab* (Schriften des wiss. Instituts der Elsaß-Lothringer im Reich an der Univ. Frankfurt/Main, N. F., Nr. 1). – Frankfurt am Main 1930 oder *Uhland und das Elsaß* (Rechenschaftsbericht des Schwäbischen Schillervereins 1928/29).
6 Vgl. den *Katalog einer werthvollen Sammlung von Büchern aus den Bibliotheken des bekannten elsässischen Dichter- u. Brüderpaares August und Adolf Stöber [. . .].* – Straßburg: Lindner's Buchhandlung und Antiquariat 1891.
7 Vgl. das jetzt im Besitz der Georg Büchner Gesellschaft in Marburg befindliche Widmungsexemplar für Baum mit dem in der Hessischen Landes- und Hochschulbibliothek Darmstadt aufbewahrten Exemplar für Stoeber.

möglicherweise modernisierender und ggf. die Abkürzungen auflösender Transkription) unter Vorbehalt mitgeteilten Wortlaut und der entsprechenden Typographie[8] vorlieb zu nehmen. Büchners Gedenkzeilen lauten:

> »Verse kann ich keine machen, eine Phrase fällt mir eben
> nicht ein, ich habe also nur die einfache Bitte, erinnere Dich
> zuweilen Deines   Georg Büchner
> Straßburg, 2. August 1833.«[9]

Nun erinnert zwar beispielsweise Wilhelm Schulz 1851 daran, daß Büchner tatsächlich »in seinem Leben nur wenige oder gar keine Verse gemacht« und auch die »gerade umlaufenden Mode- und Schlagworte«[10] vermieden hat; ein wenig lustlos klingt es aber doch, was er seinem Freund zum zweiten Abschied aus Straßburg ins Album schreibt. Vielleicht hielt es Büchner für geraten, mit dessen zarter Lyrik[11] und den anderen *Souvenirs* der Eugeniden nicht in Konkurrenz zu treten.

Unter Büchners Eintragung hat August Stoeber noch vermerkt, sie sei »vor seiner Abreise nach Darmstadt«[12] entstanden, und das erlaubt eine Präzisierung des bislang nur vermuteten Abreisetermins auf Anfang August, höchstwahrscheinlich den 7. des Monats: denn wenn Büchner am Montag, dem 9. Dezember, August Stoeber an seinen »Mittwoch Abend vor 5 Monaten«[13] erfolgten Abschied erinnert, hat er dabei sicher nicht mehr das genaue Datum, dafür aber den Reisetag der Kutsche im Kopf. Zählt man – bei Büchners notorischer Rechenschwäche einschließlich Dezember! – fünf Monate zurück, so ergibt sich als erster Mittwoch nach dem 2. der 7. August 1833.

Unentdeckt blieb bisher auch der Briefwechsel zwischen August und Adolph Stoeber, aus dem Walter kurze Auszüge mitteilt. Auch hier gibt es wieder Hinweise auf Büchner wie die folgende Erwähnung im Zusammenhang mit dem Besuch des Stuttgarter Juristen und späteren Nationalökonomen Johannes Fallati (1809–1855), der – mit einer Empfehlung Gustav Schwabs versehen – am 21. Juni 1833 bei Stoeber zu Besuch ist.

»Ich ging mit ihm und Büchner gegen Abend auf das Münster [...]«[14], berichtet August seinem Bruder nach Metz.

Fallati lernte in Büchner einen jungen Landsmann kennen, dessen Briefe aus diesen Tagen die Einsicht belegen, daß »Umänderungen« nur durch »das nothwendige Bedürfniß der großen Masse« herbeigeführt

---

8 Es liegt nahe, daß das Original doch eine versähnliche Zeilenverteilung hat, die aus drucktechnischen Gründen bei Walter nicht berücksichtigt wurde.
9 Walter, a.a.O., S. 63.
10 Wilhelm Schulz: *Nachgelassene Schriften von Georg Büchner* [Rez.]. – In: *Monatsschrift für Politik, Wissenschaft, Kunst und Leben*, 2. Jg., 2. Heft. – Bremen 1851, S. 216.
11 August Stoeber veröffentlichte seit 1826 Gedichte in Elsässer und deutschen Zeitschriften (u. a. im *Morgenblatt* und in der Dresdner *Abendzeitung*, seit 1835 der schärfste Angriff gegen *Danton's Tod* und die »Frankfurter Läster- und Lasterschule« kam; vgl. *GB I/II*, S. 403f.).
12 Vgl. Walter, a.a.O., S. 255 (Anm. 89).
13 Vgl. Büchners Brief vom 9. 12. 1833, in: *HA* II, S. 421; vgl. auch Lehmann/Mayer, a.a.O. (Anm. 4), S. 182.
14 Walter, a.a.O. S. 84.

werden könnten: »sie handeln, man hilft ihnen nicht«[15], schreibt er mit deutlichem Seitenblick auf die Frankfurter Aprilereignisse.

Vielleicht kam zwischen Büchner und Fallati ein ähnliches Gespräch zustande, wie Büchner es dann 1835 in der Eingangsszene von *Danton's Tod* im programmatischen Dialog der Dantonisten gestaltet hat. Hérault fordert dort vom Staat: »Jeder muß sich geltend machen und seine Natur durchsetzen können.«[16]

Wie eine kritische Diskussion dieser Replik mutet nämlich an, was Fallati (allerdings erst viele Jahre danach) in einem Aufsatz für die *Zeitschrift für die gesammte Staatswissenschaft* geschrieben hat:

»[A]lle im weitesten, den Staat mit einschliessenden, Sinne gesellschaftlichen Fragen [drehen] sich um das Verhältniss des einzelnen Menschen zu den nothwendigen Bedingungen der Entwicklung seiner Persönlichkeit [...], sofern er hierbei mit andern Personen in Berührung kommt. Womit man es hier überall zu thun hat, das ist der Zusammenstoss der Persönlichkeit des einen mit der Persönlichkeit des andern, während beide dahin streben, sich im wirklichen Leben geltend zu machen. [...][17]
[D]ie Anerkennung der Persönlichkeit als einer durchaus concreten, in ihrer durch die gegebenen Umstände bestimmten Erscheinung unbegrenzt berechtigten [...] führt auf das Feld der eigensüchtigen Willkür, [...] der Gewaltherrschaft und Unterdrückung. [...] [W]as immer nach Culturstufe und Lage der Umstände [...] [dem Individuum] ermöglicht sich geltend zu machen, das bedingt seine Stellung. [...] Indem die vom Geschick Begünstigten nach verschiedenen Affinitätsverhältnissen sich zusammenschliessen, treten sie schroff und ausschliessend denjenigen gegenüber, die ausser ihrem Gattungscharakter als bloße Menschen gar nichts für sich geltend machen können [...][18].
[D]ie gleiche Genussfähigkeit aller Menschen bedingt gleiche Vertheilung aller Güter nach Art und Menge. Diess wäre der *rein communistische* Standpunkt [...]. Berücksichtigen wir aber [...] alle [...] wirklich vorkommenden Unterschiede der Genussfähigkeit der Individuen, so treten uns auf dem *rein historischen Boden* [...] sehr unvernünftige Forderungen entgegen. [...] Damit jedoch sind wir wieder auf dem Mittelfelde des *Socialismus* angelangt und begegnen der Frage: *bis wohin* der grössern Genußfähigkeit, der höheren Bedürfnisse bei der Anordnung der gesellschaftlichen Verhältnisse auch ein höheres Maass von Mitteln der Befriedigung zugänglich und erreichbar zu machen sei.«[19]

Für die Dantonisten antwortet im Drama der schon zitierte Hérault:

»Jeder muß in seiner Art genießen können, jedoch so, daß Keiner auf Unkosten eines Andern genießen oder ihn in seinem eigenthümlichen Genuß stören darf«[20],

wobei Büchner keinen Zweifel daran läßt, daß – wenigstens in der historischen Situation des Jahres 1794 – dies individualanthropologische Konzept mit den Massenbedürfnissen nicht in Einklang zu bringen war.

»[W]ir [sind] lasterhaft«, erklärt Lacroix, »wie Robespierre sagt d. h. wir genießen, und das Volk ist tugendhaft d. h. es genießt nicht, weil ihm die Arbeit die Genußorgane stumpf macht [...].«[21]

---

15 A.a.O. (vgl. Anm. 13), S. 418.
16 *HA* I, S. 11.
17 Johannes Fallati: *Zur Verständigung über Begriff und Wesen des Socialismus und Communismus.* – In: *Zeitschrift für die gesammte Staatswissenschaft.* In Vierteljahresheften herausgegeben von Volz, Schütz, Fallati, Hoffmann, Göriz [...] und Robert Mohl. Jahrgang 1847, Erstes Heft, S. 290-319, hier S. 292.
18 Ebd., S. 293f.
19 Ebd., S. 310f.
20 A.a.O. (vgl. Anm. 16), S. 11.
21 Ebd., S. 25.

Fallati, der dies allerdings ausdrücklich vom »neidischen Cynismus der rohen, und von dem begehrlichen Sybaritismus der sensualistischen Communisten«[22] abgegrenzt wissen will, sieht die »socialistische« Lösung in der freilich vom »Wesen jeder einzelnen Gesellschaft abhängigen Bedeutsamkeit der einzelnen Bedürfnisse [...] für das Wohl der Gesammtheit«.[23]

Es würde an dieser Stelle zu weit führen, nachzuprüfen, inwieweit Fallati diesen Ansatz auch früher schon verfolgt hat; wichtiger scheint mir, in seiner Person dokumentiert zu haben, daß jemand, von dem wir vorläufig nur wissen, daß er einmal mit Büchner das Straßburger Münster bestiegen hat, allein aufgrund seiner ähnlich gearteten Interessen (neben Sozialismus/Kommunismus u. a.: Poesie, Ökonomie, Statistik) als potentieller Rezipient wie intellektueller Katalysator anzusehen ist.

Wenn von Straßburg die Rede ist, darf der Name Wilhelm Schulz nicht fehlen. Seine Bekanntschaft mit den Stoebers wird zwar durch den auszugsweise gedruckt vorliegenden Brief vom 3. April 1838[24] hinlänglich dokumentiert, neu sind jedoch die folgenden Mitteilungen Karl Walters, die sich auf die Entstehungszeit beziehen.

Anfang August des Jahres 1835 schreibt Stoeber seinem Bruder (der Vollständigkeit halber gebe ich das Zitat mitsamt der Paraphrase von Walter wieder), »daß er vor einigen Wochen die sehr interessante Bekanntschaft von Dr. Schulz aus Darmstadt und seiner Frau gemacht habe,

›beide höchst gebildete, gemüthliche Leute, die eine Zeitlang in München lebten und in Stuttgart, wo sie Schwab, Menzel, Uhland kannten; sie brachten mir einen Gruß von Büchner‹.

Zuerst hätten sie das Bad in Unterbronn gebraucht, seien jedoch bald nach Oberbronn gezogen und in der Rose abgestiegen und beabsichtigten, bis in den September zu bleiben,

›wo Du sie hoffentlich noch sehn wirst‹

um dann nach Nanzig[25] und von dort in die Schweiz zu reisen.«[26]

In Oberbronn wohnte das Ehepaar Schulz bei dem Notar Heinrich Wolf[27], einem Freund der Stoebers, von hier ist der Brief an Ludwig Börne[28] in Paris adressiert, mit dem sich Schulz nach den Aussichten für eine Anstellung als Sprachlehrer erkundigte. Als Börnes Antwort diese Pläne zerschlug, bat Schulz Adolf Stoeber in Metz, ihm behilflich zu sein und sich wegen einer Lehrerstelle am dortigen Institut von La Fitte für ihn zu verwenden. Auch daraus wurde nichts, Ende November reisten

22 A.a.O. (vgl. Anm. 17), S. 311.
23 Ebd.
24 A.a.O. (vgl. Anm. 4), S. 186.
25 D. i. natürlich Nancy.
26 Walter, a.a.O., S. 101.
27 Walter, a.a.O., S. 100.
28 Auch dieser Brief fand sich 1974 im Stoeberschen Privatbesitz. Abgedruckt in: Thomas Michael Mayer: *Ludwig Börnes Beziehungen zu Hessischen Demokraten. Mit drei unbekannten Börne-Briefen. –* In: *Jahrbuch des Instituts für Deutsche Geschichte*, Universität Tel-Aviv, 5 (1976), S. 121-123.

Wilhelm und Caroline Schulz nach Nancy ab.[29] Doch zuvor trug sich der aus deutscher Gefängnishaft entflohene Schulz noch in das bereits erwähnte Stoeber'sche *Souvenir d'amitié* ein. Seinem Gruß vom 24. Oktober 1835 stellte er Goethes »Beherzigung« voran:

> »Ach, was soll der Mensch verlangen?
> Ist es besser, ruhig bleiben?
> Klammernd fest sich anzuhangen?
> Ist es besser, sich zu treiben?
> Soll er sich ein Häuschen bauen?
> Soll er unter Zelten leben?
> Soll er auf die Felsen trauen?
> Selbst die festen Felsen beben.
> Eines schickt sich nicht für Alle;
> Sehe jeder, wie er's treibe,
> Sehe jeder, wo er bleibe,
> Und wer steht, daß er nicht falle.
>
> Zur freundlichen Erinnerung an Ihren Wilhelm Schulz,
> Deutscher ohne Vaterland und Vogel ohne Nest.«[30]

Vom äußeren Leben der Stoebers wußte die Büchner-Forschung im allgemeinen nicht viel mehr als sich beispielsweise in einigen Zeilen Briefkommentar einer Ausgabe darstellen läßt. Walters Buch leistet hier Grundlagenforschung und wird künftig zu berücksichtigen sein.

Nachdem bereits vor einigen Jahren der französische Germanist

Jean-Luc Schweyer: *Daniel-Ehrenfried Stoeber (1779–1835), Témoin de son temps*. Thèse de doctorat du 3° cycle [...]. – Université de Paris X-Nanterre 1974

eine materialreiche Dissertation über den Vater der Brüder Stoeber geliefert hat, dürfte es nun nicht mehr schwer fallen, den politischen Standort von Büchners Straßburger Freunden zu bestimmen, der – merkwürdig genug – es ihnen erlaubte, mit Tieck[31], Menzel[32], Schwab[33] und Uhland[34] befreundet zu sein, während gleichzeitig in ihrem Hause führende Köpfe der emigrierten republikanischen Opposition verkehrten, von denen einige bald darauf zu den Initiatoren von z. T. geheimen Organisationen der frühen deutschen Arbeiterbewegung gehörten: Harro Harring[35], Rudolf Lohbauer[36], Theodor Haupt[37], wahrscheinlich auch Georg Fein[38] – und besonders Georg Herold, der im März 1831 auf Einla-

29 Vgl. Walter, a.a.O., S. 101.
30 Walter, a.a.O., S. 236 (Anm. 116).
31 Tieck hatte 1828 die Stoebers besucht, vgl. Walter, a.a.O., S. 76.
32 Menzel war 1830 in Straßburg gewesen und stand längere Zeit mit den Stoebers in Briefwechsel, vgl.: *Wolfgang Menzel's Denkwürdigkeiten*. Herausgegeben von dem Sohne Konrad Menzel. – Bielefeld u. Leipzig: Velhagen u. Klasing 1877, S. 279 f., 366 f. sowie Walter, a.a.O., S. 77 u. passim.
33 Vgl. Anm. 5.
34 Walter, a.a.O., S. 53 f.
35 Walter, a.a.O., S. 67. Er schrieb später auch für August Stoebers *Erwinia*; Ehrenfried Stoeber übersetzte seine *Mémoires sur la Pologne* ins Deutsche.
36 Der ehemalige Redakteur des *Hochwächter* mußte wegen Preßvergehen aus Stuttgart flüchten und ging im April 1833 von Straßburg in die Schweiz weiter. Vgl. Walter, a.a.O., S. 67, und ders.: *Rudolf Lohbauer in seinen Schweizer und Berliner Jahren 1833 bis 1873*. – In: *Zs. f. Württembergische Landesgeschichte*, XX. Jg. (1961), S. 290 ff.
37 Vgl. Walter, a.a.O., S. 67. Im Fall Theodor Haupts (1782-1852) dürften weitere Recherchen besonders lohnend sein, da über seine letzten Lebensjahre in Frankreich nur sehr wenige Zeugnisse vorliegen.
38 Fein hatte auf Ehrenfried Stoebers *Sämmtliche Gedichte und kleine prosaische Schriften*. – Straßburg: Schuler 1835-1836 subskribiert (vgl. ebenda, 3. Band, S. XLV) und hielt sich 1833 nachweislich in Straßburg auf (vgl. z. B. Otto Wiltberger: *Die deutschen politischen Flüchtlinge in Straßburg 1830 bis 1849*. – Berlin u. Leipzig 1910, S. 16 ff.).

dung der Stoebers in der Straßburger Studentenvereinigung ›Eugenia‹ aus seinen politischen Flugschriften vorlas und Pfingsten desselben Jahres in Baden-Baden August und Adolph Stoeber mit Ludwig Börne zusammenbrachte.[39] Nur wenige Monate nach ihm hospitierte dann Georg Büchner in der ›Eugenia‹.[40]

Im Jahr der Juli-Revolution schien es zunächst so, als habe sich das Freiheitsideal der Stoebers erfüllt. Ihre Briefe an den Freund August Schnetzler sind voll von schwärmerischer Begeisterung über die »glorreichen Tage unserer Befreiung«[41]. Louis-Philippe wurde als »Philipp der Erste« begrüßt, als »erste[r] Bürger seines Vaterlandes« war er der wahre »Bürger-König«[42].

»Vor vierzig Jahren, geliebte Franzosen, habt Ihr die Ketten der Sclaverei zerbrochen, wie einst die Söhne Israels das Joch der Aegypter: wie sie, seyd Ihr durch ein rothes Meer gewandert, dessen Wellen aber Blut waren – die Revolution; wie sie, habt Ihr eine lange dürre Wüste durchzogen, die Regierungsjahre der Bourbonen. Juble nun, Volk des Herrn! Du hast den letzten Berg überstiegen; vor deinen Blicken liegt das gelobte Land der Freiheit, im heitern Sonnenschein; in deiner Stiftshütte ruht die heilige Bundeslade, deine *Charte*; in Deinem Allerheiligsten waltet ein gottgefälliger Hohepriester, Dein *Ludwig-Philipp der Erste!*«[43]

Die Metapher vom roten Meer der Revolution verwendet auch Büchner in *Danton's Tod*. In der Schlußszene des 2. Aktes läßt er St. Just predigen:

»[...] Moses führte sein Volk durch das rothe Meer und in die Wüste bis die alte verdorbne Generation sich aufgerieben hatte, eh' er den neuen Staat gründete. Gesetzgeber! Wir haben weder das rothe Meer noch die Wüste aber wir haben den Krieg und die Guillotine. [...]«[44]

Zu keiner andern Zeit sind die Stoebers so frankophil eingestellt gewesen; eine Tatsache, die ihr nationalistischer Biograph bezeichnenderweise nur als »verhängnisvollen Zwiespalt« in ihrem von Grund auf deutschen Wesen konstatieren kann.[45]

Noch im Dezember schreibt August Stoeber: »Es ist Morgen geworden in Frankreich, der Hahn hat uns geweckt«.[46] Drei Jahre später tritt eine weitgehende Ernüchterung ein:

»Immer lauter und immer allgemeiner wird die Klage, daß die Julius-Revolution, die von den Freunden der Freiheit mit so vielem Jubel begrüßt worden, die erwarteten Früchte nicht hervorgebracht; daß eine Revolution, die so wesentlich vom Volke ausgieng, dem Volke so wenig genützt; daß es den Ränken der Volksfeinde gelungen ist, sich derselben zur Erreichung selbstsüchtiger Vortheile zu bemächtigen.«[47]

39 Vgl. Walter, a.a.O., S. 67, ferner die Angaben Mayers (s. Anm. 28), a.a.O., S. 113, und das Protokollbuch der Eugenia, das Th. M. Mayer ausführlich kommentiert im 2. Band dieses Jahrbuchs veröffentlichen wird.
40 Walter, a.a.O., S. 61 f. teilt schon die wichtigsten, Büchner betreffenden Passagen mit.
41 Vgl. Walter, a.a.O., S. 65.
42 [Ehrenfried Stoeber]: *Gradaus! Eine Volksschrift in Gesprächen.* – Straßburg: Schuler [1830-1831], Neuntes Gespräch, S. 6.
43 A[ugust] Stoeber: *Kurze Geschichte der neuesten Französischen Revolution im Juli und August 1830.* Mit Anmerkungen und Auszügen aus Briefen von Augenzeugen. – Straßburg: Schuler [1830]. – In einer dieser Anmerkungen (S. 41) macht Stoeber klar, daß die Große Revolution (die er eben noch beschworen hat) eine ganz »abscheuliche Schreckens- oder Jakobinerzeit« gewesen sei und erinnert insbesondere an »die schauderhafte Zeit in welcher in unserm Straßburg die Guillotine fortwährend auf dem Paradeplatz stand«.
44 A.a.O. (vgl. Anm. 16), S. 46.
45 Walter, a.a.O., S. 65.
46 Walter, a.a.O., S. 67.
47 *Vertheidigungs-Reden für die Zeitung betitelt: Die Tribune, gehalten in der Deputirten-Kammer, den 16. April 1833, von den Bürgern Cavaignac und Marast, aus dem Französischen übersetzt von Ehrenfried Stoeber.* – Straßburg: Schuler 1833, S. III.

Wie so viele ihrer Freunde waren auch die Stoebers Mitglieder der Straßburger Nationalgarde.[48] Deren Aufgabe war zunächst defensiv. Die Bürgerwehr sollte das Julikönigtum schützen und Übergriffe der Volksmenge, überhaupt antiroyalistische Tendenzen, verhindern. Erst der wachsende Einfluß von Geheimorganisationen wie des Komitees der ›Volksfreunde‹ führte zu einer Entfremdung zwischen Regierung und Nationalgarde und rief Vorgänge hervor, die in der durch eine königliche Verordnung vom 10. Juli 1834 erzwungenen Auflösung der Bürgerwehr kulminierten.[49]

Ehrenfried Stoeber dichtete damals:

> »Wie? aufgelöst die tapfern Bürgerreihen?
> O Hohn! o Schmach! o tiefer Schmerz!«[50]

Weit davon entfernt, nun etwa der »Pöbelherrschaft« Bahn zu brechen, fand Ehrenfried Stoeber in den *Paroles d'un croyant* von Lamennais, die er ins Deutsche übertrug[51], neuen Halt. Die Visionen des »donnernde[n] Ankläger[s]« und »strafweissagende[n] Prophet[en]«[52] schienen ihm durch die Berufung auf urchristliche Maximen legitimere Wurzeln zu haben als der rationalistisch-atheistische Radikalismus, wie ihn etwa die »Sanct-Simonisten« an den Tag legten. Ihr Bekenntnis »Nous ne sommes pas chrétiens, notre royaume est ce monde«[53] hatte Stoeber, »[i]m Namen Mehrerer«, zu einem Spottgedicht veranlaßt (»Ihr lieben Herren Simonisten/Vernehmt ein Wort von guten Christen«)[54]. Gleichwohl begab er sich auch mit seiner Übersetzung ins politische Abseits: in Preußen wurden die *Paroles* am 30. Juni 1834 verboten, in Hessen-Darmstadt ihre Verbreitung (im Original, in Übersetzung oder in Auszügen) mit 10 Gulden pro Exemplar unter Strafe gestellt.[55]

Abschließend seien noch zwei Einzelhinweise erwähnt:

Zum einen dürfte sicherlich ebenso interessant wie überraschend sein, daß zu den Vorfahren der Stoebers jener Franz Heinrich Ziegenhagen (1753–1806)[56] gehörte, der – noch eine Generation vor Fourier – die Abschaffung des Privateigentums als ein Problem der Moral des Einzelmenschen betrachtete, und die er daher durch geeignete Maßnahmen im Kindesalter (er propagierte eine »natürliche Erziehung«) herbeiführen wollte. Es ist denkbar, daß Schriften dieses Bruders der Mutter von

---

48 Walter a.a.O., S. 65.
49 Vgl. Hermann Ludwig: *Johann Georg Kastner. Ein elsässischer Tondichter, Theoretiker und Musikforscher.* Bd. 1. – Leipzig 1886, S. 275-321 und Félix Ponteil: *L'Opposition politique à Strasbourg sous la Monarchie de Juillet (1830-1848).* – Paris 1932, S. 418-428.
50 *Bei der Auflösung der Strasburger Nationalgarde. Juli 1834. Derselben Nationalgarde gewiedmet.* – Straßburg: Schuler 1834. Zitiert nach Schweyer, a.a.O., S. 195 (Anm. 3).
51 *Worte eines Gläubigen von F. von La Mennais, nach der neuesten Ausgabe aus dem Französischen von Ehrenfried Stoeber.* – Straßburg: Schuler 1834.
52 Ebenda, Vorrede des Übersetzers, S. III.
53 Im *Globe* vom 1. 9. 1831.
54 *An die Sanct-Simonisten. Im Namen Mehrerer.* – In: *Sämmtliche Gedichte,* Bd. 1 (vgl. Anm. 57), S. 102-104.
55 Vgl. Thomas Michael Mayer: *Büchner und Weidig – Frühkommunismus und revolutionäre Demokratie.* – In: *GB I/II,* S. 202.
56 Vgl. Walter, a.a.O., S. 4f.

Ehrenfried Stoeber im Stoeberschen Haus zur Verfügung standen und dort auch von Georg Büchner benutzt worden sind.

Schließlich lösen Walters familiengeschichtliche Mitteilungen noch eins der Rätsel, das ein Brief Eugen Boeckels an Büchner vom 11. Januar 1837 bisher aufgegeben hatte. Dort heißt es am Ende: »Stöber hat seine fiancée, definitiv aufgegeben wie man mir sagte; das arme Mädchen dauert mich. Sie wird schwer eine andere Parthie machen können.«[57] – Walter weiß nun zu berichten, daß hier von Mina, Tochter des Pfarrers Karl Friedrich Philipp Jäger, die Rede ist, mit der August Stoeber einige Zeit lang verlobt war: »Sie starb frühzeitig [. . .] an einem Lungenleiden, im Alter von nur 25 Jahren im Jahre 1840.«[58] Sie dürfte auch das »arme Mädel« sein, das Büchner in seinem Straßburger Brief an Boeckel vom 1. 6. 1836 erwähnt – denn auch von ihrem Verlobten ist hier die Rede:

»Die beyden Stöber sitzen noch in Oberbrunn. Leider bestätigt sich das Gerücht hinsichtlich der Frau Pfarrerin. Das arme Mädel hier ist ganz verlassen und unten sollen die Leute über die poetische Bedeutung des Ehebruchs philosophiren. Letztes glaube ich nicht, – aber zweideutig ist die Geschichte.«[59]

Mina Jägers Cousine Wilhelmine Jäger war die Gattin des »in Oberbronn amtierenden, aber stets kränkelnden Pfarrer[s] Ludwig Schweppenhäuser«[60], und sie kommt daher wie keine andere als jene Pfarrersfrau in Frage, die Büchners Brief in einem ehewidrigen Ruche sieht. Da August Stoeber seit 1834 Vikar in Oberbronn war und mit seinem Bruder des öfteren aushilfsweise für den erkrankten Pfarrer einspringen mußte, scheint er an der Affäre nicht ganz unbeteiligt gewesen zu sein; der Schmerz der betrogenen Verlobten wären dann nur allzu verständlich. Der gehörnte Pfarrer selbst segnete am 17. September 1836 das Zeitliche, womit denn für die überhaupt eher robusten Gebrüder Stoeber als dessen Nachfolger auch der Weg zu Amt und Würden in Oberbronn geebnet war.

57 A.a.O. (vgl. Anm. 12), S. 504.
58 Vgl. Walter, a.a.O., S. 64.
59 *HA* II, S. 458.
60 Walter, a.a.O., S. 94.

Eine Ergänzung zu den *Danton*-Quellen

Von Riitta Pohjola (Oulu)

Man hat häufig die Vermutung geäußert, es werde sukzessive gelingen, noch erheblich über das bisher bekannte Maß hinaus Teile der Dichtungen Büchners – und nicht nur seines Revolutionsdramas – als direkt oder indirekt quellenabhängig nachzuweisen. Voilà der weitere Nachweis einer solchen Quelle, unlängst in Christa Wolfs Büchner-Preisrede[1] noch als dessen eigene Erfindung angeführt. In der Studienausgabe von *Danton's Tod*, die die historischen Zitate typographisch verzeichnet[2], ist aus dem 9. Band von Büchners Hauptquelle *Unsere Zeit* nachzutragen:

UZ IX/282:	Danton's Tod III, 9; Repl. 523:
[Danton] »schrie, mit der Faust auf die rechte Seite deutend: ›Ich, ich habe mich in die Citadelle der Vernunft geflüchtet, ich werde mit den Kanonen der Wahrheit heraustreten und alle die Bösewichter zermalmen, die mich anklagen.‹ – «	»Danton. [...] Ich werde mich in die Citadelle der Vernunft zurückziehen, ich werde mit der Kanone der Wahrheit hervorbrechen und meine Feinde zermalmen.«

Georges Danton sagte diesen Satz allerdings nicht wie bei Büchner in seiner letzten, sondern in einer früheren Verteidigung Anfang April 1793 vor dem Französischen Nationalkonvent.

---

1 *Rosetta unter ihren vielen Namen. Rede vor der Darmstädter Akademie bei Entgegennahme des Georg-Büchner-Preises.* – In: *Süddeutsche Zeitung*, Nr. 142, 18./19. 10. 1980, S. 149f.
2 *Danton's Tod. Entwurf einer Studienausgabe.* [Hrsg.] von Thomas Michael Mayer. – In: Peter von Becker (Hrsg.): *Georg Büchner. Dantons Tod. Die Trauerarbeit im Schönen. Ein Theaterlesebuch.* – Frankfurt a. M. 1980, S. 7–74, hier bes. S. 62; ebd., S. 8ff. auch bibliographische Angaben zu den Quellen und zur Quellenforschung.

Aus Forschung und Leere:

Eine Haberpfeife ist eine Verlesung ist eine Habergeise ist eine Schnepfe

Von Hubert Gersch (Münster)

Gewidmet den Studenten meiner
›Einführung in die Literaturwissenschaft‹

In der Nacht vom 5. auf den 6. Februar des Jahres 1778 (es war in der Nacht von Donnerstag auf Freitag und nur noch fünf Nächte bis Vollmond) klang durch das Pfarrhaus von Waldersbach im elsässischen Steintal ein merkwürdiger Ton. WAS WAR DAS? fragten sich die Ohrenzeugen Und das fragen auch wir uns. Denn der Ton hat ein wissenschaftliches Echo gefunden, das uns aus Anmerkungen, Noten und Erläuterungen entgegenschallt. Ein schauriges Echo.

Also WAS WAR DAS?

Es logierte damals im Obergeschoß des Pfarrhauses ein ungewöhnlicher Gast. Einer, der sein Theologiestudium abgebrochen und mit 27 Jahren noch keinen Beruf hatte, der sich mit Stundengeben, Schuldenmachen und dem Besuch bei Bekannten durchbrachte, der sich mit seinen Eltern und mit einflußreichen Freunden überworfen hatte, den Liebeskummer plagte wegen verschiedener Frauen und Mädchen und der als melancholiekrank galt, einer, der sich schon des öfteren auffällig verhalten hatte. Ein Dichter. Es war J. M. R. Lenz. Und es war vermutlich er, der in jener Nacht diesen aufsehenerregenden Ton hervorbrachte.

Das wissen wir vom Hausherrn selbst. Denn der Pfarrer J. F. Oberlin hat kurze Zeit danach einen Bericht diktiert, *Herr L......* betitelt[1], in dem er das merkwürdige Verhalten seines mehrwöchigen Gastes in vielen Einzelheiten schildert. Eben dort berichtet Oberlin über die bewußte Nacht und über den merkwürdigen Ton und über den schlaflosen Lenz:

---

1 Jean-Fréderic Oberlin: *Herr L......* Edition des bisher unveröffentlichten Manuskripts. Ein Beitrag zur Lenz- und Büchner-Forschung. Hg. v. Hartmut Dedert, Hubert Gersch, Stephan Oswald u. Reinhard F. Spieß. – In: *Revue des Langues Vivantes* 42 (1976), S. 357-385.

»Meine Mägde die in dem Kindsstübgen unter ihm schliefen, sachten, sie hätten oft, insunderheit aber in selbiger Nacht ein brummeln gehöret das sie mit nichts als mit dem Thon einer Habergeise zu vergleichen wußtem. Vielleicht war es sein Winseln mit holer fürchter licher, Verzweiflender Stimme.«[2]

Soviel scheint klar: Es kann nur Lenz gewesen sein, der sich schon öfters mit nächtlichen Ruhestörungen[3] bemerkbar gemacht hatte, und auch in dieser Nacht nicht schlafen konnte[4]. Er wird es gewesen sein, der das durchdringende »brummeln« von sich gab. Doch was für ein Brummeln? Die Ohrenzeuginnen versuchen, ihre Wahrnehmung genauer zu bestimmen. Die Mägde können es nur mit dem Ton einer »Habergeise« vergleichen. Ihr Vergleich kommt aus ihrer Erfahrungswelt; eine von ihnen ist die »Kindsmagd«[5], beide nächtigen in dem »Kindsstübgen«. Ihr Eindruck: »brummeln« und Oberlins Formulierung: »Winseln« vereinbaren sich im Vergleichspunkt: dem Ton einer »Habergeise«. Mit diesem Begriff ist nach dem Textzusammenhang eindeutig eine ganz bestimmte Sache gemeint, ein Kinderspielzeug: der Brummkreisel. Man kennt ihn noch aus Kindertagen: In Drehung gebracht, erklingt dieser Kreisel in einem langen Ton, der ein ganzes Spektrum durchläuft, indem er sich von einem sehr hohen Ton zu einem sehr tiefen Ton verändert. »Winseln« und »brummeln«. Das ist es.

TOUPIE (*d'Allemagne*).
Humming-top.
Brummkreisel, m.

Abb. 1

Die Bezeichnung des Brummkreisels als »Habergeise« ist im Elsässischen gang und gäbe. Jedes einschlägige Wörterbuch weist das aus. Zum Beispiel ein *Wörterbuch der Straßburger Mundart.*[6] Andere Bedeutungen des Wortes »Habergeise«, wie sie beispielhaft das Grimmsche *Wörterbuch*[7] anführt, kommen nach dem Textzusammenhang im Oberlin-Bericht nicht in Frage. Hier ein Faksimile des einschlägigen Artikels, der es erlaubt, die tierkundlichen Bedeutungen von 1 bis 3 auszumustern:

---

2 Ebd., S. 370, Z. 202-206.
3 Vgl. ebd., S. 364, Z. 17-37; S. 368, Z. 122-124.
4 Vgl. ebd., S. 370, Z. 194-202.
5 Vgl. ebd., S. 372, Z. 291.
6 Charles Schmidt: *Wörterbuch der Strassburger Mundart.* – Straßburg 1896, S. 49.
7 Jacob Grimm u. Wilhelm Grimm: *Deutsches Wörterbuch.* Bd. 4. Abt. 2. Bearbeitet von Moriz Heyne. – Leipzig 1877, Sp. 82-83.

HABERGEISZ, *f. in mehreren bedeutungen:*
1) *die heerschnepfe, scolopax gallinago, plattd.* haberziege: bruchschnepflin oder habergeiszlin. HEUSZLIN *vogelb.* 111ᵃ. *der vogel läszt zur begattungszeit hoch in der luft einen ton hören, welcher dem fernen meckern einer ziege höchst ähnlich ist. diesem umstande entspringt sein name* himmelsziege, himmelsgeisz; *mit dem am himmel fahrenden gewittergotte Donar in verbindung gebracht, dessen wagen böcke zogen, nannte man ihn* donnerziege, *wie lettisch* pehrkona kasa, *und indem man eine beziehung des vogels zum himmlischen bockgespann hervorhob, hiesz derselbe* haberlämmchen, haberbock, haberziege, habergeisz, mecklenb. *auch* hawerblarr *bockschreier; da in dem ersten theile des compos. nur das ahd. noch nicht nachgewiesene, ags. und altn. belegte* habar bock *enthalten sein kann* (*vgl. oben* haberbart). *es verknüpfen sich wol auch abergläubische vorstellungen mit diesem vogel, in Island zeigt seine stimme, wenn sie das erste mal im jahre gehört wird, den menschen ihr schicksal an* (*mythol.* 168).
2) *daher überträgt sich der name auf eine nachteule, strix aluco, deren geschrei unheilverkündend und todanzeigend ist* (*sie heiszt auch* leichenhuhn), *so namentlich in Baiern* (SCHMELLER 2, 137), *Tirol* (ZINGERLE *sitten* 42), *Vorarlberg* (VONBUN *sagen* 2b) *und Kärnten* (LEXER 112). — *In Franken und Henneberg heiszt* habergeisz *die krebsspinne, phalangium opilio, die sonst weberknecht, auch geist und tod genannt wird.*
3) *dann geht der name in Süddeutschland auch auf eine schreckgestalt, die man sich bald als vogel denkt* (ZINGERLE *a. a. o.,* VONBUN *beiträge zur d. myth.* 110), *bald als ziege* (LEXER 112).
4) *endlich heiszt so der grosze, inwendig mit pech ausgegossene brummkreisel,* den man in Düringen brummdorl, sausedorl, im Osterlande nonne *nennt:* auch sousten spiel die ins feld gehören, zu üben, nestel ausz dem kreis, klotzstechen, schleiffen schleiffen, ritschen rosz machen, habergeisz ziehen. *Garg.* 171ᵃ; rädelt wol hundert mal herumb wie ein habergeisz. 231ᵃ; ich liesz mir ein instrument durch den dreyer verfertigen, allerdings wie eine habergeisz, damit die junge knaben kurzweilen. *Simpl.* 4, 110 *Kurz;*

un wie e hawwergais glych schnurre-n- un glych brumme.
ARNOLD *pfingstmontag* 12.

auch schweizerisch habergeisz. STALDER 2, 8.

Doch was hat die »Habergeise«, der Brummkreisel, mit der Büchner-Forschung zu tun? Man weiß: Für seine Erzählung *Lenz* hat Georg Büchner den Bericht *Herr L......* von J. F. Oberlin als Quelle verwertet. Seine Verwertung grenzt oft an die wortwörtliche Übernahme. So auch in diesem Fall, bei der Erzählung vom nächtlichen Ton. Da liest man in dem überlieferten Text von Büchners *Lenz*:

»Die Mägde, die in der Kinderstube unter ihm schliefen, sagten, sie hätten oft, insonderheit aber in selbiger Nacht, ein Brummen gehört, das sie mit nichts als mit dem Tone einer Haberpfeife zu vergleichen wußten. Vielleicht war es sein Winseln, mit hohler, fürchterlicher, verzweifelnder Stimme.«[8]

---

8 Georg Büchner: *Lenz.* (Hg. v. Karl Gutzkow) – In: *Telegraph für Deutschland* (1839), S. 87.

Vergleicht man Büchners Version mit dem (schon oben zitierten) Wortlaut des Oberlin-Berichts, dann fällt bei aller Übereinstimmung doch eine Abweichung ins Auge: »Haber*pfeife*« statt »Haber*geise*«. Ein Teil des Wortes ist ausgewechselt.

Büchners Abänderung erscheint nicht unsinnig. Vermutlich hat er, wie auch sonst[9] bei seiner Bearbeitung des Oberlin-Berichts, für eine regionale Bezeichnung, die andernorts unverständlich sein könnte, eine andere eingesetzt: »Haberpfeife«. Dies Wort scheint eine Neubildung zu sein.[10] Es steht aber im Anklang an »Haberrohr«, eine Schalmei bzw. Hirtenpfeife[11], und vielleicht in Erinnerung an die hessische »Happe«, die bekannte Kinderpfeife aus Weidenrinde[12]. Und: die möglichen Konnotationen von »Haberpfeife« gehen durchaus im Kontext auf, den Büchner des weiteren übernommen hat. Ein solches Instrument entspricht dem Erfahrungskreis von Mägden, steht in Assoziation mit der Kindersphäre und läßt an tiefe und hohe Töne denken.

Zur Vergewisserung ist aber noch textkritisch zu prüfen, ob das Wort »Haberpfeife« im *Lenz* nicht auch aus einem Überlieferungsfehler herrühren könnte. Von dem (später verschollenen) Originalmanuskript Büchners (*H*) hatte nämlich seine Straßburger Verlobte Minna Jaeglé eine (später ebenfalls verschollene) Abschrift (*h'*) angefertigt. Auf dieser Abschrift beruht der posthume Erstdruck des *Lenz* (*j*), in dem das bewußte Wort »Haberpfeife« zu lesen ist. In diesem Zusammenhang fällt es jedoch mehr als schwer, einen »Lesefehler der Abschreiberin« anzunehmen, wie Werner R. Lehmann das mit dem Anspruch »größter Wahrscheinlichkeit« tut.[13] Denn: einmal sind in den erhaltenen Manuskripten Büchners die Buchstaben *pf* und *g*, *f* und *s*, auf die es hier ankommt, gut zu unterscheiden. Und zum anderen handelt es sich bei »Habergeise« eben um ein im Elsässischen geläufiges Wort, das für die Straßburger Abschreiberin naheliegender und damit leichter zu identifizieren gewesen wäre als eine Neubildung nach der Art »Haberpfeife«. Gerade die Textkritik spricht für die Authentizität des Wortlautes »Haberpfeife«.

Dennoch hat Werner R. Lehmann für seine »historisch-kritische Ausgabe« des *Lenz* die überlieferte Wortbildung »Haberpfeife« verändert zu dem Wort »Habergeise«[14], das er aus dem Oberlin-Bericht genommen hat. Über seinen Anspruch, diesen Eingriff in den *Lenz* als eine der »Emendationen« zu rechtfertigen, die nach seiner Meinung »zur restituierenden Besserung des Textes auf das Oberlinsche Tagebuch [gemeint

---

9 Z. B. »Blume« (Büchner: *Lenz*, a.a.O., S. 101) statt »Krone«, einer Analogie zu franz. ›couronne‹ in der Bedeutung von ›Kranz‹ (Oberlin: *Herr L.......*, a.a.O., S. 571, Z. 232).
10 Eine andere Neubildung liegt z. B. vor in »Lippen bückten sich über ihm aus« (Büchner: *Lenz*, a.a.O., S. 53).
11 Vgl. Grimm: *Wörterbuch*, a.a.O., Sp. 86.
12 Vgl. *Südhessisches Wörterbuch*. Begr. v. Friedrich Maurer. Bearb. v. Rudolf Mulch u. Roland Mulch. Bd. 5. – Marburg 1975/77, S. 126.
13 Werner R. Lehmann: *Textkritische Noten. Prolegomena zur Hamburger Büchner-Ausgabe.* – Hamburg 1967, S. 26 u. 27.
14 *HA*, Bd. 1, S. 95, Z. 31.

ist: Bericht] zurückgreifen«[15], könnte man vielleicht noch streiten, nicht aber über die entsprechenden Einlassungen des Editors. Man kann sie nur zitieren. Man muß sie zitieren und zwar gründlich:

»Dem Wort *Habergeise* war auch deshalb der Vorzug zu geben, weil es stärker auf Brauchtum und Aberglauben hinweist und das unheimliche Winseln, das die Mägde in der Kinderstube wahrnehmen, nach dieser Richtung hin erweitert. Friedrich Kluges Etymologisches Wörterbuch [19. Aufl. Berlin 1963, S. 278.] vermerkt, daß der Name Habergeiße in Volksbenennungen häufig auf die Bekassine angewandt wird, die wegen ihrer dem Meckern ähnlichen Fluggeräusche auch Himmelsziege heißt. Im Oberdeutschen ist ›Habergeiß‹ als Name für verschiedene Vögel und Dämonen seit 1482 belegt.«[16]

Man ist verblüfft, auf welchen Gedankenwegen diese Argumentation einherkommt, um zur »Habergeise« zu gelangen: Sie geht von einem interpretatorisch kurzschlüssigen Vorurteil aus (Wessen »Aberglauben«?). Sie verläuft über eine Mißdeutung des Zusammenhangs (In welcher Beziehung steht das »unheimliche« Winseln mit »Meckern«?). Und sie mündet in eine nachlässige Sach-Recherche (Welche Information kann ein *Etymologisches Wörterbuch* bieten?).

Der Sachverhalt wurde schon 1976, sozusagen en passant, richtiggestellt. Bei Gelegenheit der kritischen Edition des ›Oberlin-Berichts‹ wurde zu ›Habergeise‹ angemerkt[17]: »Habergeise] Vermutlich ist der Brummkreisel, ein Kinderspielzeug, gemeint (vgl. Grimm, *Wörterbuch*. Bd. 4, 2. Sp. 82f.). Sieh dagegen die Erläuterung bei Lehmann, *Noten*. S. 26f.«

Damit hätte die Angelegenheit eigentlich erledigt sein müssen. Doch nun erschallte das eingangs erwähnte Echo in der Büchner-Literatur. Ein mehrfaches Echo, das immer kurioser tönt.

Das erste Echo kommt aus der Gegend, wo gewissermaßen ein »Fels des Positivismus«[18] angesiedelt sein sollte, wo aber »aus der Flut der Büchner-Literatur [...] einsam der tarpejische Fels des *Büchner-Kommentars* von Walter Hinderer heraus[ragt], vom dem [...] so manches Werk gestürzt werden dürfte, das gegen den Geist der Büchner-Forschung verstößt.«[19] Zwar ragt der tarpejische Fels gar nicht so einsam und auch aus keiner Flut heraus, zwar gibt es keinen Geist zu beschwören und kein Mensch wird Fehler der Büchner-Literatur in solcher Weise und als Staatsverbrechen ahnden wollen. (Da gibt es andere Möglichkeiten.) Doch was lehrt der gepriesene *Büchner-Kommentar* aus dem Jahr 1977 in puncto »Haberpfeife«?

Seine Erläuterungen, sie setzen »so gut wie keine Kenntnisse voraus«[20], sagen kurz und bündig: »Lehmann (Noten, S. 26f.) hat aus überzeugenden Gründen die Lesart ›Habergeise‹ bevorzugt.« Und von wel-

15 Lehmann: *Noten*, a.a.O., S. 26.
16 Ebd., S. 26–27.
17 Oberlin: *Herr L......*, a.a.O., S. 382.
18 Thomas Michael Mayer. [Mündlicher Beitrag] – Darmstadt 26. 6. 1981, 15 h[19] (= Georg Büchner Symposium, Sitzung 4).
19 Louis F. Helbig: [*Rezension* von: Hinderer.] – In: *German Quarterly* 53 (1980), S. 393.
20 Hinderer, S. 7.

chen »überzeugenden Gründen« spricht der Kommentar? Es sind diese: »das Wort ›Habergeiße‹ wurde im Volksglauben auf die Bekassine angewandt, die man wegen des Fluggeräusches, das sie in der Balzzeit verbreitet, auch Himmelziege nannte. Im Oberdeutschen ist das Wort nach Kluge für verschiedene Vögel und Dämonen seit dem 15. Jahrhundert belegt«.[21] Man kennt diese Gründe schon. Neu ist nur die »Balzzeit«.

Dieser Neuigkeit ist dann 1980 in einem »auf den jüngsten Forschungsstand bezogenen Kommentar«[22] zu Büchners *Lenz* Rechnung getragen. Jetzt hat es der Brummkreisel mit philologischer Unterstützung »zur Paarung« gebracht. Man liest:

> »*Habergeise:* Bekassine (Schnepfe), deren Männchen zur Paarung durch sehr schnelle Schwingungen der Schwanzfedern einen dem Meckern der Ziege ähnlichen Ton hervorbringt (daher auch Himmelsziege genannt).«[23]

Gott weiß, woher dieser Kommentator sein vogelkundliches Wissen hat. Der alte ›Brockhaus‹ jedenfalls informiert (natürlich nicht unter dem Stichwort ›Habergeise‹) über die »gemeine Becassine oder Heerschnepfe«: sie »wird wegen des meckernden Tons, den sie durch das Schwirren der Schwanzfedern hervorbringt, auch Himmelsziege genannt. Sie ist äußerst schwer zu schießen«[24].

Den Vogel schießt dann aber doch 1980 ein literaturdidaktisches Unternehmen ab, eine *Lenz*-Edition »für den Literaturunterricht«, eine zeitgemäße »Annäherung an die besonderen Kommunikationsabsichten des Büchnerschen Textes«.[25] Schüler können dort zwar überlieferungsgetreu »Haberpfeife« lesen, aber sie bekommen zu diesem Wort auch die Belehrung: »Vogelart: Schnepfe«.[26]

Bécassine.
Snipe. — *Sumpfschnepfe*, f.

Abb. 2

21 Ebd., S. 168–169.
22 *WuB*, S. 534: »*Karl Pörnbacher* kommentierte [. . .] ›Lenz‹«.
23 Ebd., S. 368.
24 Brockhaus' *Konversations-Lexikon.* 14. vollst. neubearb. Aufl. Bd. 2. – Leipzig 1894, S. 605.
25 Georg Büchner: ›*Lenz‹ und Oberlins Aufzeichnungen in Gegenüberstellung mit Materialien.* Ausgew. u. eingel. von Heinz-Dieter Weber. – Stuttgart 1980 (= Editionen für den Literaturunterricht), S. 72.
26 Ebd., S. 44.

Postskript: Münsteraner Studenten, denen solche Produktivität nun doch ins Feld des Karnevals hineinzureichen schien, haben den Vorgaben der etablierten Forschung zu entsprechen gesucht und kürzlich ein Gruppen-papier vorgelegt, betitelt ›Die Interdependenz von Wissenschaft und Aber-witz, unter besonderer Berücksichtigung von Liwi, Bio und Didaktik‹. Aus ihrem ernsten Zusammenhang seien ein paar Thesen und naturkundliche Feststellungen herausgegriffen – zur Anregung weiterer philologischer Be-mühungen, mit denen man bei dem Forschungsbetrieb zu rechnen hat. Voilà:

– *»Warum sollen Schüler und Studenten nichts von ›Balzzeit‹, ›Paarung‹, ›Schwingungen‹ usw. lesen?«*
– *»Die Alternative zwischen einem (männlichen) Brummkreisel bzw. einer (weiblichen) Schnepfe und einem (männlichen) Haberrohr bzw. einer (weiblichen) Hirtenpfeife ist irgendwie zu eng.«*
– *»Es ist von der Büchnerforschung noch nicht berücksichtigt worden, daß ›Habergeiß‹ im Badischen ein ›mageres Frauenzimmer‹ bezeichnet.«*
– *»Habergeise: ein Insekt, ›Weberknecht‹ oder auch ›Geist und Tod‹ ge-nannt (vgl. Grimm!), weil die eine Volksbenennung auf das sozialkriti-sche Moment bei Büchner hinweist, die andere eine etablierte For-schungsrichtung erweitert.«*
– *»Der Vorzug zu geben ist der ›Habergeise‹ in der Bedeutung der ›Nacht-eule‹ (Strix aluco), weil sie unheimlich gut die Nachtmystik erweitert.«*
– *»Haberpfeife: Lese-, Abschreib- und Interpretationsfehler für ›Haferfliege‹ (Chlorops s. oscinis pusilla Meigen), eine Fliegenart aus der Gattung der Halmfliege (vgl. H. Wilhelm; Die Haferfliege. Teschen 1889) von 2 mm Länge (vgl. Abb. 3) und dunkler, schwarzer Farbe – vgl. dazu die ›Hamburger Ausgabe‹, Bd. 1, S. 82, Z. 12, wo Büchner ausdrücklich ›Stroh‹ im Zusammenhang mit ›schwarzer ernster Farbe‹ erwähnt!«*

LOUPE (*verre grossissant*).
Magnifying glass.
Vergröszerungsglas, n.

Abb. 3

Druck- oder Lesefehler?
Ein kleiner textkritischer Beitrag zu
Georg Büchners *Spinoza*-Studien

Von Peter G. Steese (New Hampshire)

In Anbetracht des Stellenwertes, den die Forschung den *Descartes*- und *Spinoza*-Studien Büchners beigemessen hat[1], muß es überraschen, daß man im Rahmen der philosophischen wie textkritischen Beiträge bisher versäumt hat, auf eine grundlegende Diskrepanz zwischen der lateinischen Originalfassung des »Anhangs« zur *Ethik* Spinozas und der Übersetzung Büchners hinzuweisen.[2] Aufmerksam machen möchte ich in diesem Zusammenhang auf folgenden Auszug aus der Übersetzung Büchners:

> ». . . Und obgleich die Theologen und Physiker zwischen dem Zweck der Bedürfniße und dem Zweck der Assimilation unterscheiden, so gestehen sie doch zu Gott habe Alles um seiner selbst willen, aber nicht der zu erschaffenden Dinge halber gethan, weil sie *von der Schöpfung* [Hervorhebung von mir, P. G. S.] nichts anführen können, um dessen willen Gott geschaffen habe; sie müssen also doch nothwendigerweise zugestehen Gott habe das, um dessen willen er gehandelt hat, entbehrt und begehrt . . .«[3]

Eine genaue Überprüfung des Wortlauts dieser Passage unter besonderer Berücksichtigung des Kausalsatzes legt bereits nahe, daß das Präpositionalgefüge »von der Schöpfung« eine Wertung begünstigt, die sich angesichts der einleitenden Zugeständnisse etwas sonderbar ausnimmt. Ein Vergleich dieser Passage mit der entsprechenden Textstelle in der lateinischen Originalfassung bestätigt diese Bedenken, denn an entscheidender Stelle steht nicht etwa »de creatione«, was dem Wortlaut der deutschen Übertragung gemäß zu erwarten wäre, sondern »ante creationem«:

> ». . . Et, quamvis Theologi, & Methapysici distinguant inter finem indigentiae, & finem assimilationis, fatentur tamen Deum omnia propter se, non vero propter res creandas egisse; quia nihil *ante creationem* [Hervorhebung, P. G. S.] praeter Deum assignare possunt, propter quod Deus ageret; adeoque necessario fateri coguntur, Deum iis, propter quae media parare voluit, caruisse, eaque cupivisse, ut per se clarum . . .«[4]

Dieser Auszug veranschaulicht eindeutig, daß die Übersetzung des Prä-

---

1 Benn, S. 41-74.
2 *HA*, Bd. 2, S. 261-266.
3 *HA*, Bd. 2, S. 264.
4 Benedicti de Spinoza: *Spinoza Opera*. Hrsg. von Carl Gebhardt. – Heidelberg 1925, Bd. 2, S. 36. Vergleiche hierzu Benedicti de Spinoza: *Opera quae supersunt omnia*. Hrsg. von Henr. Eberh. Gottlob Paulus. – Jena 1803, Bd. 2, S. 72.

positionalgefüges »ante creationem« im Einklang mit dem temporalen Verhältnis, das die Präposition »ante« kennzeichnet, hier nur »vor der Schöpfung« und nicht »von der Schöpfung« lauten kann.

Einen weiteren wichtigen Anhaltspunkt stellt in dieser Hinsicht auch die Tennemannsche Übertragung des »Anhangs« dar, die Büchner mit Sicherheit gekannt hat[5], denn auch Tennemann bewahrt an entscheidender Stelle den Wortlaut der lateinischen Originalfassung:

»... Wenn gleich die Theologen und Metaphysiker den Endzweck des Bedürfnisses und der Verähnlichung (*finem indigentiae, assimilationis*) unterscheiden, so geben sie doch zu, daß Gott alles seinet, nicht aber der zu erschaffenden Dinge willen gethan habe, weil sich *vor der Schöpfung* [Hervorhebung, P. G. S.] nichts außer Gott angeben läßt, um dessen willen Gott hätte handeln können; dadurch werden sie zu dem Geständniß genöthiget, daß Gott dasjenige vermißt und begehrt habe, um dessen willen er die Mittel anschaffen wollen ...«[6]

Da diese Gegenüberstellungen und Belege die kontextuelle bzw. grammatische Sinnwidrigkeit der Lesung »von der Schöpfung« in der historisch-kritischen Ausgabe unter Beweis stellen, ist offensichtlich, daß es sich hier um einen Druckfehler handelt. An der Weimarer Handschrift bliebe (bei eindeutiger Schreibweise des entscheidenden Buchstabens) eine mögliche Verlesung oder editorische Fehlentscheidung auszuschließen.

---

5 Wilhelm Gottlieb Tennemann: *Geschichte der Philosophie.* – Leipzig 1817, Bd. 10, S. 446. Dieser Band diente Büchner als Hauptquelle für die *Spinoza*-Studien.
6 Tennemann, S. 446.
7 Der Verfasser wird versuchen, dieses anhand der Manuskripte nachzuprüfen.

Was wird er damit machen? oder »Spero poder sfogar la doppia brama, De saziar la mia fame, e la mia fama.«

Von Wolfgang Proß (München)

»Was wird er damit machen?«[1] – nämlich der Büchner-Forscher mit den beiden Zeilen, die über *Leonce und Lena* zu finden sind:

> »ALFIERI: E la fama?
> GOZZI: E la fame?«[2]

Sind sie nur Anlaß, ein bißchen »Einflußphilologie« zu treiben? Büchner und das italienische Theater des 18. Jahrhunderts? Oder handelt es sich um eine Mystifikation, typisch für die Literaturkomödie der Romantik? ein spielerisch deformiertes Zitat, das sich der Unzahl von ähnlichen Reprisen aus Shakespeare (*As you like it*), Brentano (*Ponce de Leon*), Musset (*On ne badine pas avec l'amour*) oder Jean Paul (*Hesperus*)[3] hinzugesellt?

Ich werde mich hüten, die gestellten Fragen zu beantworten; ich möchte sie nur glossieren. Berufenere haben sich zu dem Problem der Zitate geäußert, das mit dem des Wettbewerbs, den Cotta ausgeschrieben hatte, eng verknüpft ist: ich darf deshalb auf die Arbeiten von Jürgen Sieß[4], Kurt Ringger[5], John R. P. McKenzie[6] und den vorstehenden Aufsatz von Thomas Michael Mayer[7] verweisen. Die Diskussion um Jost Hermands *Leonce und Lena*-Beitrag auf der Darmstädter Büchner-Tagung[8] und Th. M. Mayers Hinweis auf die Bedeutung der »Vorrede«, wie Büchner seine »Zitate« (falls sie es sind) nennt, veranlaßten diesen Beitrag.

Sind es Zitate? Kurt Ringger hat zu Recht Zweifel angemeldet, bei Alfieri bzw. Gozzi entsprechende Textstellen nachweisen zu können.[9] Th. M. Mayer verwies in seinem Diskussionsbeitrag auf den »Devisen«-Charakter dieser Vorrede, der gewissermaßen Präsentationszüge des Begleitbriefes zu *Dantons Tod* an Gutzkow trage; eine Ansicht, der ich mich

---

1 Titel eines von Arno Schmidt 1971 übersetzten Romans von Edward Bulwer-Lytton.
2 *HA* I, S. 103.
3 Zu verweisen ist besonders auf die »Historische Benefizkomödie von der Übergabe der Prinzessin, in fünf Akten« im 11. Hundsposttag des *Hesperus* (Ausg. Hanser Bd. I, S. 635-644), die mir eine nicht genügend ausgewertete Quelle Büchners zu sein scheint.
4 Jürgen Sieß: *Zitat und Kontext bei Georg Büchner. Eine Studie zu den Dramen »Dantons Tod« und »Leonce und Lena«.* – Göppingen 1975.
5 Kurt Ringger: *Georg Büchner zwischen FAMA und FAME.* – In: *Archiv für das Studium der neueren Sprachen und Literaturen*, Bd. 213, Jg. 128 (1976), S. 100-104.
6 John R. P. McKenzie: *Cotta's Comedy Competition (1836).* – In: *Maske und Kothurn* 26 (1980), S. 59-73.
7 S. o. S. 201-210.
8 Jost Hermand: *Der Streit um ›Leonce und Lena‹.* Vortrag beim Georg-Büchner-Symposium Darmstadt 1981, gehalten am 27. 6. 81 (dem Vf. im Ms. zugänglich).
9 Ringger (s. o. Anm. 5), S. 105.

nur anschließen kann.[10] Dabei erinnerte ich mich an eine Stelle aus Goldonis Komödie *Il poeta fanatico* (1750), in der die Verschränkung von »fama/fame« auftaucht und die ich ohne den Text nur annäherungsweise zitieren konnte:

»Spero poder sfogar la doppia brama,
De saziar la mia fame, e la mia fama.«[11]

Es handelt sich hier um eine Komödie, die unter dem Titel *I poeti* am 5. September 1750 in Mailand erstmals gespielt wurde; Publikumsrücksichten veranlaßten den Verfasser, diesen zu ändern.[12] Der Inhalt: ein »fanatischer Dichter« gründet eine häusliche Akademie, an der alle Familienmitglieder (mit Ausnahme seiner Frau), Freunde, selbst der Diener Brighella – mehr oder minder freiwillig – teilnehmen. Brighella bringt sogar noch ein junges, verarmtes Ehepaar (Tonino und Corallina, samt deren Bruder Arlecchino) in Kontakt mit dem »poeta fanatico« Ottavio. Da Toninos Vater, ein reicher Venezianer, die Heirat des Sohnes mit der mittellosen Corallina mißbilligte, ziehen sie über Land und leben von ihrer dichterischen Improvisationskunst, allerdings mit äußerst dürftigen Resultaten. In dieser Situation trifft sie Ottavio an: er, selbst ein Anhänger des »heroischen Stils«, läßt sich ihre Geschichte in improvisierten Versen vortragen, um zu überprüfen, ob sie seiner Unterstützung wert sind. Begeistert von ihrem Können versucht er seine Einladung ebenfalls in improvisierten Versen zu formulieren und bittet sie für den anderen Tag in sein Haus, weil nur das italienische Reimwort »domani« (morgen) in sein Schema paßt. Die drei Halbverhungerten können dies gerade noch verhindern, indem sie ihm passende Verse suggerieren, die sie sofort an seinen Tisch bitten. Dieser Exposition des ersten Aktes folgt als Höhepunkt eine »Akademiesitzung«, in der die Personen in brillant-komischer Weise die Facetten der italienischen Literatursprache des 18. Jahrhunderts vorführen und ihre Schwächen parodieren. Vor allem Corallina zeigt dies, als sie auf ein »heroisches« Sonett Ottavios improvisierend und unter Verwendung derselben, barbarisch-gesuchten Reimwörter antwortet. Der dritte Akt bringt eine komödiantische Auflösung der eben gegründeten »Accademia dei Novelli«: Toninos Vater ist gestorben; die Tochter Rosaura bringt mit der listigen Drohung, nie wieder dichten zu wollen, Ottavio dazu, ihrer Heirat mit Florindo zuzustimmen, und die übrigen Akademiemitglieder ergreifen die Flucht. Ottavio bleibt mit seiner Manie zurück.

Eine Analyse des Stückes, die vorläufig unterbleiben muß, hätte auf folgende Aspekte Rücksicht zu nehmen: erstens, die Entstehungssituation. 1750 ist auch das Jahr von Goldonis *Il teatro comico*, dem Pro-

---

10 S. o. S. 209f.
11 *Le Commedie del Dottor Carlo Goldoni Avvocato Veneziano*. Tomo ottavo. – Pesaro 1754 (gleichzeitig Florenz); darin: *Il poeta fanatico* S. 326–414. Zitat aus Akt I/Szene 10, S. 361.
12 Ebd., Vorrede des Autors (»L'autore a chi legge«), S. 334–337.

grammstück par excellence seiner Theaterreform.[13] Zweitens, die Widmung: sie ist an Gianrinaldo Carli, den Verfasser von *Dell'indole del Teatro Tragico* und damit an einen bedeutenden Vertreter einer »populären«, antiintellektuellen Tragödientheorie gerichtet, die der später von Alfieri geübten Praxis widerspricht.[14] Drittens: die Dialektik von fama/fame in Goldonis Stück ist freilich als Topos zu sehen, aber als Topos einer impliziten Ästhetik – denn beide Resultate (Ruhm und Hunger des Poeten) sind auf selbstzweckhafte Kunstausübung zurückzuführen. Goldoni weiß sich hier einig mit Gasparo Gozzi, auf den Kurt Ringger bereits hingewiesen hat[15], und ich möchte fast noch schärfer als er formulieren: wenn die Büchner-Forschung bei Carlo Gozzi nach Quellen für die *Leonce und Lena*-»Vorrede« gesucht hat, so war dies schlicht und einfach der falsche Heuhaufen, um die Stecknadel zu finden. Aber bevor ich, neben einem extensiveren Zitat aus Goldonis Komödie, noch eine Fundstelle bei Gasparo Gozzi anbiete, möchte ich nochmals betonen, daß ich in diesem dritten Punkt das Problem, aber auch die Chance für die Deutung des Zusammenhanges Büchner – Goldoni/Gozzi (Gasparo!) sehe: beide Italiener propagieren die Ideale einer bürgerlich-natürlichen, ins Leben des »citoyen« wirkenden Kunst. Wieweit diese Auffassung Büchner noch vermittelt wurde, wieweit es sich bei der Vorrede um bloße Referenz, vielleicht auch Reverenz literarhistorischen Charakters, oder um bewußte Fortsetzung einer Tradition der Literaturkomödie als politisch-ästhetischem Diskurs handelte, muß die Forschung noch entscheiden. Immerhin, am 7. Februar 1793 war auf Antrag Marie-Joseph Cheniers dem Citoyen Carlo Goldoni vom revolutionären Konvent seine Pension wiederbewilligt worden, die man ihm im Jahr zuvor (weil noch von Ludwig XVI. bewilligt) gestrichen hatte. Chenier wußte allerdings noch nicht, daß Goldoni am Tag zuvor bereits – im Zustand äußersten Elends – gestorben war . . .

Zurück zum ersten Akt des *Poeta fanatico*; ich gebe das Zitat in seinem Zusammenhang wieder:

> »*Tonino.*
> Semo do poverazzi sfortunai,
> E s'avemo cazzà in la fantasia
> Per esser sempre poveri spiantai,
> De voler coltivar la poesia.
> Ma, grazie al Cielo, semo capitai
> Dove regna la vera cortesia.
> Spero poder sfogar la doppia brama,
> De saziar la mia fame, e la mia fama.

---

13 Vgl. hierzu den fünften Abschnitt von Walter Binnis Goldoni-Darstellung in seinem Beitrag (*Il settecento letterario*) zur Garzanti-Literaturgeschichte Bd. VI (Hgg. Emilio Cecchi und Natalino Sapegno: *Il Settecento*. – Milano 1968): *La poetica del Goldoni nel »Teatro comico«* (S. 756-763).
14 Vgl. hierzu Alberto Martino: *Geschichte der dramatischen Theorien in Deutschland im 18. Jahrhundert*. Bd. 1: *Die Dramaturgie der Aufklärung (1730-1780)*.–Tübingen 1972, S. 132-133. – Die Widmung des Stückes an Carli findet sich in der zit. Goldoni-Ausgabe (s. Anm. 11) S. 327-333.
15 Ringger (s. o. Anm. 5), S. 103. – Vgl. hierzu auch Walter Binnis zusammenfassende Darstellung Gasparo Gozzis im oben genannten Band (s. Anm. 13), S. 588-595; seinem auf S. 590 Anm. 1 gegebenen Hinweis auf Gozzis Gedicht *Lamento del poeta Squacchera sopra la povertà* sollte nachgegangen werden.

Ottavio.

Oh che bella cosa!

Corallina.

Signor l'istoria nostra avete intesa
Movetevi di grazia a compassione;
Noi persone non siam di molta spesa,
E alla tavola avremo discrezione.
Due giorni son, che abbiam la gola tesa,
Senza mai mandar giù nè anche un boccone.
È tanto tempo, che non ò mangiato,
Non posso più parlar, mi manca il fiato.

Brighella.

Poveretta! La me fa compassion.

Ottavio.

Ò inteso tutto; se posso, voglio anch'io rispondervi
con un'ottava all'improvviso. Io veramente non sono
solito a improvvisare, ma m'ingegnerò. [. . .] Compatirete.
Ò inteso, ò inteso i vostri casi strani,
Vi compatisco, e ò di voi compassione.
Venite a casa mia . . . Venite a casa mia . . .
Venite a casa mia dunque domani.
Volevo dir, che veniste oggi, ma per causa della rima
verrete domani.

Corallina.

Signore, mi perdoni, il verso potrebbe dire:
Venite a casa mia oggi, e domani.

Ottavio.

E' vero, ma parebbe, che non vi volessi più.

Tonino.

Con un altro verso se comoda:
Finché volete voi, vi fo padrone.

Ottavio.

Benissimo. Torniamo da capo.
O' inteso, ò inteso i vostri casi strani,
Vi compatisco, e ò di voi compassione,
Venite a casa mia, oggi, e domani,
Finché volete voi, vi fo padrone.
Una rima in *ani*, ed una in *one*.
Vivano i Fiorentini, e i Veneziani,
Vivan le Muse, e Apollo . . .
Vivan le Muse, e Apollo . . .

Brighella.

Mio padrone . . .

Ottavio.

Si. Vivan le Muse, e Apollo mio padrone.
Venite, che a cenar meco v'aspetto . . .

Tonino.

Io vengo tosto, e le sue grazie accetto.

[. . .]

Corallina.

Scrivasi fra le cose rare, e strane,
Ch'oggi la poesia ci à dato il pane.«[16]

Goldoni steht mit solchen Äußerungen nicht allein. Wie schon gesagt,
ist Ringgers Anregung nachzugehen, bei Gasparo Gozzi (1713-1786)
nach weiteren Belegstellen für die Tradition von fama/fame zu suchen.[17]

---

16 Goldoni: *Il poeta fanatico*; Akt I, Szene 10 (vgl. Anm. 11), S. 361/62.
17 Vgl. Anm. 15.

In seiner (nur von 1761 bis 1762 erschienenen) Wochenschrift *L'osservatore veneto* findet sich eine Erörterung des Aberglaubens an Träume, der er eine Erzählung eines eigenen Traums und einen Kommentar folgen läßt. Dieser Traum befaßt sich mit dem Ruhmesbedürfnis des Dichters: Homer erscheint dem Schlafenden am Fuß eines steilen Berges und ermuntert ihn, hinaufzusteigen. Denn von seinem Aussehen (»magro, aria astratta, malinconico, non molto coltivato in corpo«) und seiner Unbekümmertheit um irdischen Lohn scheint ihm dieser der geeignete Kandidat für den Ruhm, der mit dem Bezwingen des Berges verbunden ist (»tu hai [. . .] quel ramo di pazzia ch'é sufficiente a poter andare allo insù di questo monte, e sappi che questo è uno de'bei principj da sperare di giungere alla cima«.)[18] Die Auslegung des Traumes durch Gasparo Gozzi fällt allerdings anders aus, als die Topik der Erscheinung suggeriert:

»Viene un punto nel corso della vita umana, che l'uomo si tiene da qualche cosa: s'egli s'inganna, pazienza. Non ho io forse udito di quelli che in luoghi pubblici non hanno mai a ragionare di altro che di sè medesimi? Io ho fatto tale e tale atto di amicizia, dirà uno; e un altro: la schiettezza mia non ha pari del mondo; e io so fare e io so dire; tanto che mi pare che il commendar sè stesso sia necessità; e credo che sia in effetto: stimarsi di tempo in tempo da qualche cosa, purchè sia con una certa moderazione, è una spezie di nudrimento dell'anima. Daresti tu alla gola sempre di che inghiottire? No; perchè ti si empierebbe troppo lo stomaco, saresti sempre col capo pieno di fumo e di un calore che te lo farebbe andare attorno; oltre di che ne avresti di quando in quando qualche malattia, o saresti obbligato a coricarti a letto e ricorrere al medico. All' incontro se vuoi sostenerti in piedi, avere fiato e vigore da far le opere tue, hai di tempo in tempo a ministrare al corpo tuo un discreto cibo che ti rianimi, che ti rinforzi. Pensa similmente che l'avere qualche concetto di sè sia il pane e la vivanda dello spirito. Se tu vuoi far opera degna di qualche onorata fama, hai a ristorarti qualche volta con questo manicaretto. Non lo ingojare però sempre, perchè esso ha una certa facoltà che ti empie di vento e ti farà scoppiare; e di ristoro diventa veleno. Se non ne pigli mai, eccoti vicino a morire di fame.«[19]

Publikumsbezug und Selbsteinschätzung des Schriftstellers sind die beiden Aspekte, die sich in der Dialektik des Topos fama/fame unlösbar verbinden: sie fordert eine vernünftige bürgerliche (im Sinn von »zivil«, nicht »bourgeois«) Gesellschaft, in der der Schriftsteller eine ihm zustehende Funktion einnehmen kann, die seine materielle Existenz sichert, ohne ihn der funktionslosen Alternative fama/fame auszuliefern, in der der Dichter eines durchs andere kompensiert. Hat Büchner diese Tradition so verstanden? Diese Frage bleibt dem Literarhistoriker – was wird er damit machen?

---

18 Zit. nach: *Dell'osservatore del Conte Gasparo Gozzi*, colla vita scritta da Giovanni Gherardini. – Milano 1868. Parte quarta: [Ragionamento dei sogni] S. 417/18, Sogno S. 418-420, Narrazione S. 420-422 und Annotazione S. 422/23; Zitate S. 419.
19 Ebd., S. 423.

Spuren nach Leipzig
Ein möglicher Verlagskontakt Georg Büchners
im Dezember 1836

Von Jan-Christoph Hauschild (Düsseldorf)

>»Ich will Euch an ein Dichterlager bringen [...]«,

so hebt derjenige Abschnitt in Georg Herweghs Büchner-Gedicht[1] an,
der die letzten Stunden des todkranken Dichters beschreibt, wenn auch
poetisch verbrämt in eben Herweghs Manier. Doch schon wenige Zeilen
später geht es spannender zu:

> »Noch ein Geheimniß möcht' er uns entdecken,
> Den letzten, größten Traum in's Daseyn wecken –
> O Herr des Himmels, sei ihm jetzt nicht taub! [...]
> Umsonst – es bricht die müde Brust in Staub.«[2]

So sehr es auch den Anschein hat: Diese Episode in Büchners Fieberdeli-
rien ist von Herwegh keineswegs frei phantasiert. Als er im Jahre 1840
mit Wilhelm Schulz und dessen Frau Caroline in Zürich Bekanntschaft
schloß, konnte er aus erster Hand alle Einzelheiten über Büchners Kran-
kengeschichte erfahren. Dies bestätigt auch ein Brief von Caroline
Schulz an den Verfasser der *Gedichte eines Lebendigen,* der vermutlich
vom März 1843 datiert:

> »Ihre Gedichte von einer Welt gelesen, betrachte ich dennoch als wären sie besonders mein;
> sie haben eine Geschichte für mich, eine Geschichte ihrer Entstehung u[nd] ersten Mitthei-
> lung.«[3]

Von einem Geheimnis, das Büchner wegen seiner Krankheit preiszuge-
ben nicht mehr imstande war, berichtet auch Ludwig Büchner im Vorwort der von ihm herausgegebenen *Nachgelassenen Schriften* (1850):

> »Es ist bemerkenswerth, daß Büchner während der Fieberdelirien seiner Krankheit sich ver-
> gebens anstrengte, von etwas Mittheilung zu machen, das ihm Sorge zu machen schien. Der
> Tod schloß seine Zunge .[...] Als man unter seinen Papieren das Drama [Pietro Aretino, wie
> schon damals angenommen wurde, J. H.] nicht fand, vermuthete man, daß jene Anstrengung
> zu reden sich auf dasselbe bezogen haben möchte, und ließ das Zimmer nochmals genau
> durchsuchen, ohne etwas zu finden.«[4]

---

1 *Zum Andenken an Georg Büchner den Verfasser von Danton's Tod.* Dem besten Freunde des Verstorbenen Karl
   Gutzkow, aus herzlicher Verehrung von G[eorg] Herwegh. – In: *Europa. Chronik der gebildeten Welt.* Herausgegeben von August Lewald, 2. Band (April–Juni). – Karlsruhe: Artistisches Institut 1841, S. 97-101.
2 Ebd., S. 98f.
3 Der Brief befindet sich im Herwegh-Archiv, Liestal (Schweiz).
4 *N,* S. 40.

In diesem Zusammenhang ist m. E. auch Minna Jaeglés Suche nach einer vermißten Handschrift zu sehen, die sie offenbar bei Gutzkow vermutete.[5]

Und schließlich gibt es noch jene merkwürdig bestimmt anmutende Aussage Büchners selbst, »[k]urz vor Beginn der tödtlichen Krankheit«[6] in einem Brief an seine Braut formuliert, wonach er

»in längstens acht Tagen Leonce und Lena *mit noch zwei anderen Dramen* erscheinen lassen«[7]

werde. Thomas Michael Mayer hat darauf hingewiesen[8], daß ein solches Autorbekenntnis ohne ganz konkrete Veröffentlichungsabsichten und daher auch ohne bestehende Kontakte zu einem Verleger kaum denkbar sei. Mayer verweist weiterhin auf die Möglichkeit, daß Büchner seine Projekte z. B. bei Schweizer Verlagen hätte realisieren können, da »weitere Publikationen Büchners in Deutschland nicht eben leicht denkbar waren«.[9]

Das heißt jedoch nicht, daß jede Beziehung des Exilschriftstellers Büchner zu einem deutschen Verleger von vornherein auszuschließen wäre. Nach der Auffindung neuer Quellen scheint es vielmehr so, als habe man sich in Leipzig im Dezember 1836 darum bemüht, den jungen Dramatiker als Autor zu gewinnen. Wie weit diese Absichten gediehen sind – und ob Büchner möglicherweise sogar schon ein fertiges Manuskript nach Deutschland gesandt hatte, bleibt dabei allerdings noch im Dunkeln.

In Leipzig hatte im Jahre 1836 der Verleger und ehemalige Schauspieler Julius Wunder[10] den Plan einer literarischen Zeitschrift gefaßt, deren Aufgabe die Förderung dramatischer Literatur sein sollte, was einerseits »deutsche Originalarbeiten, als Trauerspiele, Lustspiele, Comödien, episch dramatische Gedichte, etc.« einschließen, andererseits aber auch »der dramatischen Kritik, wie nicht minder der eigentlichen Dramaturgie« Raum bieten würde.[11] Zu diesem Zweck hatte Wunder den Schriftsteller Ernst Willkomm[12] (1810–1886) und den Shakespeare-Übersetzer Alexander Fischer[13] (1812–1843) als Redakteure verpflichtet.

5 Vgl. Gutzkows Antwort vom 30. 8. 1837: »Eine Handschrift von der Art, wie Sie andeuten, hab ich nicht erhalten.« Zitiert nach: Charles Andler: *Briefe Gutzkows an Georg Büchner und dessen Braut.* – In: *Euphorion* 4 (1897), 3. Erg.-H., S. 190.
6 *N*, S. 39.
7 Ebd.
8 Thomas Michael Mayer: *Georg Büchner. Eine kurze Chronik zu Leben und Werk.* – In: *GB I/II*, S. 425 (Anm. 29).
9 Ebd.
10 Julius Wunder führte in Leipzig von 1833–1841 eine Verlagsbuchhandlung, die Karl Marx einmal spöttisch als »Kaufhaus von gute[m] Käse und schlechter Literatur« bezeichnete (Brief an Heinrich Marx v. 10./11. November 1837, zit. nach *MEGA* III, 1, S. 17). Gleichwohl erhoffte er sich von dort – nachdem Wigand bereits abgelehnt hatte – die Realisierung einer von ihm projektierten junghegelianischen Zeitschrift für Theaterkritik.
11 Ernst Willkomm an Hermann Marggraff, Leipzig, 29. 11. 1836, zitiert nach Prim Berland: *Hermann Marggraff.* – Paris: Jean Flory 1942, S. 115-117.
12 Über Willkomm liegt bis heute – sieht man von Fritz Hinnahs älterer Dissertation ab – keine Spezialuntersuchung vor. Allein die Tatsache, daß er 1849 immerhin in der damals radikalsten Bremer Zeitung *Die Vereinigung. Zeitung für sämmtliche Arbeiter* (redigiert vom Engels-Freund Gustav Adolph Köttgen) eine seiner sozialkritischen Erzählungen veröffentlichte, sollte ihn einmal einer angemessenen Studie empfehlen.
13 Auf die Büchner-Rezeption Willkomms und des Shakespeare-Anhängers Alexander Fischer, der übrigens 1838 die

Wohl aufgrund der Tatsache, daß Willkomm in der Literaturszene der dreißiger Jahre immerhin schon einige Male mit eigenen Arbeiten[14] aufgetreten war, kam ihm die Aufgabe zu, für die Zeitschrift, deren Name zu diesem Zeitpunkt noch *Sakuntala*[15] lautete und die erst 1837 ihren späteren Titel *Jahrbücher für Drama, Dramaturgie und Theater*[16] bekam, Mitarbeiter zu gewinnen. Willkomm schrieb denn auch etwa 50 Briefe, in denen er für das ehrgeizige Projekt warb. Bis auf einige wenige sind die Namen der Empfänger allerdings unbekannt geblieben.

Einer von ihnen war Hermann Marggraff (1809-1864), von dem im übrigen auch die mit »H. Mff.« gezeichnete Rezension von *Danton's Tod* in eben denselben *Jahrbüchern* stammt.[17] Seine Bemerkungen über den Zustand der deutschen Bühne in Karl Büchners *Deutsche[m] Taschenbuch auf das Jahr 1837*[18] hatten offenbar Willkomms Interesse geweckt. Hieß es doch in Marggraffs von der Zensur um zehn Seiten gekürztem Aufsatz *Physiognomie der deutschen Literatur in den Jahren 1835 und 1836*[19] vom Drama, es müsse

»mit den Bedürfnissen des Volkes bekannt sein; [es] muß Wurzeln zu schlagen wissen im Volk und mit der Zeit sich organisch fortentwickeln. Man wird dies von unsrer Bühne nicht sagen können. Ein dramatisches Genie kann bei uns nichts fruchten. [...] Die eigentlichen Genies für das Drama entsagen der Bühne von Hause aus und fristen ihr poetisches Dasein kümmerlich im Buchhandel.«[20]

Dies deckte sich nun völlig mit Willkomms Ansicht über das »traurige Darniederliegen des Drama« und seinem Wunsch, »durch Erwecken des dramatischen Interesses der Zukunft wenigstens ein Theater geben zu helfen. [...] Nur tüchtiger, junger Kräfte bedürfen wir«, schrieb er an Marggraff: »Noch hoffe ich auf ein einstmaliges Aufblühen des deutschen Drama.«[21]

Zu denjenigen, »welche mit wirklicher dramatischer Kraft begabt, dennoch ein von der kraftlosen Bühne abgesondertes Leben führen«, zählte Marggraff in seinem erwähnten Aufsatz neben Platen, Grabbe und Oehlenschläger auch Georg Büchner. In seinem Drama *Danton's Tod* habe er sich genial und voll »poetischer Urkraft«[22] gezeigt.

Handschrift seines Dramas *Mas'aniello* dem ihm ergebenen literarischen Debütanten Otto v. Corvin (1812-1886, im Jahr 1849 Generalstabschef der badischen Aufständischen) zur Redaktion überließ, worauf dieser es von einigen »scheußliche[n] Ungeheuerlichkeiten« (Corvin 1861) befreite, und der zeit seines – kurzen – Lebens sich davor fürchtete, der Urheberschaft seiner Werkmanuskripte verlustig zu gehen, sowie zur frühen Büchner-Rezeption insgesamt werde ich in einer größeren Arbeit eingehen. Parallel dazu bereiten Thomas Michael Mayer und ich eine kommentierte Quellenedition von über 150 überwiegend unbekannten Zeugnissen bis 1850 vor, die unter dem Titel *Georg Büchner im Vormärz. Dokumente zur frühen Rezeptions- und Wirkungsgeschichte* demnächst erscheinen wird.

14 Von Willkomm war u. a. erschienen: *Julius Kühn* (Novelle), 1833; *Bernhard, Herzog von Weimar* (Trauerspiel), 1833; *Buch der Küsse* (Gedichte), 1834.

15 Sakuntala (das Vögelchen). Titelheldin im Drama des indischen Dichters Kalisada aus dem 5. Jhdt., dt. von Georg Forster, 1791.

16 *Jahrbücher für Drama, Dramaturgie und Theater.* Herausgegeben von E. Willkomm und A. Fischer. 1.-2. Jg. – Leipzig: Julius Wunders Verlags-Magazin 1837-1839 [sic].

17 A.a.O., 1. Jg. 1837, S. 160-162.

18 *Deutsches Taschenbuch auf das Jahr 1837.* Mit Beiträgen von Willibald Alexis [u. v. a.]. Herausgegeben von Karl Büchner. – Berlin: Duncker und Humblot 1836.

19 A.a.O., S. 147-209.

20 Ebd., S. 191.

21 A.a.O. (vgl. Anm. 11).

22 A.a.O. (vgl. Anm. 18), S. 193.

Aller Wahrscheinlichkeit nach aufgrund dieser kurzen Erwähnung erkundigte sich Willkomm im schon zitierten Brief an Marggraff vom 29. November 1836 nach dem ›Titel‹ Büchners – ganz offensichtlich, um ihn in einem förmlich adressierten Brief (etwa: *Herrn Wohlgeboren Doctor Georg Büchner*) um seine Mitarbeit an der geplanten Zeitschrift zu bitten:

»Können Sir mir recht bald die Titel folgender Männer sagen? Blum[23], G. Büchner, Mand[24].« – Daß es dabei wirklich um akademische Qualifikationen geht, bestätigt auch die Nachschrift Willkomms vom 3. Dezember, in der er seine Bitte wiederholt: »Was Blum und Mand wie auch G. Büchner sind, schreiben sie mir wol bald? So wenig ich mir aus der Etikette mache, so viel halten öfters andere darauf.«[25]

Nun ist ein Brief Willkomms an Büchner ja bekanntlich nicht überliefert. Dagegen hat sich ein in seinem Tenor sicher ganz ähnlich lautender Brief Willkomms – mitunterzeichnet von Alexander Fischer – an den Prager Schriftsteller Carl Egon Ebert (1801–1882) erhalten[26], der daher in seinen Grundzügen als Schema auch für den Brief an Büchner figurieren kann.

Gemäß den Überlegungen, die sich an die Beziehung Büchners zu Willkomm/Fischer und den *Jahrbüchern* knüpfen lassen, ist das Schreiben in seiner »traurigen Wahrheit« ein bezeichnendes Dokument für die verhinderte Büchner-Rezeption im Deutschland zwischen Juli- und Märzrevolution.

Datiert vom 3., ist der Brief erst am 10. Dezember 1836 in Leipzig abgegangen.

Ernst Willkomm und Alexander Fischer
An Carl Egon Ebert in Prag

»Hochzuverehrender Herr Doctor,

Das Feld der Literatur bietet ungeachtet seines großen Umfanges einen Einigungspunct für die verschiedenartigsten Kräfte und Bestrebungen dar. Die Fernsten kommen sich näher durch die Aehnlichkeit ihrer Individualitäten und ein Zusammenwirken wird denkbar und möglich, wo dem ersten Anscheine nach ein stetes Fremdbleiben am wahrscheinlichsten war.

Diese Aehnlichkeit der Bestrebungen veranlaßt auch die Unterzeichneten, an Sie, geehrtester Herr Doctor, diese Zuschrift zu erlassen, um in derselben Sie zur Theilnahme an einem Unternehmen aufzufordern, das selbst in einem nur theilweisen Gelingen nicht ohne große Folgen bleiben würde.

---

23 Vermutlich Carl Wilhelm August Blum (1786-1844).
24 J. E. Mand war das Pseudonym für Karl Wilhelm Goldschmidt (1792-1857).
25 A.a.O. (vgl. Anm. 11).
26 Aus der Handschriftensammlung der Stadt- und Universitätsbibliothek Frankfurt am Main (Sign.: Autogr. E. A. Willkomm), der ich für die Erlaubnis zur Veröffentlichung herzlich danke.

Jahre lange Beschäftigung mit literarischen Arbeiten hat Sie gewiß zur Genüge belehrt, wie tief gesunken namentlich in den letzten Jahren, das deutsche Drama ist. Betrachtet man die vorhandenen Bühnen mit dem Wust französischer, leichtfertig übersetzter Stücke und legt nur einen mittelmäßigen künstlerischen Maßstab an die Leistungen der Schauspieler, so weiß man nur zu gut, in welch trostloser Lage Bühne und Drama sich befinden. Die letzten Jahre haben zu diesem Verfalle immer mehr beigetragen, mittelmäßige Kräfte, denen es mehr um materiellen Gewinn als um Förderung literarischer Zwecke zu thun war, haben sich der Bühne bemächtigt und nur selten gelingt es durch besondere günstige Verhältniße einem wahrhaften Talente, die Mühen ernster Bestrebungen durch Darstellung derselben auf der Bühne belohnt zu sehen! Sie gehören unter die wenig[en] Glücklichen, denen diese Vergünstigung zu Theil geworden, gewiß aber werden Sie ungeachtet dieses vorläufig errungenen Vortheils mit den Unterzeichneten im Allgemeinen darin übereinstimmen, daß unter den obwaltenden Verhältnißen nur noch wenig Jahre erforderlich sind, um auch den letzten Schimmer eines nationalen Dramas in Deutschland völlig verlöschen zu lassen.

Diese traurige Wahrheit bewog die Unterzeichneten, welche Beide, der Erstere durch eigene Productionen, der Andere durch Uebersetzung mehrerer Shekspeare'scher Schauspiele für das Drama thätig gewesen sind, mit Unterstützung einer geachteten hiesigen Buchhandlung ein dramatisches Journal zu gründen, das im Laufe des kommenden Jahres an das Tageslicht treten wird. Die tüchtigsten, frischesten Kräfte des literarischen Deutschland haben freudig ihre Mitwirkung versprochen und sehen mit großen Erwartungen dem Erfolg eines Unternehmens entgegen, das auf eine bisher noch nie dagewesene Art und Weise die innigste Einigung des dramatischen Deutschlands erzielt. Um dies im weitesten Umfange erreichen zu können, ist es Zweck und Tendenz der Herausgeber, die wo möglich tüchtigste Productivität mit der strengsten, gediegensten und würdevollsten Kritik zu vereinigen, und so in dem neuen Journale jeder für das Drama thätigen Kraft einen geeigneten Spielraum zu eröffnen. Es werden deshalb nur ausgezeichnetere Originalarbeiten mit steter Berücksichtigung eines zeitgemäßen Strebens Aufnahme in diesem Journale finden, während gründliche Kritiken und umfassendere dramaturgische Abhandlungen Uebelstände zu beseitigen und den Weg für ein modernes deutsches Drama zu ebnen bemüht sein werden. Fortlaufende Correspondenzartikel aus dem nahen und fernsten In- und Auslande werden daneben den Zustand der Bühne und die Leistungen der Schauspieler besprechen, eigene zergliedernde Aufsätze über einzelne schwierige Rollen werden den denkenden Schauspieler Gelegenheit geben, tief einzudringen in den Geist großartiger dramatischer Dichtungen und ihm so eine Schule der Bildung darbieten. Und um weder dem Journale Mannigfaltigkeit noch tiefern Gehalt zu entziehen werden von Zeit zu Zeit biographische Abhandlungen über verstorbene und lebende dramatische Dichter und ausgezeichnete Mimen mit jedesmal beigefügtem Porträt des zu Besprechenden i[m] feinsten Stahlstiche beigefügt werden.

Ohne sich die großen Schwierigkeiten eines solchen Unternehmens zu verhehlen, hoffen die Unterzeichneten dennoch sowol auf Theilnahme der strebenden Literaten als auch auf die Aufmerksamkeit des gebildeteren Publikums. Es kann nicht fehlen, manches im Verborgenen lebende Talent wird sich herauswagen, die Liebe zum Drama, nicht erstickt im Volk der Deutschen, sondern nur gefesselt durch den Conflict störender Verhältniße, wird unverhohlen hervorbrechen, ein Drama mit nationaler Tendenz und zeitgemäßem Tiefsinn wird sich bilden und selbst die Bühne, die sich, ob auch langsam, doch immer dem Leben anschließt, wird später wieder aufblühen.

Die Unterzeichneten erwarten daher auch von Ihnen, geehrtester Herr Doctor, der Sie so regen Antheil an allem literarischen Leben nehmen, eine bereitwillige Unterstützung, und fordern Sie hiermit auf, sowol eigene dramatische Arbeiten, als regelmäßige Correspondenzen über das dramatische und theatralische Leben in Prag gefälligst einzusenden.

Die Sache selbst ist so wichtig, daß nur kleinlicher Egoismus einem solchen Unternehmen entgegentreten könnte. Nicht die Speculation geiziger Weltgesinnung, sondern das tiefe Interesse an nationaler Bildung vermochte die Unterzeichneten, ihre Kräfte einer Aufgabe zu widmen, die im Anfange nur Mühen, und sehr wahrscheinlich auch Anfeindung mannigfacher Art verheißt. Der jugendliche Geist aber darf nie ermatten, und nicht aber schwachmüthig verzweifeln, bis jede Stütze bricht! – Noch ist Deutschland stark und lebensfrisch; der Geist regt ungebunden seine Schwingen und der Nation wird es, will sie nur ernstlich, gewiß gelingen, auch in künstlerischer Hinsicht den höchsten Standpunct unter allen Völkern Europa's einzunehmen.

In der Hoffnung, daß Sie, Verehrtester, durch *recht baldige Antwort,* die Sie eine beistim-
mende sein lassen, uns erfreuen und Ihrer regesten Mitwirkung zum allgemeinen Besten
vergewissern, verharren wir

Leipzig, d. 3. December 1836.   mit ausgezeichneter Hochachtung
                                        Ew. Wohlgeboren
                                  freundschaftlich ergebene
                              E. Willkomm und Alex. Fischer
                         Adresse: *Esplanade.* Goldner Hut.«

Es ist wahrscheinlich, daß ein mehr oder weniger modifiziert nach diesem Muster verfaßter Brief auch Büchner noch vor seinem Tod erreicht
hat. Datum post quem wäre der 15. Dezember 1836, denn an diesem Tag
traf Marggraffs Antwortschreiben (auf den oben erwähnten Brief Willkomms vom 29. 11./3.12.1836) bei Willkomm ein, in dem er diesem vermutlich die ihm bekannten Personalia Büchners mitteilte. Denkbar ist
weiterhin, daß Büchner den dann an ihn gerichteten Brief Willkomms
per Adresse seines Verlegers Sauerländer erhielt, denn wo Büchner sich
aufhielt, wußte zu diesem Zeitpunkt ja nicht einmal dessen Mentor Gutzkow, der noch im Februar 1837 der irrigen Meinung war, Büchner halte
sich nach wie vor in Straßburg auf.[27]

    Spekulativ werden die Überlegungen eigentlich erst, wenn es darum
geht, Büchners vermutliche Reaktion auf diesen Kontaktversuch aus
Leipzig einzuschätzen. Solange die Recherchen nach einem möglichen,
verschollenen Antwortbrief Büchners (oder einem anderen Beleg) u. a.
in Frankreich und der DDR noch ohne Erfolg geblieben sind, muß offen-
bleiben, ob Büchner mit seinen drei Dramen wirklich hätte zur »innigste[n] Einigung des dramatischen Deutschlands«, wie Willkomm und Fischer sie anvisierten, noch hätte beitragen mögen, oder ob er stattdessen
ganz andere Pläne hatte – die uns auch auf entsprechend andere Spuren
verweisen würden.

---

27 Vgl. den Beitrag von Th. M. Mayer oben in diesem Band S. 212, Anm. 7.

Badegäste in Ostende 1843

Auch von Büchners Geliebter und Verlobter, der Straßburger Pfarrers-
tochter Wilhelmine (Minna) Jaeglé, wissen wir leider noch viel zu wenig. Wenn wir die beiden überlieferten Porträts: die Zeichnung der ungefähr 20jährigen, an die Georgs »hitzig-zarte Briefe«[1] gerichtet waren,
und das Photo »aus späteren Jahren« vergleichen[2], das allerdings auch
wirklich nur auf den ersten, flüchtigen Blick zu der bockigen Matrone
der Forschung zu passen scheint, dann lag zwischen ihnen ein ganzes
Leben, das unter dem alleinigen Schock von Büchners Tod, der »die Erde
[. . .] um eine Unglückliche reicher« gemacht habe (so Minna selbst in einem Brief an August Stoeber vom 7. März 1837[3]), vielleicht in der vor
herrschenden Meinung doch zu strikt determiniert wurde.

Jedenfalls ist inzwischen ein Brief von Caroline Schulz an Emma (und
Georg) Herwegh vom 29. Juli 1843 zugänglich, in dem die Frau, die
Büchners Sterben protokolliert und seine Braut getröstet hat, auf entsprechende Reisepläne der Herweghs mit der folgenden, an den Rand
der letzten Seite geflickten Empfehlung antwortet:

»W. Jaglé, die Braut Büchners ist in Ostende; sucht sie ja auf. Sie ist mein Ideal.«[4]

Nach den Ferien erkundigt sich Caroline (Brief an die Herweghs, wieder aus Zürich, vom 1. September 1843) ausdrücklich noch einmal:

»Habt Ihr nichts von meiner Freundin Jaglé in Ostende gesehen? Sie ist, oder war bei General
Wüfflings; auch eine Schwester von Henle[5] ist bei einer Familie aus Trier, in Ostende.«[6]

Mangels Gegenbriefen der Herweghs wissen wir nichts Näheres über
das wahrscheinliche Treffen zwischen dem zweiten Georg, der beim kin-
derlosen Ehepaar Schulz in mancher Hinsicht an Büchners Platz getreten
war und mit seinem bekannten Gedicht diese Nachfolge ziemlich hym-
nisch zu reklamieren versuchte[7], und der Hinterbliebenen seines Idols.

---

1 *GB I/II*, S. 565.
2 Siehe Ernst Johann: *Georg Büchner in Selbstzeugnissen und Bilddokumenten.* – Hamburg 1966, S. 401. – Enorm
   (und nebenbei die Authentizität der frühen Zeichnung bezeugend) ist nicht nur der über ein halbes Jahrhundert
   vollständig bewahrte Gestus des auf die linke Patschhand (»jolies mains«, *HA* II, S. 470) gestützten Kopfes, sondern
   überhaupt die Haltung und der ebenso resolute wie sanfte Ausdruck der über 60jährigen, die im übrigen schon als
   Leiterin eines Kindergartens (im 19. Jahrhundert!) so beschränkt nicht gewesen oder geworden sein kann, wie
   man ihr durchgängig nachgesagt hat (vgl. auch unten Anm. 9).
3 Vgl. W. R. Lehmann u. Th. M. Mayer: *Ein unbekannter Brief Georg Büchners. Mit biographischen Miszellen aus dem
   Nachlaß der Gebrüder Stoeber.* – In: *Euphorion* 70 (1976), S. 186. Vgl. auch Minnas Brief an Boeckel vom 5. März
   1837 (in allen Ausgaben Bergemanns).
4 Herwegh-Archiv, Liestal.
5 Mit Wilhelm und Caroline Schulz befreundeter Bildhauer, über dessen Vorbehalte gegen Bettina und andere
   weibliche Schriftsteller Caroline Schulz im selben Brief Emma Herwegh berichtet.
6 Wie Anm. 4. – Zur Beurteilung dieser kurz vor einer geplanten Reise ins Elsaß und nach Straßburg geschriebenen
   Briefes und seiner Verfasserin nur ein Zitat: »[. . .] Gutzkow wird gar nicht fertig zu erklären, daß er kein Commu-
   nist sei, was man ihm gerne glaubt. [. . .] An den gefangenen W.[eitling] denkt außer mir kein Mensch mehr u. die
   60 ausgewiesenen deutschen Handwerker finden nirgends Arbeit.«
7 *Zum Andenken an Georg Büchner, den Verfasser von Danton's Tod* (1841). Textkritischer und kommentierter Abdruck demnächst in dem oben, S. 259, Anm. 13, erwähnten Band.

Ob es indessen überhaupt möglich gewesen wäre, daß eine 33jährige, die sechs Jahre, nachdem sie einen der avanciertesten Dichter des Jahrhunderts liebte und von ihm geliebt wurde, unter intellektuellen und emotionalen Blockierungen sich strikt auf dem Weg zu jener halsstarrig prüden Alten befunden hätte, zu der alle späteren Biographen und Editoren Büchners sie gemacht haben – ob es also möglich war, daß eine solche Frau 1843 geradezu das »Ideal« einer anderen Frau, zumal der offensichtlich glücklich verheirateten lebensfreudigen Caroline Schulz hätte sein können, bei der insbesondere poetische Einfühlungen neuerer Zeit vielleicht nicht ganz ohne Plausibilität sogar eine eigene, versteckte und nicht nur mütterliche Neigung zu Büchner vermutet haben[8], dies erscheint so gut wie ausgeschlossen.

Augenscheinlich gilt es auch hier noch eine Legende, die sich von der Familie Büchner über den aus ganz anderen Gründen befangenen oder sogar mitschuldigen[9] Gutzkow bis heute tradiert hat, generell zu überprüfen.

Einiges wissen wir aber schon jetzt über die anderen Ostender Badegäste des Sommers 1843, mit denen Minna und die Herweghs auf der Promenade ohne weiteres zusammentreffen konnten, d. h. vermutlich auch zusammengetroffen sind. Einer von ihnen war kein anderer als der mit der *Lage der arbeitenden Klasse in England* (1845) beschäftigte Friedrich Engels, der sich laut Zertifikaten der Londoner Hafenbehörde etwa vom 10./11. bis 23./24. August 1843 (oder jedenfalls während eines Zeitraums dazwischen) in Ostende aufhielt.[10] Ein weiterer Gast war Georg Gottfried Gervinus, der dort mit Engels u. a. über die Rolle Preußens in Deutschland debattierte[11] und die sich anbahnende Beziehung zwischen Engels (»unabhängig und reich und ganz fanatisirt«) und Herwegh (»ein schöner blasser Mensch mit schwarzem Bart, ausgebrannt, die Li-

---

8 Neben Kasimir Edschmids Roman *Georg Büchner. Eine deutsche Revolution* (Ffm 1980, bes. S. 462 f.) bzw. hiervon inspiriert vor allem Helga Schütz' DEFA-Film *Addio, piccola mia* (Babelsberg 1979).

9 Vgl. oben S. 233, Text u. Anm. 1 f. – Wenn man zusätzlich davon ausgeht, daß sich die alternde, nach eigenen Worten schwer erkrankte Wilhelmine Jaeglé von dem wankelmütigen literarischen Geschäftemacher Gutzkow (wie überhaupt von »Nachlaßmardern«) belästigt fühlte – und mit Gutzkow begann tatsächlich auch nach Meinung des Ehepaars Schulz Büchners Nachlaßmisere –, dann hätte z. B. schon die geringste arglose Berufung Franzos' auf Gutzkow ausgereicht, um ihren schroffen Brief an Franzos vom 2. April 1877 zu rechtfertigen (vgl. wieder in allen Büchner-Ausgaben Bergemanns). Ja, allein schon die dort zitierte Wendung Franzos' von der »moralischen Verpflichtung« Wilhelmines kann – eine gewisse Widerständigkeit gegen derartige Drohgebärden, die denn auch über 100 Jahre lang durchschlagen haben, miteingerechnet – den Brief hinreichend erklären. Als eine solche Abfuhr ist er in der Tat glänzend: Kein Wort zuviel und keines zuwenig. Eine Vernichtung der Papiere Büchners durch Minna ist im übrigen auch gar nicht nachgewiesen, sondern wird nur vermutet. Das ihr ›teure Andenken‹ Büchners spräche eigentlich gerade gegen eine solche Aktion. – Uns scheint, ähnlich wie schon im Falle Weidigs (vgl. *GB I/II*, bes. S. 160, 181 u. ö.) wird man bei Minna Jaeglé eine Person aus ihrer Zeit wie den konkreten, noch zu erforschenden Umständen gerechter zu beurteilen und in ihren eigenen Äußerungen ernster zu nehmen haben als es bislang geschah. – Einmal mißtrauisch gegen eine mögliche Legende geworden, die sich schon mit der nach Büchners Briefen unbestreitbaren Liebe zwischen ihm und Minna nur schwer vertragen hätte, bleibt noch darauf hinzuweisen, daß nicht verheiratet zu sein auch und gerade für eine (berufstätige) Frau im 19. Jahrhundert natürlich alles andere als ein schrulliger Makel zu sein braucht! Und noch mal einen zu finden wie ihren Georges, auch das muß man ernst nehmen, wird eben wirklich nicht leicht gewesen sein.

10 Vgl. Hans Pelger/Michael Knieriem: *Friedrich Engels als Bremer Korrespondent des Stuttgarter »Morgenblatts für gebildete Leser« und der Augsburger »Allgemeinen Zeitung«.* 2., erw. Aufl. – Trier 1976 (= Schriften aus dem Karl-Marx-Haus, 15), S. 69; Michael Knieriem: *Über Friedrich Engels. Privates, Öffentliches und Amtliches. Aussagen und Zeugnisse von Zeitgenossen.* – Wuppertal 1979, S. 86; sowie freundliche Mitteilung von Michael Knieriem an J.-C. H. vom 14. 5. 1981.

11 Vgl. Friedrich Engels: *Die Rolle der Gewalt in der Geschichte.* – In: *MEW*, Bd. 21, S. 422, Anm.

teratur der Verzweiflung auf der Stirne«)[12] argwöhnisch beobachtete. Der direkte Kontakt zwischen Engels und Herwegh wird auch durch Victor Fleury, einen durchaus sorgfältigen Biographen H.s, bezeugt.[13] Die gedruckten Fremdenlisten von Ostende existieren zwar am Ort nicht mehr[14], ersatzweise Angaben finden sich jedoch gelegentlich in der *Deutsche[n]-Brüsseler-Zeitung*. Ihr ist zum Beispiel zu entnehmen, daß wenigstens später, nämlich zwischen dem 18. und 21. August 1847 ankommend, auch »Baron v. Thil, Minister des Großherzogs von Hessen-Darmstadt«[15] in Ostende als kurzer Badegast während der vorrevolutionären Krise Erholung suchte.

Was für Zeiten! Und wenn sich nachweisen ließe, daß der Staatsminister, der nach Angaben des *Hessischen Landboten* »jährlich [. . .] 15000 Gulden«[16] verschlang und dennoch im Winter 1834/35 mit den Konspirateuren der Darmstädter ›Gesellschaft der Menschenrechte‹ kaltblütig auf Tuchfühlung gegangen war[17], in den 40er Jahren festere Urlaubsgewohnheiten gehabt haben sollte, dann wäre der Stoff für ein neues Theaterstück wirklich komplett. Wir wollen dem allen noch weiter nachgehen.

Jan Christoph Hauschild, Düsseldorf (Recherche)
Thomas Michael Mayer, Marburg (Text)

---

12 Beide Zitate aus einem unbekannten Brief Gervinus' an Rutenberg, Ostende, 20. 8. 1843 (UB Heidelberg, Hs. 2560).
13 Vgl. Victor Fleury: *Le Poète Georges Herwegh*. – Paris 1911, S. 130.
14 Nach brieflicher Mitteilung von M. Knieriem (vgl. Anm. 10).
15 *Deutsche-Brüsseler Zeitung*, Nr. 68 vom 26. 8. 1847.
16 *HL*, S. 17 (November-Auflage).
17 Du Thil, ein Konservativer mit außerordentlicher Intelligenz, Offenheit und eigenem Esprit, berichtet darüber in seinen Memoiren: »Es gibt [. . .] ganz eigentümliche Situationen im menschlichen Leben. Eines Morgens erhielt ich einen Bericht, der mir meldete, daß aus verschiedenen Depositionen der Inquisiten hervorgehe, daß ein Sohn des Oberförsters Nievergelter in Kranichstein über und über in der Verschwörung war, die in Gießen ihren Sitz hatte und aus Studenten und Bürgern bestand. Was das Gericht verfügen würde, wußte ich noch nicht.
An demselben Morgen schrieb mir der Präsident von Klipstein zwei Zeilen. Es werde für die Hofküche ein Wildschwein verlangt; er selbst könne nicht abkommen, wenn es mir Vergnügen mache, so möchte ich es erlegen. Gegen Abend fuhr ich zu dem Ende nach dem Steinbrücker Teiche. Der Revierförster Schmitt war unwohl und konnte mich nicht begleiten. Aber, sagte er, zufällig ist gerade der junge Nievergelter im Hause, der hat einen Wechsel entdeckt, von welchem jeden Abend ein Rudel nach dem Posch zieht; der soll mit Ihnen gehen. Das war dieselbe Person, von welcher am Morgen die Rede war. Das ist doch, dachte ich, eine eigentümliche Fügung; aber sagen mochte ich nicht, daß ich den Mann nicht bei mir haben wollte. Wir gingen, eine volle Stunde stand ich an einen Baum gelehnt, der andere hinter mir. Ich war vollständig in seiner Gewalt, mit voller Kenntnis seiner Gesinnungen und Verbindungen. Ich schoß das Schwein [!], er beschäftigte sich, mir beim Laden der Büchse behilflich zu sein. In finsterer Nacht gingen wir durch den Wald wieder zusammen nach dem Teichhause.« (*Denkwürdigkeiten aus dem Dienstleben des Hessen-Darmstädtischen Staatsministers Freiherrn du Thil 1803-1848*. Hrsg. v. Heinrich Ullmann. – Stuttgart u. Berlin 1921, S. 441).

Literaturgschichtln

Eine fast 400seitige Literaturgeschichte des Zeitraums von 1815 bis 1848, die zu gleich drei der allerwichtigsten Dramen – unter überhaupt nur vielleicht einem guten Dutzend bedeutender dieser Epoche – völlig abwegige Daten bietet: Nach dem Fiasko der einbändigen *Deutschen Literaturgeschichte* des Metzler-Verlags von 1979 (in der sich z. B. Lessings Odoardo »selbst erdolcht«, dagegen »die Sowjetunion [. . .] den Exilierten für die gesamte Dauer der nationalsozialistischen Herrschaft sicheres [!] Asyl« bietet, als ob Verfasserin angesichts der stalinistischen ›Säuberungen‹ an Dantons Satz »das Nichts wird bald mein Asyl sein« gedacht hätte) wird dies möglich in dem zweiten der seit kurzem in verschiedenen Ausführungen vorgelegten ›kollektiven‹ Œuvres de librairie, der von Horst Albert Glaser geleiteten *Deutschen Literatur. Eine Sozialgeschichte,* hier speziell dem von Bernd Witte hrsg. Band 6 *Vormärz: Biedermeier, Junges Deutschland, Demokraten* (Reinbek: Rowohlt Taschenbuch Verlag 1980). Gleich einleitend S. 8 behauptet der Hrsg., Julian Schmidt habe 1851 Büchners Darstellungsweise im *Woyzeck* »verurteilt«, was zwar mehr als wahrscheinlich gewesen wäre, de facto aber doch schlecht möglich war, da das Stück damals u. a. dieser Darstellungsweise wegen noch gar nicht gedruckt vorlag; Schmidt redete vielmehr von Büchners *Lenz.* Nicht besser ergeht es der Komödie *Leonce und Lena,* deren Erstdruck S. 366 auf 1842 (tatsächlich 1838 fragmentarisch, 1850 ›komplett‹) und deren Uraufführung auf 1885 (tatsächlich 1895) verlegt wird. *Dantons Tod* hat es zwar S. 365 zu gar keiner Uraufführung gebracht, wird dafür aber S. 314 »Ende Januar 1835« erst »begonnen« und nach »fünf Wochen«, nämlich am 21. Februar, schon wieder »vollendet«.[1] Nehmen wir dazu noch, daß unter den 8 Positionen Büchners im Register S. 374 eine verzählt ist (S. 264 statt 265) und eine weitere fehlt (vielleicht wohlweislich eben jene bereits erwähnte, S. 8), dann ist es wahrscheinlich nur konsequent, wenn S. 312 dieser Literaturgeschichte, die es schon in der chronologischen Dimension ihrer Aufgabe mit Kleinigkeiten nicht so genau nimmt, auch noch Butzbach zu »Butzenbach« wird. *Butzen*bach!

G. Oe. / T. M. M.

---

1 Erstmals 1977 bei Hinderer, S. 79, als Formulierungsirrtum aufgetaucht, fand dieses Zeitparadox als Abschreib-Fehler auch in einer eiligen *Zeittafel* des Hanser-Verlags schon Anklang (*WuB*, S. 522).

Aufsatz:
Wie ich einmal beim Flickschustern zuschaute
Eine Anmerkung zum Verhältnis
von Büchner-Forschung und Literaturdidaktik

Von Reinhard F. Spieß (Münster)

Noch bevor eine Bleistiftskizze Alexis Mustons zum Signet der im Umbruch befindlichen Büchner-Forschung arrivierte, erkannte der Bange-Verlag in Hollfeld, was die Stunde geschlagen hatte. Und so wurde 1979 der von Karl Brinkmann verfaßte Band 235 aus der Reihe »Königs Erläuterungen und Materialien«, *Erläuterungen zu Georg Büchners ›Dantons Tod‹ ›Woyzeck‹*, nicht etwa einfach neu aufgelegt, als die 10. Auflage verkauft war. Die 11. Auflage, derzeit in allen Buchhandlungen mit Schulbuchabteilung erhältlich, ist vielmehr laut Titelblatt »neu bearbeitet von Friedhelm Kicherer«. Warum das interessiert?

Lehrer und Schüler haben im Deutschunterricht an Literatur meist nur ein mittelbares Interesse. Der Schüler lernt, daß Literatur zum Interpretieren da ist. Ob seine Interpretation richtig oder falsch ist, erfährt er vom Lehrer. Wie richtig oder wie falsch sie ist, sagt ihm eine Note zwischen eins und sechs. Die Note entscheidet über den Erfolg des Schülers. Der Lehrer muß sie darum rechtfertigen können. *Safety first* und *Gewußt wie*, so lauten beider Grundsätze.

Da sage mir nun keiner, der Schüler sei doch frei im Sinne einer persönlichen Beschäftigung mit einem Stück Literatur, er werde halt nur angeleitet, seine Aussagen ›am Text‹ zu belegen. Wie naiv muß man eigentlich sein, um zu verkennen, daß er zwangsläufig aus dem Unterrichtsgespräch ein Konstrukt der Erwartungshaltung seines Lehrers anfertigt, auf die er seine Texterkenntnis in einer Prüfungssituation abstimmt? Traurig, daß diese Simplifizierung der Unterrichtsrealität immer noch näher kommt als die literaturdidaktische Diskussion im Paperback oder die wohlmeinendste Richtlinie für den Deutschunterricht. Sicher, es gibt ihn, den mündigen Primaner, der über Georg Büchners *Dantons Tod* oder *Woyzeck* zum Gesprächspartner wird. Und ohne Zweifel gelingt es dann und wann einem Lehrer in projektorientierten Leistungskursen unter zeitaufwendigem Verzicht auf vorstrukturierte Unterrichtsmodelle, den aktuellen Stand der Büchner-Forschung dem Unterricht zunutze kommen zu lassen.

Doch was geschieht unterhalb dieser semiramitischen Gärten, im Babylon des Schulalltags, wo für Schüler wie für Lehrer gleichermaßen nur die schnelle, kompakte Information ein Durchkommen ermöglicht? Im Literaturunterricht sind »Königs Erläuterungen« die seit Jahrzehnten marktbeherrschenden Handreichungen, wenngleich so mancher andere Verlag aus der Not nicht nur eine Tugend, sondern auch ein Geschäft macht.

Eine Veränderung des Büchner-Bildes bahnt sich an? Schauen wir nach, was sich davon, fernab der literaturwissenschaftlichen Diskussion, an jener Stelle tut, wo das Büchner-Bild der zukünftigen allgemeingebildeten Öffentlichkeit entsteht.

An der Gliederung der *Erläuterungen* hat sich für die Neubearbeitung nichts geändert. Zu *Dantons Tod* wie zum *Woyzeck* je zwei Kapitel, die um »Quellen«, »Entstehung« und »Aufnahme« bemüht sind. »Sachliche und sprachliche Erläuterungen« von oft zweifelhafter Auswahl und Qualität schließen sich an. Als nächstes dann der »Gang der Handlung« der Stücke, der dem dankbaren Leser gestattet, ihren Inhalt zu kennen, ohne sich lange mit Lektüre aufgehalten zu haben. Nach diskreten Verlautbarungen aus unterrichteten Kreisen erfreuen sich gerade diese Kapitel großer Beliebtheit. Die nächstfolgenden lassen erste Subtilitäten erahnen, von »Charakteren in ›Dantons Tod‹« und den »Gestalten des ›Woyzeck‹« wird gehandelt. »Die Sprache des ›Woyzeck‹« ist gesonderter Betrachtung wert. Das Bändchen bringt dann »Dispositionen und Aufsätze«, »Beispiele einer sachgemäßen Gliederung und Behandlung eines Themas« (S. 72/S. 75). Methodischer Angelpunkt des ersten, »La fama‹ und ›la fame‹«: »Es ist merkwürdig und zu wenig beachtet, daß dieses Motto ausgerechnet über dem Lustspiel Büchners steht. Es könnte auch über dem ›Woyzeck‹ stehen.« (S. 73/S. 76). Das zweite »Beispiel«, »Der Fels des Atheismus«, ist auf Versöhnung aus: »Es besagt uns nicht viel, wenn behauptet wird, Büchner habe auf dem Totenbette zum Christentum zurückgefunden. Wenn das Reich Gottes nicht eine Welt harter Doktrinen und erstarrter Formen, wenn es das Reich der allesumfassenden Liebe ist, so war Büchner ihm auch als Atheist immer nahe.« (S. 79/S. 82). Zum Abschluß eine »Auswahl der Literatur«, die zwar nur neun Titel aus den Jahren 1925 bis 1957 umfaßt, dafür aber im Nachsatz anregt: »Für den, der weitere Angaben braucht, enthalten die angeführten Werke teilweise eingehende Literaturangaben.« (S. 80/S. 83).

Nur das Einleitungskapitel ist gänzlich neu gestaltet. Eine biographische Erzählung (S. 5-9) mußte einem »Tabellarische[n] Überblick über Lebenslauf und Werk« (S. 5-8) weichen. Eine angemessene Entscheidung, sicherlich, doch bei näherem Hinsehen entpuppt sich dieser »Überblick« als hilfloses Konglomerat aus Schludrigkeit, Fehlinformation, Legendengläubigkeit und Inkompetenz. Hier eine kleine Blütenlese:

- Büchners Mutter hieß nicht »Louise Caroline«, sondern Caroline Louise.
- Sein »Besuch des Darmstädter Gymnasiums« begann nicht 1823, sondern am 26. März 1825.
- »9. November 1831: [...] Beginn der politischen Denkungsart.« Ohne Worte.
- Die »Erkrankung an Gehirnhautentzündung« ist Ende November, nicht »Anfang Dezember 1833« zu datieren.
- Daß *Der Hessische Landbote* im Juli 1834 gedruckt wurde, ist bekannt. Ihn als »Ende Juli 1834 erschienene Flugschrift« zu bezeichnen und damit die Verhaftung Minnigerodes und die »Hausdurchsuchung bei Georg Büchner« als Konsequenzen der Veröffentlichung erscheinen zu lassen, entstellt die historischen Fakten.
- Die »Hausdurchsuchung« fand nicht am »1. August 1834«, sondern erst am 4. statt.
- Mit Georg Büchner wurde kein »Verhör« abgehalten, sondern er beschwerte sich beim »Universitätsrichter Georgi« über das Eindringen der Staatsorgane in seine Privatsphäre, – dies am 5. und nicht am »1. August 1834«.
- Der »Beginn der Arbeit an ›Dantons Tod‹« ist nicht um die »Jahreswende 1834/35« zu datieren, sondern dürfte mit der Beschäftigung Büchners mit den historischen Quellen spätestens ab 1. Oktober 1834 zusammenfallen.
- Vom »2.-5. Februar 1835« ereignete sich angeblich »Überarbeitung und Abschluß des Dramas ›Dantons Tod‹ in nur drei Tagen (die bis teilweise unleserliche Schrift, die im Gefolge zu mancherlei Fehldeutungen führte, manifestiert dies deutlich)«. Die Nonchalance, mit der hier ein relativ sauberes Autograph zur Stützung einer quellenmäßig nicht belegten Legende zweckentfremdet wird, kann nur verbluffen.
- »Aufsetzen des Begleitschreibens und Abschickung des Manuskriptes« sind auf den 21., nicht den »24. Februar 1835« zu datieren.
- Alle bekannten Quellen sprechen dagegen, daß der Beginn der »Flucht ins Exil nach Straßburg« schon am »1. März 1835« anzusetzen ist.
- Daß die »Novelle ›Lenz‹ [...] Fragment« blieb, »weil Gutzkows ›Deutsche Revue‹, für die sie bestimmt war, noch vor ihrem Erscheinen verboten wird«, ist eine Unterstellung, deren verkürzter Kausalnexus an Moritat und Bänkelsang erinnert.
- Büchners Probevorlesung in Zürich trug nicht den Titel *Die Schädelnerven,* sondern *Ueber Schädelnerven.* Sie fand am 5. November 1836 und nicht, wie man dem »Überblick« nach glauben könnte, am »18. Oktober 1836« statt.
- Der Beginn der zum Tode führenden »Erkrankung« an Typhus ist auf Ende Januar, nicht »Anfang Februar 1837« zu datieren.

Da wird man dann doch stutzig und fragt sich: Woher kommt's? Ein prüfender Blick in die 10. Auflage bringt Klarheit: Die Sache hat Methode. Friedhelm Kicherer hat sich Karl Brinkmanns biographischen Essay vorgenommen und nach Gutdünken einiges daraus in einer Tabelle zusammengestoppelt. Unvermeidlich, daß Mißverständnisse entstehen. Unverständlich die Chuzpe, mit der der Bearbeiter sich keinen Deut um den Kenntnisstand der biographischen Forschung scherte, wie sie jedem Benutzer einer Stadtbücherei zur Verfügung steht.

Zweifel gewinnen Raum. Die 11. Auflage – eine Neubearbeitung? Befragen wir das Druckbild. Die Antwort: Nein, die Neubearbeitung ist zu etwa 95 % ein photomechanischer Nachdruck der 10. Auflage. Von Hand nachgezogene Kommata, deren Formenreichtum (etwa auf Seite 55) besticht, und ungewöhnliche, weil unregelmäßige Durchschüsse innerhalb von Absätzen, wo früher der Übergang von einer Seite zur anderen war, geben einen ersten Eindruck vom Verlagsinteresse, das dem Bändchen seinen Stempel aufdrückt. Anhand der geringfügig vom Übrigen abweichenden Schrifttypen sind dann auch schnell die Passagen herausgefunden, die umgeschrieben und ergänzt wurden.

Zur Einstimmung in das Bearbeitungsverfahren zunächst einmal Brinkmanns Fazit zum politischen Georg Büchner im Vergleich mit der Bearbeitung Kicherers, der den weiteren Textzusammenhang ansonsten nahezu unangetastet ließ:

»Keinerlei politische Tendenz oder gar Lehre steht hinter ihm, sondern nur ein künstlerisches und menschliches Wollen. Als Revolutionär hatte Büchner kein festumrissenes, aus theoretischen Erwägungen erwachsenes Programm, sein Streben ist vom Gefühl, vom Mitleid, nicht aber von gedanklichen Konstruktionen bestimmt.« (S. 14)

»Büchner besitzt noch kein Theorem der politischen Begrifflichkeit, hat keine eigentliche Theorie. Seine Vorstellungen sind noch ungesicherte utopische politische Gedankengänge. Karl Marx greift Jahre später Gedanken Büchners auf, stellt zumindest ähnliche, frappierend ähnliche Gedanken an und macht sie begrifflich und damit theoretischer Interpretation von Wirklichkeit zugänglich. Büchner war ein Revolutionär und ein revolutionärer Dichter, wenn auch einer ohne ein kontinuierliches Gedankengebäude.« (S. 13)

Aber bleiben wir vorerst bei handfesteren Dingen. Einige punktuelle Richtigstellungen schienen in den Kapiteln »Sprachliche und sachliche Erläuterungen« angeraten. Sie sind an einer Hand abzuzählen. Bezeichnend nur, daß etwa »Adonis: Geliebter der Aphrodite, der von einem wilden Eber zerrissen wurde« so unvollständig dünkt, daß die 11. Auflage ergänzt: »Anspielung auf seinen schleußlichen Tod« (S. 25/S. 25) und mit dieser kurzschlüssigen Deutung in Kauf nimmt, daß Lacroix' Frage (vgl. *Dantons Tod* I, 5) einseitig und irreführend als Vorausdeutung gelesen wird.

Anläßlich »Die da liegen in der Erden . . .« (*Dantons Tod* I, 2) gelingt es der 11. Auflage, über den ursprünglichen Kommentar (»aus einem hessischen Bänkelsängerlied auf den Schinderhannes«) hinausgehend den biographischen Bezug des Zitats zu eruieren. Sie fügt sachkundig hinzu: »das der ›rote Becker‹ (Büchner-Freund August Becker, ein ehemaliger Theologe) häufig sang« (S. 23/S. 23), lenkt durch die Lakonie der Formulierung jedoch eher davon ab, daß das ›Schinderhanneslied‹ für Büchner und seine Freunde ein Bekenntnis ihrer Betroffenheit angesichts der Geschichte der Unterdrückung des hessischen Landproletariats gewesen sein dürfte.

Bildungsbeflissen eine Korrektur in Sachen St. Denis (*Dantons Tod* I, 6): Die neue Anmerkung lautet: »Der heilige Dionys wurde 273 n. Chr. auf dem Montmartre enthauptet. Der Legende nach soll er bis zum heutigen Stadtteil St. Denis gegangen sein« (vgl. S. 26/S. 27). Langte für den Kopf unterm Arm der Etat nicht mehr?

Genug des ärgerlichen Kleinkrams. Retouchen in den interpretierenden Kapiteln bezeugen deutlicher die Vermessenheit dieser Neubearbeitung, die in ideologischer und hermeneutischer Hinsicht anrüchig Gewordenes mit einem neuen Mäntelchen auszustaffieren versucht.

»Die übermächtige Politik bestimmt in ›Dantons Tod‹ alle Charaktere. Die zahlreichen Gestalten sind differenziert und individuell gestaltet, aber sie stehen alle unter dem Gesetz der Revolution.« (S. 49/S. 51). Ist nicht gerade der *Woyzeck* das Drama, in dem Gestalten gestaltet werden? Vergessen wir schnell den Einwand. Das sind inhaltlich und stilistisch nach wie vor Sätze, an denen nicht zu rütteln ist. Doch wenn die 10. Auflage fortfuhr: »sie bestimmt ihr Verhalten und ihr Schicksal. Tatsachengetreu gibt Büchner die historischen Vorgänge, aber er will die Geschichte nicht einfach dramatisieren, sondern in ihren Hintergründen und menschlichen Spiegelungen neuschaffen« (S. 49), dann ist das für heutige Ansprüche wohl ein wenig simplizistisch. Also muß stilvoll gebessert werden: »Dieses ästhetisch-moralische Glaubensbekenntnis Büchners macht erst verständlich, wie und weshalb Büchners Figuren so und nicht anders agieren und reagieren können und müssen.« Denn »das pulsierende Leben mit allen impliziten Antipoden« wird bei Büchner »zum Inbegriff der Kunst überhaupt«. Sie hat sich, bitteschön, »dem vitalen Leben zu verpflichten. Vor diesem Hintergrund erst werden die Figuren des Dramas verständlich, ihre Attitüden und Verhaltensweisen evident.« (S. 51). Trauter Einklang der beiden Auflagen im anschließenden Resümee: »Die Männer der Revolution erscheinen blutig, unmoralisch, gottlos, liederlich, manchmal energisch, manchmal schwach und schwankend. Im Grunde sind sie alle in das Kollektivschicksal der Revolution verflochten.« (S. 49/S. 51).

Bei der Revolution als »Katastrophe der Natur zur Entfesselung der Triebe« (S. 50/S. 52), da macht der Bearbeiter noch mit. Getilgt hingegen der Folgesatz, der bis 1979 das plastisch-pralle Vokabular des Lasters in die Klassenzimmer trug: »Die Hinwendung zum Volke endet in der Verachtung des blinden und urteilslosen Pöbels, der von Hunger Gier Haß und Angst bewegten Masse der es ums Fressen Saufen Huren geht.« (S. 50). Wohl dem Schüler, der auf die Bestände aus der Hilfsbibliothek eines älteren Bruders zurückgreifen kann.

Abschließend das Bemühen um die Aufarbeitung der Forschung am Beispiel des *Woyzeck*. Die existentialistische Vereinnahmung des tragödiensensiblen Dichters, der Nachweis der ahistorischen Aufgabe von Kunst, zeitlose Erschütterung in ihrer Unfruchtbarkeit festzunageln, – das war zu gradlinig, das mußte den Bedürfnissen eines modernen, kritischen Leserbewußtseins angepaßt werden. Ein schlagwortartiger Schlenker in Richtung Mode-Marx und abenteuerliche Argumentation sichern dem Fehlen eines historischen wie gegenwärtigen Adressatenbezugs des Stücks neue Aktualität:

»›Woyzeck‹ ist nach Otto C. A. zur Nedden ›ein einziger Aufschrei der gequälten Kreatur in ihrer untersten Schicht, ein wahrhaft aufrüttelndes und Mitleid erweckendes Sozial-Drama von unausweichlicher Eindringlichkeit‹. Der im Grunde namenlose, ungebildete, ganz ungeschichtliche und der Masse angehörende Soldat, der von allen gehetzte und gequälte Mensch wird für einen Augenblick in das Licht der Betrachtung und des Mit-Leidens gehoben, um dann wieder zu versinken. Das ist richtig, aber nur ein Teil der Wahrheit. ›Woyzeck‹ ist keine sozialistische Propaganda-Tragödie, ihr Held ist kein Verfolgter und schon gar kein Rächer einer ungerechten Gesellschaftsordnung. Büchner geht tief. Nicht die bürgerliche Welt als Klasse steht Woyzeck gegenüber, nur einige ihrer Auswüchse an nicht alltäglichen Figuren. Woyzeck ist nicht Opfer einer Klasse, er kennt auch keinen Haß gegen die anderen, die Hut, Uhr und Anglaise haben. Er ist kein Klassenkämpfer. Der Schwerpunkt liegt in seinem Welterleben. Von hier aus aber ergibt sich die Tragödie, und erst von hier aus läßt sich die soziale Forderung ableiten. Woyzeck gehört zu den armen Leuten.« (S. 68)

»›Woyzeck‹ ist nach Otto C. A. zur Nedden ›ein einziger Aufschrei der gequälten Kreatur in ihrer untersten Schicht, ein wahrhaft aufrüttelndes und Mitleid erweckendes Sozial-Drama von unausweichlicher Eindringlichkeit‹. Diese Sichtweise vertieft die marxistische Literaturforschung vor allem durch Georg Lukács und Hans Mayers Analysen und Interpretationen der Umwelt Woyzecks. Der Wahnsinn wird als auslösendes Moment nicht gelten gelassen. Was oder wer löste den Wahnsinn aus? Was treibt Woyzeck ins Verbrechen? Antwort: Die Determiniertheit durch die Gesellschaft, die ökonomischen Bedingungen. Die Dramengestalt wird zum Objekt, zum Behandelten, ist nicht Subjekt, Handelnder und wird damit zum Spielball der sozial je anders definierten Rollen, die das Hineingeborenwerden in eine soziale Schicht via Schicksal (Geburt) festlegt. Büchners Woyzeck kann sich nicht auflehnen, kann nicht protestieren im Sinne Dantons, weil es seine Möglichkeiten nicht zulassen. Was bei Danton tiefe Resignation, die ja Bewußtsein voraussetzt, ist und Verzweiflung auslöst, dringt bei Woyzeck nicht bis an die Oberfläche des Bewußtseins. Er flieht in den Wahnsinn, wird nicht zum sozialrevolutionären Faktor. Hier scheinen Parallelen des Sichverweigerns sichtbar zu werden, wenn auch aus ganz andersartigen Seinslagen. Hier läßt sich anmerken, daß nicht ein bestimmtes soziales Manifest didaktisch nutzbar gemacht und vorgeführt werden soll, sondern die Armut (geistig und materiell) eines Menschen. Büchner will hier nicht gesellschaftlich erhellend im Sinne von Manipulation wirken, sondern beschreibend, darstellend. / Woyzeck gehört zu den armen Leuten.« (S. 71)

An dieser Stelle sei unmißverständlich gesagt, daß in Brinkmanns interpretierenden Bemerkungen zu den beiden Stücken eine reiche Anzahl kluger und nach wie vor aufschlußreicher Gedanken verborgen sind, die sich in der Neubearbeitung auch erhalten haben. Sie gingen nur, und auch das muß man sehen, in der sich beim Benutzer anbiedernden verlegerischen Konzeption der *Erläuterungen* unter in einem Wust von eklektischer Quellenkunde, Inhaltsangabe, oberflächlicher Information und einer Werkanalyse, die es als ihre pädagogische Aufgabe betrachtete, eine existentiell bedeutsame Begegnung des Schülers mit dem Dichter stimmungsvoll vorzuprogrammieren und die Lektüre in der Schule entsprechend damaliger literaturdidaktischer Auffassung als harmonische Aneignung eines Kulturgutes zu ermöglichen.

Aber: Resultat der hier vorgeführten Flickschusterei ist nicht nur das fatale Tradieren eines Mediums, unter das die Entwicklung der Literaturdidaktik implizite einen Schlußstrich gezogen hat. Sie überliefert auch Aussagen, die angesichts der Ergebnisse der Büchner-Forschung der letzten Jahre an Peinlichkeit kaum noch zu überbieten sind und die, das ist das Beunruhigende, tagtäglich gelesen, was sage ich, auswendig gelernt werden. Aus der Fülle ein paar Kostproben.

– »[...] ein jahrelanger Streit in der sozialdemokratischen Presse, ob Büchner als Vorläufer von Karl Marx oder überhaupt als Sozialist anzusehen sei, ein an sich müßiger Streit, [...] isoliert Büchners politische Tätigkeit, während sein Werk nur als Ganzes aus dichterischer Intuition und großem Gestaltungswillen zu verstehen ist. Als Dichter sucht Büchner den Menschen. Aus dem Mitleid mit seiner Not [...] erwächst sein Werk.« (S. 13-14/S. 13).

– »Büchner ist nie von seinen revolutionären Anschauungen abgewichen, nur seine Meinung über den möglichen Termin dieser Revolution änderte sich.« (S. 50/S. 52).

– »Im Rhythmus der Tanzmusik hört Woyzeck die unheimlichen Stimmen, die ihn zum Mord treiben. So vereinigen sich hier Wort, Bewegung und Klang zum Ganzen, es entsteht eine künstlerische Form, nach der viel später Impressionismus und Expressionismus strebten, und die sie doch nicht erreichten, weil sie nicht wie Büchner aus dem tiefsten Erleben des Mitleides, sondern bewußt und absichtlich dichteten.« (S. 72/S. 75).

– »Die heute maßgebliche Ausgabe [des *Woyzeck*] brachte Fritz Bergemann 1922 im Insel-Verlag heraus, sie erschien 1949 in 4. Auflage. Vor allem die Anordnung der Szenen, die er vornahm, gilt allgemein als die sinnvollste und der Bühne gerechteste.« (S. 57-58/S. 60).

Es wäre unfair, dem Bearbeiter Friedhelm Kicherer anzulasten, daß der Verlag eine kostengünstige Aktualisierung seines Produktes wünschte. Die Gesetze der Marktwirtschaft lehren, daß nicht die Qualität, sondern der Absatz den Wert einer Ware ausmacht. Doch zeugen Machwerke dieser Art von einem recht zynischen Verhältnis zur Literatur, das nur noch in den Schatten gestellt wird von dem durchscheinenden Verlagskonzept und seinem Zynismus gegenüber dem Leser, dessen vermeintliche Dummheit es unverhohlen einkalkuliert. Sollte dieser Band von »Königs Erläuterungen« im Bange-Verlag exemplarisch dafür sein, wie auch andernorts auf dem Schulbuchmarkt mit Georg Büchner und Schülern wie Lehrern umgesprungen wird?

Man verzeihe diese überstürzte Ahnung und die Härte des Urteils. Die Gefahr ist groß, daß man über literaturwissenschaftlicher Krittelei den fächerübergreifenden Auftrag der Pädagogisierung von Leben und Werk Georg Büchners aus den Augen verliert. Es wäre in der Tat unverantwortlich, wollte man dem Schüler von heute auf seiner Suche nach einem neuen individuellen und gesellschaftlichen Wertgefüge historische Persönlichkeiten als Identifizierungsangebote vorenthalten. Ist es da nicht legitim, die Überlieferung, »daß er ein guter Schüler war, aber nur wegen seiner hervorragenden Begabung und seines guten Gedächtnisses« (S. 6), zu korrigieren: »Die Lehrer bescheinigen Büchner großen Fleiß« (S. 5)? Man darf doch nicht vorschnell mutmaßen, das Samenkorn eines Kommentars zu »Sublimatpille« (*Dantons Tod*, I, 2) werde auf steinigen Acker fallen: »Heilmittel gegen Geschlechtskrankheiten aus einer Quecksilberverbindung. Die französische Revolution führte zeitweilig zu einem starken Anstieg der Erkrankungen dieser Art, so daß der Bedarf an Quecksilberheilmitteln sehr groß war.« (S. 23/S. 23). Georg Büchner kannte die Geschichte, er lernte aus ihr, er wußte, warum er schließlich seinem Hang zu aufrührerischen Umtrieben entsagte, eine Dozentur annahm. Die Hoffnung weist auch dem Gottlosesten einen Weg: »Sah er vom Fels des Atheismus vielleicht doch mit den Augen seiner umfassenden Liebe ein Reich, in dem die Menschen nicht nur Puppen am Draht einer unbekannten Macht sind?« (S. 79/S. 82).

Dokumente und Materialien

Unbekannte Briefe aus der ›Gesellschaft der Menschenrechte‹ (Herbst 1834)

Mitgeteilt von Thomas Michael Mayer (Marburg/Lahn)

Gustav Clemm, der nach der Verhaftung Minnigerodes, nach Schütz' Flucht und Büchners Weggang von Gießen in der dortigen ›Gesellschaft der Menschenrechte‹ zusammen mit August Becker im Spätsommer/ Herbst 1834 die führende Rolle innegehabt hatte, übergab am 29. oder 30. Dezember 1835 aus freiem Antrieb der großherzoglich-hessischen Untersuchungsbehörde sieben an ihn gerichtete Briefe[1] Gießener Burschenschafter, darunter auch zwei Schreiben von Hermann Wiener, Mitglied der Darmstädter ›Gesellschaft der Menschenrechte‹, und einen Brief des gerade in Straßburg angekommenen Jacob Friedrich Schütz.

Die beiden Briefe Wieners (einer vom 4. November 1834 datiert, der andere wahrscheinlich vom Dezember 1834[2]), sind die ersten und einzigen direkten Quellen über die Tätigkeit der ›Gesellschaft‹ nach der Verhaftung Minnigerodes. Diese Zeit war bisher gerade für Darmstadt, wo sich jetzt ja auch Büchner aufhielt, nur äußerst dürftig dokumentiert.

Leider enthielt die Ablieferung des Denunzianten Clemm keine Briefe von Büchner selbst; dies hätte ohne weiteres sein können, denn Büchner hatte Clemm nach dessen ausdrücklicher Angabe in der fraglichen Zeit von Darmstadt aus nach Gießen in Belangen der ›Gesellschaft‹ geschrieben[3] – und »leider« läßt sich ohne Zwiespalt sagen, denn ein schriftlicher

---

1 Clemm hatte die Briefe in seinem Gießener Zimmer »vorsichtig verwahrt« und ließ sie sich dann in das Darmstädter Arresthaus schicken, um sie Georgi zu übergeben (Aussage Clemm, 30. Dezember 1835, *Prozeß* 8/91 f.).
2 Vgl. unten Anm. 43.
3 Aussage Clemm, 3. Februar 1836, *Prozeß* 8/142; vgl. *GB I/II*, S. 389.

Beweis konnte Büchner in der relativ sicheren Emigration über die anderen, eindeutigen Verhöraussagen hinaus nicht sonderlich mehr belasten oder gefährden. Heute jedoch wäre ein solches Dokument ein weiteres wichtiges Zeugnis in der Auseinandersetzung um die in der älteren Forschung verbreitete These, Büchner habe zur Zeit der Konzipierung und Abfassung seines ersten Dramas den Rückzug in eine private Resignation angetreten.

Aber auch die Briefe Wieners belegen als interne Korrespondenz zwischen den beiden Sektionen in Darmstadt und Gießen eindrucksvoll die unverminderte Anstrengung der ›Gesellschaft der Menschenrechte‹, ihre Reihen zu konsolidieren (›mit militärischer Pünktlichkeit und Subordination‹) und weitere potentielle Vertraute an sich zu binden.

Die Briefe der geflohenen Schütz und Dittmar zeugen von den Schwierigkeiten und nur privaten Hoffnungen des politischen Exils. Die Briefe Ludwig Rosenstiels, der als Mitglied der engeren Verbindung der Gießener Burschenschaft bereits seit dem Winter 1831/32 mit Clemm eng bekannt war[4], zeigen neben dessen Bemühung, auch einen der ›Gesellschaft‹ nicht eben nahestehenden Freund für deren Zwecke zu gewinnen[5], doch die erheblichen ideologischen und praktischen Differenzen zwischen der ›Gesellschaft‹ auf der einen und der vorsichtigeren Haltung bloßer politischer Geschäftigkeit in der burschenschaftlichen Partei auf der anderen Seite. Die drei Originalbriefe Rosenstiels waren im übrigen in Chiffreschrift abgefaßt, der unten wiedergegebene Wortlaut ist eine Entschlüsselung, die Clemm dem Gerichtsschreiber diktierte.[6]

Die meisten Briefe sind ohne Kommentar zunächst weitgehend unverständlich; es mischen sich hier burschenschaftliche Eigenarten mit konspirativer Notwendigkeit. Obgleich die Briefe, jedenfalls die beiden von Wiener und sicher auch die von Rosenstiel, kaum durch die Post, sondern durch vertraute Boten befördert worden sein dürften und – wie aus einem der Briefe Wieners hervorgeht – vom Empfänger nach Kenntnisnahme zu vernichten waren, enthalten sie noch zur doppelten Sicherheit die von der engeren Burschenschaft geläufigen Decknamen, vereinbarte Anspielungen und selbst ganze Passagen verschlüsselter Mitteilungen, wie das als Liebesaffäre getarnte Befreiungsprojekt Minnigerodes – Zusammenhänge, die erst durch die bereitwilligen Erklärungen Clemms nach Ablieferung der Briefe aufgehellt werden konnten.

Der Text der Briefe sowie die in den Fußnoten angeführten Zitate und Erläuterungen entstammen, falls nicht anders vermerkt, diesem mit Anlagen versehenen Verhör Clemms vom 30. Dezember 1835 (beides nach Behörden-Abschriften).[7]

---

4 Aussage Clemm, 2. Juni 1835, *Prozeß* 7/175f.
5 Dies gelang Clemm dann auch weitgehend, wie Rosenstiels Vermittlung beim Projekt zur Befreiung Minnigerodes zeigt (vgl. *GB I/II*, S. 589, nach *Prozeß* 8/147).
6 Aussage Clemm, 30. Dezember 1835, *Prozeß* 8/93.
7 *Prozeß* 8/92-112; dasselbe, z. T. nach anderen Abschriften, auch in *Prozeß* 35/177-197.

Die erläuternden Anmerkungen[8] sind, was Detailbelege angeht, auch in der vorliegenden Veröffentlichung bereits relativ umfangreich, können jedoch nicht die vorbereitete ausführliche Darstellung der Darmstädter ›Gesellschaft der Menschenrechte‹ ersetzen, die in zwei zeitlichen Abschnitten angelegt ist (von der Gründung im April bis Sommer 1834; von September 1834 bis zum Frühjahr 1835). Soweit nötig, wird stattdessen auf die bereits vorliegenden Kurzzusammenfassungen vor allem in der *Chronik* des Büchner-Sonderbandes der Reihe ›text + kritik‹ verwiesen[9]; dies betrifft nicht nur die allgemeineren Zusammenhänge, sondern auch einzelne wichtige Personen, insbesondere die Briefschreiber und -empfänger sowie andere Mitglieder (Schütz, Clemm, Wiener, Rosenstiel, Minnigerode, Schneider, Faber, Heuser und Schüler), die in der größeren Publikation jeweils eingehend porträtiert werden.

---

8 Hier aus technischen Gründen in der Form von Fußnoten, während der Dokumentenband meiner größeren Arbeit über die Demokratenbewegung im hessischen Vormärz mit Zeilenkommentaren angelegt ist.
9 *GB I/II*, S. 327ff.; vgl. ferner Mayer, 1980. Die abgekürzt zitierte Literatur ist am Ende dieses Beitrags verzeichnet.

[Brief von Jacob Friedrich Schütz[1], ehem. Mitglied der engeren Verbindung der Gießener Burschenschaft und der ›Gesellschaft der Menschenrechte‹ in Gießen]:

Lieber Klemm[2],

Vor Allem, mein Lieber, sei recht herzlich von mir gegrüßt, u laß mich Dir recht viel Glück in Deiner Fensterliebe[3] wünschen, dann aber Dich um eine Gefälligkeit bitten. –

Der Plan, den ich mir für meine nächste Zukunft [mache,][4] ist einfach der, zu suchen, mich durch irgend etwas selbst zu erhalten. Mein Wille ist entweder Hauslehrer, Secretair, oder der Art etwas zu werden. In der Schweiz denke ich auf diese Art am leichtesten durchzukommen. Nur ist dazu nöthig, Empfehlungen zu haben. Man hat mir solche mitgeben wollen, doch scheint es als hätten Hindernisse es unmöglich gemacht. Wer es wollte[5] kannst Du wohl denken! – Ich bitte Dich daher mir doch dieselben so bald als nur immer möglich solche zu besorgen, da ich ohne solche sehr zweifelhafte Aussichten für die Schweiz habe. Solltest Du

---

1 (Geb. Mainz 31. 8. 1813 – gest. Rotterdam 4. 3. 1877); vgl. *GB I/II*, S. 378-380 u. bes. 359 sowie im vorliegenden Band S. 72, 74-81.
2 (Lich 29. 3. 1814 – Dresden 1. 3. 1866); zu Clemms Verräterrolle vgl. *GB I/II*, S. 25f., 122 u. 388f. – 1833 Mitglied der ›Engeren Verbindung‹ der Gießener Burschenschaft ›Germania‹ und an den Vorbereitungen des Frankfurter Wachensturms beteiligt. Zur personellen Verflechtung der beiden Sektionen der ›Gesellschaft der Menschenrechte‹ mit den burschenschaftlichen Organisationen in Gießen vgl. immer auch die Falttafel bei Mayer, 1980, nach S. 380.
3 Spielt möglicherweise auf jene Liaison Clemms mit Fräulein von Grolmann an, die im Frühjahr 1835 vermutlich mit zu den Motiven für seinen Verrat zählte (vgl. *HA* II/441, Z. 54f.). Clemm war mit Beginn des WS 1834/35 von seinem bisherigen Zimmer bei Wirt Hering in das Haus der Frau v. Grolmann umgezogen (*Verz. Stud. Gießen*).
4 Fehlt in der vorliegenden Abschrift.
5 Unsicher, mglw. einer der Gießener Advokaten, vmtl. jedoch Weidig, der u. a. 1833 auch Scriba Empfehlungen für die Schweiz verschafft (*Prozeß* 3/245f.) und im Frühjahr 1835 Weller ein Empfehlungsschreiben an Wilhelm Snell in Bern gegeben hatte (*Prozeß* 30/85).

vielleicht auch von anderer Seite mir solche verschaffen können, so wäre mir das ein erwünschter Beweis Deiner Freundschaft. –

Wie lebt ihr; u was gibt es in Giesen für mich Wichtiges? Wie steht es mit Minchen?[6] – Von Büchner hat sich das mir unbegreifliche Gerücht hier vernehmen lassen, er sei arretirt. Auch fand ich in den Zeitungen[7] schon ähnliche Gerüchte. Was ist daran? –

Ueber mein sonstiges Leben hier laß Dir von Ferber[8] Mittheilungen[9] machen. Ich hoffe und glaube, daß ich immer noch fidel lebe, denn der Kazzenjammer ist ja nur eine Folge eines solchen Lebens. Grüße mir *Büchner, Chrzanovski[10], Winther[11], Schneider[12], Faber[13]*, kurz Alle meine Freunde u. Bekannt[e], herzlich u vergiß nicht

Deinen

Mephisto[14]

Graffenstadt[15] den 4^{en} *Sept.* 34.

P.S. Schreibe mir doch recht bald u auch ob ich Empfehlungsschreiben erhalte, indem ich darnach meine Abreise bestimme.

M. Adresse

H. Schroth[16]

Gastwirth zum Rebstock[17]

Strasburg.

---

6 Carl Minnigerode, vgl. u. Anm. 53.
7 Bislang nicht näher nachweisbar; vgl. zur spärlichen, angesichts der üblichen Presseabstinenz in ›Demagogen‹-fragen hier jedoch der umfänglichen Reaktion in den deutschen Zeitungen Bräuning-Oktavio, 1976, S. 67-69, Anm. 13.
8 *Heinrich* Ludwig Ferber (Gießen 25. 1. 1813 – ebd. 20. 1. 1882), ab Okt. 1830 stud. archit., dann cam., Mitgl. und zweitweilig »Sprecher«, d. h. Vorstand d. engeren Verbindung d. Burschenschaft (Deckname »Spanner«) u. d. ›Palatia‹ (deren Senior); im Sommer 1832 an den Planungen gegen die Junibeschlüsse beteiligt (vgl. Stammbuchblatt für Degeling, *Prozeß* 35/170), Teilnehmer aller Gießener Versammlungen im März und April 1833 vor dem Wachensturm (vgl. vorläufig Mayer, 1980, S. 370ff.); verhaftet 30. Juli 1833, freigelassen 23. März 1834 (*Prozeß* 12/325f. u. 32/108); danach Handlungsdiener, Buchhalter und Korrespondent bei Kaufmann Noll in Gießen; 1834 Verbindung zu Advokat Briel (vgl. *GB I/II*, S. 380f., 384) bei Planung eines Preßvereins in Selters (*Prozeß* 6/418); 22. Mai 1835 Flucht nach Straßburg, wo ihm Georg Büchner am 3. September 1835 die Verse aus dem Schinderhanneslied (vgl. *Dantons Tod* I, 2, *HA* I/14, sowie *GB I/II*, S. 400) in das Stammbuch schreibt:

»Die da liegen in der Erden
Von de Würm gefresse werden,
Besser hangen in der Luft,
Als verfaulen in der Gruft.
Zur Erinnerung
an

3. Sptemb 35   Deinen

G Büchner.«

(Abb. bei G. Lind, 1938, S. 4, vgl. *II.B.* I/251; Original nach brieflicher Auskunft d. Familie Ferber mit allen übrigen Dokumenten im Zweiten Weltkrieg vernichtet); 1842 nach Gießen zurückgekehrt, wird F. dort im Okt. 1848 Bezirksrat u. im Juni 1850 Bürgermeister der Stadt Gießen (vgl. *H. B.* I/5ff.; Vogt, 1896, S. 116; G. Lind, 1936; G. Lind, 1938).
9 Offensichtlich hatte Schütz Ferber schon ausführlicher geschrieben.
10 Narziß Chrzanowsky (geb. in Belta/Podolien), Polenflüchtling, seit Mai 1832 als stud. med. in Gießen; Mitglied d. Korps ›Teutonia‹/›Starkenburgia‹ u. d. ›Palatia‹ (*BL*, S. 79, 81); nach Clemms Aussage »den politischen Umtrieben in Gießen gänzlich fremd geblieben«, begleitete er doch Ernst Schüler vor dem Frankfurter Wachensturm auf einer konspirativen Reise zu Döring nach Marburg (*Prozeß* 8/11 und 11/107); wohnte im SS 1835 beim selben Vermieter wie Hermann Wiener im WS 1834/35 (*Verz. Stud. Gießen*).
11 Ludwig Franz *Alexander* Winther (Offenbach 9. 3. 1812 – Gießen 26. 4. 1871), seit Okt. 1831 stud. med. in Gießen; Mitgl. d. Burschenschaft u. d. ›Palatia‹; wohnte im WS 1832/33 mit Hermann Wiener beim selben Vermieter (*BL*, S. 73, 82; *Verz. Stud. Gießen*; *Prozeß* 35/10, 14 etc.); im Sept. 1854 vom Disziplinargericht der Univ. Gießen wegen »Übertretung der Polizeistunde« bestraft. Später Univ.prof. in Gießen.
12 Küfermeister David Schneider, Mitgl. d. Gießener ›Gesellschaft der Menschenrechte‹, vgl. *GB I/II*, S. 380.
13 Küfermeister Georg Melchior Faber, Mitgl. d. Gießener ›Gesellschaft der Menschenrechte‹, vgl. *GB I/II*, S. 380.
14 Burschenschaftl. Deckname Schütz' schon im März 1833 (vgl. Stammbuchblatt für Degeling: »JFr Schütz stud. jur/ vulgo Mephisto auch/Ent genannt«, *Prozeß* 35/171).
15 Vermutl. die südöstlich von Straßburgs gelegene Ortschaft Grafenstaden.
16 Selbst deutscher Emigrant und jahrzehntelang ›Herbergsvater‹ der Flüchtlinge; 1870 bei der Belagerung Straßburgs von einer preußischen Kanonenkugel getötet (vgl. Fendt, 1875, S. 120).
17 Treffpunkt der deutschen Emigranten, vgl. *HA* II/452f. und *GB I/II*, S. 42.

[Brief[18] von Hermann Dittmar[19], ehem. Mitglied der engeren Verbindung der Gießener Burschenschaft]:

Lieber Klauer[20]!

Du mußt selbst gestehen, daß Du entweder ein äußerst vergessener, oder *verliebter Mensch*[21] bist, welches letztere ich lieber glauben will, denn daß Du so schnell einen Freund vergessen könntest, hoffe ich nicht von Dir. Ich hoffe, daß Du in der Kürze einmal etwas von Dir und meinen Bekannten hören läßest.

Ich . . .se[22] bis zum ersten October von . . . . . . nach Zürch ab, wo schon die grm [?] . . . . Examinatoren auf meine Ankunft . . . . . . solltest Du mir deßhalb vor diese . . . . . . antworten, so adressire den Brief . . . . . maßen.

M^r. H. Dittmar Médicin, p. Adr. de M^r. Frédéric Traut, Avoué-Licencié, a Strasbourg. Rue des Juifs N° 43.[23]

Grüse Rosenstiel und alle Uebrige recht herzlich von Deinem Fr. u Bruder

Brummer.[24]

[Brief aus Darmstadt von Hermann Wiener[25], Mitglied der engeren Verbindung der Gießener Burschenschaft und der ›Gesellschaft der Menschenrechte‹ in Darmstadt]:

Lieber Vetter[26]!

Die Gelegenheit, welche sich mir jetzt durch Freund *Belluc*[27] bietet, ist zu schön, als daß ich Dir nicht mit wenig Worten melden sollte, daß wir hier wohl sind und Eurer mit Freude gedenken. Wie Louis[28] vor einigen Tagen, so war ich heute bei Stadtgerichtsassessor Trygophorus[29] vor[ge-

---

18 Geschrieben »auf dem zweiten Blatte« des vorigen Briefes von J. Fr. Schütz.
19 Georg *Hermann* Dittmar (Darmstadt 20. 1. 1812 – St. Marie aux Mines/Elsaß 31. 8. 1872), seit Okt. 1830 stud. med., Mitgl. d. engeren Verbindung d. Burschensch. u. d. ›Palatia‹; im Sommer 1832 an den »Excursionen« zur Bauernagitation u. im März/April 1833 an allen Gießener Versammlungen zur Vorbereitung des Wachensturms beteiligt, von denen eine auf seinem Zimmer stattfand; Ende März 1833 zusammen mit Schütz und Gladbach konspirative Reise nach Alsfeld zu Wilhelm Schmitt (vgl. unten Anm. 37); bereits im Sommer 1833 nach Frankreich geflohen (vgl. Schäffer, 1859, S. 7, 29, 37f.; Ilse, 1860, S. 305, 327, 330 u. ebd. Register I), wo er in Straßburg auch mit Büchner Kontakt hatte (vgl. *GB I/II*, S. 559); stand 1835 in Verbindung mit dem Zürcher Komitee des ›Jungen Deutschland‹ und wurde in diesen Jahren Fourierist (vgl. Barnikol [Hrsg.], 1932, S. 27).
20 Sonst nicht überlieferter Deck- oder Spitzname Clemms. Mglw. auch »Klaner« zu lesen.
21 Vgl. oben Anm. 3.
22 Die Lücken der Abschrift markieren vermutl. durch das Briefsiegel des Originals verlorene Passagen.
23 1834 war Hauptmieter in Nr. 43 der zentral gelegenen Rue des Juifs der Straßburger Republikaner Advokat Frédéric Grimmer, Mitgl. des ›Cercle patriotique‹; in Nr. 45 wohnte ebenfalls einer der Chefs der Straßburger Republikaner, der Advokat Louis Liechtenberger (vgl. Adolph Seyboth, o. J., S. 28; Ponteil, 1932, S. 37 u. passim).
24 Burschenschaftlicher Deckname Dittmars.
25 (Darmstadt 7. 11. 1813 – Lausanne 22. 3. 1897); ehem. Darmstädter Mitschüler Büchners; vgl. *GB I/II*, S. 96, 368, 377 u. ö; sowie oben S. 76 u. 91f.
26 Vermutlich Deckname Clemms für unbekannte Anrede: Wiener war nicht mit Clemm verwandt.
27 Andreas Belluc (Mainz 1. 7. 1814 – ebd. 19. 6. 1872), seit Mai 1832 stud. jur., Mitgl. d. Burschensch.; Freund Wilhelm Braubachs; im Febr. 1832 vom Disziplinargericht zusammen mit J. Fr. Schütz nach einer größeren studentischen Wirtshausprügelei mit Verweis bestraft; vgl. *BL*, S. 74, *Prozeß* 2/161 u. 33/11, 58).
28 Ludwig Rosenstiel, vgl. unten Anm. 64.
29 Ludwig Trygophorus, am Stadtgericht Darmstadt, 1835 Universitätsrichter in Gießen.

laden], über einige, soviel ich weiß auch Dir und Lang[30] schon vorgelegte Fragen, den Ernst Dieffenbach[31] und Curtmann[32] betreffend. Die Sache hielt sich ganz im Allgemeinen, ich wußte von Ernst Dieffenbachs
jetzigem Aufenthalte durchaus nichts Näheres[33], von Curtmann blos das,
daß er mich versichert habe, er gehe in die Schweiz um da eine Lehrerstelle anzunehmen. Ich sagte, Curtmann, den ich bei Gelegenheit einer
Reise nach Cassel im Herbst 1831 kennen gelernt hätte, habe mich eines
Morgens, kurz vor Pfingsten dahier aufgesucht, mit der Bitte, ihn, da er
hier weiter Niemand kenne, in der Stadt umher zu führen. Er hätte mir
seinen Paß gezeigt, in welchem enthalten gewesen sei, daß er in die
Schweiz gehe, um sich in der französischen Sprache zu vervollkomm-
nen. Sonst ist mir *durchaus nichts*[34] bekannt.

Habe die Güte, dieses dem früheren Schnellschreiber am hiesigen
Landtage, dem jetzigen Studios: Kolb[35], einem alten Freunde von Haus
aus, mit meinem freundlichen Gruße, zu wissen zu thun. Ueberhaupt
rathe ich Euch, mit diesem sehr achtungswerthen, entschiedenen u.
tüchtigen Kerl in nähere Verbindung zu treten. Seine Schüchternheit er-
weckt im ersten Augenblicke kein eben sehr großes Vertrauen; aber er
ist, wie schon sein genaues Verhältniß mit Selim[36], Helm[37], Zopp[38] u.a.m.
bezeugt, dessen im höchsten Grade würdig. Kommt Ihr ihm freund-
schaftl. entgegen, u ihr werdet einen sehr wackern Bruder an ihm finden. Ich lebe der angenehmen Hoffnung, in diesem Curse selbst wieder
Student in Gießen zu werden.[39] Einstweilen grüße ich Euch herzlichst.
Hier steht Alles – so zu sagen – erträglich.

30 Ludwig Lang (Lengfeld 30. 10. 1812 – Gießen 16. 9. 1881), seit Juni 1832 stud. forest., dann chem., Mitgl. d. engeren
 Verbindung d. Burschensch. u. d. ›Palatia‹ (?) (*BL*, S. 72); vor dem Frankfurter Wachsturm Teilnehmer der Versammlungen bei Schüler u. Gladbach; verhaftet; 6. März 1834 gegen »juratorische Kaution« entlassen; wohnte bis
 WS 1834/35 bei seinem Schwager, Advokat Krauskopf, und war in dieser Zeit enger mit Clemm vertraut (*Prozeß* 5/
 265 u. 8/218 ff.); im Frühjahr 1835 geflohen (vgl. Friederichs, 1948, Sp. 43; *Prozeß* 32/109).
31 *Ernst* Johann Karl Dieffenbach (Gießen 27. 1. 1811 – ebd. 1. 10. 1855), ab Sept. 1828 stud. med., Mitgl. d. Burschenschaft, vulgo »Cuenz I.« (*BL*, S. 68; Friederichs, 1948, Sp. 54); 1832 an den Gießener Aktivitäten im Zusammenhang
 mit den Junibeschlüssen u. am 3. April 1833 an der 2. Versammlung bei Wiener beteiligt (Ilse, 1860, S. 328); 2.
 Hälfte 1833 Flucht über Straßburg nach Zürich, wo er im Sommer 1834 Handwerkervereine organisiert; als füh-
 rendes Mitglied des ›Jungen Deutschland‹ am 31. Mai 1836 verhaftet und im Lauf des Sommers über Frankreich
 nach England abgeschoben. In Zürich noch zum Dr. med. promoviert, wohnte er zeitweilig mit Büchners ›Intim-
 feind‹ Trapp zusammen; später bedeutender Forschungsreisender u. Wissenschaftler (1839–42 in Neuseeland);
 vgl. Schieder, 1963, S. 29, 35 ff.; *H. B.* II/146 ff.
32 *Carl* Leberecht Curtmann (Eudorf b. Alsfeld 18. 9. 1808 – ? St. Louis ?), cand. theol. u. Gießener Burschenschafter
 der Generation von K. B. Hundeshagen, Ed. Scriba, Weyprecht u. F. S. Jucho; nach Clemm »zuletzt in Alsfeld«;
 schon 1832 in die Schweiz geflüchtet (dort dem ›Jungen Deutschland‹ angeschlossen), später nach USA (vgl. *BL*,
 S. 65; Scriba, 1913, S. 8; *H. B.* I/110). Noch am 6. Mai 1850 empfiehlt Hermann Wiener einen Flüchtling nach Amerika »an Zeuner, [. . .] Curtman u. Minnigerode« (Schreibkalender Wieners, Quelle wie oben Anm. 185 zum Beitrag
 über *Verbr. d. Hess. Landboten*).
33 Zweck dieser Mitteilungen war offenbar die Abstimmung der gerichtlichen Aussagen.
34 *»durchaus nichts«* dreifach unterstrichen.
35 Philipp Theophilus (*Theodor*) Kolb (aus Alsfeld, geb. ca. 1812), nur im WS 1834/35 als stud. jur. immatrikuliert,
 Mitgl. d. Burschenschaft (*Prozeß* 33/40), dann wieder Stenograph u. später Hofgerichts-Sekretariatsakzessist in
 Darmstadt; nach Clemm »in sehr vertrautem Verhältnissen sowohl mit Wiener, als mit Curtmann«; kopierte im
 Frühjahr 1835 geheime Protokolle des Deutschen Bundestags, die Prof. P. F. W. Vogt (Carl V.s Vater) in die
 Schweiz mitnahm; noch 1841 wegen im Sommer/Herbst 1835 geleisteter Fluchthilfe für Ludwig Becker und Wilhelm Braubach zu »achttägigem bürgerlichem Arrest« verurteilt (vgl. Friederichs, 1948, Sp. 42; Vogt, 1896, S. 141;
 Ilse, 1860, S. 451; *Prozeß* 35/199).
36 Als Name nicht nachweisbar, vielleicht Deckname Curtmanns.
37 Deckname von Wilhelm Schmitt (Gießen 22. 5. 1810 – Alsfeld ?), cand. cam., dann Handlungsdiener, Mitgl. d. Burschensch.; 1833/34 in Alsfeld; dort im März 1833 von Dittmar, Schütz u. Gladbach in den Wachensturm-Plan ein-
 geweiht; 1838 zu 8 Jahren Zuchthaus verurteilt (vgl. *BL*, S. 69; Friederichs, 1948, Sp. 48 f.; *Prozeß* 31/350 u. 32/99,
 109; Schäffer, 1859, S. 61).
38 Deckname von Ludwig Becker, Mitgl. d. Gießener ›Gesellschaft der Menschenrechte‹ (vgl. *BL*, S. 69); auch »Zopf«
 (*Prozeß* 32/115).
39 Wiener war im WS 1834/35 tatsächlich immatrikuliert (*Verz. Stud. Gießen*) u. scheint sein Zimmer bei Schneider
 Nehmeyer im Winter auch (wenigstens gelegentlich) bewohnt zu haben (*Prozeß* 1/311).

Lebe denn wohl, grüße alle Braven u. sei selbst herzlich gegrüßt von
Deinem Fuchs[40].

D.[41] 4. Nov. 1834.

Herzl. Gruß von Ent[42], der mir gestern kurz vor seiner beabsichtigten –
wohl nicht so bald erfolgenden!? – Abreise in die Schweiz, schrieb, an
Euch alle.

[Brief aus Darmstadt von Hermann Wiener[43]*]:*

Liebster!

Bei Uebersend[un]g der vorgestern liegen gebliebenen Einlage[44], benachrichtige ich Dich zugleich, daß es dahier zieml. steht, u. daß wir Willens sind u. auch schon begonnen haben, alle Stränge an zu spannen[45].
Das, worüber vor 14 Tagen Louis[46] in Deinem Auftrage bei mir anfragte
wird 8 Carolin[47] kosten u. in 8 Tagen am Ort s. Bestimm[un]g sein.[48] Es
thut dergl. jetzt sehr Noth. Treibt nur auf Organisation ordentl. Posten,
[mi]t[49] militär. Pünktl[ich]k[ei]t u. Subordination.[50] *Ca ira.*[51] Ich hoffe,
daß die arme Mine [nicht][52] verschmachten wird. Agire nur gehörig bei
d. Fräulein *quaestionis.* Stecke es Minchen u. s. Nachbar; Du hast ja Gelegenheit[53]; grüße s. von uns herzl. Der Plan, der vorigen Sommer mit
Faix[54] versucht wurde, muß jetzt hoffentl. [mi]t[55] besserem Glücke wie-

---

40 Sonst nicht belegter Deckname Wieners.
41 Darmstadt, vgl. unten den Brief Rosenstiels v. ??. 10. 1834.
42 Burschenschaftl. Deckname von J. Fr. Schütz, vgl. oben Anm. 14.
43 Vgl. oben Anm. 25. Der Brief dürfte auf Dezember 1834 zu datieren sein. Daß er wesentlich später als der erste
Brief Wieners vom 4. Nov. geschrieben wurde, ergibt sich aus den jeweils am Ende erwähnten zwei verschiedenen Briefen vom Schütz und besonders aus dem Vergleich von Wieners Erwägungen über Schütz' Abreise in die
Schweiz; einen eindeutigen terminus post quem setzt die verschlüsselte Erwähnung Carl Zeuners (vgl. unten
Anm. 53), der erst am 27. November 1834 verhaftet wurde; *Prozeß* 2/245).
44 Eine ›Einlage‹ ist weder erhalten, noch lassen sich über ihren Inhalt konkretere Vermutungen anstellen.
45 Clemm: »Diese Worte haben keine andere Beziehung, als die, sich für die Teilnahme und die Wirksamkeit der geheimen Presse zu konzentrieren, Geldbeiträge zu sammeln und für die Befreiung der Gefangenen mitzuwirken.«
46 Clemm: »Die mit ›Louis‹ bezeichnete Person ist mein Freund Rosenstiel« (zu ihm vgl. unten Anm. 64).
47 Goldmünze im Wert von 6 Talern bzw. 11 Gulden.
48 Clemm: »das, was eingekauft werden sollte, bestand in der Druckerpresse, welche dann vorläufig bei dem Litho-
graphen Schüler verwahrt werden sollte.« (Vgl. *GB I/II*, S. 107, sowie zu Schüler noch unten Anm. 84.)
49 »mit« in den beiden vorliegenden Abschriften, die das Original offensichtlich minuziös wiedergeben, als Kürzel.
50 Auf den gerichtlichen Vorhalt: »Wie erklären sich die Worte: ›Treibt nur auf Organisierung ordentlicher Posten
mit militairischer Pünktlichkeit und Subordination‹?« antwortete Clemm: »Dies bezieht sich auf das in der Badenburger Versammlung Abgesprochene, wonach sich an den einzelnen Orten für die Zwecke der geheimen Presse
und dergl. Clubs bilden, die sich dann durch abzusendende Boten in steter Relation erhalten und werktätig machen sollten.«
51 *Ça ira, les aristocrats à la lanterne,* neben der Marseillaise das bekannteste Lied der Großen Französischen Revolution; zuerst 1790 am Jahrestag des Bastillesturms von den Sans-Culotten gesungen, war es auch in den Klassen-
kämpfen von der Julimonarchie bis zur Pariser Commune nicht vergessen; so wurde es z. B. im März u. Anfang
April 1834 auch in Straßburg gesungen (Ponteil, 1932, S. 375 f., 385, 390 f.). Hier als Anfeuerung (›Es wird gehen‹,
›so wird's gehen‹) gebraucht.
52 »nicht« in der Abschrift als Kürzel, das sich eindeutig aus dem gerichtlichen Vorhalt dieser Passage an Clemm auf-
klärt.
53 Clemm: »Unter der ›Mine‹ ist der verhaftete Minnigerode gemeint. Unter dem befragten ›Fräulein‹ ist ein Bäschen
des Minnigerode, die Karoline Fischer von Gießen verstanden, und das von mir angesprochene Agiren bei ihr bezog sich auf ihre Teilnahme an dem Versuche der Befreiung des Minnigerode. Unter dem ›Nachbar des Minchens‹
ist, wie ich glaube, der verhaftete Karl Zeuner verstanden, und die Gelegenheit, die mir zugeschrieben wird, bestand in den durch Soldaten und den Apothekergehülfen Fröhlich in Friedberg vermittelten Collusionen mit den
Gefangenen.«
54 Clemm: »Unter dem ›Faix‹ ist der verhaftete Gladbach verstanden«; zum Decknamen »Veix« für Georg Gladbach,
der bereits seit Mai 1833 wegen der Gießener Vorbereitungen für den Wachensturm in Friedberg verhaftet war
(vgl. *Prozeß* 34/1) auch *H. B.* I/221.
55 Vgl. oben Anm. 49.

derholt werden. Stecke es ihm; benachrichtige auch Minchen, es möge Selterserwasser [mi]t[56] Zucker zu trinken anfangen.[57] Wir bitten Dich recht sehr, thätig zu sein u. nach Umständen, mit Deiner Candidaten-schrift (Doppelbuchst[aben] wie ae, ck, ch u. a. zählen verdoppelt) Be-richt zu erstatten.[58] Du wirst es am besten [mi]t[59] Frl. Briel[60] thun kön-nen, d[ie] Dir dieses überbringt. Schließl[ich] ersuche ich Dich um Deine gefällige Mitwirkung zu endl[icher] Beileg[un]g der alten BibliotheksAn-gelegenheiten.[61] Grüße mir alle Braven u. empfange an sie u. Dich herzl. Grüße v. Brummer[62] u. Ent[63] (die mir vorgestern schrieben; Ent wird wohl schon abgegangen sein) u.

Deinem Fuchs.

*Das Verbrennen nicht zu
vergessen!!!*

[*Brief aus Darmstadt von Ludwig Rosenstiel*[64], *Mitglied der engeren Ver-bindung der Gießener Burschenschaft*]:

22/10 34.

Deinen letzten Brief (datirt vom 18^n d. M.) erhielt ich gestern Abend, ich kann aber denselben durchaus nicht verstehen. *Alles,* worauf Du Dich in demselben beziehst, ist mir völlig unbekannt. Zur Vermeidung aller möglichen Mißverständnisse will ich alle Briefe, welche seit Herbst

---

56 Desgl.
57 Auf Befragen erläuterte Clemm: »mit dem fraglichen Plane hat es folgende Bewandtnis: Die Mutter des Gladbach und der Dr. Röder, Privatdozent der Rechte in Gießen, hatten sich mit dem Herrn Dr. Weber, Arresthaus-Arzt in Gießen[,] in Verständnis gesetzt und es war von dem Hofgerichte in Gießen die Erlaubnis erwirkt worden, daß die-ser Arzt nach Friedberg reise, den Gesundheitszustand des verhafteten Gladbach untersuche und dann ein Zeug-nis ausstelle, in welchem aus Sanitätsgründen auf Freilassung Gladbachs angetragen werde. Dr. Weber ist auch wirklich nach Friedberg gereist und hat den Gladbach untersucht; Gladbach aber hat sich bei diesem ärztlichen Besuche so einfältig /korrig: so verkehrt/ gestellt, und seine Gesundheit so vollständig behauptet, daß die Absicht, welche dem Ganzen unterlag, nicht ausgeführt werden konnte. Auf die Erneuerung dieses Versuchs und auf eine Ausdehnung auch auf Minnigerode bezieht sich die vorgehaltene Stelle des Briefs und der Rat an Minnigerode: Selterser Wasser und Zucker zu trinken.« (Zu Arresthaus-Arzt Dr. Friedrich Weber vgl. *Hof- u. Staatshandbuch Ghtm Hessen 1835*, S. 310).
58 D. h., Clemm sollte die unverfänglich übersendbare Schrift nach einer der Methoden präparieren, die seit 1819 in den geheimen Gesellschaften vor allem bei Collusionen üblich waren, und auf diese Weise chiffriert Bericht er-statten. (Vgl. etwa Nö, S. 175ff., 274ff.)
59 Vgl. Anm. 49.
60 Es handelt sich um eine der Schwestern des Gießener Advokaten und Teilnehmers an der Badenburger Ver-sammlung, Wilhelm Briel, um Caroline oder Jeanette Briel, die zusammen mit einem weiteren Bruder Carl bei Briels Stiefbruder Hans Ludwig Theodor Briel (vgl. *GB I/II*, S. 387) in Darmstadt wohnte (vgl. *Prozeß 6/145f.*, 167ff. und 8/133ff., 137). Die Schwestern Briel waren spätestens seit März 1834 auch mit Ludwig und August Becker bekannt (*Prozeß 16/140*).
61 Betrifft möglicherweise eine in Gießen wiederholt diskutierte Angelegenheit: Georgi hatte am 4. August 1834 bei der Durchsuchung des Zimmers von J. Fr. Schütz auch die Bibliothek der Gießener Burschenschaft und die Kon-stitution der Schütz'schen burschenschaftlichen Verbindung beschlagnahmt (*Prozeß 33/58ff.*). Diese Konstitution, geschrieben von dem daher besorgten Emil Jungk (Mitglied der engeren Verbindung der Burschenschaft und der Schütz'schen Verbindung), war hinter einem Schrank versteckt gewesen, und man glaubte unter den Be-troffenen »nicht, daß sie vom Gericht dort gefunden worden sei, und hatte die Absicht, durch ein Fenster in die Stube des Schütz zu steigen und so die Konstitution zu entfernen« (Aussage A. Becker, 27. Oktober 1837, *Prozeß 1/ 311f.*; dieses Projekt sei auch auf Wieners Gießener Zimmer diskutiert worden, ebd.).
62 Vgl. oben Anm. 24.
63 Vgl. oben Anm. 14.
64 (Darmstadt 30. 4. 1806 – ebd. 20. 12. 1863); stud. jur., dann Rentner; Heidelberger u. Gießener Burschenschafter, in Gießen auch Landsmannschafter (›Hesse‹ bzw. ›Starkenburger‹ 1826-1832) und Mitglied der ›Palatia‹; 1833 wegen Teilnahme an den Gießener Wachensturm-Planungen inhaftiert, 6. März 1834 wieder freigelassen (vgl. *BL*, S. 73; Ilse, 1860, S. 308, 328, 344).

mir von Dir zugekommen, als auch von mir an Dich abgeschickt worden sind, näher bezeichnen. Von Dir erhielt ich im Ganzen vier Briefe.

Den ersten gabst Du Becker[65] mit, den zweiten schickte mir Lutwig[66] (datirt vom vierten d. M.) den dritten (vom dreizehnten) und vierten (vom Gestrigen) brachte mir Schlink[67].

Außer diesem schrieb ich Dir drei Briefe.

Die zwei ersteren (vom vierten und sechsten d. M.) adressirte ich an Siebold[68], den letzten (wenn ich nicht irre, vom achten bis zehnten d. M.) an meinen ehemaligen Nachbar den Jud Salomo Hirsch[69].

Wie schon gesagt, ist mir Dein gestriger Brief ganz unverständlich, von dem erwähnten Plan, Geldbeiträgen[70] und dergleichen ist mir auch nicht das Mindeste bekannt, noch weniger ist mir ein Doctor Häuser[71] bekannt.

Büchner kenne ich *kaum* von Ansehen, nur weiß ich so viel, daß ich mich mit diesem unvorsichtigen und höchst verdächtigen Menschen niemals in das Geringste einlassen werde. Es ist hier sogar dem Ministerium[72] bekannt, daß Büchner, wie ein Hanswurst verkleidet in geheimen Aufträgen zu Offenbach war[73]. Du schreibst mir auch, Du würdest nächstens nach »D« kommen, dieß soll hoffentlich doch »Darmstadt« bede[u]-ten? Wenn Du kommst, so habe doch die Güte, mich, wenn es möglich ist, von dem Tage Deiner Ankunft zu benachrichtigen, auf jeden Fall aber kommst Du gleich in unser Haus und logirst bei mir. Vielfach hast Du mich schon beleidigt, solltest Du aber nicht sogleich zu mir kommen, oder wohl gar bei jemand Anderem logiren, dieß könnte ich Dir nie und nimmermehr verzeihen.

Auf der Reise hierher sei nur ja recht vorsichtig, gehe nicht durch Frankfurt (mich wollte man auf meiner letzten Herreise gar nicht durchlassen, zuletzt schickten sie mir einen Polizeidiener nach, der so lange vor dem Wirthshaus stehen blieb, bis ich wieder abreiste) und halte Dich

---

65 Von den beiden Mitgliedern dieses Namens in der Gießener ›Gesellschaft der Menschenrechte‹ vermutlich August B., da Ludwig B. als Hauslehrer in Alsfeld gebunden war (vgl. oben S. 96).
66 Lesung unsicher (vgl. unten Anm. 81); vermutlich einer der beiden Darmstädter Brüder und Burschenschafter *Friedrich* Franz Ludwig (5. 3. 1816 - 25. 1. 1835), stud. jur., der im SS 1834 zusammen mit Clemm bei Wirt Hering zur Miete wohnte und (nach mehreren Disziplinarstrafen wegen »Straßenlärm«, »unziemlichem Benehmen« usw. seit Juni 1834) im Dez. 1834 wegen »Straßenunfugs« vor dem Haus von Minnigerodes ehem. Vermieter Bürgy (Nacht vom 26./27. Nov. 1834) zusammen mit Clemm zu 8 Tagen Karzer verurteilt wurde – oder Friedrich *Hermann* Ludwig (31. 1. 1815 - 3. 9. 1835); stud. med., auch ›Palatia‹(?), der im Sommer 1832 politisch hervorgetreten war und im WS 1833/34 u. SS 1834 beim selben Vermieter Kunz wohnte wie Jacob Koch im SS 1835 (*BL*, S. 73, 75; *Verz. Stud. Gießen; Prozeß* 8/224 u. 32/3)
67 Name in Gießen nicht nachweisbar (eher Deckname); wohl kaum der Weidig bekannte Wormser Kaufmann (*Prozeß* 3/272f.) oder der im Zweiten Blatt des *Leuchters und Beleuchters* erwähnte Bensheimer Gutsbesitzer.
68 Name in Gießen nicht nachweisbar.
69 Vermutlich der Gießener Kaufmann Hirsch, ein Verwandter Leopold Eichelbergs (*Prozeß* 21/17).
70 Für die Befreiung Minnigerodes und zum Ankauf der Druckerpresse.
71 Dr. Carl Heuser, bis Sommer 1834 Associé von Preller in Offenbach (dem Drucker des *Hessischen Landboten*), dann anschließend in Darmstadt bei Prellers Schwiegervater, dem bedeutenden Verleger u. Buchhändler Leske, als Faktor u. Redakteur beschäftigt. In den 40er Jahren, von den großherzogl. hess. Behörden nach wie vor verfolgt, oppositioneller Buchhändler in Mannheim; als solcher Mitglied des deutschen Zelte des ›Bundes der Geächteten‹ tätig (vgl. *GB I/II*, S. 156, Anm. 886, S. 387; Ilse, 1860, S. 387). Clemm: »In Gießen wurde immer dieser Dr. H[e]user als derjenige genannt, welcher hier [d. h. in Darmstadt, wo Clemm verhört wurde, T. M. M.] den Ankauf der Presse einleiten und das ganze besorgen sollte. – Soviel ich weiß, war dieser H[e]user mit den flüchtigen Studenten Büchner von hier in näheren Verhältnissen.«
72 Dies Rosenstiel wiederum bekannt durch seinen Vater, vgl. unten Anm. 75.
73 Bezieht sich vermutlich auf die ›Botanisierreise‹ Büchners und Schütz' zur Besorgung des *Landboten*drucks; vgl. *GB I/II*, S. 383, sowie oben S. 198.

in Offenbach nicht auf. Am besten fährst Du mit dem PostCourrier und lässest Dich erst einige Minuten vor Deiner Abreise einschreiben.[74]

Gestern Abend hörte mein Alter[75] von einem Bekannten, daß der berüchtigte PolizeiSecretair Frölich[76] von hier in politischen Angelegenheiten in die Gegend von Alsfeld[77] geschickt worden sei!!! was mir aber die ganze Sache am Verdächtigsten macht, ist, daß mir mein Alter nicht sagen wollte, wer jener Bekannte gewesen, sondern hinzusetzte: wenn du dort Jemand kennst, der verdächtig sein sollte, dann warne ihn, aber thue es bei Zeiten.

Sei so gut und beantworte mir ja recht bald diesen Brief. Ist Siebold[78] wieder in Gießen[?]

[Brief aus Darmstadt von Ludwig Rosenstiel]:

23/10 34.

Nachträglich zu meinem Brief von gestern. Ich erkundigte mich gelegentlich nach Doctor Häuser und hörte, derselbe sei ein recht großer Einfaltspinsel und auch ein Schisser von der ersten Sorte. Sein Hauptplan ist dermalen, den König von Baiern zu Rom zu ermorden. Er selbst bedankt sich aber für die Ehre. Ueberhaupt mögen wieder gescheite Sachen im Werk sein! Ich bitte Dich um Alles lasse Dich doch nur mit so dummen Leuten in nichts ein. Beständig lebe ich in der größten Angst um Dich, bedenke doch, daß Du mehr werth bist, als Dich über solche erbärmliche Wische[79], wie die waren, welche das arme Dambohrchen[80] bei sich hatte, der Gefahr, abermals arretirt zu werden, auszusetzen. Ich muß sagen, ich wäre zu stolz dazu, mich in diese kleinlichen Geschichten einzulassen.

---

74 Auch Carl Vogt schildert später die Situation ähnlich: »Die Studierenden der Universität Gießen waren damals [im Sommer 1835, T. M. M.] unter scharfe Kontrolle gestellt. Keiner durfte ohne Paß die Stadt verlassen; auf der Mainbrücke bei Offenbach und der Rheinbrücke in Mainz wimmelte es von Agenten, die jeden, dessen Aussehen einigermaßen den Studenten verriet, anhielten und die Paßlosen verhafteten.« (Vogt, 1896, S. 142).
75 Ludwig Rosenstiels Vater war Rat und Rechner der Stempelkasse (nach freundlicher Auskunft von Hans Linck, Darmstadt).
76 Vielleicht Wilhelm Fröhlich, Sekretariatsakzessit beim Kreisrat in Darmstadt.
77 Dort waren ja zu dieser Zeit u. a. Weidig, Ludwig Becker und Wilhelm Schmitt (vgl. oben Anm. 37 und 65).
78 Vgl. Anm. 68.
79 Nämlich *Hessische Landboten!*
80 Damit war nach Clemms Angabe Minnigerode gemeint. Dambohrchen = Tambourchen (Dambohr = Tambour im Darmstädter Dialekt belegt in Niebergalls *Des Burschen Heimkehr, oder: Der tolle Hund*) (vgl. oben S. 197, sowie Mayer, 1980, S. 380).

[Brief aus Darmstadt von Ludwig Rosenstiel]:

24/10 34

Deinen Brief durch Lutwig[81] erhalten. Einige Worte konnte ich wegen der darauf liegenden Oblate[82] nicht lesen.

Hast Du meine beiden letzten Briefe vom zwei- und drei und zwanzigsten d. M. adressirt an Frau Krauskopf[83] und Siebold erhalten?

Alles ist besorgt, die Presse wird in den nächsten Tagen ein sehr zuverlässiger Mann, Lythograph Schüler[84] in seinem Namen kaufen und bezahlen. Sie kostet nur 10 Carolin[85]: in Schülers Wohnung kann sie dann so lange stehen bleiben bis ein sicherer Ort ihres definitiven Aufenthalts ausgemacht ist.

Dir soll ich sagen, Du möchtest, sobald die zehn Carolin beisammen sind, hierher kommen, damit Schüler, ein armer Teufel, sein Geld wieder zurückgegeben werden kann.

Dr. Häuser bleibt ganz aus dem Spiel, es traut hier diesem albernen Kerl Niemand. Hier erzählt man, der kleine Dambohr sitze bei Wasser und Brod und sollte, wenn er ferner leugnete – – ich mag's nicht aussprechen, es wäre schrecklich! und dieß alles um dieser elenden erbärmlichen Wische Willen. Man sollte fast meinen, es hätte sie ein verkappter Aristokrat geschrieben.

Abgekürzt zitierte Literatur

Barnikol, Ernst (Hrsg.): *Geschichte des religiösen und atheistischen Frühsozialismus. Erstausgabe des von August Becker verfaßten [. . .] Geheimberichtes an Metternich [. . .].* – Kiel 1932 (= Christentum und Sozialismus, Bd. 6.)

BL = Burschenschafterlisten [. . .]. Hrsg. von Paul Wentzke. Bd. 2: Straßburg – Gießen – Greifswald. – Görlitz 1942

Bräuning-Oktavio, Hermann: *Georg Büchner. Gedanken über Leben, Werk und Tod.* – Bonn 1976 (= Abhdll. z. Kunst-, Musik- u. Literaturwissenschaft, Bd. 207)

[Fendt, Rudolf]: *Von 1846 bis 1853. Erinnerungen aus Verlauf und Folgen einer akademischen und politischen Revolution.* Von einem weiland Gießener Studenten und badischen Freischärler. – Darmstadt 1875

---

81 Lesung unsicher; in der zum Vergleich herangezogenen Abschrift (*Prozeß* 35/188) an dieser Stelle: »Ludwig«.
82 Klebsiegel.
83 Frau des Gießener Hofgerichtsadvokaten Georg Krauskopf (vgl. oben Anm. 30), Cousine (2. Grades) von Weidig (*Prozeß* 25/163f.).
84 Christian Schüler, Bruder des Wachenstürmers Ernst Schüler (Ilse, 1860, S. 352; *Prozeß* 7/135; *GB I/II*, S. 54, 57 bis 59).
85 Vgl. oben Anm. 47.

Friederichs, Heinz F.: *Das »Schwarze Buch« der Bundes-Zentralbehörde über revolutionäre Umtriebe 1838-42.* – In: *Hessische Familienkunde* 1 (1948), H. 2/3, Sp. 29-54

H. B. = Hessische Biographien. In Verb. mit Karl Esselborn u. Georg Lehnert hrsg. von Herman Haupt. 3 Bde. – Darmstadt 1918-1934

Ilse, L. Fr.: *Geschichte der politischen Untersuchungen* [. . .]. – Frankfurt a. M. 1860 [Neudruck: Hildesheim 1975]

Lind, G.: *Ein Studentenpfeifenkopf und zwei Steckbriefe. Ein kleiner Beitrag zur Geschichte der Gießener Burschenschaft vor 100 Jahren.* – In: *Heimat im Bild.* Beilage zum Gießener Anzeiger, Jg. 1936, Nr. 25, S. 99f.

Lind, G.: *Heinrich Ferber, ein Gießener Bürgerleben.* – In: ebd., Jg. 1938, Nr. 1, S. 1-4

Mayer, Thomas Michael: *Georg Büchner und »Der Hessische Landbote«. Volksbewegung und revolutionärer Demokratismus in Hessen 1830-1835. Ein Arbeitsbericht.* – In: Otto Büsch u. Walter Grab (Hrsg.): *Die demokratische Bewegung in Mitteleuropa im ausgehenden 18. und frühen 19. Jahrhundert. Ein Tagungsbericht.* – Berlin 1980, S. 360-390

Ponteil, Félix: *L'opposition politique à Strasbourg sous la Monarchie de Juillet (1830-1848).* – Paris 1932

Prozeß = Der Prozeß gegen die oberhessische Demokratie (1833-1838). Eine Sammlung von Akten und Verhörprotokollen gegen die Zirkel um Friedrich Ludwig Weidig in Butzbach, Georg Büchner in Gießen und Leopold Eichelberg in Marburg. Mit finanzieller Unterstützung der Historischen Kommission für Hessen als Arbeitsexemplar zusammengestellt von Thomas Michael Mayer. 36 Bde. in fol. – Marburg/Lahn 1973 [Unveröff. Sammlung, vgl. *GB I/II*, S. 288 u. 358]

[Schäffer, Martin]: *Actenmäßige Darstellung der im Großherzogthume Hessen in den Jahren 1832 bis 1835 stattgehabten hochverrätherischen* [. . .] *Unternehmungen.* – Darmstadt 1839

Schieder, Wolfgang: *Anfänge der deutschen Arbeiterbewegung. Die Auslandsvereine im Jahrzehnt nach der Julirevolution von 1830.* – Stuttgart 1963 (= Industrielle Welt, Bd. 4)

Scriba, Christian: *Beiträge zur Geschichte der alten Gießener Burschenschaft. Burschenschaftliche Lebensbilder aus dem Jahre der großen Relegation.* – Gießen 1913

Seyboth, Adolf: *Das alte Straßburg. Vom 13. Jahrhundert bis zum Jahre 1870. Geschichtliche Topographie nach den Urkunden und Chroniken.* – Straßburg 1890

Verz. Stud. Gießen = Verzeichniß der Studirenden auf der Großherzogl. Hessischen Landes-Universität zu Gießen nebst Angabe ihrer Wohnungen [Semesterhefte]. – Gießen 1829ff.

Vogt, Carl: *Aus meinem Leben. Erinnerungen und Rückblicke.* – Stuttgart 1896

Rezensionen

Georg Büchner und das Christentum

Wolfgang Wittkowski: *Georg Büchner. Persönlichkeit. Weltbild. Werk.* –
Heidelberg: Carl Winter 1978 (= Reihe Siegen. Beiträge zur Literatur- und
Sprachwissenschaft, Bd. 10), 378 S.

Bekanntlich entstammt die moderne Hermeneutik einer wesentlich christlich-religiosen,
nämlich bibelexegetischen Tradition. In ihr wurde eine Form der Wahrheitssuche einstu-
diert, die sich auf die Schrift stützt und um so insistenter verläuft, je weniger dogmatisch der
Begriff von Wahrheit gegeben ist, je deutlicher das Bewußtsein der Erkenntnis als einer Aufgabe. Man hat Wahrheit nicht, sondern muß sie freilegen und dies in immer erneuten Verste-
hensanstrengungen – jedenfalls beginnt mit dieser Einsicht die moderne Hermeneutik. Es
sind genuin hermeneutische Tugenden – das Zurückgehen auf das Gesagtsein des Textes,
die Genauigkeit der Befragung, die Offenheit für das, was der *Text* zu sagen hat –, die der
christlichen Tradition entstammen und als ihr gutes Erbe in den hermeneutischen Verste-
henstheorien Schleiermachers, Diltheys, Gadamers fortleben: die kenntnisreiche, aber un-
dogmatische Lektüre, das Absehenkönnen von der eigenen Vorurteilsstruktur, das Interesse,
etwas aus dem Text zu lernen, was man so zuvor noch nicht kannte und wußte.

Man muß an diese u. a. in der christlichen Bibelexegese gründenden hermeneutischen Tugenden erinnern, wenn man Wolfgang Wittkowskis Buch über *Georg Büchner. Persönlichkeit.
Weltbild. Werk* liest. Es gibt sich als eine »religiöse Interpretation« (S. 7). Aber die der religiösen Interpretation entstammenden hermeneutischen Tugenden haben sich in diesem Buch
sehr weitgehend verflüchtigt. Es gibt kaum ein Buch in der Geschichte der Büchnerforschung, das diesem Autor so rabiat zu Leibe rückt und so gewaltsam mit seinen Texten um-
springt. Texte – auch und gerade literarische – haben ihren Auslegungsspielraum. Das ruft
die Interpretation auf den Plan, und davon lebt die Philologie. Aber dieser Auslegungsspielraum ist begrenzt. Man darf Texte nicht in ihr Gegenteil verkehren. Das aber geschieht, und
zwar systematisch und über 374 Seiten hinweg, in Wittkowskis Buch. Er stellt Büchner in
einer Weise auf den Kopf, wie es sich der Autor des *Lenz* nicht geträumt haben würde. Das
sind schwere Vorwürfe, und man muß sie im einzelnen belegen. Das soll im folgenden geschehen.

Ich beginne mit Wittkowskis Interpretation der Schülerarbeiten Büchners. Man kann an ihr
das Verfahren schon recht gut studieren. Außerdem sollen bereits die Jugendschriften Büchners »die Grundzüge seiner Anthropologie und Ethik« (S. 20) hervortreten lassen.

Es ist bekannt, daß die Schülerarbeiten Büchners um das Thema Selbstmord kreisen. So
auch die *Rede zur Vertheidigung des Cato von Utika* (HA, Bd. II, S. 25 ff.). Büchner will in dieser
Rede zeigen, daß Cato seinen Selbstmord zwangsläufig auf sich nehmen mußte. Catos Freitod
ist geradezu die logische Konsequenz seines Ideals von Freiheit und Vaterland in einer auf die
Tyrannei zuschliddernden Geschichtsepoche. Cato sah, »*Rom und mit ihm die Freiheit war
nicht mehr zu retten.* –« (Bd. II, S. 30.) Die große Seele des Römers, um ein »unendliches Gefühl
für Vaterland und Freiheit« als einer Art »Centralsonne« zentriert (Bd. II, S. 29), hatte in einer
Situation der politischen Erschlaffung der Republik keine andere Wahl als den Selbstmord.
Seine Notwendigkeit ergibt sich also, wie der junge Büchner mit bemerkenswerter Stringenz
ableitet, aus der wechselseitigen Abhängigkeit von psychologischer Disposition und Geschichtslogik. Cato *mußte* bei seiner charakterlichen Anlage und mit seinem Wertesystem in
einer diese Werte negierenden Epoche untergehen, und darin, daß er diese Konsequenz freiwillig auf sich nahm, erkennt der junge Büchner »die letzte große Lehre für den Sohn« (Bd. II,
S. 30f.).

Für die Darstellungsperspektive Büchners entscheidend ist dabei, daß er Catos Selbstmord nicht von einem christlichen Standort aus beurteilt wissen will. »Man hört so oft behaupten: *subjectiv* ist Kato zu rechtfertigen, *objectiv* zu verdammen, d. h. von unserm, vom *christlichen Standpunkte* aus ist *Kato* ein *Verbrecher*, von *seinem eigenen* aus ein *Held.* Wie man aber diesen christlichen Standpunkt hier anwenden könne, ist mir immer ein Räthsel geblieben.« (Bd. II, S. 26) Diese Sätze lassen an Klarheit nichts zu wünschen übrig. Sie negieren explizit den geschichtsübergreifenden Anspruch einer christlichen Wertethik und ihres Sündenverdikts. Aber es kommt noch deutlicher: »Es ist ja doch ein ganz eigner Gedanke, einen alten Römer nach dem Katechismus kritisiren zu wollen! Denn da man die Handlungen eines Mannes nur dann zu beurtheilen vermag, wenn man sie mit seinem Charakter, seinen Grundsätzen und seiner Zeit zusammenstellt, so ist nur *ein* Standpunkt und zwar der *subjective* zu billigen und jeder andre, zumal in diesem Falle der christliche, gänzlich zu verwerfen. So wenig *Kato* Christ war, so wenig kann man die christlichen Grundsätze auf ihnen anwenden wollen; er ist nur als *Römer* und *Stoiker* zu betrachten.« (Bd. II, S. 26f.)

Was Büchner hier im Begriff noch defensiv, der Sache nach aber vollkommen klar den »subjektiven« Standpunkt nennt, ist eine historistische Position, der nichts wichtiger ist als die Abwehr der Anwendung christlicher Dogmen und Maximen auf eine vorchristliche Epoche. Daß in der Obsession für Freiheitshelden und deren Tod die Gegenwartskritik sich zu Wort meldet, daß Büchner in der Historie nach Maßstäben für die eigene Zeit sucht, liegt, wie vor allem der Schluß des Aufsatzes *Helden-Tod der vierhundert Pforzheimer* lehrt, in der Absicht des Gymnasiasten Büchner. Dies Verfahren einer Applikation der Geschichte auf die Gegenwart entspricht ja durchaus auch der ursprünglichen Intention des Historismus.

Was macht nun Wittkowskis Buch mit diesen Büchnerschen Jugendschriften? Wittkowski deutet Catos Tod selbst noch einmal als »Leistung, als idealistische Zuende-Gestaltung, Vollendung der überragenden Existenz, als Annäherung ans Göttliche und Gott« (S. 15). Wenige Seiten weiter wird Catos Maxime herangeschoben an »Schillers Arbeit ›Universalhistorische Übersicht‹, wo *ebenfalls* (Unterstreichung S. V.) der christliche Glaubenskämpfer den Vorrang vor dem römischen Freiheitshelden hat« (S. 20). Und noch eine Seite weiter hat den Wittkowski Büchner endlich da, wo er ihn haben will bzw., wo er ihn von Anfang an schon hingestellt hatte: in den »Rahmen einer solchen christlich-idealistischen Humanität...« (S. 21). Begründung: ». . . da Katos Selbstmord sittlich ist, muß er auch mit dem wahren Christentum vereinbar sein.« (S. 21)

Mit anderen Worten: Wittkowski schert sich einfach nicht um die geradezu beschwörenden Worte Büchners, den »christlichen« Standpunkt fernzuhalten. Über ein paar Seiten hinweg und rhetorisch durchaus geschickt bugsiert er Büchner dahin, wo dieser partout nicht stehen wollte und scheut dabei auch nicht vor Sophismen zurück: ». . . da Katos Selbstmord sittlich ist, muß er auch mit dem wahren Christentum vereinbar sein.« Büchner kam es ja gerade darauf an, einen vorchristlichen, stoischen Begriff von Sittlichkeit von der christlichen Wertethik mit Entschiedenheit zu trennen. Welche Konsequenz hat solche Textmanipulation? Eben die, daß hier im Ansatz und von den frühesten Zeugnissen an ein Büchnerbild konstruiert wird, das ganz offensichtlich falsch ist, weil es mit der Intention von Text und Autor nachweislich nicht übereinstimmt. Das Büchnerbild Wittkowskis schlägt der Intention dessen, den er da porträtieren will, geradezu ins Gesicht. Und es erdrückt die Texte. Es ist das auf den Autor wie Text projizierte Bild eines christlichen Eiferertums pietistischer Couleur und Fichtescher Prägung, das Wittkowski über das Gesamtwerk Büchners ausgießt. Büchner und seine Protagonisten in der Pose der Welterlöser Moses und Messias, die in pietistischer Strenge die abgründige Sündhaftigkeit des Menschen auf sich nehmen, um die Menschheit aus ihrer Tiefe zur Erlösung zu führen. Dieses pietistisch-christliche Erlöserbild projiziert Wittkowski auf Büchners Werk und auch schon auf seine Jugendschriften: »Den ›Welterlöser-Tod‹ feierte schon der Primaner Büchner.« (S. 52) Dieser ließ, wie wir gesehen haben, nichts unversucht, um solche Deutungen fernzuhalten.

Der Deutungsansatz Wittkowskis nivelliert – auch das ist schon an den Jugendschriften nachzuweisen – die politische Dimension des Büchnerschen Denkens zugunsten eines abstrakten ethischen Rigorismus. Wittkowski spricht vom »Höhenflug des sittlich-religiösen Idealismus« (S. 18) des »Idealjünglings« (S. 30) und unterstreicht Büchners Satz aus dem *Helden-Tod*-Aufsatz, die politische Tat dürfe nicht an ihrer Wirkung beurteilt werden. Büchner spricht allerdings in diesem Zusammenhang von der »bloßen That« (Bd. II, S. 11) und ihrer Wirkung, in diesem Fall der vernichtenden militärischen Niederlage der Pforzheimer. Solche Kurzzeitwirkung darf nicht zur Richtschnur für das geschichtliche Urteil werden. Vielmehr sei gerade der Heldentod der Pforzheimer ein Modell für die Geschichte, auch und gerade die geschichtliche Gegenwart. Die »Teutschen«, so Büchner, »kämpften den schönsten Kampf, sie kämpften für Glaubens-Freiheit, sie kämpften für das Licht der Aufklärung . . .« (Bd. II, S. 9). Wittkowski macht daraus einen reichlich verblasenen »ethischen Idealismus«; dieser präge »Büchners Skepsis gegen Geschichte und Politik« (S. 18). Auch dies eine Verdrehung der Intention Büchners ums Ganze. Man muß nur Anfang und Schluß des Helden-Tod-Aufsatzes lesen. Da springt die politische Appellfunktion geradezu ins Auge: ». . . zeigt, daß das Blut, was wir für euch versprützten, in euren Adern wallt.« (Bd. II, S. 16) Damit ist das Büchnerbild Wittkowskis schon in den Grundzügen gezeichnet. Unterziehen wir uns dennoch der Mühe, zumindest die wichtigsten Stationen dieser sich selbst permanent selbst affirmierenden »religiösen Interpretation« nachzuzeichnen.

Die Briefe und zeitgenössischen Urteile: Da ist zunächst ein Wort zur philologischen Genauigkeit der Zitation zu sagen. Wittkowski bietet seine Büchner-Zitate als »behutsam modernisiert« an (S. 10, Fußnote). Was soll man aber zu einem Zitationsverfahren sagen, das vor Auslassungen und Fehlern wimmelt, in dem Zitate, ohne dies weiter zu kennzeichnen, zu einem Zitatpanaschee vermischt werden? Daß in vielen Fällen die Zitate nicht belegt sind, fällt da schon nicht mehr schwer ins Gewicht. So werden auf S. 15 von den neun wörtlichen Zitaten nur drei durch Zitatangaben belegt, drei der Zitate werden fehlerhaft wiedergegeben (»ihrem größeren Charakter« statt »seinem . . .«, Büchner spricht vom Sohn Catos, nicht »seinen Kindern«, das Zitat aus Bd. II, S. 31 ist ein Zitat im Zitat.) Besonders stark entstellt werden Zitate, die Erinnerungen an Büchner aus der Bergemann-Ausgabe wiedergeben, so die Zeugnisse von Zimmermann (bei Wittkowski S. 30) und von Becker (S. 31). Gerechterweise muß man anmerken, daß die Genauigkeit der Zitate im Verlauf des Buches erheblich zunimmt. Der Zitatnachweis bleibt jedoch das ganze Buch hindurch eher dem Zufall überlassen.

Von den zeitgenössischen Urteilen zitiert Wittkowski ausführlich das in der Tat aufschlußreiche Urteil Wilhelm Lucks über Büchner, seine »skeptische Verachtung alles Nichtigen und Niederträchtigen« (Bergemann, S. 304) und den Satz: »Das Bewußtsein des erworbenen geistigen Fonds drängte ihn fortwährend zu einer unerbittlichen Kritik dessen, was in der menschlichen Gesellschaft oder Philosophie und Kunst Alleinberechtigung beanspruchte oder erlistete.« (Bergemann, S. 305.) Wittkowski reduziert die ganze Äußerung auf den Ausdruck »Verachtung alles Nichtigen . . .« und erkennt darin wiederum »die Haltung Fichtes, den Anspruch auf absolute Geltung der idealistischen Position gegenüber allem, was sonst Geltung oder gar Alleinberechtigung beanspruchte« (S. 33). Da wird Büchners Kritik am Anspruch auf Alleinberechtigung zur Potenzierung des Anspruchs auf Alleinberechtigung umgedeutet und der so Zurechtgemachte muß es sich noch gefallen lassen, des Hochmuts gezichen zu werden.

Unter den Briefen Büchners konzentriert sich Wittkowski vor allem auf den sogenannten ›Fatalismusbrief‹ vom 10. März 1834 und hier auf den Ausspruch: »es muß ja Aergerniß kommen, aber wehe dem, durch den es kommt . . . Was ist das, was in uns lügt, mordet, stiehlt? Ich mag dem Gedanken nicht weiter nachgehen.« (Bd. II, S. 426) Büchner spielt hier an auf Matthäus XVIII: »Weh der Welt der Ärgernis halben. Es muß ja Ärgernis kommen. Doch weh dem Menschen, durch welchen Ärgernis kommt. So aber deine Hand oder dein Fuß dich ärgert, so hau ihn ab . . .« Dieses Ärgerniszitat wird für Wittkowski zum Hauptbeleg seiner christlich-pietistischen Büchnerdeutung. Das »muß« zeige nicht, wie so häufig in der Büchnerdeutung angenommen, einen Geschichtspessimismus an, sondern das Walten einer christlichen Weltregierung. Dem »muß« müsse ja auch das göttliche »Wehe!« folgen. Wittkowski: »Wo es keinen Gott gibt, da gilt das Ärgerniswort nicht; und wo alles weltimmanent determiniert ist, da gibt es keine Schuld. Beide Schlußfolgerungen befinden sich freilich im offenbaren Widerspruch zum Text. Dieser setzt Gott oder jedenfalls Christus voraus, den Urheber jenes Wortes . . .« (S. 39). Die Fragen »Was ist das . . .«, denen Danton ja noch das »hurt« hinzufügt, faßt Wittkowski dann als »kurzgefaßten jüdisch-christlichen Sündenkatalog« (S. 41); der Autor Büchner wird so zum Propheten jenes im »Wehe!« sich ankündigenden drohenden Strafgerichtes Gottes, eine Art »Moses oder Messias« (S. 54ff.).

Es lohnt sich, bei dieser Briefstelle und ihrer Interpretation durch Wittkowski einen Moment zu verweilen. Wittkowski kann ja zunächst einmal das Argument für sich verbuchen, daß Büchner in der Tat die Bibel zitiert und daß solche Bibelzitate die literarischen Texte Büchners, insbesondere den Woyzeck und den Lenz leitmotivisch durchziehen. Was der Verfasser dabei jedoch systematisch übersieht, ist die durchgehende innere Gebrochenheit der Bibelzitate im Werk Büchners. Schon im erwähnten Fatalismusbrief wird ja das »Ärgernis«

nicht auf die Normgebung der christlichen Heilsordnung zurückgeführt. Diese Deutung ist bereits Interpolation Wittkowskis. Büchner führt das Ärgerniswort vielmehr auf einen *offenen Fragenkatalog:* »Was ist das . . .« Dies aber heißt: die Frage nach Ursache und Herkunft des Ärgernisses bleibt offen, führt in einen offenen Horizont, der gerade nicht mehr durch eine eindeutige christlich-metaphysische Deutung gefüllt wird. Die metaphysischen Fragen stehen im Raum, und hier wirkt in der Tat christliches Gedankengut fort, aber – und darauf kommt es an – Büchner gibt sich nicht mehr mit den Antworten der Bibel und der christlichen Wertethik zufrieden. Die »religiösen Quälereien« eines Lenz (Bd. I, S. 92) – »und mit dem Lachen griff der Atheismus in ihn und faßte ihn ganz sicher und ruhig und fest« (Bd. I, S. 94) –, die Ruhelosigkeit eines Woyzeck, die metaphysischen Spekulationen in *Dantons Tod*, die kosmische »Langeweile« eines Leonce, sie alle zeigen einen Zustand metaphysischer Obdachlosigkeit an. Wittkowskis Interpretation des Gesamtwerks besteht aber in dem, man kann es schon so nennen, einfachen Trick, überall dort den lieben Gott oder besser: den Gott der Strafe und des Weltgerichts einzusetzen, wo Büchner mit Aussparungen arbeitet, Fragen aufreißt, Antworten offen läßt.

Dabei kommt es nicht nur zu einer durchgehenden Fehlinterpretation, sondern zu einer regelrechten Autorenbeschimpfung. Büchner, der »Menschheitsrichter«, nähme »Im Namen Gottes und Christi . . . voll Haß Ärgernis an denen, die den Kleinen Ärgernis geben« (S. 61), von seiner gottgleichen Attitüde ist die Rede, von »Büchners Lust am Vernichten, buchstäblich am Morden, mit steigendem Elan und steigender Leichtfertigkeit« (S. 57). Seine »ultima ratio« sei, das lehrten schon die Schülerarbeiten und der letzte Brief an Gutzkow, ein »kollektives Ausrotten«, »das Kämpfen bis zur Selbstvernichtung« (S. 55) – und so geht es im Kapitel »Zur Psychologie des Moses- und Messias-Ideals« über Seiten und Seiten. Die Vorwürfe der »ideologischen Selbstindoktrinierung« (S. 57), »der erbarmungslosen Härte« (S. 64), des »religiösen Fanatismus« (S. 65), des Zynismus (S. 65) müssen dann noch zu den milderen Vorwürfen gerechnet werden.

Man muß schon sagen: Wittkowski ist in diesem Kapitel von allen guten Geistern verlassen. Die späteren Kapitel sind – Gott sei Dank – nicht ganz so furchtbar, obwohl sie in der Grundposition sich immer gleich bleiben und auch das Argument, Büchner plane die »Ausrottung« seiner politischen Gegner, noch einmal wiederholen.

Im Kapitel über den *Hessischen Landboten* macht es sich der Verfasser leicht. Er zeiht Büchner einfach der »lügenhaften Entstellung der Darmstädter Verhältnisse« (S. 102). Freilich ist auch hier nur eine entfesselte aggressive Rhetorik zur Hand, kein einziges Sachargument. Der Vorwurf müßte ja doch durch Dokumente der Geschichtsforschung erhärtet werden. Was soll hier Büchner entstellt haben und in welchen Proportionen? Büchner seinerseits hatte derzeit Statistiken zur Hand und konnte auf Fakten verweisen wie das Blutbad von Södel.

Im Kapitel über die »Philosophischen Grundlagen« fällt die Entstellung der Büchnerschen Position dem Verfasser ebenfalls nicht schwer. Man muß nur den immanenten Nachvollzug des Ideengutes von Spinoza durch Büchner mit dessen eigener Position identifizieren, den kritischen Kommentar Büchners unterschlagen, dann kann man mit Wittkowski und in Opposition zu Viëtor sagen, »Büchner behaupte . . . dogmatisch die Existenz Gottes« (S. 138f.), er führe »Spinozas Ansatz konsequenter, widerspruchsfreier durch« (S. 141). Die Ungereimtheit, daß Büchner hier, nachdem Wittkowski ihn zuvor mit den Positionen Fichtes, Schopenhauers, des Pietismus identifiziert hat, zum radikalen Spinozisten wird, sei nur nebenbei vermerkt. Wittkowski geht aber noch weiter. Den an die Spinozastudien anknüpfenden Satz in *Dantons Tod* »nur der Verstand kann Gott beweisen, das Gefühl empört sich dagegen . . . warum leide ich? Das ist der Fels des Atheismus.« (Bd. I, S. 48) kehrt Wittkowski flugs in sein Gegenteil um: »Daß der Schmerz ›der Fels des Atheismus‹ sei, ist sicher nur Postulat, Protest gegen den Schmerz, Gegenpostulat der Schmerzfreiheit und ihrer Garantie durch Gott.« (S. 143) So einfach geht das. Da wird einer Frage »warum . . .« ein dogmatisches »sicher« entgegengesetzt, die Rede vom »Fels des Atheismus«, die ja ihrerseits als Umkehrung des biblischen Petrus-Satzes gedeutet werden kann, zum »Gegenpostulat der Schmerzfreiheit und ihrer Garantie durch Gott«. Bei allem Auslegungsspielraum des Satzes ist nur *eines* sicher, daß diese von Wittkowski aufgesetzte Deutung *nicht* sicher ist; im Gegenteil scheint sie die Bedeutung des Büchnerschen Satzes auf den Kopf zu stellen.

An den Kapiteln, in denen Wittkowski sich den literarischen Texten Büchners zuwendet, sind von besonderem Interesse die ›Aufhänger‹ seiner Interpretation. Wittkowski beginnt mit *Dantons Tod* und hier mit dem Vorwurf der Aushöhlung der Sprache. Büchners »Lust am grellen Übertreiben«, die Hyperbolik der Sprache verweise »auf das Übermaß an Lebensverdruß, das bemeistert werden soll« (S. 163). Die hypertrophe Sprache löse sich »von den Dingen und vom Leben«. »Sprache als Selbstzweck« (S. 163). Die »Sprache kreist in sich selbst« (S. 165). Zugleich aber und auf denselben Seiten heißt es: »Sprache wird zum Medium endloser Manipulationen und Manöver.« (S. 164) Was gilt nun: Selbstzweck oder Funktionalisierung der Sprache zu Zwecken der Manipulation? Der Leser wird das nicht leicht auflösen können. Dazu kommen tiefergehende Ungereimtheiten. Wittkowski weist zu Recht auf Übereinstimmungen zwischen Dantons Position und der Philosophie Schopenhauers hin. Er behauptet sogar: »Der Dichter gestaltet die Vision des Philosophen, ohne sichtbaren Gebrauch zu machen von dessen spekulativer Konstruktion.« (S. 215) Bekanntlich ist Schopenhauers Willensphilosophie dezidiert atheistisch, und der Verfasser weiß das. Dennoch behauptet er zwei Sätze weiter unvermittelt, daß der »Umgang mit dem Gewissen« der dramatis personae den »kräftigsten Hinweis auf einen Gott darstellt« (S. 215). Entweder – oder, sollte man denken.

Für Wittkowski wird das Schlußlied Luciles »Es ist ein Schnitter, der heißt Tod, / Hat Gewalt vom höchsten Gott.« (Bd. I, S. 75) zum eigentlichen Hauptzeugen der letztlich »vertikalen«, d. h. christlich-religiösen Bedeutung des ganzes Dramas. Eine solche Deutung hätte erst einmal mit dem Problem fertig zu werden, daß Lucile eine Nebenfigur des Dramas ist, daß sie in einer besonderen psychologischen Situation spricht (Danton und die Seinen sind guillotiniert), daß der Satz ein Liedzitat ist und daß der Satz in schroffer Opposition zu Äußerungen Dantons steht. Das sind Probleme, die Wittkowski überspringt, wenn er kurz schließt: »In der Schlußszene verweist das religiöse Lied auf Gott. Es ist eben doch eine Art Sentenz, ein Wahrheitsspruch.« (S. 195). Darüber hinaus verbindet Wittkowski diese Deutung mit Robespierres Worten »Wahrlich des Menschensohn wird in uns Allen gekreuzigt, wir ringen alle im Gethsemanegarten im blutigen Schweiß, aber es erlöst Keiner den Andern mit seinen Wunden.« (Bd. I, S. 31). Kein Zweifel, Büchner legt hier dem historischen Robespierre das christliche Leidensmotiv in den Mund, und er steigert es geradezu dadurch, daß er dem Motiv die Erlösungshoffnung abbricht: »aber es erlöst Keiner den Andern mit seinen Wunden«. Somit bleibt diesen Worten nach vom christlichen Motiv nur das gesteigerte Leid. Nach Wittkowski bekräftigen aber auch diese Worte des Robespierre »die Botschaft des religiösen Liedes in den zwei Schlußszenen: daß Gott die Menschen durch Leid und Tod zur Erlösung führt« (S. 196). Es ist die bekannte Taktik der Umkehrung der Sinnintention eines Satzes ums Ganze.

Im Zentrum der Wittkowskischen *Danton* Interpretation steht dann das Ärgernismotiv, über das wir schon ausführlich gesprochen haben. Zu ergänzen bleibt, daß sich der Büchnersche Danton so wenig wie Büchner selbst mit der christlichen Botschaft beruhigt. Dantons letztes Wort in diesen Dingen lautet denn auch: »Die Welt ist das Chaos. Das Nichts ist der zu gebärende Weltgott.« (Bd. I, S. 72)

Dennoch – und darauf verweist Wittkowski zu Recht – auch in Danton werden christologische Motive verkörpert. Anders als Robespierre will er lieber guillotiniert werden als anderen die Köpfe abschlagen. Von dem »Ergo totgeschlagen!« des Volkes sowohl wie der Bergpartei rückt er ab, und in dieser Umstilisierung des politisch aktiven Danton zu einem Mann des Erleidens liegt der eigentliche Eingriff Büchners, gegenüber der historischen Vorlage. Elemente einer christlichen Wertethik also verkörpern sich in Danton. Aber – und darauf kommt es an – diese wird gerade nicht aus dem ungebrochenen Geltungsanspruch des Evangeliums abgeleitet, sondern aus der eher Schopenhauerschen Einsicht in die Totalität des Seins als eines blinden, durch die partikularen politischen Zielsetzungen nur verstellten, in Wahrheit sinnlosen Kreislaufs von Fressen und Gefressenwerden. Es ist die Einsicht in diese Sinnlosigkeit des Ganzen, die der politischen Kampfkraft den Lebensnerv nimmt. Danton hat es »satt«, und Camille, ein »starkes Echo«, ergänzt: »wie lange soll die Menschheit im ewigen Hunger ihre eignen Glieder fressen?« (Bd. I, S. 32).

Paradox formuliert: es ist gerade der Entzug des christlichen Dogmas, der hier der christlichen Ethik des Leidens, aber auch der Versagung, anderen Leid zuzufügen, den Weg bereitet. Diese hintergründig christliche Dimension des Büchnerschen Werkes – auch Lenz und Woyzeck sind ja Leidensfiguren – hat Wittkowski durch seine zu raschen und kurzschlüssigen Interpolationen eher verstellt.

Und schlimmer noch: ausgerechnet St. Just, der von Büchner als ungebrochen blutrünstig Gezeichnete, soll der Position des Autors konform sein (S. 233). Freilich wird diese Autorposition bei Wittkowski als die eines »Propheten« bestimmt, der seinem Volk die »sieben ägyptischen Plagen« auf den Hals zu schicken nicht zurückschreckt.

Neben vielem anderen nimmt die Interpretation Wittkowskis den Protagonisten Büchners ihre innere Spannung und neutralisiert die dramatische Struktur. An Stelle der Interaktion der dramatis personae tritt bei ihm ein Gradationsmodell. Die Figuren werden auf einer Art Leiter der Sündhaftigkeit eingestuft. »Am guten Ende der Skala steht Camille . . . Am anderen Ende der Skala steht Laflotte.« (S. 216) Dazwischen irgendwo Danton und Robespierre, wobei Danton auch in der Wertung des Verfassers höher rangiert (S. 212).

So wird auch der *Woyzeck* unterteilt. »Sub aeternitatis specie« rangiert Woyzeck weit unten auf der Skala, aber »der Hauptmann und der Doktor (schneiden) noch schlechter ab als Woyzeck. Sie sind von Gott noch dürftiger ausgestattet und werden trotzdem im Stück moralisch noch härter verurteilt. Umgekehrt muß aber den ›guten‹ Woyzeck, gerade wenn er Gott näher steht als jene, Gottes Gericht mit aller Schwere treffen.« (S. 277)

»Auch der Doktor«, schreibt Wittkowski, »unterliegt dem Zwang des Müssens.« Seine Unmenschlichkeit »bedeutet Ärgernis« (S. 301). Ja, freilich. Aber worin besteht denn dieses Ärgernis? Doch nicht abstrakt in seiner Sündhaftigkeit, sondern vielmehr höchst konkret in seiner naturwissenschaftlichen Funktionalisierung des Denkens, die im »Subject Woyzeck« nurmehr den »interessanten casus« für das naturwissenschaftliche Experiment zu sehen imstande ist. Hier kommt Kritik an einem spezifisch neuzeitlich rationalistischen Denktypus zum Tragen, Kritik an einer Wissenschaftsform, deren Praxis, wie schon Gutzkow bemerkt hat, Büchner zugleich die Schulung seines analytischen Blicks verdankt. Die immer erneute Reduktion der Problematik auf das Ärgerniswort der Bibel hat für diese spezifisch moderne, wissenschaftskritische Dimension des Büchnerschen Werkes gar kein Ohr.

Wenn Wittkowski zudem behauptet, es ginge im *Woyzeck* »nicht um Einfluß und Wirkung, sondern um die Kontraste und Gradunterschiede der menschlichen Bestialität« (S. 312), dann blendet dieses Gradationsmodell die konkrete Einwirkung der Figuren aufeinander ab. Entgegen der Meinung Wittkowskis beruht Woyzecks Verelendung sehr wohl »auf der handfesten Kausalwirkung«, u. a. der Tatsache, daß ihm der Arzt zu Experimentalzwecken ein Vierteljahr nur Erbsen als Speise verabreicht. Daß die Verzweiflungstat Woyzecks durch die Interaktion der Figuren vermittelt ist, wird denn auch in der Forschung nirgendwo ernsthaft bestritten.

Man könnte so fortfahren und auch die Mißgriffe bei der *Leonce und Lena*- wie bei der *Lenz*-Interpretation offenlegen. Wir würden uns dabei nur wiederholen.

Noch ein abschließendes Wort zum Umgang mit der Sekundärliteratur. Die Abseitigkeit der Position Wittkowskis äußert sich u. a. in seiner Frontstellung gegen die Büchnerforschung, soweit sie überhaupt erwähnt wird. Da formulieren Anton und R. St. Zons nur die »bekannten Resultate« (S. 7; was freilich den Verfasser nicht hindert, im *Leonce und Lena*-Kapitel von der Interpretation Antons ausführlich zu profitieren), Mayer und Viëtor gingen »verständnislos« am Ärgernisbrief vorbei (S. 39), Hinderer bleibt in einer »unfruchtbaren Alternative« stecken (S. 74), die verhalteneren religiösen Deutungen von Paulus, Müller-Seidel, Krause beziehen auf S. 270f. ihre Schelte. Mit Jancke, der sich über diese Nachbarschaft nicht freuen wird, teilt Wittkowski die Meinung, »Büchner sei von der Revolution nie abgerückt« (S. 39), wobei freilich beide Verfasser unter ›Revolution‹ je anderes meinen. Friedrich Sengle, den Wittkowski zu seiner Bestätigung zitiert, wehrt sich in mehreren Fußnoten seines dritten *Biedermeierzeit*-Bandes gegen Wittkowskis Interpretationsverfahren. Sonst wird von der vorliegenden Forschung eingehend nur das Buch von Kobel zitiert, dem Wittkowski jedoch vorwirft, es supponiere einen gütigen, liebenden Gott, wo der strafende am Platze wäre. Es kommt bei solchen Abgrenzungen auch zu unfreiwillig komischen Formulierungen wie: »im Hinblick auf eine Gottheit, die sich mehr verbirgt als bei Kobel. . .« (S. 149). Ansonsten trifft der Leser das ganze Buch hindurch auf den stereotyp wiederholten Vorwurf, die gesamte Forschung habe eben das nicht erkannt, was der Verfasser hier aufzeige.

Ja, freilich. Die Büchnerforschung hat das, was Wittkowski behauptet und in das Büchnersche Werk hineinprojiziert, nicht gesehen. Und sie tat gut daran.

Wissenschaftsgeschichtlich entspricht die Interpretation Wittkowskis einem Stand, wie er vor Jahren einmal durch einige Arbeiten in der Kafkaforschung repräsentiert war. Auch Kafkas Texte enthalten ja, wenn auch verschlüsselter als die Texte Büchners, eine Vielzahl metaphysischer Verweise, die zu einer kurzschlüssigen religiösen Interpretation einladen. Das Religiöse an solchen Texten ernst nehmen heißt aber: ihren Chiffrierungscharakter achten. Auch die Büchnerschen Texte verlangen das. Die »religiösen Quälereien« (Bd. I, S. 92), das Gottsuchertum in ihnen ist ernst zu nehmen. Das aber heißt: die christlichen Glaubensinhalte sind gerade nicht mehr ungebrochen gegeben. Sicher sind die christologischen Figurationen, die Ethik des Leidens im Werk Büchners christlicher Abkunft. Aber dieses Erbe steht in extremer Spannung zu materialistischen, metaphysikkritischen, politischen Tendenzen der Zeit.

Diese Spannung muß eine Büchnerinterpretation, die der Komplexität des Autors irgend gerecht werden will, aushalten.

Eine gründliche Analyse dieser religiösen Spannungen der Epoche hätte ganz anderes Hintergrundsmaterial einzubeziehen, als es uns bei Wittkowski begegnet. In seinen Descartesstudien konnte Büchner bereits die Aushöhlung der christlichen Theologie – und dies paradoxerweise durch den rationalistischen Gottesbeweis selbst – beobachten, eine Konsequenz des neuzeitlichen Wissenschaftsansatzes, die bereits Pascal erkannt hat. Spätestens seit dem französischen Materialismus eines d'Holbach und La Mettrie steht der Atheismus explizit im geistigen Raum Europas. Ende des 18. Jahrhunderts bezieht die Fichtesche Philosophie eine Position, die Jacobi des »Nihilismus« zeiht. Jean Paul dichtet, wenn auch nur als Traum, die *Rede des toten Christus vom Weltgebäude herab, daß kein Gott sei.* Hegels Aufhebung der Bestimmungen des Absoluten ins Subjekt schließlich liefert einer ganzen Generation religionskritischer Denker das geistige Rüstzeug: Marx, Feuerbach, Stirner, Strauß, um nur die Prominentesten zu nennen. In den Naturwissenschaften rühmt sich Laplace als einer der ersten, ohne diese »Hypothese« (Gott) auszukommen. Schließlich – und gerade das hat zur Aushöhlung des christlichen Gedankens in der Epoche beigetragen – erneuert die politische Restauration den Anspruch auf Gottesgnadentum des Fürsten. Das ist die Signatur der Epoche, in der Büchner schreibt. Sie im einzelnen und in ihren wechselseitigen Interferenzen und Differenzen zumindest so weit zu beschreiben, wie sie ins Werk Büchners reicht, wäre Aufgabe einer »religiösen Interpretation« dieses Autors gewesen.

In einem Schlußwort sagt Wittkowski, worum es ihm eigentlich geht: die Aufrechterhaltung oder gar Neubegründung einer christlichen Wertethik. Letztlich dient seine Interpretation Büchners diesem, vom Werk Büchners ganz abgehobenen Ziel. Und so kann Wittkowski auch im Schlußwort noch einmal den Vorwurf wiederholen, daß die »Büchner-Rezeption ... vorwiegend aus Mißverständnissen« bestand (S. 369), Mißverständnissen eben im Sinne *seiner* Konzeption einer »religiösen Interpretation«. Aber sitzt nicht Wittkowskis eigene Interpretation einem Mißverständnis auf? Müssen die Kategorien einer christlichen Wertethik ausgerechnet an einem Autor der literarischen Frühmoderne exemplifiziert werden, der gerade ihre Gebrochenheit anzeigt. Warum geht Wittkowski mit seinen reichen Bibelkenntnissen und seinen philosophischen Lektüreerfahrungen nicht *sein* Thema direkt an und schreibt die von ihm geforderte christliche Ethik?

Literatur und Ethik sind zwei Problemfelder. Die Ethik der Literaturwissenschaft besteht in erster Linie in der Texttreue, der Genauigkeit und Vorurteilsfreiheit der Interpretation, eben jenen eingangs erwähnten hermeneutischen Tugenden. Ethik im Sinne Wittkowskis darf nicht den dogmatischen Rahmen für die Interpretation abgeben. In seinem Forscherleben hat Wittkowski eine Vielzahl von Texten gelesen, und es ist schade, daß er sich letztlich um die Früchte seiner eigenen Arbeit bringt, indem er alle Positionen, die er heranzieht, mit einem dogmatischen Begriff christlicher Ethik und Theologie (der übrigens selbst nirgendwo genauer bestimmt wird) überzieht. Es soll nicht verschwiegen werden, daß es auch verhaltenere Formulierungen bei Wittkowski gibt, so gerade im Schlußwort die Rede von »Gott, der sich verbirgt« (S. 369). De facto beachtet aber seine Interpretation gerade diese Einsicht nicht, und so werden noch die rätselhaften Figuren der Schwämme am Boden im *Woyzeck* zu Erinnerungszeichen »an die Gebärde Jesu« (S. 317).

Dennoch zeigt die Arbeit Wittkowskis an, daß eine gründliche Analyse der religiösen Symbolik im Werk Büchners trotz der vielen und weitreichenden Ansätze auf diesem Feld noch einmal zu schreiben wäre. Eine solche Analyse könnte aus der Arbeit Wittkowskis durchaus Anregungen empfangen. Silvio Vietta (Mannheim)

Hans-Dieter Haenel: *Kettenkarussell und Spiegelkabinett. Determinanz der Form im Drama Georg Büchners.* – Frankfurt am Main, Bern, Las Vegas: Lang 1978 (= Europäische Hochschulschriften: Reihe 1, Dt. Literatur u. Germanistik, Bd. 231), 359 S.

H.-D. Haenels Dissertation steht eine reflektierte Erkenntnisabsicht voran: im Gegensatz zu bloß phänomenologischen Untersuchungen geht es ihm um die Erklärung des historischen

Wandels der literarischen Gattung Drama, d. h. um die Entstehungsbedingungen bestimmter Dramenformen. Georg Büchner scheint ihm dabei als Beispiel besonders geeignet, weil bei diesem ein außergewöhnlich bewußtes Verhältnis zwischen historischer Situation und literarischer Produktion bestehe (S. 7).

Um nun nicht bloß das Wie, sondern vor allem das Warum von Büchners literarischer »Spezialität« (S. 11) zu erklären, beruft sich Haenel auf das Instrumentarium des wissenschaftlichen Sozialismus: er will die Analysemethode des historischen Materialismus, die zur Gesellschaftsanalyse. entwickelt worden ist, auf die Dramenanalyse übertragen. Der Problematik der Übertragung einer Methode auf einen fremden Gegenstand zeigt sich Haenel dabei bewußt und bezeichnet es ausdrücklich als »Experiment«, »an das Wirklichkeitssystem des Dramas die gleichen Maßstäbe anzulegen, mit denen die marxistische Theorie Wirklichkeit als Totalität zu erkennen versucht« (S. 4).

Haenel stellt sich daher die Aufgabe, nicht nur Analogien zwischen sozialen Phänomenen und Drameninhalten aufzuzeigen, sondern herauszufinden, »welche Ursachen, Kräfte und Wirkungen hinter der Ausbildung und Entwicklung einer künstlerischen Gestaltungsform stehen, die durch einen poetologischen Zugang nur deskriptiv und/oder phänomenologisch erfaßt wird« (S. 4). Es geht ihm um den möglichen »kausalen Zusammenhang zwischen Form- und Strukturwandel einerseits und der geschichtlichen Entwicklung andererseits« (S.25).

Büchners Dramen sollen dabei nicht Schwerpunkt der Untersuchung, sondern nur Beispiel zur Explikation der Methode sein – dementsprechend treten sie auch zunächst weit in den Hintergrund: Haenel bemüht sich zuerst um die Ermittlung der Leitkategorien für die Analyse des Zusammenhangs zwischen Produktionsbedingungen und Dramenform.

Zu seiner Neudefinition der wesentlichen Formkategorien des Dramas im allgemeinen (Handlung / Raum und Zeit / Personen / Komposition / Sprache) unternimmt Haenel zunächst einen häufig überzogenen kritischen Überblick über die bisherigen Ergebnisse der »phänomenologischen« (S. 27), d. h. der die historischen und soziologischen »Begründungszusammenhänge« (S. 27) ausblendenden Formanalyse von Käthe Hamburger und Volker Klotz. Die Distanzierungsnot führt dabei manchmal zu nicht mehr stichhaltigen Einwänden, z. B.: wenn Haenel Klotz' These paraphrasiert als »im geschlossenen Drama ist die Handlung geschlossen« (S. 36) und das dann als Tautologie ausgibt, übersieht er ganz einfach, daß »geschlossen« einmal einen Sachverhalt beschreibt und ihn beim andern Mal benennt.

Immerhin resultieren daraus diskutable Definitionen der dramatischen Formkategorien – »Handlung« wird z. B. bestimmt als »Abstraktion des dramatischen Gesamtgeschehens. Sie beinhaltet sowohl das, was auf der Bühne unmittelbar wahrnehmbar wird, als auch das, was durch die Rede der Gestalten ›zur Sprache kommt‹; sie vollzieht sich demnach auf unterschiedlichen Ebenen. Im Gegensatz zum ›Stoff‹ schließt der Begriff der Handlung kompositorische Merkmale ein« (S. 38f.).

Auch der Ermittlung der Produktionsbedingungen legt Haenel eine Forschungskritik zugrunde und konstruiert auf der Basis eines durch »systemtheoretische Überlegungen« (S. 73) verfeinerten Widerspiegelungsbegriffs die Vermittlungsebenen in der Dramenproduktion zwischen Natur und literarischer Form (S. 81). Haenels Hauptaugenmerk liegt hier auf der Betonung des dialektischen Verhältnisses zwischen Inhalt und Form im konkreten Text, weil er hieran die entscheidenden geschichtlichen Veränderungen ablesen will.

Trotz aller gegenteiligen Beteuerungen gerät Haenel die Formulierung dieser Dialektik freilich etwas mechanisch, wenn ihm die Form als »erstarrter Zeuge des künstlerischen Produktionsprozesses« gilt, der die »jeweils zugehörigen Inhalte erklären« (S. 11) helfen soll. Da bei den folgenden Textanalysen Form und Inhalt tatsächlich getrennt abgehandelt werden, kann es sich hier kaum um ein bloß sprachliches Unglück handeln.

Eine emphatisch vorgebrachte Erkenntnisabsicht zusammen mit der umständlich begründeten Methode dürfen natürlich nicht unmittelbar an sich beurteilt werden – sie müssen sich aber an ihren Resultaten messen lassen. Es fragt sich also, ob Haenel seinen Anspruch einlösen kann, Büchners Dramenform aus den historisch-sozialen Bedingungen genetisch zu erklären.

Anstatt aber alle ermittelten Widerspiegelungsebenen des komplexen Produktionsprozesses zu analysieren, unternimmt Haenel dies nur für eine Ebene: für die im individuellen Bewußtsein Büchners zwischen seinem individuellen Sein und seinen Intentionen (vgl. die Graphik der Widerspiegelungsebenen, S. 81).

Er bringt dabei nur eine »phänomenologisch« bleibende Darstellung von Büchners Bewußtseinsinhalten (politisch-soziale Vorstellungen, Naturbegriff etc.) vor, basiert diese auf der historisch-gesellschaftlichen Situation und schließt dann kurz zwischen Büchners bewußten Intentionen und seiner Dramenproduktion (alle Einschränkungen erweisen sich leider als Lippenbekenntnisse).

Dabei mißachtet Haenel aber eine der Grunderkenntnisse des historischen Materialismus: subjektives Bewußtsein gilt nur als Derivat der objektiven Verhältnisse und als dementsprechend ideologisch befangen. Für eine materialistische Theorie kommt den Subjekten daher keine Autonomie zu – anders als bei Haenel dürfte deshalb keine ungebrochene Vermittlung zwischen dem Subjekt und seinen Produkten angenommen werden.

Daß Haenel aber tatsächlich fast ausschließlich Klassenlage und damit verbundene biographische Fakten zu einer im engeren Sinne genetischen Erklärung benutzt, geht auch aus seiner Behandlung der Vergleichsautoren Grabbe und Hebbel hervor. Hier erklärt einzig die unterschiedliche soziale Stellung die literarischen Differenzen: Weil sich Grabbes »Ich des sozialen Aufsteigers kraftvoll über die Welt erheben will, orientiert es sich an Gestalten, die diesen Weg realiter – wenn schon nicht mit letztlichem Erfolg, so doch mit glanzvollem Heroismus – beschritten haben« (S. 270). Grabbe nahm daher die »Scheinversprechungen bürgerlicher Gesellschaft, vor allem die der ›Gleichheit‹ . . . voll für sich in Anspruch, während sie Büchner, der für sich soziale Emanzipation nicht zu erobern nötig hatte, bereits kritisch desillusionieren konnte« (S. 270).

Hebbel dagegen stammt zwar wie Grabbe aus »einfachsten Verhältnissen« (S. 281), doch sei sein »Kampf um die Aufnahme in die bürgerliche Gesellschaft« (S. 281) nicht von Haß gezeichnet: »Hebbel geht einen anderen Weg. Dem Bürgertum biedert er sich an als einer, der den neuen Verhältnissen . . . eine passende, aus traditionellen Momenten zusammengesetzte Ideologie auf den Leib zu schneidern versteht« (S. 281). Haenel folgert daraus: »Daß Hebbel auf der Folie solcher Voraussetzungen weitgehend konventionelles Theater machte, nimmt nicht wunder« (S. 281).

Viel mehr als eine sozialpsychologische Neuauflage des Biographismus kommt auf diese Weise nicht zustande, zumal Haenel nicht nur vereinfachte Kausalbezüge zwischen gesellschaftlicher Position und literarischer Produktion ansetzt, sondern – vor allem im Falle Büchners – auch fragwürdiges Material verwendet.

Um dies am Beispiel von Büchners Kunstauffassung zu zeigen: Haenel gibt zwar durchaus zu, daß es zur Beschreibung von Büchners Ästhetik nötig wäre, das »künstlerische Werk als Zugangsebene« (S. 158) mitzuverwenden, beschränkt sich dann aber dennoch auf eine Paraphrase der einschlägigen Passagen in Briefen Büchners, im *Danton* und im *Lenz*. Die Aussagekraft aller dieser Stellen ist jedoch in philologischer Hinsicht recht fragwürdig; außerdem ergäben die darin gefundenen ästhetischen Bestimmungen, selbst wenn ihre Authentizität gesichert wäre, immer noch keine wirkliche Handhabe zur Analyse von Büchners Dramen, da z. B. die Beteuerung von historischer Treue und der Lehrabsicht im *Danton*-Brief viel zu allgemein gehalten sind, um konkrete Texte beschreiben zu können.

Als zentrale Kategorie im Denken Büchners bleibt für Haenel letztlich nur der »Materialismus« im Gegensatz zum »Idealismus«: »Idee gibt es für ihn [= Büchner], wenn überhaupt, nur subjektiv« (S. 266).

Die versprochene Analyse von Büchners Dramen unter dem Oberbegriff der »Widerspiegelung im Werk« (S. 181–264) bringt dann kaum Neues. Haenel untersucht Büchners Dramen nicht jeweils für sich, sondern nach übergeordneten Leitfragen und Einzelmotiven.

Hier rächt sich der methodische Ansatz, zuerst über die Dramenform an sich zu reflektieren und hieraus Untersuchungskategorien abzuleiten, anstatt zunächst von den konkreten Texten auszugehen und erst aus diesen die allgemeinen Kategorien zu entwickeln.

Haenel zerhackt die Texte, weil er sie einem vorgefertigten Schema unterwirft, das ihnen fremd ist. In ihrer Makrostruktur kann er sie nicht erfassen.

Form und Inhalt werden dann nacheinander, d. h. getrennt, behandelt, obwohl sie doch gerade bei Büchner derart miteinander vermittelt sind, daß man kein einzelnes Element herauslösen kann, ohne es zu verfälschen. Mit dieser Methode gerät Haenel folgerichtig auch in Schwierigkeiten, wenn er beim *Woyzeck* den sozialen Gehalt nicht recht fassen kann: »Obwohl *Woyzeck* als eines der sozialen Dramen gilt, erlangt der soziale Aspekt formal in diesem Drama keine überragende Bedeutung« (S. 321).

Wie weit Haenel von einer eigenständigen Methode in der konkreten Textanalyse entfernt ist, zeigt sich auch daran, daß er hier wenig mehr tut, als die Ergebnisse der Büchner-Forschung (vor allem der konservativen Krapp/Fink/Klotz) eklektisch zu referieren.

Haenels neue Methode führt ihn nicht über das Bekannte hinaus, da er zwar stellenweise zu guten Einzelbeobachtungen kommt (z. B.: »stets sind es nur Surrogate, was die Beherrschten empfangen« – S. 205), alle diese Ergebnisse aber auch ohne großen methodischen Anspruch durch genaue Textlektüre hätte gewinnen können.

Die versprochene genetische Erklärung aus den gesellschaftlichen Verhältnissen bleibt dann auch höchst abstrakt: Haenel ergänzt etwa U. Kaisers Feststellung, bei Büchner sei Leben nicht mehr als Ganzheit anerkannt, durch die Begründung, daß das Privateigentum die Gesellschaft in Klassen gespalten und dadurch zur Entfremdung geführt habe (vgl. S. 221f.). Haenels Methode reduziert sich an solchen Stellen auf Phänomenologie plus Sozialgeschichte.

Auch bei seinen allgemeinen Folgerungen über den Zusammenhang zwischen sozialgeschichtlichen Verhältnissen und der literarischen Gattung Drama kommt Haenel nur zu Binsenweisheiten: er beweist die wohl kaum je bestrittene »Wechselhaftigkeit in der Entwicklung der Dramenform« (S. 307) und betont dabei, »daß die formale Entwicklung des Dramas der geschichtlich-gesellschaftlichen folgt . . .« (S. 312). Dabei leugnet Haenel gewiß mit Recht eine direkte Kausalität in diesem Verhältnis, kann aber die Komplexität der Vermittlungsebenen bei Büchner nicht exemplifizieren.

Nur mit einem einzigen Punkt könnte eine tatsächliche Erklärung für das Entstehen eines bestimmten Formelements bei Büchner geliefert sein: »Die Diskrepanz zwischen individueller und außerindividueller Zeitlichkeit bei Büchner erscheint uns als mittelbare Folge der Qualitätsänderung, welcher ›Zeit‹ in ihrer gesellschaftlichen Bedeutung auf der Folie sich immer stärker herausbildender Lohnarbeit zu einer Eigengesetzlichkeit verhilft, welche außerhalb jeglicher Individualität nur mit abstrakter Durchschnittlichkeit des Gesellschaftlichen zur Deckung kommt« (S. 256).

Die Industrialisierung, auf der fraglos diese Qualitätsänderung der Zeit beruht, war freilich gerade in Büchners unmittelbarer Umgebung (auf die Haenel ansonsten Wert legt) noch recht unterentwickelt.

Haenels »materialistische« Methode bringt damit nur ziemlich enttäuschende Resultate: präzise genetische Erklärungen für Büchners Dramenform werden kaum in Ansätzen gegeben, während die konkreten Einzeluntersuchungen über bereits bekannte Ergebnisse der Büchner-Forschung nicht hinauskommen.

Wenn sie aber auch weitgehend folgenlos blieb, ist Haenels ernste Reflexion auf Methodik dennoch zu begrüßen. Schließlich zeigt er oft überzeugend, daß die Mängel der bisherigen Sekundärliteratur zu Büchner gerade auf falschem, ideologisch bestimmtem Vorgehen beruhen.

Erstaunlich ist es aber, warum Haenel bei der Grundlegung seiner historisch-materialistischen Methode, die sich explizit auf den wissenschaftlichen Sozialismus Marx' beruft, auf dessen wichtigste Schrift zur Methodenfrage nicht eingeht. Marx' »Methode der politischen Ökonomie«, die er in der unterdrückten *Einleitung* zur *Kritik der politischen Ökonomie* formuliert hat, böte sich für eine Übertragung auf die Literaturwissenschaft durchaus an. Für die Philologie würde diese Induktionsmethode aber wohl bedeuten, unbedingt von konkreten Textanalysen auszugehen, um aus diesen die Strukturen des historischen Formenwandels und eventuell auch deren Ursachen zu ermitteln. Haenel dagegen ist den deduktiven Weg gegangen und bleibt deshalb notwendig abstrakt.   Albert Meier (München)

Jan Thorn-Prikker: *Revolutionär ohne Revolution. Interpretationen der Werke Georg Büchners.* – Stuttgart: Klett-Cotta 1978 (= Literaturwissenschaft – Gesellschaftswissenschaft, Bd. 33), 138 S.

Eine materialistische Interpretation der Werke Büchners ist als werkimmanente ebensowenig zu leisten wie als geistesgeschichtliche. Zwar muß sie ausgehen vom Text als dem »materialen« Substrat eines Rezeptionsvorganges, der sich als Interpretation artikuliert, kann sich jedoch von vorgegebenen Abstraktionen, seien die nun von Schopenhauer, Kierkegaard, Nietzsche oder wie in diesem Fall von Adorno, Marcuse, Horkheimer abgezogen, nur dann lösen, wenn sie sich auf den konkreten Vermittlungszusammenhang einläßt, in denen literarische Werke als gleichzeitig historische und den historischen Augenblick überdauernde stehen. Gewiß ist dem Autor zuzustimmen, wenn er sich gegen einen allzu naiven Biographismus wehrt, der unvermittelt Büchners Erleben in das Werk projiziert; aber ebenso methodologisch fragwürdig bleibt es, dem Werk Büchners Erkenntnisse Späterer überzustülpen, ihn zum Adorno des 19. Jahrhunderts umzustilisieren: »Die Besonderheit Büchnerscher Kritik, negative Kritik zu sein, Kritik, die die bestehenden Verhältnisse radikal negiert, ohne eine Perspektive aus diesen Verhältnissen heraus zeigen zu können . . .« (5). Die Unschärfe solcher immer irgendwie stimmiger Analogien, die Büchner schon im Titel der Arbeit zum Stammvater einer Moderne adornitischer Prägung und eines am Konzept der Revolution verzweifelnden Eurokommunismus deklarieren, zeigt sich spätestens dann, wenn die Ergebnisse Thorn-Prikkers mit jenen Forschungsergebnissen verglichen werden, die einerseits das präzise historisch-biographische Umfeld umreißen, in dem Büchner als Revolutionär und als Dichter sich bewegte (man vgl. die Arbeiten von Thomas Michael Mayer, Walter Grab, Hans-Joachim Ruckhäberle), oder aber jenen Arbeiten, die den intertextuellen Zusammenhang umreißen, der die Voraussetzung dieser Werke ebenso ist wie die Folie, von der sich Büchnersche Eigenart präzise abheben läßt (z. B. Proß, Ingrid und Günter Oesterle).

Über die Verfahrensweise Büchners bei der Abfassung des *Woyzeck* läßt sich nur dann mehr sagen als »Woyzecks Untergang ist die Niederlage eines Stückes der Vergangenheit vor der Gewalt bürgerlicher Normen« (121), wenn man einerseits sich etwas mehr auf den Vorgang der Niederschrift des Stückes von Entwurf zu Entwurf einläßt – gerade hier ist Sinnkonstruktion ohne philologische Textrekonstruktion kaum möglich –, andererseits den Vorgang überdenkt, in dem Büchner die kantische Konsistenz der Argumentation seiner Quelle zerstört, die Woyzeck »freien Willen« und ein »Gewissen« zuschreibt. So hätte sich die Stringenz der durchaus richtigen, allerdings nur behaupteten »Vorbürgerlichkeit« Woyzecks z. B. anhand einer sozialgeschichtlichen Analyse des Gewissensbegriffs erhöhen lassen; so hätte sich die Einsicht, in *Leonce und Lena* sei anstelle der Handlungsvermittlung durch die Intrige »die Handlungsvermittlung durch Schicksal getreten« (07), anhand intertextueller Beziehungen zur Schicksalstragödie präzisieren lassen.

Allzuoft kommt es so zu perspektivischen Verkürzungen komplexer Tatbestände, so wenn Robespierre etwas voreilig zum (wenn auch zynischen) Idealisten, Danton zum Materialisten erklärt wird oder wenn unkontrolliert Denkschemata heterogener Herkunft (z. B. citoyen/bourgeois) das bei Büchner prinzipiell noch Ungeklärte vereinfachend klären. Nicht daß solche Verkürzungen, wie sie sich schon in anderer Form bei Lukács, Hans Mayer und Jancke finden, überhaupt keinen Erklärungswert besäßen – im Gegenteil: sehr viele der von Thorn-Prikker herangezogenen theoretischen Modelle erhellen schlaglichtartig Aspekte des Büchnerschen Werkes in einer Weise, die durchaus einleuchtet – fragwürdig bleibt allein die Berührungsangst vor empirischen biographischen und historischen Details, die sich bis in die Textanalyse hinein fortsetzt und dort immer das ausblendet, was sich der an einer vorgegebenen Theorie orientierten Interpretation nicht fügen will. Erst dort, wo am zeitgenössischen Horizont Büchners abgesichert wird, was an anderer Stelle unkontrolliert einer »theoretischen« Analyse unterworfen ist, wird überprüfbar, ob das Einsichtige auch das Richtige ist: so, wenn z. B. anhand einer Analyse von Brentanos *Ponce de Leon* das Kontrafakturverfahren Büchners konkret vorgeführt wird, wenn anhand der Art, wie er mit seinen Quellen umgeht, deutlich wird, genau welche Ideologeme er subversiv in Frage stellt. Selbst da noch allerdings bleibt undeutlich, wie Büchner zu Einsichten kommen konnte, die seinen Zeitgenossen scheinbar verschlossen waren, bleibt die »Einzigartigkeit« Büchners ein selbst nicht mehr erklärbares Faktum. Denn da die Interpretation »sich in den einzelnen Werken jeweils selber beweisen« muß (5), die Werke als jeweils »fertige« der Interpretation vorausgesetzt werden, blendet Thorn-Prikker gerade das aus, was den »Werken« Büchners in ganz besonderer Weise anhaftet (was aber zum Beispiel auch die »Fragmente« der Frühromantiker und in ganz anderer Weise die Prosa Heines nicht verleugnen): nämlich ihre »Prozeßhaftigkeit«, die selbst die Werke ausstellen, die als druckreif und abgeschlossen gelten, die aber in ganz besonderer Weise dem *Lenz* und dem *Woyzeck* anhaftet. Thorn-Prikkers Monographie versteht sich denn auch als »Aufweis der oft behaupteten und ebenso oft gelungenen Einheit von Kunstproduktion und revolutionärer Politik«, ohne daran zu zweifeln, daß ein solcher Beweis erbracht werden kann: wie nun aber, wenn das »Revolutionär«-Sein Büchners ein Prozeß wäre, nicht ein Zustand (»Revolution«)? Wäre dann nicht schon der Titel der Studie voreilige Begriffshypostase, die »Revolution« auf diejenigen Phasen der Geschichte einengt, in denen sich sichtbare Umwälzungen vollziehen? Ist es nicht gerade so, daß Büchners Kunstproduktion, nicht nur durch den frühen Tod unabgeschlossen, jede Art von Einheit, auch die zwischen künstlerischer Produktion und politischer Aktivität, die immer schon ein umfassendes Begreifen voraussetzt, negieren muß? Weil nämlich dies schon ein vorschnelles Systematisieren des als Gesetz noch Unbegriffenen bedeutete.

Zu Ende denken läßt sich das in einer Studie freilich nicht, die weder den Politiker Büchner mit dem *Hessischen Landboten* und den Briefen zu Worte kommen läßt, noch den Naturwissenschaftler und Philosophen: der Denk-Prozeß, der bei Büchner an die Stelle des »Werkes« getreten ist, läßt sich eben nur im Wechselspiel von biographisch-historischer Erfahrung, denkerischem Engagement und künstlerischer Gestaltung begreifen, die an die Stelle der Einheitlichkeit idealistischer philosophischer Systeme tritt: ohne auf theorielosem Empirismus zu bestehen, behauptet sich bei Büchner das empirische Detail der Geschichte gegen den Versuch, es einer Theorie zu subsumieren, als Widerstand gegen das Denken: einmontierte Stolpersteine, wie etwa die letzten Worte von *Dantons Tod*, sollen das allzu mühelose Dahingleiten des systematisierenden Denkens in eine kreative Turbulenz bringen, zum erneuten Nach-Denken zwingen, das eben den Phrasen bis dahin nachgeht, wo sie zu Handlungen werden, und vor den Konsequenzen dieses Denkens erschrickt.

Ärgerlich sind daher, weil sie jenes Mitleiden verleugnen, das Büchner noch als radikaler Denker nie völlig vergißt, Formulierungen wie die, Woyzeck sei ein »Lumpenproletarier« (122) oder gar ein »sympathischer Trottel« (122). Gewiß schreckt Büchners sezierender Blick nicht davor zurück, das enteignete Subbürgertum auf dem Weg ins Proletariat ohne falsche Sentimentalität zu zeichnen: alles das, was die Ohnmacht dieser Klasse konstituiert, wird ohne Beschönigung gezeigt, gerade weil Büchner weiß, daß nur diese Klasse die Revolution tragen kann; aber sowenig der sachliche Blick des Arztes »mitleidslos« sein muß, so wenig »denunziert« Büchner den Woyzeck; wohl ist Woyzeck nicht der positive Held des sozialistischen Realismus, er ist allerdings der durch die ausbeuterische Ordnung Entstellte und der durch Ohnmacht häßlich Gewordene; er ist gleichwohl der, den das Drama Büchners gegen den Blick des Herrn Hofrat Clarus in Schutz nimmt; oder anders: der von allem Besitz und aller Selbstbestimmung Entblößte, der nicht einmal seinen Mord als seinen eigenen begreifen kann, ist doch derjenige, von dem aus die notwendige Umwälzung der Gesellschaft erfolgen muß.

Die von Thorn-Prikker unterschlagene Prozeßhaftigkeit – der Charakter des work-in-progress, des also nicht nur zufällig Unfertigen – verleitet ihn zu ebenso interessanten wie immer wieder kurzschlüssigen Einsichten in die Form der Werke Büchners. So formuliert er – ohne sich genauer mit der Handschrift und den aus ihr zu gewinnenden Einsichten über die Abfolge der Entwürfe zu beschäftigen – bestechend souverän: »Authentisch an Büchners ›Woyzeck‹ *bleibt allein*, daß sich ihm im Versuch, das Drama zu schließen, Probleme stellten.« (134) Damit wird aber die sehr diffizile Problematik des *Woyzeck* als Gegenentwurf gegen die verkehrte Rationalität der Gutachten und als Gegenentwurf gegen das in sich geschlossene Drama der Klassik, elegant auf eine Formel reduziert, die wegen der Vielfältigkeit ihrer Anwendbarkeit das Einmalige des Vorgangs bei Büchner verfehlt.

Wäre zum Beispiel nachzuweisen – und den Nachweis führt Thorn-Prikker meiner Meinung nach nicht zwingend, ja er läßt sich wohl vom Werk aus gar nicht zwingend erbringen –, daß Büchner sich der Tatsache bewußt war: »ein Schluß allein darf sich – nicht einmal gespielt – mehr wiederholen, der geschichtliche Schluß, Woyzecks Exekution« (133), so ergäben sich allerdings damit Konsequenzen für die Interpretation des *Woyzeck*. »Ohne Urteil, ohne Ende« bricht das Drama aber auch aus dem ganz banalen Grunde ab, weil es nicht vollendet ist; jede Interpretation muß diese »Tatsache« so weit respektieren, als sie den Konjekturcharakter aller möglichen Schlüsse deutlich macht.

Aus demselben Grunde sich der Interpret eben auch fragen müssen, warum Büchner die Arbeit an dem relativ früh begonnenen *Lenz* abgebrochen, die Lücken im Text eben nicht aufgefüllt hat. Thorn-Prikker aber behandelt diesen Text wie einen abgeschlossenen. Wäre es nicht möglich, daß das Liegenlassen des unabgeschlossenen Textes in der Untauglichkeit des Sujets liegt?

Die hier vorgetragene Kritik ergibt sich zum Teil daraus, daß der Rezensent sich durchaus in Übereinstimmung weiß mit der These des Verfassers, die Interpretation Büchners »wäre historisch zu konkretisieren«, und mit seiner Kritik an Honigmann, Hans Mayer und K. Viëtor, sie behandelten alle »die Zeit des Vormärz und ihre Einflüsse auf Büchner. Keine von ihnen beschäftigt sich jedoch unmittelbar mit der Frage, wie die beschriebene geschichtliche Situation sich in Büchners Werken niederschlug« (79): nur scheint mir, eine solche Konkretisierung sei weder werkimmanent noch allein von theoretischen Positionen her zu leisten, deren Relevanz für die Analyse Büchnerscher Werke sich unter anderem auch in der Auseinandersetzung mit weit konkreterem historisch-biographischen Material beweisen müßte.

Peter Horn (Kapstadt)

»Wer denkt abstrakt?«
Mit einem Auszug aus Hegels gleichnamigem Aufsatz

Albert Meier: *Georg Büchner: »Woyzeck«.* – München: Fink 1980 (= Text und Geschichte. Modellanalysen zur deutschen Literatur, Bd. 1; UTB 975), 127 S.

Die *Woyzeck*-Analyse beginnt vielversprechend: »Sowohl die naturwissenschaftlichen wie die philosophischen Studien haben [. . .] großen Einfluß auf die Entstehung des ›Woyzeck‹ gehabt (8). Doch genügt diese Feststellung voll zur Entlastung von jener Einflußphilologie, die Lichtenberg und ihn zitierend Freud in dem Witz suchten: »Es ist schade, daß man bei Schrift stellern die gelehrten Eingeweide nicht sehen kann, um zu erfahren, was sie gegessen haben.«[1] Meier hält sich bei solchen Studien nicht auf, sondern geht statt ins entlegene historische Detail aufs naheliegende systemkritische Ganze.

Büchners philosophische und naturwissenschaftliche Abwehr einer Teleologie der Funktionen des Naturkörpers, die Ablehnung von Endzwecken der Natur, wird im Handumdrehen auf die Dramenstruktur des *Woyzeck* übertragen: »das gesamte Dramengeschehen ist von der Reflexion auf Teleologie beziehungsweise deren Kritik bestimmt« (10). Die bekannte Strukturbeschreibung des *Woyzeck* als offener Form (V. Klotz) scheint damit philosophisch ableitbar geworden zu sein. Doch schon ein Seitenblick auf Goethes Protest gegen die Teleologie hätte vor einem vorschnellen Kopplungsmanöver zwischen Teleologiekritik und literarischem Formtypus bewahren können.[2] Vor allem aber hätten die Einwände von W. R. Lehmann[3] und K. Kanzog[4] gegen die Verabsolutierung der Gattungsbestimmung der ›offenen Form‹ für *Woyzeck* zu denken geben sollen. Wissenschaftsgeschichtlich aufschlußreich ist in der Tat die Affinität zwischen dem idealtypischen, von Max Weber ausgehenden Interpretationsrahmen der offenen Form, die das Fragmentarische als Folge einer Tendenz zu empirischer Totalität erklärt[5], und den von Comtescher Soziologie unterlaufenen Gedankengängen dieses Buches. Der ästhetisch unvermittelte Zusammenschluß von Teleologiekritik und Gattungszuordnung verhindert, jene sich von Spinoza herleitende Relation von Gut und Böse, Schön und Häßlich zu überdenken, d. h. jene spezifische Konsequenz der Teleologiekritik für das Verhältnis von Ethik und Ästhetik zu entwickeln, das besonders den *Woyzeck* charakterisiert.[6]

Bemüht sozialkritischer Anspruch an die Kunst und interpretative Realisation fallen in dieser Studie extrem auseinander:

»Die Entfremdung, die das soziale Grundgesetz in Büchners realer wie auch literarischer Welt ist, wird [. . .] kritisiert durch die formale Organisation des ›Woyzeck‹, die dadurch – anders als der Inhalt – ein *utopisches* Moment der Freiheit von Entfremdung besitzt.« (68)

Dieser Satz läßt erwarten, die ganze Energie der Interpretation konzentriere sich auf die Form des Dramas und den ihr eingeschriebenen sozialgeschichtlichen Gehalt. Allein die knapp gehaltenen Äußerungen zur »dramatischen Form« (58-62) und »Elementen der Dramaturgie« (63-66), die die Forschung auf diesem Gebiet allzu großzügig übergehen (z. B. Krapp, Mauthner), verbleiben mit ihren kursorischen Hinweisen zu Leitmotivik, Groteske, Allegorie, Stilanarchie vage und innerhalb des in der Büchnerforschung Geläufigen. Die Unsicherheit in der Verwendung von Formbestimmungen wird schlaglichtartig deutlich in der Behauptung, Woyzeck »erzähle« (35) und die Großmutter habe das Märchen »gesprochen« (62).

1 S. Freud: *Der Witz und seine Beziehung zum Unbewußten.* – In: S. F.: *Gesammelte Werke,* hrsg. v. A. Freud, 6. Bd. – London 1940, S. 90.
2 Vgl. z. B. I. I. Kanajew: Goethe und Buffon. – In: *Goethe. Neue Folge des Jahrbuchs der Goethe-Gesellschaft,* hrsg. v. A. B. Wachsmuth, Bd. 88. – Weimar 1971, S. 171, u. D. Kuhn: *Empirische und ideelle Wirklichkeit. Studien über Goethes Kritik des französischen Akademiestreites.* – Graz 1967.
3 W. R. Lehmann: *Repliken. Beiträge zu einem Streitgespräch über den »Woyzeck«.* – In: Euphorion 65 (1971), S. 73.
4 K. Kanzog: *Wozzeck, Woyzeck und kein Ende. Zur Standortbestimmung der Editionsphilologie.* – In: *DVjs* 47 (1973), S. 433: »Das Fatale an dieser Theorie [des offenen Dramas, G. Oe.] ist, daß sie u. a. durchaus signifikanten Beobachtungen am ›Woyzeck‹ abgewonnen wurde, daß sie aber in der Rückwirkung keine Klassifizierung leisten kann. Die einseitige Festlegung des ›Woyzeck‹ als offenes Drama verkennt – wie auch in den Dramen von Lenz – das entscheidende Moment (und Novum) im Strukturierungsprozeß: die Orientierung an der klassischen Norm *und die gleichzeitige* Normdurchbrechung.«
5 Vgl. V. Klotz: *Geschlossene und offene Form im Drama.* – München ⁴1969, S. 219.
6 Vgl. den »Anhang« in Georg Büchners *Spinozavorlesung.* – In: *HA,* 2. Bd., S. 261-265.

Der weitgehende Verzicht auf Formanalyse wird kompensiert durch die Interpretation des *Woyzeck* als einer Konfiguration von Sozialcharakteren, deren »Ensemble« »den sozialen Raum« des Stückes aufbaue (63). Hier liegt der Schwerpunkt der Untersuchung; hier finden sich interessante Einzelbeobachtungen, vor allem im sozialpsychologischen Bereich: zur widersprüchlichen Rolle Maries als Mutter und Frau z. B. (30) oder zu versteckten Widerstandsformen Woyzecks, etwa im Pfeifen (41). Sie spitzen sich zu der These zu, in diesem Stück werde ein »universales Gewaltsystem« dargestellt. »Bösartigkeit und Gewalttätigkeit sind [...] nicht persönliche Laster, sondern unvermeidliches Resultat einer Sozialstruktur« (58). Woyzeck und Marie sind ohnmächtig, die »soziale Spannung gesellschaftskritisch zu wenden«; sie verlagern sie notgedrungen in die Privatsphäre (38/57). Was die Figuren nicht können: Gesellschaftskritik, hat das Stück als soziale Figurenkonstellation in offener Form zu leisten: Gesellschaftsanalyse. Die unentwegte Suche nach der »analytischen Grundabsicht« (33), nach der »Grundsituation« (34, 42, 60, 72), hat schließlich mit dem Fund des »sozialen Grundgesetzes« (68) Erfolg. Die »Grundstruktur« des Dramas (57) wird entdeckt: Durch »die soziologische Strukturierung des Dramenpersonals« (63) gelinge Büchner im *Woyzeck* »die Wiedergabe gesellschaftlicher Totalität« (16, 63) oder, anders formuliert, sei es ihm möglich, »fundamentale Elemente des realen Gesellschaftssystems im deutschen Vormärz« (71) darzustellen.

Das heißt im einzelnen für die Interpretation des *Woyzeck*:
– »die diversen Szenen sind« – »objektiv« (84, Anm. 32) – »nach gesellschaftstheoretischen Gesichtspunkten entworfen« (63);
– »die Personen repräsentieren die wesentlichen sozialen Phänomene« (63)[7];
– alle Personen sind Repräsentanten von Klassen: der Hauptmann repräsentiert den Spätfeudalismus, der Doktor den Frühkapitalismus, Woyzeck den Pauper. Jene seien als Rollenträger entworfen, Woyzeck und Marie hingegen über das Typische hinaus individuell gestaltet (70).

Dieser Versuch einer sozialgeschichtlich bestimmten Werkinterpretation endet als systemkritische Sozialtypologie literarischer Figuren: am Fragment *Woyzeck* wird der »Aufbau eines gesellschaftlichen Systems« (63) demonstriert, eine »planvolle Personifizierung gesellschaftlicher Zustände« (71). Meier vereindeutigt historisch, soziologisch und klassenspezifisch eine behutsame Hypothese von W. Proß.[8] Sie erlaubt in einer komplexen Argumentation, die von der »sozialen Legitimierung« der naturwissenschaftlich nicht unproblematischen Teleologiekritik bis zu Fragen der wechselseitigen Abhängigkeit und verschieden raschen Entwicklung der Kulturelemente reicht, Comtes Drei-Stadiengesetz, besonders die theologisch-feudale und die metaphysisch-kritische Kulturstufe mit ihrer Desorganisation der Gesellschaft, für eine Interpretation der Figuren Hauptmann und Doktor heranzuziehen. Verbogen aber wird diese damit zugleich ästhetisch. Comtes Kunsttheorie, nach der die Kunst nur noch vorgängige positive Philosophie zu verbildlichen habe[9], feiert insgeheim ihre Auferstehung:

»Die literarische Rekonstruktion der außerliterarischen historisch-sozialen Realität im ›Woyzeck‹ basiert dabei auf der vorhergehenden theoretischen Erfassung dieser Realität: Die sozialen Phänomene einer gegebenen historischen Epoche mußten dann in gesellschaftstypische Figuren umgewandelt werden.« (70) Eine systemkomplettierende Rezeption hat die objektiven theoretischen Mängel der Kunst auszugleichen. Was von der offenen Form des Dramas nicht systematisch eingeholt werden kann, »bedarf der Reflexion des Rezipienten. Damit die dargebotenen Bruchstücke in ihrem planvollen Zusammenhang überhaupt verständlich werden können, müssen sie vom Betrachter ergänzt und zu einem überlegten Gesamteindruck zusammengefügt werden. Um den Zuschauer zur Reflexion zu veranlassen, werden ihm nicht nur die nötigen Hinweise gegeben, sondern vor allem genügend Leerräume angeboten, die es aufzufüllen gilt.« (73f.) Einem wissenschaftlichen Lehrstück gleich kann hier studiert werden, wie eine lückenlose Systemtheorie der Gesellschaft eine lückenfüllende Rezeptionstheorie der Kunst erzeugt. Kunst verkommt im »Reflexionsprozeß« (74) zum soziologischen Planspiel. Die spezifische Qualität des Büchnerschen Werkes, philosophischen Gehalt mit sinnlicher Evokation, Schock und Enträtselung mit nonverbalem, kör-

---

7 Die These der Repräsentation der »wesentlichen sozialen Phänomene« (63) im *Woyzeck* bedenkt nicht die Konsequenzen dieser Interpretation für den *Hessischen Landboten*. Die Landarbeiter wären danach inzwischen wohl als unwesentliche soziale Phänomene auf der Strecke geblieben.

8 W. Proß: *Naturgeschichtliches Gesetz und gesellschaftliche Anomie: Georg Büchner, Johann Lucas Schönlein und Auguste Comte.* – In: *Literatur in der sozialen Bewegung,* hrsg. v. A. Martino. – Tübingen 1977, S. 255ff. W. Proß: *Die Kategorie der »Natur« im Werk Georg Büchners.* – In: *Aurora* 40 (1980), S. 180f.

9 Vgl. O. Negt: *Strukturbeziehungen zwischen den Gesellschaftslehren Comtes und Hegels.* – Frankfurt 1964, S. 68.

persprachlichem Ausdruck unauflöslich zu verbinden, wird auf ein analytisches Modell zugestutzt, das sich allein der Reflexion verdankt und nur ihr zugänglich ist.

Lothar Köhn hat ähnliche Versuche, im 18. Jahrhundert solch strikte Klassenzuordnungen von Dramenfiguren vorzunehmen (z. B. Franz Moor als feudaler Despot), hinreichend problematisiert und differenziert.[10] Im 19. Jahrhundert – im *Woyzeck* Büchners – geht dies erst recht nicht ohne Gewaltsamkeit:

– Der Doktor gerät als Repräsentant des Frühkapitalismus unversehens zum freien Unternehmer, der »im Konkurrenzkampf dauernd gefährdet ist«. Die Inhumanität der Medizin resultiert aus seiner »Standessituation« (47), die ihn zwingt, im Konkurrenzkampf »nach besonderer Originalität in seinen Experimenten zu streben« (48); sie wird nicht jenen naturwissenschaftlichen Methoden der neuzeitlichen Wissenschaft zugeschrieben, für die der Revolutionsbegriff im Innovationsprinzip des Fortschritts, der Entdeckung des »Neuen«, Stigma ist.

– Der Hauptmann wird als listiger (81, Anm. 11) Vertreter des theologisch-metaphysischen Spätfeudalismus vorgestellt, obwohl er als ›sentimentaler Melancholiker‹[11] gerade gegenläufig über die Konsequenzen neuzeitlicher Metaphysik philosophiert, obwohl seine kompensatorische Moral sich als spezifisch bürgerlich erweist und die ihm von Meier zurecht zugeschriebene »soziale Funktionslosigkeit« (43) doch keineswegs auf das Militär des Feudalismus beschränkt bleiben kann.

Allein die sozialgeschichtliche Einordnung des Tambourmajors ist zutreffend. Urteile in der Büchnerforschung, z. B. die von A. Mette[12], Arzt, Hauptmann und Tambourmajor repräsentierten die Oberschicht, werden korrigiert. Gleichzeitig mit Sengle[13] stellt Meier fest, daß der Tambourmajor kein Offizier ist und in der militärischen Hierarchie nicht sehr viel höher als Woyzeck stehe (40).

Die interpretatorisch ergiebige Einsicht, Büchner habe die Fragestellung der Clarus Gutachten zum historischen Woyzeck nicht etwa bloß anders beantwortet, sondern grundsätzlich für verfehlt gehalten, weil »die Konzeption eines freien und autonomen Subjekts [...] eine Fiktion« (69) sei, wird leider durch ein problematisches Beschreibungsvokabular wieder verdeckt. Uneingeholt bleibt daher jene »Entdeckung des Geringen«, mit der Büchner nach Canetti der »vollkommenste Umsturz in der Literatur gelungen« sei.[14] Ein Beispiel aus Meiers Interpretation der Rasierszene:

»Trotz der *Ahnung* eines Zusammenhangs zwischen Moral und gesellschaftlichen Zuständen *will* Woyzeck beides *keineswegs kritisieren*. Er erkennt die Gegebenheiten an und entschuldigt vor sein Unvermögen, ihnen zu entsprechen. Seine *Resignation* bezüglich seiner sozialen Position erstreckt sich sogar auf die sonst übliche christliche Erlösungshoffnung.« (46; Hervorh. G. Oe.)

Woyzecks waches Bewußtsein des Zusammenhangs von Moral und gesellschaftlichem Zustand, das er selbst gewitzt ausformulieren kann, wird zur »Ahnung« bzw. zum »dumpfen Bewußtsein« degradiert; das Fehlen einer analytischen Kritik wird zur Anerkennung der Gegebenheiten umgebucht; die Gleichgültigkeit Woyzecks (und Maries), die von einer Ambivalenz zwischen Fatalismus und Widerstand dagegen zeugen (wie das Pfeffelzitat besonders prägnant zeigt), wird zur Resignation abgeschwächt.

Die Frage, auf welch einmalige Weise Naturwissenschaft, Sozialgeschichte und Kunst eine ästhetische Vermittlung im *Woyzeck* eingehen, ist mit der vorliegenden Studie noch dringlicher geworden. Zu ihrer Beantwortung bedürfte es umfangreicher, die Vorgeschichte einschließender Recherchen auf ästhetischem, literarischem, naturwissenschaftlichem und sozialgeschichtlichem Gebiet. Dazu gehören, wenn man dem von Proß hervorgehobenen subversiven Aspekt folgen will, im *Woyzeck* liege ein »Wahnsinn ohne Delirium« vor, »den die Gesellschaft ihren mordenden Opfern zuschieben muß, um das eigene Delirium nicht zu erkennen«[15]: nicht nur die historischen Fälle von Gras, Rivière (vgl. Proß) bis zu Binder, Schmolling, Dietz und Woyzeck, sondern auch die literarischen von F. Schillers *Verbrecher aus verlorener*

---

10 L. Köhn: *Dialektik der Aufklärung in der deutschen Novelle.* – In: *DVjs* 51 (1977), S. 448.

11 Vgl. G. Mattenklott: *Melancholie in der Dramatik des Sturm und Drang.* – Stuttgart 1968, S. 73.

12 A. Mette: *Medizin und Morphologie in Büchners Schaffen.* – In: *Sinn und Form* 15 (1963), H. 5, S. 747-755.

13 F. Sengle: *Biedermeierzeit*, Bd. 3. – Stuttgart 1980, S. 323.

14 E. Canetti: *Georg Büchner. Rede zur Verleihung des Büchnerpreises.* – In: E. C.: *Das Gewissen der Worte. Essays.* – München 1975, S. 220, zit. a. bei Sengle (vgl. Anm. 13).

15 W. Proß: *Die Kategorie des »Natur« ...* (vgl. Anm. 8), S. 185. W. Proß bezieht sich in diesem Zusammenhang auf M. Foucault.

Ehre an (worauf K. Kanzog hinwies)[16], über A. G. Meissners *Blutschänder, Mordbrenner und Mörder zugleich, den Gesetzen nach, und doch ein Jüngling von edler Seele*[17], über E. T. A. Hoffmanns *Die Elixiere des Teufels* und *Das Fräulein von Scuderie* bis zu E. F. Vidocqs Milieuschilderungen des Verbrechens in seinen Memoiren.[18] Im naturwissenschaftlichen Bereich wäre neben den bisher bekannten Quellen die Ergiebigkeit der Fragestellung in F. Schillers Dissertation *Versuch über den Zusammenhang der tierischen Natur des Menschen mit seiner geistigen* zu prüfen. Ergänzend zu den Studien von W. Proß über Schönlein und Comte wären die Zusammenhänge des medizinischen und soziologischen Positivismus vor Comte zu berücksichtigen, d. h., neben Cabanis und Magendie wären Comtes Lehrer Ducrotay de Blainville, Barthez und vor allem der Begründer der ›physiologischen Medizin‹, Broussais, insbesondere sein Buch *De l'irritation et de la folie* zu untersuchen.[19] Hierher gehörten auch die Bemühungen de Tracys, Ideologiekritik aus der Physiologie zu entwickeln.

Im Spektrum dieser Vorarbeiten dürfte freilich eine die soziologischen, ästhetischen, literarischen, theologischen und anthropologischen Urteile über Mörder bedenkende Typologie nicht vergessen werden. Sie steht in einem Vortrag Hegels mit dem Titel: *Wer denkt abstrakt?*[20] Da zudem der Schluß dieser kleinen Arbeit Hegels über verschieden abstrakte und konkrete Varianten von Herr und Diener eine interpretativ nicht unergiebige Perspektivierung des Verhältnisses Woyzeck – Hauptmann abgeben könnte und auch das gemeine Soldatenleben bedacht wird, wage ich es, einen Ausschnitt hier anzufügen.

»Wer denkt abstrakt? Der ungebildete Mensch, nicht der gebildete. Die gute Gesellschaft denkt darum nicht abstrakt, weil es zu leicht ist, weil es zu niedrig ist, (niedrig nicht dem äußern Stande nach), nicht aus einem leerem Vornehmthun, das sich über das wegzusetzen stellt, was es nicht vermag, sondern wegen der inneren Geringheit der Sache. [...]

Ich brauche für meinen Satz nur Beispiele anzuführen, von denen jedermann zugestehen wird, daß sie ihn enthalten. Es wird also ein Mörder zur Richtstätte geführt. Dem gemeinen Volke ist er weiter nichts als ein Mörder. Damen machen vielleicht die Bemerkung, daß er ein kräftiger, schöner, interessanter Mann ist. Jenes Volk findet die Bemerkung entsetzlich; was? ein Mörder schön? wie kann man so schlecht denkend seyn, und einen Mörder schön nennen; ihr seid auch wohl etwas nicht viel Besseres! Dieß ist die Sittenverderbniß, die unter den vornehmen Leuten herrscht, setzt vielleicht der Priester hinzu, der den Grund der Dinge und die Herzen kennt.

Ein Menschenkenner sucht den Gang auf, den die Bildung dieses Verbrechers genommen, findet in seiner Geschichte, in seiner schlechte Erziehung schlechte Familienverhältnisse des Vaters und der Mutter, bei einem leichteren Vergehen dieses Menschen irgend eine ungeheure Härte, die ihn gegen die bürgerliche Ordnung erbitterte, eine erste Rückwirkung dagegen, die ihn daraus vertrieb, und es ihm jetzt nur durch Verbrechen sich zu erhalten möglich machte. – Es kann wohl Leute geben, die wenn sie solches hören, sagen werden: Der will diesen Mörder entschuldigen! Erinnere ich mich doch, in meiner Jugend einen Bürgermeister klagen gehört zu haben, daß es die Bücherschreiber zu weit treiben, und Christenthum und Rechtschaffenheit ganz auszurotten suchen; es habe einer eine Vertheidigung des Selbstmordes geschrieben; schrecklich, gar zu schrecklich! – Es ergab sich aus weiterer Nachfrage, daß Werther's Leiden verstanden waren.

Dieß heißt abstrakt gedacht, in dem Mörder nichts als dieß Abstrakte, daß er ein Mörder ist, zu sehen, und durch diese einfache Qualität alles übrige menschliche Wesen an ihm zu vertilgen.

Ganz anders eine feine, empfindsame leipziger Welt. Sie bestreute und beband das Rad und den Verbrecher, der darauf geflochten war, mit Blumenkränzen. – Dieß ist aber wieder die entgegengesetzte Abstraktion. Die Christen mögen wohl Rosenkreuzerei, oder vielmehr Kreuzroserei treiben, und das Kreuz mit Rosen umwinden. Das Kreuz ist der längst geheiligte Galgen und Rad. Es hat seine einseitige Bedeutung, das Werkzeug entehrender Strafe zu seyn, verloren, und giebt im Gegentheil die Vorstellung des höchsten Schmerzes und der tiefsten Verwerfung, zusammen mit der freudigsten Wonne und göttlicher Ehre. Hingegen das Leipziger mit Veilchen und Klatschrosen eingebunden, ist eine kotzebue'sche Versöhnung, eine Art liederlicher Verträglichkeit der Empfindsamkeit mit dem Schlechten.

---

16 Vgl. Anm. 4, S. 437, Anm. 49.
17 Wiederabgedruckt in: M. Beaujeau: *Erzählende Prosa der Goethezeit*, Bd. 1. – Hildesheim 1979, S. 1-30.
18 Vgl. H.-O. Hügel: *Untersuchungsrichter, Diebsfänger, Detektive. Theorie und Geschichte der deutschen Detektiverzählung im 19. Jahrhundert.* – Stuttgart 1978, S. 151.
19 Vgl. W. Lepenies: *Das Ende der Naturgeschichte.* – Frankfurt 1978, S. 175f.
20 G. W. F. Hegel: *Wer denkt abstrakt?* – In: G. W. F. H.: *Vermischte Schriften aus der Berliner Zeit.* – In: *S. W.*, hrsg. v. H. Glockner, Bd. 20. – Stuttgart ⁴1968, S. 445ff.

Ganz anders hörte ich einst eine gemeine alte Frau, ein Spitalweib, die Abstraktion des Mörders tödten, und ihn zur Ehre lebendig machen. Das abgeschlagene Haupt war aufs Schaffot gelegt, und es war Sonnenschein; wie doch so schön, sagte sie, Gottes Gnadensonne Binder's Haupt beglänzt! – Du bist nicht werth, daß dich die Sonne bescheint, sagt man zu einem Wicht, über den man sich erzürnt. Jene Frau sah, daß der Mörderkopf von der Sonne beschienen wurde, und es also auch noch werth war. Sie erhob ihn von der Strafe des Schaffots in die Sonnengnade Gottes, brachte nicht durch ihre Veilchen und ihre empfindsame Eitelkeit die Versöhnung zu Stande, sondern sah in der höhern Sonne ihn zu Gnaden aufgenommen. [. . .]
Der gemeine Mensch denkt wieder abstrakter, er thut vornehm gegen den Bedienten, und verhält sich zu diesem nur als zu einem Bedienten; an diesem einen Prädikate hält er fest. Am besten befindet sich der Bediente bei den Franzosen. Der vornehme Mann ist familiär mit dem Bedienten, der Franzose sogar gut Freund mit ihm; der Bediente führt wenn sie allein sind, das große Wort, man sehe Diderot's Jacques et son maître, der Herr thut nichts als Prisen Taback nehmen und nach der Uhr sehen, und läßt den Bedienten in allem Uebrigen gewähren. Der vornehme Mann weiß, daß der Bediente nicht nur Bediente ist, sondern auch die Stadtneuigkeiten, die Mädchen kennt, gute Anschläge im Kopf hat; er fragt ihn darüber, und der Bediente darf sagen, was er über das weiß, worüber der Prinzipal fragt. Beim französischen Herrn darf der Bediente nicht nur dieß, sondern auch die Materie aufs Tapet bringen, seine Meinung haben und behaupten, und wenn der Herr etwas will, so geht es nicht mit Befehl, sondern er muß dem Bedienten zuerst seine Meinung einraisonniren und ihm ein gutes Wort darum geben, daß seine Meinung die Oberhand behält.
Im Militär kommt derselbe Unterschied vor; beim österreichischen kann der Soldat geprügelt werden, er ist also eine Kanaille; denn was geprügelt zu werden das passive Recht hat, ist eine Kanaille. So gilt der gemeine Soldat dem Offizier für dieß Abstraktum eines prügelbaren Subjekts, mit dem ein Herr, der Uniform und Port d'epée hat, sich abgeben muß, und das ist um sich dem Teufel zu ergeben. –«

Meier scheint mit seiner sozialen Figurentypologie der Literatur, dem Menschenkenner ähnlich als Gesellschaftskenner, gegen die Kritik gefeit, abstrakt zu denken.

Allein zuweilen trügt der Schein: »Der Doctor hat recht, wenn er von Woyzecks vertragsbrecherischem Pissen auf die Schlechtigkeit der Welt im allgemeinen schließt, da nur das grundsätzliche Einhalten der Verträge den gesellschaftlichen Zusammenhang der ansonsten freien bürgerlichen Individuen sichern kann.« (48)

Kunstkenner schließlich dürften beide, Hegels Bürgermeister und der Verfasser der Modellanalyse *Woyzeck*, nicht sein: »Erinnere ich mich doch [. . .]«, es habe einer eine »planvolle Personifizierung gesellschaftlicher Zustände« (71) »geschrieben; schrecklich, gar zu schrecklich! – Es ergab sich aus weiterer Nachfrage, daß« »Büchners Stück *Woyzeck*« darunter »verstanden« war.

Günter Oesterle (Gießen)

Walter Grab: *Ein Mann der Marx Ideen gab. Wilhelm Schulz, Weggefährte Georg Büchners, Demokrat der Paulskirche.* – Düsseldorf: Droste 1979 (= Schriftenreihe des Instituts für Deutsche Geschichte, Universität Tel Aviv, Bd. 4), 384 S.

Das umfangreiche Buch, das Walter Grab nach jahrelangen, nicht zuletzt archivalischen Quellenstudien (Schulz' Biographie entsprechend an zahlreichen verstreuten Lebensstationen und über ein halbes Jahrhundert hinweg) vorgelegt hat, schließt eine erstaunliche und hinderliche Lücke sowohl der Forschung zu den drei Oppositionswellen gegen das deutsche Restaurationssystem zwischen 1815 und 1848 im allgemeinen als gerade auch der Büchner-Forschung im besonderen. Denn der Mann, um den es geht, der ehemals hessische Offizier Wilhelm Schulz (1797-1860), »war der einzige politische Publizist Deutschlands, der während der gesamten Zeitspanne vom Sturz Napoleons bis zum Aufkommen einer eigenständigen Arbeiterbewegung, also über vierzig Jahre lang, die freiheitlichen Grundsätze der bürgerlichen Demokratie konsequent und unerschütterlich verfocht« (S. 10) – und er war zugleich einer der engsten Freunde Georg Büchners in Straßburg und Zürich. Er war darum zu den kompetentesten Aussagen über den in seinem Hause gestorbenen Schützling nicht nur geradezu prädestiniert, sondern diese Aussagen liegen, wie Grab zur nicht geringen Beschämung der über einhundertjährigen germanistischen Forschung zu unserem Thema nun entdeckt hat, auf 24 eng bedruckten Seiten auch tatsächlich vor: und zwar in einer ausführlichen Rezension der von Büchners Bruder Ludwig 1850 herausgegebenen *Nachgelassenen Schriften*, die bereits 1851 in Adolph Kolatscheks *Deutsche[r] Monatsschrift für Politik, Wissenschaft, Kunst und Leben* (Bremen, 2. Jg., 2. Heft, S. 210-233) erschienen ist. Die dezidiert demokratische Zeitschrift, deren erster Jahrgang 1850 immerhin auch den Erstdruck von Heinrich Heines Gedicht *Deutschland. Im Oktober 1849* enthält, steht seit mehreren Wissenschaftlergenerationen hierzulande in Dutzenden öffentlichen Bibliotheken, sachlich und oft wohl auch katalogtechnisch in der Nähe von Julian Schmidts *Grenzboten*. Es ist vielleicht nicht verwunderlich, daß sie die Beliebtheit des nationalliberalen Wächterorgans nicht erreichte, aber daß man sie – auch in den systematischen Forschungen zum ›Realismus‹ – so gar nicht beachtet hat?

Von Schulz' Rezension, die ihrem Autor mit jeder Seite spürbar mehr zu einer kaum abschließbaren politisch-essayistischen Generalabrechnung mit den vertanen Hoffnungen des Vormärz und vertanen Chancen des März geraten ist, anschließend noch etwas mehr. Zunächst zum Hauptthema des Bandes, d. h. nach Gottfried Kellers Urteil von 1850 »eine[m] der wenigen Grauköpfe von Anno Tobak, welche weder Toren noch Schufte geworden sind« (331) – und zu Walter Grabs Darstellung, deren Anlage und Stil – man möchte sagen: deren methodisches Engagement – unter den Auspizien gegenwärtiger Methoden- oder auch einfach Modendiskussion nicht unbefehdet geblieben sind. Der mit einer gewissen, bei näherem Zusehen zumeist eifersüchtig gekränkten Penetranz formulierte Vorwurf lautet in etwa auf personalisierende, ›linke‹ Helden heroisierende, aber auch »vulgär-soziologische« »Geschichtsmythologie« – so das in anderen Fällen nicht unwitzige Autorengespann Martin Henkel / Rolf Taubert in ihrer *Anti-Grab* (sic!) betitelten polemischen »Gegenkritik« zu Grabs Quellenedition über *Die Revolution von 1848* (München 1980) in *die Tageszeitung* (29. 8. 1980, S. 4; vgl. dagegen zuvor, den Kern treffend, Dan Diner zu Grabs ›Schulz‹, ebd., 18. 8. 1980, S. 8). Die ironisch gemeinten Ausführungen von Henkel/Taubert, deren tatsächlicher eigener Mut biographisch noch unter Beweis zu stellen bliebe, sind nicht nur gegenüber der Person und dem Wissenschaftler Grab, der unter den westlichen deutschsprachigen Historikern seit rund 15 Jahren Pionier einer gänzlich neuen Thematik und eines beteiligten Tons ist, von unverfrorener Arroganz, sondern gleichermaßen gratis überheblich gegenüber dem, wie sie sagen, »Willi Schulz aus Darmstadt«, der von den Gegenkritikern sogar mit einem Bildchen als larmoyanter Schreihals-Michel karikiert wird. Vor allem aber sind die Kritik und, soweit erkennbar, ihre halb deterministisch-pessimistischen, halb enthusiasmiert voluntaristischen Maßstäbe inhaltlich unzutreffend und ihrerseits ›geschichtsmythologisch‹.

Henkel/Taubert nennen das, was Schulz trotz Inhaftierungen und zweimaligen Exils zwischen 1819 und 1849 allerdings im Unterschied zu den weitaus meisten gleichzeitig mit ihm Angetretenen theoretisch wollte und praktisch verfocht, ganz einfach »skurrile Illusionen« eines Provinz-»Asterix« und Grab seinen ebenso skurrilen »posthume[n] Anhänger«. Daß Geschichtsschreibung per definitionem ganz überwiegend posthum ist, hätten die sprachkritisch versierten Verfasser dieser Scheininvektive selbst wissen können, und ob Anhängeroder Gegnerschaft zum jeweiligen »Helden« geeignetere Voraussetzungen für den Autor einer Biographie sind, ist kaum umstritten, zumal wenn es sich wie in der vorliegenden um eine durchaus kritische, reflektierte Anhängerschaft handelt. Karl Marx, in dessen weitverzweigter Nachfolge Henkel/Taubert sich selbst wohl nebelhaft orten dürften, hat jedenfalls den »Willi Schulz« praktisch als einzigen deutschen sozialökonomischen Theoretiker sofort ausführlich exzerpiert (vgl. S. 234 ff.) und dessen Buch *Die Bewegung der Production* von 1843 noch im ersten Band des *Kapitals* als »eine in mancher Hinsicht lobenswerte Schrift« bezeichnet (241, vgl. *MEW*, Bd. 23, S. 392). Dies mit Gründen, die Grab im zentralen Kapitel über Schulz' Einflüsse auf den historischen Materialismus ausführlich darlegt, ohne damit im entferntesten »die Leistung von Karl Marx [zu] vermider[n] oder gar die Authentizität seiner Lehre an[zu]zweifel[n]« (12).

Für »illusionär« halten die ›Gegenkritiker‹ (unbekümmert um die historiographischen Nachbarschaften, in die sie damit geraten) jedoch insbesondere die »Absichten« Wilhelm Schulz' – Absichten, die ihn 1819 mit seinem *Frag- und Antwortbüchlein* (Kapitel 1) in der Tat nicht nur zum ›Vorläufer‹ Büchners, sondern dann über eine gute Strecke hin im exakten Wortsinn zu einem bürgerlichen »Weggefährten« des Sozialrevolutionärs machten. Bereits zu einer Zeit, als nach Schulz' Urteil »Hegel und seine Schüler spekulierten, die Theologen disputierten, die Juristen ennuyierten, die Stände parlierten und votierten, die Handwerker und Bauern parierten« (53), um die Zeit der Karlsbader Beschlüsse also, begann Schulz, der vom antiwelschen Irrationalismus der politischen Romantik wieder im Unterschied zu vielen seiner Altersgenossen kaum beeinflußt war, für sich und andere die folgenden, freilich ›schlichten‹, jedoch um so mehr ›objektiv‹ wirkungsmächtigen und hellsichtigen ›Theorien‹ zu formulieren: Das Ziel einer »gesamtdeutsche[n] demokratisch-parlamentarische[n] Föderativpolitik, in der eine mit dem Mittel des allgemeinen Stimmrechts gewählte und vom Mehrheitswillen getragene Volksvertretung über die Entscheidungsgewalt verfügen sollte«, um nicht zuletzt auch den industriellen, weiter auf dem Privateigentum beruhenden Wirtschaftsprozeß »staatlich« zu »lenken« und zu »kontrollieren« und auf solche Weise »allgemeine Wohlfahrt und gesellschaftliche Nivellierung zu befördern« (11) – dieses mit der Idee einer nicht nur europäischen Völkerverbindung gekoppelte Ziel sei gegen die bestehenden Verhältnisse nur zu erkämpfen, wenn zivilisierende Aufklärung *als* Basis einer allgemeinen Volks*bildung* und Massenaktionen *auf* der Basis einer allgemeinen Volks*bewaffnung* in einer Richtung wirkten. Schulz belegte seine von Grab zutreffend als »Programm der kleinbürgerlichen sozialen Demokratie« (283) sowie als Vorform der Theorie »des modernen bürgerlichen Sozial- und Wohlfahrtsstaates« bezeichneten und bewerteten Ideen unablässig neu an der geschichtlichen und der aktuellen Wirklichkeit seiner Zeit, mit völkerkundlichen, kultur- und sozialhistorischen Exkursen, und zumal mit statistischen Daten – ein Thema, über das er promoviert hatte und das auch auf Büchners und Weidigs *Landboten* nicht ohne Wirkung blieb (158f.). Und er setzte sich mit den ihm generell als Person wie jeweils in der speziellen historischen Situation möglichen Mitteln, d. h. als Konspirateur 1815-1819, längstens als wissenschaftlicher und journalistischer Publizist sowie 1848/49 als Abgeordneter der Paulskirche, für ihre Verwirklichung ein. Während der Revolution hat Schulz – als Anhänger der Fraktion »Westendhall« bemerkenswert unabhängig und gelegentlich auch mit den Linken stimmend (297f.) – »die Nationalversammlung zu energischem Handeln, zur Bewaffnung des kampfbereiten Volkes, zur Ergreifung revolutionärer Initiative aufgefordert, als die Siegeschancen noch nicht vertan waren« (319). War das alles naiv, »skurril«, wie Henkel/Taubert meinen?

In der vorgebrachten Allgemeinheit, die ihre Sicherheit in der Tat selbst mit der Autorität und dem »Gestus des nachträglichen Besserwissens« (Henkel/Taubert) vertritt, wäre geschichtliches Handeln eo ipso angesichts der ›notwendigen‹ Abfolge der ökonomischen Formationen skurril: die heroischen Illusionen der französischen Jakobiner und die plebejischen der Sansculotten angesichts der bürgerlichen Transformationen und des kommenden napoleonischen Imperiums beispielsweise nicht weniger als die sozialrevolutionäre Agitation Büchners und Weidigs angesichts doch einigermaßen dauerhafter Stabilität des Metternich-Systems und gar angesichts des ›notwendig‹ künftigen Bismarck-Reichs. Gerade weil Walter Grab auch dies besser weiß und eben diesen Widerspruch innerhalb zahlreicher Themen detaillierter beschreiben konnte als seine modischen Kritiker, hat er sich die Geschichte der unterdrückten Bewegungen und der – wenigstens zu ihrer Zeit belächelten oder verfolgten und auch später noch auffällig lange vergessenen – Demokraten und ihrer Ideen wie neben Walter Markov und Karl Obermann wohl kein weiterer Historiker seiner Generation zum Gegenstand gemacht.

Ganz bildlich-›konkret‹ gesprochen: Keine woher auch immer bezogene, althusserianische, strukturalistische, sozialethnographisch-linguistisch-›annalistische‹ Geschichtslogik hätte um 1834 dem »Willi Schulz« und ebenso Büchner verraten können (wie sie es heute freilich allzu leicht zu können glaubt), daß mit dem Zollverein und Justus Liebigs Experimenten eine nur kurz unterbrochene Epoche der Reform ›von oben‹ ihren in Deutschland fast unendlichen Lauf stabilisieren würde; noch simplere Logik, tatsächlich aber quietistischer ›Menschenverstand‹, hätte dem 1834 im nicht weniger stabilen Festungsgefängnis Babenhausen bei Darmstadt inhaftierten, politisch-logisch unbelehrbaren »Willi Schulz« allerdings zumindest raten, d. h. als realistisch empfehlen können, sich der Definition des restaurativen Staatsgefängnisses entsprechend ruhig zu verhalten und sich seinen fünfjährigen strengen Festungsarrest wie nicht wenige andere auch zwischen Gelassenheit und Wut zu portionieren. Schulz stattdessen brach alsbald mit großer Gewitztheit und Sach*verstand* aus (nachzulesen S. 133-139), und wenn den Sach*logikern* schon seine fünf gewonnenen Lebensjahre nichts bedeuten, so bedeutet uns doch neben allem anderen, was Schulz in dieser Zeit geleistet hat, die ebenfalls nur *so* ermöglichte Freundschaft zwischen Büchner und Schulz und das, was dieser über jenen berichten konnte, mehr als fast alle übrigen vergleichbaren Dokumente.

Es ist nur zu wahr: Wilhelm Schulz' besondere Biographie deckt sich nicht mit den allgemeinen ›Trends‹ der deutschen Geschichte des 19. Jahrhunderts. Nicht zuletzt deshalb war sie bislang noch ungeschrieben, nicht zuletzt deshalb war es auch erheblich mühsamer, sie von Grund auf im einzelnen zu recherchieren, als vorgeblich von ›links‹ sich über die »überdimensionale Rolle« und »sensationelle Entdeckung des Wilhelm Schulz« (Henkel/Taubert) zu mokieren. Letzteres ist, um dies als Fluchtlinie schärfstens zu formulieren, ein potentielles Argument der Zensur gegen das Periphere, das nicht ›zum Zuge‹ Gekommene. Dies ist auch die Ebene, auf der Henkel/Tauberts Polemik gegen Walter Grabs »Revolutionsbegriff« beim Thema 1848 in deutliche Nähe zu jener gesetzter formulierten Attacke gerät, die vor einiger Zeit Thomas Nipperdey gegen die allerdings häufig zwischen Voluntarismus und Vulgärmaterialismus schwankende Parteigeschichtsschreibung vorgetragen hat (*Kritik oder Objektivität? Zur Beurteilung der Revolution von 1848. –* In: *Archiv für Frankfurts Geschichte und Kunst,* 1974, H. 54, S. 143-162). Ausgehend von Rankes Verdikt gegen die aufklärerisch wertende, an (fortschrittlicher!) Nutzanwendung interessierte Historie – demselben Rankeschen ›Objektivitäts‹prinzip von 1824, mit dem auch Henkel/Taubert ihre Kritik ausdrücklich beschließen –, entwirft Nipperdey das geschlossene System des 1848/49 tatsächlich Gewesenen, von woher den Vertretern der These vom ›Verrat des Bürgertums an den Idealen der Revolution‹ mit sarkastischer Triftigkeit leicht entgegnet werden kann: »diese Kritik« verlange »von den Bürgern, daß sie keine Bürger, von den Liberalen, daß sie keine Liberalen sein sollten, und sie endet dann mit der aggressiv oder resigniert platten Feststellung, daß Bürger eben Bürger, daß Liberale Liberale sind«. So gesehen waren allerdings auch Fürsten Fürsten und Nazis Nazis; aber vielleicht kann solche »platte Feststellung«, wenn sie sich jeweils nicht appellierend an Fürsten und Nazis, sondern warnend feststellend an ›niedrigere‹ Leser wendet, wenigstens in ganz bescheidenen Maßen verhindern helfen, daß dem immer so bleibt.

Doch indem die Gegenkritiker so Anschluß an neueste Tendenzen geschichtlicher Herrschaftslegitimierung im Grunde ältester Bauart finden, tun sie es noch doppelt falsch gerade insofern, als selbst die fragwürdigsten Teile von Schulz' Theorie, diejenigen, mit denen Schulz nach Grabs Urteil »die bürgerliche [. . .] Gesellschaftsordnung faktisch zum Endpunkt der geschichtlichen Entwicklung der Menschheit [erklärte], weil er der Meinung war, sie entspreche dem anthropologischen Wesen des Menschen« (253), sich bislang als außerordentlich geschichtsmächtig erwiesen haben.

Grabs Buch ist in der Verbindung von narrativen und analytischen Elementen auf der Basis einer stupenden Dokumentation (9 Archive, 13 teilausgewertete Vormärzzeitungen, über 120 nachgewiesene Veröffentlichungen von Schulz) ein *exemplarisches* Lesebuch über wesentliche Etappen der frühen demokratischen und liberalen Bewegung Deutschlands, und zwar gerade indem es Grab gelingt, das Besondere und auch die Schwächen seines Gegenstandes so an der allgemeinen Entwicklung zu messen, daß sowohl Quer- als auch Längsschnitte durch die Ideen- wie Ereignisgeschichte entstehen.

Es dürfte nicht zuletzt auch diesem Gegenstand, nämlich dem kompromißlosen Lebensweg Schulz' und der unverkrampften Luzidität seiner Grundsätze und deren eigener Formulierungen zu verdanken sein, daß Grab die bereits in seiner *historisch-politischen Analyse unterdrückter Lyrik von der Französischen Revolution bis zur Reichsgründung* (zusammen mit Uwe Friesel u. d. T.: *Noch ist Deutschland nicht verloren. –* München 1970) begründete Theorie zur relativen biographischen und ideologischen Kontinuität dreier Oppositionswellen (1815-1819; 1830-1835; 1848/49) hier noch plastischer darlegen konnte. So ist das mit ihrerseits keineswegs trockenen, sondern einerseits (Schulz' autobiographischen *Briefen eines Staatsgefangenen* ... entnommen) sarkastisch und selbstironisch treffenden, andererseits (Schulz' theoretischen Arbeiten und Polemiken entnommen) brillant sachbezogenen Quellen reich durchsetzte Buch tatsächlich zu einem gleichermaßen spannenden wie belehrenden Kompendium jenes ganz entscheidenden Abschnitts der deutschen Geschichte geworden, in dem die Weichen für 1871 und die Folgen endgültig gestellt wurden. Der gewählte Ausschnitt ist nur insofern ›peripher‹, als Schulz allerdings nicht zu den siegreichen Weichenstellern gehörte, sondern zu den vergeblich warnenden – und dies mit Ausnahme von 1848/49 nie an zentraler Stelle, sondern eher von der ›Provinz‹ oder vom Exil aus, nicht nur in ›bedeutenden‹ Zeitschriften und Verlagen, meist ›von unten‹ also, so wie ihn in gewissem Sinne jetzt auch sein Biograph porträtiert. Gerade in dieser unteren Randlage aber repräsentierte Schulz doch die Mehrheit der Deutschen, auch wenn sein Klarblick ihn ziemlich allein stehen ließ.

Schulz eignete sich für eine derartige politische Biographie wegen der einleitend genannten phasenüberspannenden Ausdauer seines persönlichen Widerstands ganz besonders, und Grab hat darum seiner Geschichte auch unter einer ganzen Reihe vorgenommener und in

Umrissen bereits publizierter *Radikale[r] Lebensläufe* (Berlin 1980) zunächst den Vorzug gegeben. Man würde sich wünschen, daß auch andere solche ›Randfiguren‹ auf verlorenem Posten statt gelegentlicher Spezialdissertationen »ihr« Buch bekämen – ähnlich erschöpfend belegt, mit ähnlicher Einfühlung in ihre individuelle Art und besonderen Umstände, aber auch ähnlich umsichtig gemessen am allgemeineren Horizont ihrer Zeit. Allein aus dem weiteren Büchner/Weidig-Kreis wäre neben Weidig selbst eine ganze Reihe von Anwärtern zu nennen: Leopold Eichelberg, August Becker (und zwar bis ins amerikanische Exil), Jacob Friedrich Schütz, Carl Preller, Ernst Schüler usw. Besonders aufschlußreich wäre es auch, wo die einzelnen Quellen noch zu schmal sind, die biographisch zugleich kollektive und vereinzelte Geschichte von ganzen ›Kreisen‹ nachzuzeichnen wie den ins Ausland geflohenen Wachenstürmern, wie den im Lande gebliebenen oder den zumeist nach Amerika verschlagenen Weidigschülern. Die Archive und alten Zeitungen sind voll von verstreuten, wenn auch deswegen nicht leicht zu verfolgenden Spuren, und Walter Grab sind nicht nur zahlreiche eigene Muster dafür zu verdanken, was und wie es zu tun sei, sondern inzwischen auch ebenso zahlreiche Anregungen für weitere Arbeiten, die z. T. schon erschienen sind oder in den nächsten Jahren erscheinen werden. Es ist, wie auch die Festschrift zu Grabs Sechzigstem zeigt (*Revolution und Demokratie in Geschichte und Literatur*. Hg. v. J. H. Schoeps u. I. Geiss. – Duisburg 1979), in nur 15 Jahren eine richtige, in sich sehr differenzierte und doch für gemeinsame Maximen engagierte ›Schule‹ geworden – obgleich Grab in Tel Aviv lehrt und nur regelmäßig-gelegentlich sich dieser seiner nicht geringsten Aufgabe hier widmen kann.

Was die spezielle Bedeutung der vorliegenden Schulz-Monographie für die Büchner-Forschung betrifft, so kann ich mich unter Verweis auf die demnächst erscheinende kommentierte Edition der gen. Besprechung von 1851 hier kürzer fassen. Grabs Buch bietet unverzichtbare Voraussetzungen auch für ein quellenkritisches Verständnis des Büchner-Essays von Schulz, der außerordentlich dicht – jedoch bei näherer Analyse nicht untrennbar – eigene Theoreme und Urteile mit denen Büchners verflicht. Mehrere ganz neue Belege zu Büchners Leben und Werk sind Schulz' Essay selbst erst zu verdanken, eine ganze Reihe von Beurteilungen ergänzt und verdeutlicht jedoch bereits Bekanntes. Das hermeneutische Problem besteht in diesem Zusammenhang vor allem darin, daß Büchner und Schulz über längere Zeiträume hinweg, und zweifelsfrei mit äußerster Intensität, Themen persönlich besprachen, die sich z. T. bereits vorher, z. T. erst anschließend auch in beider Schriften niederschlugen. Dabei ist nicht sowohl die jeweilige Gefällrichtung einer insgesamt vermutlich wechselseitigen ›Beeinflussung‹ interessant als insbesondere auch beim Berichterstatter Schulz nach wiederum fünfzehn vergangenen Jahren die notwendige, oft aktualisierende Unschärferelation. Da Schulz' Denken und Stil sich jedoch durch große Konkretheit, Deutlichkeit und Bezogenheit im Klartext auszeichnen, auch wo er zu Metaphern greift, ist auf der Basis der von Grab rekonstruierten Entwicklung der entscheidenden Themen- und Motivkomplexe in Schulz' zahlreichen anderen Schriften das Geschäft der Einengung und Trennung zumeist mühelos möglich. An solchen Themen wären zuförderst zu nennen die Felder von Religion und Politik, Avantgarde und Massen, Aufstand und Stabilisierung (dabei besonders Volksbewaffnung und Repräsentativsystem), ökonomische und kulturelle ›Triebkräfte‹ und Gesetzmäßigkeiten der Geschichte.

Kaum erwähnt zu werden braucht darüber hinaus die selbstverständliche Tatsache, daß die Biographie eines so engen Zeitgenossen und Freundes an zahlreichen Punkten, Fragen wie Sachverhalten, unsere Kenntnisse zu Büchner (und Weidig) bedeutend erweitern und präzisieren. Man lese nur die thematischen Passagen zur religiösen Debatte (267 ff., 334 f.) und zur Volksbewaffnung (95, 102, 125 ff., 290, 308), die Darstellungen zum Verhältnis zwischen Wilhelm und Caroline Schulz und zu privaten Anekdoten oder auch die Belegstellen zur umstrittenen Bedeutung von »reich«, »vornehm« / »arm«, »niedrig« (222, 243, 250, 287, 328, 351 u. ö.), und man wird dies auf Anhieb verstehen. Weniger auffällig bauen sich während der Lektüre Räume, Situationen auf, in welchen sich auch Büchner bewegte, werden Ängste, Vorurteile, Sprachregelungen und allgemeine Grenzen ebenso sicht- und spürbar wie epochen- und ortsspezifische Hoffnungen, Illusionen und ›Entgrenzungen‹, mit denen auch Büchner sich auseinanderzusetzen hatte oder die er modifiziert teilte. Wollte man ein Buch zur begleitenden oder einführenden Lektüre über den sog. ›realhistorischen Kontext‹ Büchners empfehlen, so wäre es gewiß keine Wirtschaftsgeschichte der preußischen Industrialisierung, sondern dieses über die alltäglichen Probleme wie grundsätzlichen Fragestellungen des neben Büchner wohl bedeutendsten Emigranten aus dem hessischen Vormärz.

Bleiben noch einige winzige Korrekturen und weiterführende Fragen. Auffällig erscheint mir S. 376 die bibliographische Lücke in Schulz' publizistischen Aktivitäten gerade während der für uns besonders interessanten Jahre 1835-1837. Sollte Schulz, dessen betr. Sorgen durch einen Brief an Börne vom Sommer 1835 zwar belegbar (und für den eben entsprungenen Häftling auch kaum verwunderlich) sind, wirklich zweieinhalb Jahre lang im Elsaß und der Schweiz gar kein Publikationsorgan gefunden, gar nichts veröffentlicht haben? Hier scheinen weitere Nachforschungen lohnend (vgl. auch S. 178). – Das Darmstädter *Montagsblatt* . . . von 1828 (S. 158, 376) erscheint mir, falls der 15jährige Büchner es gelesen haben sollte, vor allem als lokal- und kulturhistorische Quelle und vielleicht weniger als mögliche Anregung für die Verwendung der Statistik im *Landboten* bemerkenswert. Zur Vermittlerrolle Weidigs in dieser Frage vgl. auch *GB I/II*, S. 245f. – Das private Nachlaßarchiv der Familie Stöber befindet sich nicht im elsässischen Oberbronn (367), sondern in einem Winkel bei les Trois-Epis, den man auch im Shell-Atlas nicht verzeichnet findet. – Ganz besonders erwähnens- und weiter verfolgenswert sind nicht nur alle von Grab entweder neu aufgedeckten oder erstmals anschaulich beschriebenen Verhältnisse Schulz' zu Dritten (A. A. L. Follen in seiner »Kaiserburg« bei Zürich, Herwegh, Vogt u. a.; s. das Personenverzeichnis), sondern nicht zuletzt auch die von Grab an Hand des Keller-Briefwechsels ins Bewußtsein der Büchner-Forschung gerückte Frage des Nachlasses von Schulz, den seine zweite Frau Katharina aus »einem Ärger über Karl Gutzkow« vernichtet haben wollte (364). Die inzwischen doch ansatzweise revidierbare Legende von der Manuskriptschänderin Minna Jaeglé (vgl. oben die Glosse über Ostender *Badegäste*) sollte indes auch hier noch bestimmte Vorsicht ratsam sein lassen. Zumindest Briefe von Schulz an Dritte müßten doch noch zu finden sein. Grabs Buch zeigt sowohl, wie viele solche Quellen bislang noch unentdeckt oder unbeachtet waren, als auch beispielhaft, was sich aus ihnen belegen – und (ja, bestehen wir nur darauf) lernen läßt.

Thomas Michael Mayer (Marburg/Lahn)

Karl-Heinz Käfer: *Versöhnt ohne Opfer. Zum geschichtstheologischen Rahmen der Schriften Heinrich Heines 1824-1844.* – Meisenheim am Glan: Anton Hain 1978, XII, 260 S.

Wie sehr die Heine-Forschung in den 70er Jahren seit den ungeduldig ernsthaft problematisierenden, gleichsam den Auftakt gebenden Arbeiten von Kuttenkeuler und Oesterle[1] vorangekommen ist, zeigt die jüngst vorgelegte, philologisch wie philosophisch durchgehend geschliffene monographische Studie von Karl-Heinz Käfer. War z. B. noch Jeffrey L. Sammons 1969 in seiner Monographie immer wieder auf die »elusiveness«, d. h. Ungreifbarkeit des Dichters und Schriftstellers Heine gestoßen, die die Schwierigkeit eindeutiger Bestimmung der Intentionen seiner meisten Werke kennzeichnet[2], so hatte er diesen zunächst hypothetischen Befund schließlich zum heuristischen Prinzip interpretierenden Lesens gemacht, d. h. zum zögernden Nichtverstehenwollen des allzu Mehr- und Doppeldeutigen, ein Verfahren, das die Aussagen des Autors letzten Endes erklärtermaßen in der Schwebe läßt.[3] Dagegen haben für Käfer methodisch die Arbeiten Brieglebs, Marquards oder M. Franks sowie die Heinephilologie überhaupt die Marken präziser Bestimmbarkeit so weit hinausgeschoben[4], daß die

---

1 W. Kuttenkeuler: *Heinrich Heine. Theorie und Kritik der Literatur.* – Stuttgart 1972. Günter Oesterle: *Integration und Konflikt. Die Prosa Heinrich Heines im Kontext oppositioneller Literatur der Restaurationsepoche.* – Stuttgart 1972.
2 Jeffrey L. Sammons: *Heinrich Heine. The Elusive Poet.* – New Haven 1969.
3 Sammons' Verdienst liegt vor allem darin, Heine gegen falsche Festnagelungen und falsche Vereinnahmungen verteidigt zu haben, die jedesmal auf zu einseitiger oder zu polemischer Interpretation fußten.
4 Heinrich Heine: *Sämtliche Schriften in zwölf Bänden.* Herausgegeben von Klaus Briegleb unter Mitwirkung von Walter Klaar. – München (1966) und Wien 1976.
In seinem »Vorbericht« verweist Käfer auf die »Forschungsdiskussion um das Heine Jahr 1972«, in welchem der »Plan zur vorliegenden Arbeit entstand«. Auf Brieglebs ausführlichen Kommentar in dessen Textausgabe bezieht sich Käfer in Anmerkungen, vgl. S. 22, 191, 193. Genaue Angabe der »zitierten oder in den Anmerkungen erwähnten« Titel bei Käfer siehe dessen Literaturverzeichnis, S. 252-260, darin auch die für den Aufbau von Analyse und Argumentation wichtigen Titel wie z.B.
K. Briegleb: *Schriftstellernöte und literarische Produktivität. Zum Exempel Heinrich Heine* [. . .]. – 1973;
Manfred Frank: *Der unendliche Mangel an Sein. Schellings Hegelkritik und die Anfänge der Marxschen Dialektik.* – Frankfurt/M. 1975;
ders.: *Heine und Schelling.* – In: *Internationale Heine-Konferenz Düsseldorf 1972.* – Hamburg 1973;
Odo Marquard: *Über einige Beziehungen zwischen Ästhetik und Therapeutik in der Philosophie des 19. Jahrhunderts.* – In: *Schwierigkeiten mit der Geschichtsphilosophie.* – Frankfurt/M. 1973;
ders.: *Schelling – Zeitgenosse incognito.* – In: *Schelling. Einführung in seine Philosophie,* ed. H. M. Baumgartner. – Freiburg und München 1975, und weitere Arbeiten wie die von P. Cornehl, H. Stuke u. a. mehr.

Barrieren der »elusiveness« seither weitgehend übersprungen werden konnten. Käfer fasziniert die Vielfalt und Reichweite von Argumentationsketten und damit möglichen Interpretationssträngen, die sich im wesentlichen durch die Rekonstruktion der zeit- und ideengeschichtlichen Orientierung Heines aus seiner Belesenheit ergeben. Bestand Sammons' Leistung im Offenhalten der Optionen mehrfacher Bedeutung angesichts der von ihm erneut unterstrichenen Uneigentlichkeit Heines, also in einem Festhalten der bewußt vielschichtigen, oft abgründigen Mehrdeutigkeit Heinescher Rhetorik und in einem skeptisch-vorsichtigen (wohlwollenden) Kritizismus, der im Gegensatz zu den oft vorschnellen Urteilen früherer Heine-Literatur dem Autor gleichsam durch Warnung vor zu *viel* Interpretation *am besten* gerecht zu werden versuchte[5] – so entstanden die entscheidungsfreudigeren Arbeiten danach jedoch nicht bedingungslos. Die Voraussetzung für weiterführende Interpretationen wie diejenige Käfers schuf ein neuer quantitativer und nicht zuletzt auch qualitativer Standard philologisch-positivistischer Interpretation. Hatte noch schnell ein zwischenbilanzierender Forschungsbericht 1975 festgestellt, daß bei Untersuchungen zu Heine, von Biographien abgesehen, diejenigen über seine Lyrik überwiegen, und zu vermuten gewagt, daß im nächstfälligen Forschungsbericht diejenigen über seine Prosa überwiegen würden, so scheint dies zumindest als Trend angesichts der inzwischen zu Heines Prosa vorgelegten scharfsinnigen Analysen vollauf bestätigt.[6] Noch Sammons wußte offensichtlich mit einem Werk wie der *Romantischen Schule* und erst recht den weiteren Programmschriften Heines der 30er Jahre so wenig anzufangen, daß er ihnen mit Ausnahme der intellektuell-biographisch verstandenen Abgrenzung von Börne kein eigenes Kapitel widmen mochte, wobei zusätzlich von einem für Heine nicht mehr gültigen Begriff von Dichtung, als unterschieden von Kritik-Schriften (im Sinne von reviews), ausgegangen wurde. Derartige, literaturtheoretisches Denken nicht scheuende Themen wurden wenig später anläßlich Heines Wort vom »Ende der Kunstperiode« diskutiert, und zwar mit so positiv haltbaren Ergebnissen, daß mit ihnen seither nicht wenige Interpreten weiterarbeiteten.[7] Wie sehr sich das Interesse überhaupt zunehmend auf Heines Prosa richtete, zeigen Arbeiten wie die von L. Kreutzer, N. Reeves, W. Heise, F. Mende, M. Werner u. a., die, wie auch Karl-Heinz Käfer, ihr Interesse speziell auf Heines politischkulturhistorisch-zeitgeschichtliche Schriften richteten. Eigentlich erst die genaue Analyse letzterer trug zum besseren Verständnis des ganzen Heine bei.

Daß die Arbeit Käfers, individuell Ergebnis entschiedener Denkinvestition, zum äußersten ausgedehnter Lektüre und jeder Herausforderung begrifflich angestrengtester Differenzierung unablässig kategorisch sich stellend, dennoch in ihrem durchgehaltenen Niveau nicht voraussetzungslos allein dasteht, sondern symptomatisch ist, wäre hier anzuzeigen. Zudem wird hier die sich gegenüber der Literatur selbst ebenso wie der schieren Philosophie oder philosophischen Ästhetik abhebende eigene Gattung germanistischer Darstellung durchaus erneut befestigt. Dies ist kein Zufall. Seitdem nämlich die Heine-Forschung von verschiedenen Orten aus mehrere Ebenen gleichzeitig in Angriff nahm, wurde die Voraussetzung für ein zugleich eindeutigeres und differenzierteres, kühneres und richtigeres Verständnis des Autors geschaffen. Das Einstampfen einer Heine-Ausgabe in der Bundesrepublik Deutschland mangels Marktgängigkeit, wie noch zur Wende der fünfziger zu den sechziger Jahren[8], erscheint, wenngleich unvergessen, nur noch obsolet. Statt dessen konkurrieren die Ausgaben von Briegleb, insbesondere aber die Säkularausgabe und die Düsseldorfer Ausgabe miteinander.[9] Käfer legt seinen Zitaten diejenige von Hans Kaufmann zugrunde.[10] Freilich erschienen die ersten Bände der *Heine-Säkularausgabe* erst ab 1970, so daß Käfer sie noch nicht verwen-

---

5 Sammons' Skepsis richtet sich vor allem gegen die Sekundärliteratur, am besten steht bei ihm fast noch Adolf Strodtmann: *Heines Leben und Werke*, 2 Bde. – 3. Aufl. 1885 (!) da.
6 Jost Hermand: *Streitobjekt Heine. Ein Forschungsbericht 1945-1975*. – Frankfurt a. M. 1975, S. 86. Vgl. hier auch Beatrix Müller: *Die französische Heine-Forschung*. – Meisenheim am Glan 1977.
7 H. R. Jauß: *Das Ende der Kunstperiode – Aspekte der literarischen Revolution bei Heine, Hugo und Stendhal.* – In: *Literaturgeschichte als Provokation*. – Frankfurt/M. 1970. Vgl. auch J. Jacobs: *Nach dem Ende der »Kunstperiode«. Heines Aporien und ihre Aktualität*. – In: W. Kuttenkeuler (Hrsg.): *Heinrich Heine, Artistik und Engagement*. – Stuttgart 1977.
   Inzwischen hat sich die Tendenz zur Beschäftigung mit Heines Prosa nur um so mehr bestätigt, wie zuletzt das Heine-Kolloquium *Der späte Heine 1848-1856* (Düsseldorf 1981) bewies, wo ausschließlich Probleme, wie sie Heine in seinen meist späteren Prosatexten behandelt, thematisiert wurden.
8 München 1964. Ein Nachdruck der Kaufmannschen Ausgabe. Berlin und Weimar 1961 ff., kritisiert als »gereinigte« Ausgabe von Eva D. Becker, in: *Der Deutschunterricht* (1966), Beilage zu Heft 4.
9 Heinrich Heine: *Säkularausgabe. Werke, Briefwechsel, Lebenszeugnisse*. Hrsg. von den Nationalen Forschungsund Gedenkstätten der klassischen deutschen Literatur in Weimar und dem Centre National de la Recherche Scientifique in Paris. – Berlin u. Paris 1970ff.
   Heinrich Heine: *Historisch-kritische Gesamtausgabe der Werke*. Hrsg. von Manfred Windfuhr. – Düsseldorf 1973ff.
10 Heinrich Heine: *Werke und Briefe in zehn Bänden*. Hrsg. von Hans Kaufmann. – Berlin 1972.

dete. Auch – um nur diese Beispiele zu nennen – die *Internationale Wissenschaftliche Heine-Konferenz* 1972 in Weimar und der *Internationale Heine-Kongreß* im selben Jahr in Düsseldorf[11], auch das Präzisionswerkzeug der *Heine-Chronik* von Fritz Mende, oder auch die dokumentarischen Zusammenstellungen von M. Werner[12], das Düsseldorfer Heinrich-Heine-Institut und sein die Heine-Forschung beobachtendes und geduldig voranstoßendes *Heine-Jahrbuch* gehören neben zahlreichen Einzelstudien zum entscheidend erweiterten und verbesserten Bedingungsrahmen eines präziseren Verstehens Heines, auf die sich auch Käfers Untersuchung stützt.

Der Titel des Buches *Versöhnt ohne Opfer* drückt bereits ganz das Thema und die in ihm enthaltene Problemstellung der Untersuchung aus. Die Formulierung hat Käfer bei Heine selbst aufgegriffen:»Daher sind auch Roberts ›Schnitter‹, folgt man Heines Deutung, ›nicht nur sündenlos, sondern sie kennen keine Sünde, ihr irdisches Tagwerk ist Andacht, sie beten beständig, ohne die Lippen zu bewegen, sie sind selig ohne Himmel‹, sie sind – und damit fällt das Stichwort – ›versöhnt ohne Opfer‹« (129).[13] Angesichts der Beschreibung ausgerechnet eines Gemäldes erschließt diese begriffsbildliche Wendung, formelhaft hell und durchaus nicht chiffrenhaft verschlüsselt, säkulare lebenszugewandte Diesseitigkeit als eine Lebensfrömmigkeit, die sowohl in einer wesentlichen Tradition deutschen Geistes steht, als auch bei Heine »Programm« wird. Worin besteht dieses Programm, was heißt »versöhnt ohne Opfer«? Worin besteht die Wichtigkeit dieses Themas? Enthält es über die vielbeschriene Subjektivität Heines[14] hinaus allgemeinverbindliche Aspekte, die außer der Person des notorisch ironischen und oft selbstdarstellerischen Schriftstellers wesentlich zumindest die damalige Zeit betreffen, oder gar als historisches Problem gegenwärtig aktuell sind? Worin besteht das Eigentümliche, Neue, bisher so nicht bei Heine Erkannte? Was hat, schließlich, das Thema Heine, so wie es hier abgehandelt wird, mit Büchner zu tun? Käfer stellt und beantwortet die Fragen (mit Ausnahme der letzteren betreffs Büchner) in einer Reihenfolge, die zuerst zeigt, wie, unter welchen intellektuellen und biographischen Bedingungen des Wissens, der Bildung und Zeiterfahrung Heine auf sein Thema kam, danach, was »Versöhnt ohne Opfer« in der Reichweite seiner Bedeutung heißt, um schließlich Heines Botschaft von außen im Vergleich mit den Theorien seiner Zeitgenossen zu betrachten.

Überraschend ist zunächst, wie Heine auf sein Thema überhaupt kommt, der Befund, von dem Käfers Untersuchung ausgeht. Kaum ein Autor findet wesentliche Gedanken von selbst, sondern durch Erfahrung oder ex negativo durch die berühmte Kritik. (Dies gilt um so mehr für den Interpreten. Auch er kommt nur durch die Anwendung von anderen und neuen Büchern auf die alten zu neuen bücherfüllenden Ergebnissen.) Wenn Schriftsteller ihre Erfahrung ebenso durch andere und ältere Schriftsteller machen, dann stellen sie auf diese Weise im Zusammenhang des großen Diskurses und im langfristigen allmählichen Erkenntnisprozeß der Generationen u. a. jenen Sinn her, der Bildung als etwas Notwendigeres erweist als einsparbaren Luxus. Lernen als lebensnotwendiges Verstehen, Begreifen als Ineinander von Denken und Fühlen gehören zum Prozeß des Lebens selbst. Scheinbar versunkene Bildungserlebnisse finden sich als tiefer Grund von Texten, denen bodenlose Unaufmerksamkeit angeblich deutscher Leser, besser Unleser, Oberflächlichkeit vorgeworfen hatte. Was schließlich zählt, sind Richtigkeit und Wahrheit des Arguments, erst dann die geschliffene Beiläufigkeit, mit der es vorgebracht wird. Größere Belesenheit und tiefere Bildung machen einen Autor nicht schlechthin relativer, sprunghafter, sondern unabhängiger im Urteil selbst gegenüber feierlich ernsten Autoritäten, selbst wenn sie Fichte oder Hegel heißen, »frivoler« vielleicht, aber auch weniger blind.

Wie sehr selbst wohlwollende Interpreten sich vom Vorurteil wiederum ihrer Bildungserlebnisse gedanklich vorprogrammieren ließen, zeigt die Fruchtbarkeit der methodischen Grundannahme Käfers:»Immerhin brachte [der] Umgang mit Hegels Vernunftbegriff und seiner Geschichtsphilosophie 1972 Interpreten wie Manfred Frank (*Heine und Schelling*) und

---

11 *Heinrich Heine. Streitbarer Humanist und volksverbundener Dichter,* Internationale wissenschaftliche Konferenz aus Anlaß des 175. Geburtstages von Heinrich Heine [. . .] 1972 in Weimar, [Hrsg.] Nationale Forschungs- und Gedenkstätten der klass. deutschen Literatur in Weimar [u. a.]. – Weimar 1972. Ferner: *Internationale Heine-Konferenz* Düsseldorf *1972,* Hrsg. von Manfred Windfuhr. – Hamburg 1973.
12 [Hrsg.] Michael Werner: *Begegnungen mit Heine. Berichte der Zeitgenossen,* 2 Bde. – Hamburg 1973. Ferner: [Hrsg.] Fritz Mende: *Heinrich Heine. Chronik seines Lebens und Werkes.* – Berlin 1970.
13 Die Seitenangaben in Klammern im folgenden beziehen sich auf Käfer, die Zitate in den Zitaten entweder auf Heine oder auf den im Zusammenhang mit dem Zitat erwähnten anderen Autor gemäß Kontext.
14 Vgl. dazu früher Lukács: *Heinrich Heine als nationaler Dichter* [. . .]. – Berlin 1952. Jüngst F. J. Raddatz: *Heine* [. . .]. – Hamburg 1977.

Günter Oesterle (*Integration und Konflikt*) auf den Gedanken, Heines frühe, positive Anknüpfung an Schellings Naturphilosophie in die Frage nach der präzisen Nahtstelle Heine–Hegel, Heine–Marx im Sinne einer politischen Geschichtsauffassung einzubeziehen. So hielt Oesterle der auf Georg Lukács (*Heinrich Heine als nationaler Dichter*) zurückgehenden, östlichen Forschung vor, sie verstelle sich das philosophiegeschichtliche Verständnis Heines durch die vorschnelle Behauptung, den stärksten Einfluß auf die Formung von Heines Weltbild habe Hegel ausgeübt« (S. VII). Inhaltlich bedeutet dies für Käfer, daß er mit einer von ihm erst einmal als Befund erhärteten Ausgangsthese den ganzen Heine der Prosaschriften von 1824 bis 1844 erneut sichtet. Methodisch liest Käfer Heine im systematischen Vergleich der von ihm entworfenen Denkmodelle, bis zur genauen Bestimmung ihres Umfangs und ihrer Grenze, d. h. jenes Punktes, über den sie nicht hinausgehen, jedoch mit den avanciertesten Theorien der Zeitgenossen Heines gleichgehen oder sie vorbereiten. Dieses vergleichende Verfahren führt zum Nachweis einer größeren Stimmigkeit und Aktualität Heines, als bisher zu sehen war. Spannung und Serenität der Darstellung Käfers ergeben sich zweifellos aus ihren Inhalten, jedoch auch aus der Folgerichtigkeit, mit der diese verknüpft werden. Die Souveränität der Darstellung ist in Käfers Arbeit mit einer Freiheit gegenüber dem Gegenstand ausgestattet, die ihm jede Achtung läßt, wenn differentialdiagnostisch Literatur, Philosophie und (bereits vorliegende) germanistische (bzw. philosophiehistorische) Interpretation sich verbinden und gegenseitig voranbringen.

Käfers Ausgangsthese ist die »Tatsache [. . .], daß Heine [. . .] Hegel von Anfang an in der Fluchtlinie der Schellingschen ›Natur-‹ oder ›Identitätsphilosophie‹ gelesen hat« (7, 49, 209 u. a.). Was beinhaltet diese, und was in ihr ist so »geschichtstheologisch«, daß es den »Rahmen der Schriften Heines« konstituiert? Was an ihr wäre historisch progressiv gewesen und was an unserer heutigen Einsicht in diese Tatsache aktuell? Indem Heine in seinem Deutschlandbuch einem französischen Publikum, gleichzeitig aber sich selbst und damit auch deutschen Lesern Zusammenhang und Entwicklung der in der deutschen Geschichte wirksamen intellektuellen Bewegungen und Fortschritte zu verdeutlichen sucht, möchte er »deutsche Gottesgelahrtheit und Weltweisheit« unter dem Gesichtspunkt ihrer ›sozialen Wichtigkeit‹ [. . .] diskutieren« (1f., 58f., 87ff., 127, 233 u. a.). Deutsche Literatur, Kunst und Philosophie, von Luther angefangen über die Zeit Goethes und Hegels bis hin zu Marx, beinhalte wesentlich eine »Frage nach der Natur Gottes«, insofern darin »immer auch eine Antwort auf die Frage nach der Natur des Menschen steckt« (2). Zugleich festhaltend an der Aufklärung und über sie hinausgehend, gleicherweise »fernab von kontemplativer Erbaulichkeit, aber auch aufklärerisch-materialistisch [. . .] Agitation« (1), zumal »die religiösen Vorstellungen [. . .], wie schon Hegel wußte, verhüllte Selbstdefinitionen der Völker« seien (2), versuche Heine sowohl der »Insuffizienz der Mittel aufklärerischer Ideologiekritik« zu entkommen, wie er die »linkshegelianische Überführung der Religionskritik in Gesellschaftskritik vorgezeichnet« habe (3). In seiner »Kritik am nur negativen Resultat der Aufklärung« seien Heine mit Schelling und Hegel einig, ohne jedoch, bei aller »Zustimmung« zur »fortschreitende[n] Intelligibilisierung der Offenbarungsreligion«, Hegels System zu verfallen und bei dessen »denkende[r] Rechtfertigung der christlichen Glaubensinhalte« stehenzubleiben. Denn »für Heine [bedeutet] denkende Explication Gottes zuletzt ›Pantheismus‹, und damit die Position eines das Christentum nicht nur überholenden, sondern radikal infragestellenden Immanenzglaubens« (5). Das »Kernstück von Heines *Geschichte der Religion und Philosophie*« seien die »um den sogenannten ›pantheistischen Aufflug‹ gruppierten philosophiehistorischen Reflexionen« (7). Damit ist das Stichwort zum zweiten Kapitel bei Käfer gefallen (mit dem die »Hauptuntersuchung [beginnt]«, die Herausarbeitung von Heines »Geschichtsentwurf, der Erkundungsrahmen und Ergebnis zugleich ist«), und mit diesem sind sowohl der Begriff wie der historische Ort angezeigt, an dem er, obwohl schon lange existent, jetzt virulent werde, nämlich bei Schelling.

Auf zumindest einige Leitbegriffe, die Käfers Arbeit in extenso diskutiert, wie insbesondere »Pantheismus«, »Identitätsphilosophie«, »Natur«, »Sinnlichkeit«, wäre hier zu verweisen. Es würde den Rahmen einer Rezension sprengen, die schrittweise begründete Darstellung Käfers in ihren Haupt- und Nebensträngen und der Unzahl von Verweisen annähernd zu referieren. Eine Zusammenfassung liefert Käfer selbst in seiner »Einleitung« (1-22), die sich gleichsam ebenso als nachträglicher Abriß der Ergebnisse liest, wie sie den Zusammenhang der Argumentation im ganzen in kurzen Zügen vorführt.

Interessant schon im ersten Kapitel die Art des doppelten Bezugs Heines auf die Aufklärung, insbesondere seine Bewertung Kants, als Bejahung von dessen Zertrümmerung eines jeden Theismus, als Begrüßung der Ergebnisse der *Kritik der reinen Vernunft*, jedoch als Ablehnung des Rigorismus der unendlichen Negativität praktischen Sollens, der Rückkehr des schärfsten Spiritualismus wieder durch die Hintertür der Ethik in der *Kritik der praktischen Vernunft*, der anmerkende Verweis auf Kants Bilderverbot. Demgegenüber reklamiert Heine zwar Festhalten an der Aufklärung, z. B. an »Lessing[s] Befreiung ›vom neueren Wortdienst‹«, aber auch an »›Naturreligion‹ [als] ›Goethesche Denkweise‹« (42).

Für den »Pantheistischen Aufflug« (zweites Kapitel) nun gilt, daß »die Hegelsche Philosophie [. . .] ›Pantheismus‹« ist, daß überhaupt dieser »die progressiven Strömungen des 18ten mit denen des 19ten Jahrhunderts verbindet«, mehr: »›Der Pantheismus‹, und damit glaubt Heine, nur ein ›öffentliche[s] Geheimnis‹ auszusprechen, ist ›die Religion unserer größten Denker, unserer besten Künstler‹, er ist ›die verborgene Religion Deutschlands‹« (47). Pantheismus bedeutet »Immanenz des ›Absoluten‹« (47), dieses ist »Gott«, und »Gott allein wahrhafte Wirklichkeit, dieser Gedanke [. . .] allerdings Spinozistisch, [. . .] Hegel hat ihn [. . .] als den ›Hauptpunkt der modernen Philosophie‹ bezeichnet: ›entweder Spinozismus oder keine Philosophie‹« (50). Demnach sei »der ›Ausgang vom Absoluten, auf den Heine in den Programmschriften sich beruft, kanonisch für die neuzeitliche spekulative Philosophie bis [. . .] zu Feuerbachs anthropozentrischem Neuansatz« (S. 51). Erneut thematisch gemacht mit ebenso wirksamer wie progressiver Bedeutung aber sei der Gedanke der Immanenz in der »Naturphilosophie« Schellings, seinen »*Ideen zu einer Philosophie der Natur* 1797« (52f.). Käfer bringt drei Beleg-Dimensionen für Heines Schelling-Kenntnis: sowohl Heines *Reisebilder* wie die *Bäder von Lucca* belegen Heines gegenüber Hegel »gleichberechtigte« »Lektüre Schellings«, als auch »seine Überlegungen zum deutschen philosophischen Erbe des Saint-Simonismus«, ferner Heines »Religions- und Philosophiegeschichte selbst« – worunter Käfer auch die literaturgeschichtliche *Romantische Schule* subsumiert – schließlich Heines mit Feuerbach übereinstimmende Kritik an den Linkshegelianern (49). Wichtig an Schellings Naturauffassung wird, daß »der ›Gott der Pantheisten‹ [. . .] im Gegensatz zum Geistprinzip des Deismus ›sowohl Materie wie Geist‹ [ist]« (58). Gegenüber dem alten Sensualismus der Französischen Materialisten, die die Französische Revolution vorbereitet hätten, sei der neue, eine deutsche Emanzipation oder Revolution vorbereitende Sensualismus ein »›deutscherer‹, [. . .] [d]enn dieser neue, zeitgemäße Sensualismus, ein Erbnehmer der deutschen Geistesgeschichte, bezweckt ›Rehabilitation der Materie‹, vindiziert den Menschen ihre Rechte, ohne allerdings die ›Rechte des Geistes‹, nicht einmal dessen Suprematie zu leugnen« (59). »Natur als objektives Subjekt-Objekt« und die »geistige Welt als subjektives Subjekt-Objekt«, Schellings »Potenzen«, entwickeln einen »Drang« in Richtung »Unendlichkeit«, Schellings Pantheismus ist ein »dynamischer«, »Gott ›manifestiert‹ sich ›nach den verschiedenen Graden in den verschiedenen Dingen‹, [. . .] Wirklichkeit als ganze [. . .] ist ein Prozeß fortschreitender Selbstobjektivierung des Absoluten, das sich verendlicht«, über »Steine«, »Pflanzen«, »Tiere«, »Menschen« prozeßartig zu Bewußtsein und fortschreitender Individuation, womit »die Natur an ihr Ziel [gelangt]« und nicht nur Geschichte möglich, sondern auch zu denken und zu schreiben möglich wird (60f., 102ff.). Heines »Überbetonung« der »Nähe seiner Überlegungen zur kodifizierten Lehre Saint-Simons« (62. Vgl. hier auch Heines Kritik an Victor Cousin, 79), seine »Kritik an Schellings ›Abfall‹«, d. h. dessen späterem Konservatismus und Rückfall in den Theismus, die Ausklammerungen und Mißverständnisse Heines gegenüber dem späteren Schelling (64-73), Heines Hegel-Rezeption (73-83), welch letzterem er die pantheistische »Fortsetzer-Rolle« zuschreibt, höchst differenziert das »produktive Mißverständnis« desselben seitens Heine, werden mit ständiger Parallelisierung aller relevanten Stellen auf ihre gegenseitige Kongruenz und Inkongruenz hin verglichen. Am Thema der »Frage nach der Natur und ihrer ›sozialen Wichtigkeit‹« (87-99) arbeitet Käfer mit methodischem Bezug auf Odo Marquard (92) als »Anamnese« jene ursprüngliche Harmonie heraus, die in ihrer derart erinnernden Thematisierung enthalten ist. Spätestens in diesen Abschnitten des zweiten Kapitels bei Käfer wird nicht nur die übergreifend literarhistorisch-philosophiegeschichtliche Reichweite, Bedeutsamkeit und Originalität des (freilich schon durch M. Franks Vorarbeiten thematisch gestellten) Gesamtthemas deutlich, indem es nicht nur Heine tiefer in den Traditionszusammenhang rückt, als dies bisher zu sehen war, bzw. als ihm als angebliches »Franzosentum«, mangelnde Verwurzelung, oder wiederum anders als »journalistische« Oberflächlichkeit (Karl Kraus) abgesprochen wurde – sondern auch eine mehrfache, in Richtung der entscheidenden Themenstellungen des deutschen Vormärz und selbst über diesen hinaus ins gegenwärtige Jahrhundert reichende Aktualität nachweist. In einer »Zwischenbilanz« (98f.) faßt Käfer zusammen: »Wenn Heine in den Schriften der 30er Jahre die *Naturphilosophie* als die eigentliche, große Leistung Schellings wertet, so weiß er, wovon er

spricht.« Schon die »Einsicht des ›Harzreisenden‹« wisse, »daß die aufklärerische ›Entzaube-
rung‹ der Welt letztlich im Dienst der Beherrschung und Ausbeutung der Natur steht, die [. . .]
auch etwas mit den Herrschaftsverhältnissen des Menschen über den Menschen zu tun hat«,
eine Kritik, die der frühe Schelling gegenüber Fichte, der späte Schelling gegenüber Hegel
vortrage (als »Selbst- und Hegel-Kritik«, 104-110), aus welch letzterem Grund der von Heine
unbeachtet gebliebene spätere Schelling sogar für Feuerbach und den philosophischen jungen Marx sozusagen parallel zu Heines Argumentation gleiches vorbringe – Käfer gebraucht
an verschiedenen Stellen die Formulierung »wie Heine auch aus dem Hegel, dem Schelling,
dem Feuerbach der Schrift [. . .] hätte entnehmen können« (50, 231 u. a.). Hier zeigt Käfer die
Verbindlichkeit theoretischen Fortschritts, wie sie aus gleichsam in der Luft liegenden Parallel-
Formulierungen sozusagen gegenkontrollierte konsequente Bündigkeit und damit relativ objektive Richtigkeit bei Heine bestätigen, und ganz und gar nicht arbiträre »Subjektivität«. »Natur« sei »kein toter Fußboden der Geschichte [. . .], nicht über dem ›Tode der Natur‹ läßt sich,
wie ja auch Hegel vermeinte, das Reich der Freiheit errichten. Je spröder nämlich der ›Geist‹
gegen die ›Natur‹ sich macht, mit der er doch [. . .] unaufhebbar verbunden ist, desto mehr
muß er ihrem blind sich durchsetzenden Anspruch verfallen« – »eine der wesentlichen von
Heine transportierten anthropologischen Einsichten« aus Schelling: »Eine vergleichbare Dialektik wird Marx auf der Ebene des gesellschaftlichen Verhältnisses zur Natur feststellen« (98).

Im antiutilitaristischen, »im Grunde antikapitalistischen Moment besteht für Heine die be-
rechtigte, wenngleich letztlich politisch-moralisch fehlgeleitete Opposition der Romantik«
(99). Jedoch, sei es in Literatur ›oder Philosophie‹, »wird Natur da überhaupt erst Thema, wo
die unterstellte natürliche ›Harmonie‹ gesellschaftlich längst zum Problem geworden ist«
(112 ff.), Natur, allenfalls noch in der klassisch-romantischen Natur Lyrik habhaft, als »›Na-
turlaut‹ naiven Sprechens« muß diese letztlich mißlingen (113 f.). So findet auch die oft beschriebene »Zerrissenheit« Heines bei Käfer eine ganz andere, logisch kontingentere Deutung
als bei jenen Interpreten, die dieses von Heine selbst geprägte Wort wieder nur auf ihn selbst
angewendet als entscheidungslosen Narzißmus (darum bestenfalls bürgerlichen Individua-
lismus) begreifen konnten. Käfer verweist auf den Zusammenhang zwischen Individuum und
Gesellschaft in der individuellen Rede Heines, »Zerrissenheit« [sei] kein individual-
psychologisches Merkmal, kein persönlicher Defekt, keine Verderbnis des »Herzens« (114),
sondern treffend belegt nichts anderes als »Krisenbewußtsein«, ja »Weltzerrissenheit« (115 f.).
So spricht Heine »gegen die Ideologen der Ganzheit«, »der ›Weltriß‹ ist die Diagnose der modernen Zeit und die ›Zerrissenheit‹ ihr Bewußtsein [. . .], gleichsam der Status quo Gottes«
(118), sehr wohl ein Befund, den Käfer auch in Hegels Phänomenologie belegen kann (119).
»Heine geht, wie sein Vorbild Hegel, vom Leiden [. . .] der Zeit aus.« Auf die Spitze getrieben,
wird die Zerrissenheit Voraussetzung für ihre Aufhebung. Diese sieht nun, folgt man Käfer,
bei Heine und Hegel sehr verschieden aus. Hegels »spekulativer‹ Karfreitag« wird in »Heines
Spiritualismuskritik« aus seiner »logisch-metaphysischen Dimension« in eine »naturphiloso-
phisch-anthropologische« gebracht. Käfer liefert in einer zügigen, fast dramatisch dialogi-
schen Kontrastierung – einer von mehreren Höhepunkten der Arbeit – durch die nacheinander vorgeführte unterschiedliche Bewertung von Passion und Kreuzestod bei Heine und Hegel nicht nur den Nachweis einer unterschiedlichen Akzentuierung von Christentum und
abendländischer Geschichte, sondern eines anderen Programms von Versöhnung bei beiden.

Hegel zunächst betrachtet »das Christentum [als] [. . .] eine absolute Krise, [. . .] im Sinne
[einer] Totalisierung des Gegensatzes von Gott und Welt«, für ihn ist die »Passion« als »Tod
Gottes« zugleich »Tod des Todes« (121 f.). Heine dagegen sieht im »Christentum« nur die »spi-
ritualistische Aufgipfelung des jüdischen Theismus«, bei Hegel und Heine aber »geht« in einer
»stabilisierten Entfremdung« seither »[d]er Widerspruch von Gott und Welt (oder von ›Materie und Geist‹) [. . .] nicht etwa ›zugrunde‹, sondern [. . .] wird noch verschärft« (124). Den Zen-
tralgedanken der Versöhnung konstruiert Hegel religionsphilosophisch historisch-spekulativ
als Weg vom Judentum mit seinem »Schmerz über die Nichtigkeit des Daseins«, insbesondere
seiner Vergänglichkeit, als »Fortschritt gegenüber der heiteren und toleranten ›Freundlichkeit des Daseins‹ in der griechischen Religion« hin zum Christentum, worin die »Endlichkeit«
»zur Unendlichkeit erhoben« werde, insofern »[h]ier erst [. . .] der Mensch [. . .] ›an sich Gott
und tot‹« sei (125). Dies ist Hegels »metaphysischer Karfreitag«, ein »Paradox«, »weil der Tod
des transzendenten, weltlos-spiritualistischen Gottes der Tod zugleich des Menschen ist, dessen Gottesebenbildlichkeit nur aus dem absoluten Schmerz, dem Verlust von Sinnlichkeit
hervorgeht« (125 f.). Deutlich pointiert Hegels Versöhnungskonzept nur die Seite des Geistes,
der Theorie, des Begriffs, »»verklärt‹ heißt für Hegel nicht der Mensch in seinem sinnlichen

Dasein, sondern der nur ist ›wie Gott‹, der die Gestalt des Geistes an sich trägt, d. h. der – in imitationem Christi – ›gelitten hat, gestorben, auferstanden und gen Himmel gefahren ist‹« (126), Geist also als das Naturjenseitige, welcher zu seinem Leben den Tod des Leibes voraussetzt.[15] Dem hält Heine entgegen, daß »der Leib [...] bereits vor dem Tode ›verklärt‹, vor dem Tode ›gesalbt‹« sei. Nicht ohne innere Logik sind es Gemälde, also an sich schon Mitteilungen auf der Ebene der sinnlichen Erscheinung, die »die geheime sensualistische Botschaft« der Körpersprache mitteilen. Käfer bringt gleich drei Beispiele von Gemälden, an denen Heine seine Gedanken entwickelt: ein Gemälde im Dom zu Lucca – »Christus sitzt da, im Kreise seiner Jünger, ein schöner, geistreicher Gott, menschlich wehmütig fühlt er eine schaurige Pietät gegen seinen eigenen Leib, der bald soviel leiden wird« –, das schon erwähnte Gemälde von »Leopold Roberts ›Schnittern‹« (127-129), sowie ein anderes »des Niederländers Jan Steen« (142). Nicht ohne Sinn für die Legitimation des Gedankens durch die doppelte Bildlichkeit von Sprache und Malerei am Beispiel von nur zugleich sinnlich und intellektuell anschaubaren Produkten (Kunstwerken!), von Kopf und Hand, Geist und Gefühl (man denke hier an das alttestamentarische, sowie »an Kants eschatologisches Bilderverbot«, 33), »stekk[en insbesondere die ›Schnitter‹] den Interpretationsrahmen« ab für Heines »sensualistischen Christus als [...] erste[m] Lehrer« einer neuen »Doktrin«, der des Saint-Simonismus. Und »jene ›Doktrin‹ [...] lehrt« genau wie die deutsche Philosophie in ihren progressiven Zügen »die moralische Ächtung der Leibfeindlichkeit«, ja ›Sinnlichkeit‹ selbst ist »heilig«, jedoch ohne ihrerseits wiederum das Absolute, die »Idee« (wie später in den *Briefen über Deutschland*) aufzugeben (127f.). Und so findet Käfer mit seinem Thema ein Programm, das über Heine hinaus auf einen im weiteren Vormärz auch sonst anzutreffenden Theoriefortschritt verweist. Heines »Sündenlosigkeit« der Schnitter, ihr ›irdisches Tagewerk‹ als »Andacht«, ihr Sein als »selig ohne Himmel, [...] versöhnt ohne Opfer« (129), zeigt eine später (im vierten Kapitel) von Käfer diskutierte Nähe zu Feuerbach (»das Reale, das Sinnliche [...], Subjekt seiner selbst«), aber auch sowohl »[z]um Saint-Simonistischen Kult der Arbeit«, zur »*Doctrine de Saint-Simon. Exposition*«, als auch die »sachliche Nähe zu Spinoza«, sowie diejenige zum »linkshegelianischen Philosophen [...] Moses Hess« mit seinem Bezug auf die »*Ethik* des Spinoza: ›gut ist, was die Tätigkeit fördert, die Lebenslust erhöht‹«. In diesem Vergleich erweist sich die Nähe Heines zum »objektiven Geist des philosophischen Umbruchs« (128), eine Stufe, die, wie Käfer im letzten Teil seiner Untersuchung (Heines Nähe zu Feuerbach und Marx) zeigt, noch einmal überschritten wird. Vorerst bleibt für Heine Käfers Fazit: deshalb »ist nun gar nicht einzusehen, warum es eigentlich ein Versöhnungsopfer, einen Karfreitag, sollte einen ›spekulativen‹, geben sollte« Versöhnung ohne Opfer heißt auch, den »Manichäismus« im Christentum zu erkennen, sowie die Behauptung, daß »die ›Materie‹ [...] ›böse‹« sei, als »entsetzliche Gotteslästerung« zu begreifen, die »Rehabilitation« der Natur oder Materie zu fordern, dem Bösen keine »wesentliche«, sondern nur »gesellschaftliche [...] Existenz« zuzumessen, welches allerdings die fortbestehende Erlösungsbedürftigkeit der »Menschheit« beweist (131-136). Typisch für die Übersichtlichkeit von Käfers Vorgehen auch hier die gegen Ende seines Kapitels zwischenbilanzierende Zusammenfassung, in der die Konsequenz der Argumentationsschritte noch einmal derart begrifflich zitathaft gerafft wird, daß das Ergebnis über sich hinausweist und das nächste Kapitel notwendig macht (auch Parallelen und Belege zu anderen Autoren einschließlich Sekundärliteratur bis ins Wort hinein drängen über den Text hinaus und lassen zuweilen die Anmerkungen zu einem zweiten Diskurs anschwellen): »Gott hätte nicht sterben müssen, denn der Mensch ist an sich ›sündenlos‹.« Weitergedacht, führt dieser Gedanke zu einer überraschenden Konsequenz. »Daß [der] sensualistisch-sinnenheitere Christus den Tod am Kreuz erleidet«, sei für Heine keine »Erlösung« und im Gegenteil zu Versöhnung »perennierende Krise: Christi Tod ist [...] Aberration«, ja Perversion seiner Botschaft: »Am Kreuz Christi sind die politische Niederlage des jüdischen Reformators und die Vernichtung des Leibes wirkungsmächtig geeint, wird jener Zusammenhang von politischer Herrschaft und Unterdrückung von Natur sinnfällig hergestellt, der das zentrale Motiv der Heinesche Spiritualismuskritik überhaupt ist« (137). Käfers Ergebnis lautet: Der »spekulative Karfreitag« ist Einbildung, der »historische« dagegen real, »Geschichte als Heilsgeschichte« ist »geschichtliches Leiden« (in Anmerkung: »mit der ›Erbsünde‹ müssen auch die

---

15 Vgl. hier Ernst Cassirer, den Neukantianer der sog. »Marburger« Schule, der jenen anderen Marburger Neukantianer Hermann Cohen zitiert, daß erst mit dem Auftritt der Propheten die monotheistische Eigentümlichkeit der vorderorientalisch-westlichen Religionen Judentum, Christentum und sc. auch Islam erreicht sei, zugleich als Zukunftsorientierung des Werdenmüssens und -sollens und als »schroffe Abwendung von Natur«. E. Cassirer: *Philosophie der symbolischen Formen*, 2. Teil, Das mythische Denken. – Darmstadt 1964, S. 146f.

›Erbprivilegien‹ [sterben]«, »mit der christlichen Eschatologie auch der Glaube an die Ewigkeit der Ausbeutung des Menschen durch den Menschen«, 137): »Christi Passion ist nicht die exceptionelle Erlösungstat« gemäß Hegel, »sondern [...] im Grunde der ›Sündenfall‹«, der von da an »die ›große Krankheitsperiode der Menschheit‹« rechnen läßt (139).

Welches ist nun Heines »Programm ›Versöhnt ohne Opfer‹« (viertes Kapitel)? Es handelt sich um eine »letztlich praktische Entscheidung« (141): »›In Deutschland‹, so notiert Heine, ›wird das Christentum gleichzeitig in der Theorie gestürzt und in den Tatsachen: Ausbildung der Industrie und des Wohlstandes‹« (141f.). In einer »Verschränkung der Christentumskritik mit der Saint-Simonistischen Lehre [vom] [...] industriellen Zeitalter« betont Heine also die praktisch sinnliche Seite der Aufhebung des »Widerspruchs«. Käfer zitiert mehrere Stellen für Heines programmatische Forderung, »schon hier auf Erden wolle er, aber: ›durch die Segnungen freier, politischer und industrieller Institutionen‹, jene Seligkeit etablieren, die nach Meinung der Frommen erst am Jüngsten Tag, im Himmel, stattfinden solle« (142). So in einem Brief an Laube vom 8. 4. 1833, so in Caput I des *Wintermärchens:* »Wir wollen hier auf Erden schon das Himmelreich errichten«, so in jener weiteren Bildbeschreibung zu Jan Steen, wo es »heißt: ›Die Erde ist der Himmel, und die Menschen sind heilig durchgöttert‹« – Heines »gereimte[s] und [...] ›gemalte[s] Evangelium‹« (143). Heines Kritik ist also »wesentlich Eschatologiekritik, [...] Kritik an der ethisch-religiösen Sublimierung verweigerter Diesseitserfüllung« (145). Der Saint-Simonismus aber spiele nur vordergründig eine Rolle bei Heine, sei nur Bestätigung für eine zwar ähnliche, aber doch andere, »für eine philosophische Tradition, die ›Revolution‹ des deutschen Idealismus, deren Vollendung in den ›Programmschriften‹ an den Namen Hegel gebunden ist [...]«, denn Hegel »[wahrt ja] das von Schelling ›verratene‹ Prinzip der ›Immanenz‹« (143), allerdings nur, was dieses betrifft. Denn ›[d]er reife Hegel [...] hat präsentische Eschatologie [...] gerade ans Christentum gebunden« (146). Heines Kritik an Hegel setzt gerade hier an, »an diesem Punkt, in dem Christentum- und Hegelkritik sich überschneiden«: »Hegels Anspruch nämlich, alle Entfremdung aufgehoben, den Himmel auf Erden errichtet, vollbracht zu haben, was das Denken sucht: ›eine versöhnte Welt, eine göttliche Welt, die realisierte geistige Welt, das Reich Gottes auf Erden‹, dieser Anspruch muß ja dann fragwürdig werden, wenn man mit Heine Versöhnung ›ohne Opfer‹ denkt, ohne Opfer von Sinnlichkeit, Natur usf.« (147). Demnach »[gehört] Heine [...], in die Vorgeschichte der Kritik an der Hegelschen Aufhebung der Entäußerung, die in Wahrheit doch nur ›Bestätigung der Entäußerung‹ (Marx) ist« (148). So ist für Heine »Christi Tod nun keineswegs der ›Tod des Todes‹, sondern [...] ›eine Art Selbstmord‹«, d. h., der christlich entsagende »Mensch [...] gerät in Widerspruch [ ] mit sich selbst«, und »für Heine endet das Christusgeschehen [...] tödlich« (149f.). Käfer bringt eindringliche, von Heine halb anekdotenhaft erzählte Beispiele sich rächender Natur, wie sie ›verteufelt‹ wird, wie die von der Baseler Nachtigall, die die Theologen »zaubergewaltig‹ aus ihren ›abstrakten Grübeleien‹ weckt« und um den Verstand bringt, oder die vom Tannhäuser, »der Venus[!] ins Gesicht sagt: [...] ›Ihr seid eine Teufelinne‹« (150ff.). Die Warnung Heines vor »der Konspiration der Materie«, der »Ermächtigung der Natur über den Geist, [...] wo die ›Rechte der Materie‹ bestritten« werden, führt zu zwei grundsätzlichen weiteren Positionen in Heines Denken und Leben, die oft als Widersprüchlichkeit angegriffen, nun aber, wie Käfer zeigt, logisch notwendig, schlechthin kontingent aus Heines bis dahin gewonnener Einsicht hervorgehen. Dies ist zunächst Heines nicht im ganzen verwerfende, wohl aber kritische Haltung gegenüber Börne, als »Erschrecken [...] Heines über die ›moralische Selbstunterjochung‹, [die er] [...] als ein Syndrom der ›Krankheitsperiode‹ auch im zeitgenössischen Jakobinismus wiederentdeckt« (153), »die ängstliche ›Hast‹, mit der hier wie dort das Nicht-Identische, das, wenn man so will, Außerlogische, wegrasoniert wird. Das aber ist präsent, als Sinnenlust und in der Kränkung, im Schmerz [...]« (154). Dieser Sensualismus Heines, der »Protest gegen das Allgemeine, in dem die reale Existenz nicht vorkommt« (155), ermöglicht es Käfer, die methodische Grundposition Heines mit derjenigen Feuerbachs nicht nur zu vergleichen, sondern Feuerbach und sogar Marx wiederum interpretatorisch auf Heine anzuwenden, und zwar am Beispiel der »Liebe«. So wie bei Hegel Denken »Beweis‹ für das ›Dasein der Realität sei, so werde bei Feuerbach »Liebe« (160), »die wesentliche Sinnlichkeit des ›Ich‹ als die des ›Du‹ entdeckt«, genau so wie in Heines Gedicht (Beispiel: »Caput XIII des *Atta Troll*«). Und Käfer konnotiert anmerkend *Die heilige Familie* von Engels und Marx, worin die »›Liebe [...] den Menschen‹ – siehe Feuerbach – ›erst wahrhaft an die gegenständliche Welt außer ihm glauben lehrt, die nicht nur den Menschen zum Gegenstand, sondern sogar den Gegenstand zum Menschen macht‹« (160). Bis zur »Stilgebärde« hin vermag Käfer »Liebe und Schmerz als Seins-Kriterien« wiederzufinden, in Heines häufigem Gebrauch des »Oxymoron«: »Es begegnet uns im ›scharfen Schmerzjubel‹ [. . .] der lyrischen Moderne, überhaupt eine Grundfigur der Heineschen Lieder« (161). Und nun tritt zweitens, logisch an diese Stelle gehörig, die Möglichkeit jenes Widerrufs, der in Heines Leben eine so berühmte Rolle spielt. Käfer findet eine bruchlose Erklärung für Heines Bekehrung, seine »entschlossene Larmoyanz« (3), mit der er während seiner Krankheit und dem Scheitern aller Hoffnungen nach 1848 auf reflektiertem Niveau seinen Gott wieder einklagt. Der »Preis« des »Sensualismus« enthält nämlich auch die Negativseite körperlicher Betroffenheit des konkreten Menschen. Wenn Stoffe wie Tannhäuser oder der Fliegende Holländer darauf hindeuten, daß, »[w]o er, der ›süße Schmerz‹, die Erfahrung des Alogischen, des Anstößigen im ›Sein‹, fehlt, da [. . .] der Mensch um seine ›Existenz‹ [sich] betrogen fühlen [muß] – ums ›Leben‹ und um seinen ›Tod‹«, daß »Schmerz [. . .], Leiden [. . .], ›Passibilität‹ und ›Leidenschaftlichkeit‹ [. . .], Empfindung [. . .], der leidende Gott [. . .], das Christusgeschehen als eine anthropologische Tatsache« nur darauf vorbereiten, daß die »Krankheitsperiode« (Heine) und die »Leidensgeschichte der Menschheit« (Feuerbach) ihrer »Psychopathologie« angehören (161-164), dann nimmt es nicht wunder, daß »der letzte Heine [. . .] vom Aufruhr gegen den nur ›metaphorischen Charakter‹ [. . .] des Todes durchdrungen [ist], gegen das ›Als ob‹ der spekulativen Versöhnung. Dagegen stehen Schrecken und Elend des langsamen Verfalls, steht der grause Materialismus der ›Matratzengruft zu Paris‹« (165). Anders gewendet: »Nicht [. . .] Zweifel an den Sinnen ist es, vielmehr die Verzweiflung der Sinne, [. . .] die ›Verzweiflung des Leibes‹ [. . .], [die] zum Rückgriff auf traditionelle Heilsmuster bewegt« (166). Heines Kritik am Pantheismus gilt dessen Schwäche und Ohnmacht, einem bloß pantheistischen ›Gotte, der mit der Welt ohnmächtig ›verwebt und verwachsen‹ ist« – derselbe Vorwurf, den schließlich auch Schelling gegen den Gott der Philosophen der Hegelschen Religionsphilosophie erhob (167). Deswegen »reklamiert Heine [. . .] die ›Unbrauchbarkeit‹ des Hegel-Gottes«, denn ein brauchbarer Gott, an den man sich halten könne, müsse auch Persönlichkeit haben (168). Wieder vermag Käfer den eigentlichen Sensualismus selbst noch in dieser darum scheinbaren Regression mit Feuerbach zu bewerten, der gleicherweise die »Überlegenheit [der Religion]« über die theoretische, die abstrakte Wahrheit der Philosophie« konstatiert. Sie, die Religion, »wolle [. . .] glücklich, selig machen [. . .], [z]ur Seligkeit aber gehört Existenz [. . .], nicht nur Geist« (168f.). D. h., wenn selbst die Religion noch sensualistischer als die Philosophie ist, unterstreicht dies um so mehr das Ergebnis der bis hierhin geführten Überlegungen, daß »alle präsentische Eschatologie« gerade wegen ihrer »anthropologischen Dimension« in aporetischen Schwierigkeiten mündet. Systematisch gedacht, besitze solche Aporie nicht nur persönlich-individuelle Realität, sondern auch kollektive, als Geschichte. Wo laut Schelling und Hegel ebenso wie für Heine sich in der Geschichte Gott offenbart, muß »Geschichtsphilosophie zu einer Rechtfertigung Gottes« werden (170). Wenn aber wie bei Hegel das »Programm präsentischer Eschatologie« die ›transzendente Bestimmung des Menschen‹ (im Sinn der einfachen Offenbarungsreligion) kritisiert, wie wäre dann dessen Feststellung, daß die »Geschichte eine Schlachtbank« sei, zu rechtfertigen? (171) Angesichts der Frage nach den Kosten des Fortschritts bleibt bei gleichzeitiger Einsicht in seine Zwangsläufigkeit eine Erklärung des Leidens nur vom Standpunkt des Allgemeinen aus möglich, unter Absehung vom konkreten Leiden (172). Gerade angesichts des »offen totalitären Primat[s] des Allgemeinen, diese[r] Zwangsjacke des Heils«, falle Heine, indem er sich »gegen die Aufopferung des Einzelnen für einen allgemeinen Zweck« wende, keineswegs in geschichtsphilosophischen Agnostizismus zurück, richte sich »ebenso gegen die Verabsolutierung des Anspruchs auf Lebensgenuß und einen ›sentimentalen Indifferentismus‹ in Fragen der geschichtlichen Emanzipation« (173). Zur Begründung zitiert nun Käfer eine Passage Heines, die endgültig Einblick in den Grund für seinen theoretischen und zeitgeschichtlichen Scharfblick in eine Richtung beweist, die ihn mit jenen Autoren des Vormärz vergleichen läßt, die sowohl über den Junghegelianismus als auch den jakobinischen »Radikal-Republikanismus eines Börne« in ihrer politischen und theoretischen Einsicht hinausgelangt sind. »›Das Leben ist weder Zweck noch Mittel, das Leben ist ein Recht. Das Leben will dieses Recht geltend machen gegen den erstarrenden Tod, gegen die Vergangenheit, und dieses Geltendmachen ist die Revolution‹« (173). Man könnte in diesem relativ frühen Wort von 1833 eine wichtige Integrationsformel für die scheinbaren Widersprüchlichkeiten, das gedankliche Vorpreschen einerseits, Heines Zögern, seine Nachdenklichkeit andererseits sehen. Man mag eine derart prononcierte Achtung vor dem Leben, dem individuellen, das einmal da ist, wenn nicht von positiver konfessioneller Religion, so doch von Religiosität – sei es im Sinne Spinozas, Lessings, Goethes, als Toleranz und Lebensfrömmigkeit – getragen sehen.

Heines Einsicht, konfrontiert mit der brutalen Realität von Geschichte und Krankheit, macht im folgenden sowohl Heines »Ironie« explizit, die Weltgeschichte als große »Donquichotterie«, Gott als den »noch größere[n] Ironiker‹«, die allwaltende »Weltironie‹«, eine Idee, die hier Solger wie auch Schelling »verwandt, wo nicht gar verpflichtet« sei, überhaupt den erneuten »Durchbruch der Romantik in Heines Spätschriften« (180f.). Sogar noch das »Ideal« von Heines Programm »einer ›Demokratie gleichherrlicher, gleichheiliger, gleichbeseligter Götter‹, das [Käfer im Schlußkapitel] noch auf der Folie der präsozialistischen Utopien beschäftigen wird«, kann darauf bezogen werden (187). Damit aber, und zwar über eine Phase vor allem »in den *Briefen über Deutschland*«, und zwar »ausdrücklich durchs Eintauchen in den Feuerbach« (209f.), wird die größte Annäherung an den neuen »kategorischen Imperativ‹« erreicht, den des jungen Marx. »Wie nahe Heine mit dieser Forderung am Puls der Zeit ist, [...] wird deutlich, wenn wir uns vergegenwärtigen, daß sein Programm einer ›Versöhnung ohne Opfer‹, dieser natürlich weitgehend auf Ahnung hin angelegte Versuch, die unverzichtbaren Grundeinsichten der Schellingschen ›Naturphilosophie‹ in eine Geschichtsdialektik im Sinne Hegels einzubringen, daß dieses Problem sinnlicher Freiheit ein Kernthema der *Ökonomisch-Philosophischen Manuskripte* (1844) des jungen Marx ist« (204f.). Dies ist eine These, die nicht nur Behauptung bleibt, sondern die Käfer (im letzten, fünften Kapitel) auch belegt (207-237). Denn der neue kategorische Imperativ liefert eine »Antwort« auf die »Grundfrage Heines [...] ›nach der Natur Gottes‹« gemäß »Marxens berühmte[m] Resümee [...]: [daß] ›der Mensch das höchste Wesen für den Menschen sei, also mit dem kategorischen Imperativ, alle Verhältnisse umzuwerfen, in denen der Mensch ein erniedrigtes, ein geknechtetes, ein verlassenes, ein verächtliches Wesen ist [...]‹« (17, 214). Religion als gigantische »Projektion« wird in ihrem Sinn transparent, insofern das »Absolute« sich inkarniert in der »Menschheit«, bzw. »Gattung«, wie Feuerbach es ausdrückte (218ff.). Im übrigen umfaßt diese jetzt sogar für Heine nicht mehr nur wie »1835 noch allgemein ›die Menschen‹«, sondern jetzt »in den *Briefen* die ›Massen‹ oder das ›Proletariat‹« (179, 214).

Man könnte Käfer an dieser Stelle bestätigend ergänzen. In der Rede vom »Recht« des Lebens schwingt jene sansculottisch revolutionäre und neobabouvistische Forderung mit vom Brot, worauf das Volk ein Recht hat (»le pain est le droit du peuple«), die das prosaische, politische und materialistische Vorbild für Heines Wendung bildet. Darauf hat Käfer nicht extra verwiesen. Aber der Zusammenhang seiner Argumentation steht dieser auffälligen Parallele nahe, wie Käfers vergleichende Bezüge in Richtung Feuerbach und Marx vielfach belegen. Von der Formel vom »Recht« des Lebens (bzw. auf dasselbe) her ließe sich auch eine andere Parallele zum Vormärz finden, im *Hessischen Landboten*. Allerdings ist die Flugschrift von Büchner und Weidig keine deutsche Philosophie mehr, sondern endlich politische Praxis. Trotzdem gibt es Vergleichspunkte selbst geschichtstheologischer Art zwischen Käfers Thema und der Flugschrift. Auch diese verglich in ihrer politischen Agitation Frankreich und Deutschland. Der grundsätzlichen Nähe der Einforderung des Lebens als »Recht« bei Heine entspricht die politische und literarische Praxis der Thematisierung konkreten Leidens bei Büchner, ein Sichtbarmachen des vorenthaltenen, weil depravierten »Leben[s] *selbst* [als] Zweck«, vom perspektivischen Standpunkt der unterdrückten Bauern (wie im *Hessischen Landboten*) oder des proletarischen Paria her (wie in Büchners *Woyzeck*).[16] Auch in der Art, wie bei möglichen Emanzipationsbewegungen in Deutschland Religion in Rechnung zu stellen sei (eine deutsche Revolution werde eine zugleich »deutschere« und »religiösere« sein, zitiert Käfer Heine), lassen sich sowohl die Argumentation in der Flugschrift als auch insbesondere Reflexionen Büchners zu diesem Thema parallelisieren, wie dies von der neueren Büchnerforschung schon unterstrichen wurde.[17] Zwei weitere Aspekte kommen hinzu. Heines Gleichgültigkeit gegenüber der Form von Regierung oder Verfassung, sei diese mehr konstitutionelle Monarchie oder mehr Republik, begründet Käfer mit dem Primat des Interesses Heines am sozialen Fortschritt gegenüber einem bloß formalpolitischen. Eine solche Gleichgültigkeit haben beide Verfasser des *Landboten* geteilt: Weidig, wenn auch er mehr unter dem Aspekt der Einigung Deutschlands.[18] Daß wiederum bei Büchner der soziale Aspekt unmittelbar in den politischen mündete und umgekehrt, kann gar keine Frage sein. Heine dachte »sozialen« Fortschritt zweifellos allgemeiner und abstrakter, gesamtgesellschaftlich, und hatte wohl kaum je die bäuerliche Bevölkerung des platten Landes im Sinn, sondern eher

---

16 *GB I/II*, S. 227.
17 Ebd., S. 225ff. Sowie *HL*, S. 53f.
18 *GB I/II*, S. 164ff., S. 169.

Bürger, nicht ohne die Dichter, Denker, Philosophen usf., wenn er vom deutschen Volk sprach, das vielleicht einmal eine politische Umwälzung zum Besseren zuwege bringen könnte.

Eine weitere Parallele zwischen Heine und Büchner liefert ein literarisches Bild in deutscher Philosophie, das erst durch Marx, der per Retourkutsche Hegel auf (d. h. gegen) Hegel anwendete, eigentlich berühmt werden sollte. Wenn Büchner in seinen Erzählfragment *Lenz* diesen sagen läßt, »nur war es ihm manchmal unangenehm, daß er nicht auf dem Kopf gehen konnte«, dann wäre zu fragen, ob Büchners dichterische Phantasie hier durch ein Wiedererinnern von Heines *Buch Le Grand* (1826) beeinflußt wurde. Dieses Bild führt dann auch zur vorliegenden Arbeit zurück. Im Zusammenhang mit der »Tradition [des Bilds von] der ›Umkehrung‹ [. . .] vom Kopf auf die Füße« erinnert Käfer zur Feuerbachschen und Marxschen Verwendung auch eine bei Heine. »Daß hingegen der Mensch sich ›auf den Kopf, d. i. auf den Gedanken stellt und die Wirklichkeit nach diesem erbaut‹, in dieser Eigenschaft hatte Hegel die Französische Revolution als den historischen Anfang seines Systems gefeiert.« Dagegen »sei der Knabe [Heine] auf das Reiterstandbild des vertriebenen Kurfürsten geklettert und habe von dort sein ›Vivat‹ gerufen, während er sich fest an den alten Kurfürsten gehalten habe [. . .] ›denn mir wurde ordentlich schwindlig, ich glaubte schon, die Leute ständen auf den Köpfen [. . .]‹« (220).

Fällt kein kritisches Wort gegen Heine? Daß Käfer zwar beim Thema bleibt, jedoch nicht seinem Autor verfällt, zeigen jene Schlußsätze, in denen er die übersteigerten Erwartungen – auch von Marx – als Verlust eben jener »Balance« beschreibt, die Heine sein ganzes Leben hindurch als Mißtrauen gegen vorschnelle Illusionen zu bewahren suchte. Im Rahmen des Vergleichs zwischen Deutschland und Frankreich steht angesichts des Heineschen Postulats, daß eine deutsche Revolution eine »›deutschere, religiösere, volkstümlichere‹« sein müsse, »Heines [. . .] überschwengliche Prophezeihung, eine deutsche Revolution werde, was die Franzosen begonnen, überhaupt erst vollenden, d. h. die bürgerliche Revolution in eine ›Universalrevolution‹ einmünden lassen, [. . .] die Prophezeihung, die Deutschen würden die Franzosen ebenso ›überflügeln in der Tat‹, wie sie es schon getan ›im Gedanken‹«, und dies mache denn auch die Grenzen Heines sichtbar. »Damit ist der deutsch-französische Balanceakt durch den Absturz auf den Boden der Tatsachen beendet [. . .]: so ist philosophische Vernunft überfliegend geworden – über die deutsche schon je, aber nun auch über die französische politische Wirklichkeit« (237). Nicht also, daß Käfer Heine abstandslos gegenüberstünde. Angesichts der vielfältigen philosophischen Erörterungen vergißt Käfer keineswegs, daß Heine nie Philosoph im schulmäßigen Sinne war, sondern immer nur dichtender, oft prosaischer Poet. Von Anfang an konstatiert Käfer, daß Heines Argumentation von einem fachphilosophischen Standpunkt aus sich »unter aller Kritik« bewege, um jedoch selbst darin noch die Kraft und Stärke dieses Autors zu verstehen. Dadurch nämlich entgehe er – im Gegensatz zu Marx – der »Umarmung des Systems« der Philosophie, dem philosophischen Idealismus insbesondere Hegels (12). Und so scheinbar bloß subjektiv, vermag Heine nach Käfer ein Stück gerade der Lebendigkeit des deutschen Idealismus zu erfassen und in gerade dessen Sinn zu realisieren, und somit über dessen erstarrenmachende Systematik hinauszugelangen. In seinen (subjektiven) Urteilen bleibt für Heine das Subjekt allzeit Gegenstand (Heines eigene berüchtigte Subjektivität, nicht ganz so oberflächlich nunmehr, wie so oft beschrieen), und was sollte objektiv thematischer sein als das Allerlebendigste, eben Subjektivität? Wenn die deutsche Philosophie von Kant über Fichte und Hegel und andere bis hin zu Marx angestrengt das Leben selbst auf den Begriff zu bringen suchte, sei es auf den der Freiheit, der Nation oder des Selbstbewußtseins, einschließlich der Weiterungen eines allgemeinen, d. h. historischen und systematischen Bewußtseins von den Lebensbedingungen des praktischen Alltags und somit auch des politischen Klassenbewußtseins – dann blieben deutsche Philosophie und der objektive Idealismus seitens Heine nicht unverstanden, indem er sie gerade als mißtrauische (d. h. kritische) Wachheit, Offenheit, Sich-nicht-einschüchtern-lassen begriff. Eine sehr viel größere Kontingenz, eine sehr viel unbändigere, bohrend zweiflerische Nachdenklichkeit, die kühlwache Folgerichtigkeit der schöpferischen Kraft des Zweifels in aller noch so gnadenlosen Ironie Heines nachgewiesen zu haben, ist Käfers Verdienst. Wollte man die Behandlung von Thema und Gegenstand auf einer noch wieder anderen Ebene, wie der des rhetorisch-darstellerischen Stils der vorliegenden Arbeit, beobachten, so würde man zuweilen auf ungewöhnliche Wendungen stoßen. So ist z. B. die Rede von Heines »Spitzenformulierungen« u. a. m. Doch diese Besprechung soll hier beendet sein.

Hartmut Rosshoff (Marburg/Lahn)

Georg Büchner-Literatur 1977-1980

Unter Mitarbeit von Andreas Altenhoff, Jan-Christoph Hauschild, Elmar Mellwig und Roland Tscherpel zusammengestellt von Thomas Michael Mayer

Das vorliegende, regelmäßig fortzusetzende Verzeichnis schließt an den Berichtszeitraum der jüngsten *Kommentierten Bibliographie zu Georg Büchner* von Gerhard P. Knapp (1977) an. Es kann nicht mehr sein als ein erster, provisorischer Versuch, die wissenschaftliche, künstlerische und publizistische Beschäftigung mit Leben und Werk Büchners jeweils auch aktuell möglichst vollständig zu dokumentieren; zunächst mußte dieser Versuch noch weitgehend ohne die Hilfe redaktioneller Einsendungen oder etwa systematischer Presseauswertung und teilweise auch ohne Kontrolle durch Autopsie (solche Titel mit * gekennzeichnet) unternommen werden. Im mer hin kann das Verzeichnis mit seinen Abteilungen (die sich am Modell der entsprechenden Bibliographie des *Heine-Jahrbuchs* orientieren) einen Rahmen vorzeichnen, der künftig noch engmaschiger zu füllen wäre:

Wir bitten die Autoren einschlägiger Beiträge vor allem an entlegeneren Orten um Hinweise bzw. um die Überlassung von Sonderdrucken oder Kopien. Was die Abschnitte 6.-8. und hier insbesondere Daten außerhalb der Bundesrepublik Deutschland betrifft, so wären wir auch den Mitgliedern der Büchner Gesellschaft und allen interessierten Lesern für Mitteilungen und die Einsendung entsprechender Belege wie Programmhefte usw. sehr dankbar, um auch diesen Bereich offenbar noch immer wachsender Wirkung Georg Büchners möglichst international und in seiner ganzen Breite erfassen zu können.

1. PRIMÄRLITERATUR

a) Werke, Briefe, Texte

Büchner, Georg: Sämtliche Werke und Briefe. Historisch-kritische Ausgabe mit Kommentar. Hrsg. von Werner R. Lehmann. Bd 1: Dichtungen und Übersetzungen. Mit Dokumentationen zur Stoffgeschichte. 3. Aufl. – München: Hanser 1979. 551 S. [Desgl. Darmstadt: Wiss. Buchges.]

Büchner, Georg: Werke und Briefe in einem Band. Nach der histor.-krit. Ausg. von Werner R. Lehmann. Hrsg. von Karl Pörnbacher, Gerhard Schaub, Hans-Joachim Simm und Edda Ziegler. Nachwort von Werner R. Lehmann. – [München, Gütersloh]: Lizenzausgabe des Hanser Verlags für Buchclub Ex Libris, Zürich, Europ. Bildungsgemeinschaft, Stuttgart, Bertelsmann [u. a.] o. J. [1979] (= Jubiläumsbibliothek der deutschen Literatur). 812 S.

Büchner, Georg: Werke und Briefe. Nach der histor.-krit. Ausg. von Werner R. Lehmann. Kommentiert von Karl Pörnbacher, Gerhard Schaub, Hans-Joachim Simm und Edda Ziegler. Nachwort von Werner R. Lehmann. – München, Wien: Hanser 1980 (= Hanser Bibliothek). 587 S. [In Text, Kommentar u. Nachwort überarbeitete, um Büchners Hugo-Übersetzungen gekürzte Fassung der vorgenannten Hanser-Lizenzausgabe der »Werke und Briefe in einem Band«] [Desgl. Darmstadt: Wiss. Buchges.]

Dass. auch München: dtv 1980 (= dtv weltliteratur 2065). 534 S. [Ohne Nachwort]

Büchner, Georg: Gesammelte Werke. Auf d. Grundl. d. hs. Überl. u. d. Textzeugen neu hrsg. sowie m. e. Nachw., e. Zeittafel, Anm. u. bibliogr. Hinw. vers. von Gerhard P. Knapp. – München: Goldmann 1978 (= Goldmann Klassiker 7510). 362 S.

Büchner, [Georg]: Werke in einem Band. Ausgew. u. eingel. von Henri Poschmann. 4., überarb. [u. neugesetzte] Aufl. – Berlin u. Weimar: Aufbau 1977 (= Bibliothek deutscher Klassiker). XXXVIII, 279 S.

[Dass. 5. Aufl. 1980]

Büchner, Georg: Sämtliche Werke. Hrsg. von Paul Stapf. Sonderausgabe. – Wiesbaden: Vollmer o. J. [1978] (= Die Tempel-Klassiker). 499 S. [1. Aufl. 1959]

Büchner, Georg: Werke und Briefe. Neue, durchges. Ausgabe. Hrsg. von Fritz Bergemann. 13. Aufl. [59.-62. Tsd. d. Gesamtausg.]. – Frankfurt a. M.: Insel 1979. Bd 1: Dichtungen, Übersetzungen, Der Hessische Landbote, Über Schädelnerven. S. 1-364. – Bd 2: Briefe, Miszellen, Anhang, Nachwort, Register. S. 365-682.

Büchner, Georg. Dargestellt von Herbert Schnierle. – Salzburg: Andreas & Andreas 1980 (= Die großen Klassiker. Literatur der Welt in Bildern, Texten, Daten, Bd 17). 304 S. mit zahlr., teils farb. Abb. [Texte nach den Stuttgarter Reclam-Ausgaben von ›Dantons Tod‹ (1978), ›Lenz‹ u. ›Landbote‹, hrsg. v. M. Greiner (1979), ›Woyzeck‹ u. ›Leonce und Lena‹, hrsg. v. O. C. A. zur Nedden (1979); mit »Chronik zu Leben, Werk und Wirkung«, S. 7-87 (zweispalt.), u. mehreren themat. Beiträgen (S. 90-120) von Herbert Schnierle]

Büchner, Georg: ›Woyzeck‹. Lese- und Bühnenfassung mit Materialien. Ausgew. u. eingel. von Thomas Kopfermann und Hartmut Stirner. – Stuttgart: Klett 1979 (= Editionen für den Literaturunterricht). 69 S. [Text nach der histor.-krit. Ausg. von W. R. Lehmann, Bd. 1, ²1974]

Büchner, Georg: Über Schädelnerven. Probevorlesung in Zürich 1836. – München: Heinz Moos 1980. 43 S. mit 8 Abb. nach Zeichnungen von Remo Guidi [Nachwort von Gernot Rath, S. 35-39]

Büchner, Georg: Briefe von ihm und Briefe an ihn. Erinnerungen an Büchner. – Berlin: Buchverlag Der Morgen 1978. 202 S. [Texte nach den Neuen, durchges. Ausg. der »Werke und Briefe«, hrsg. von Fritz Bergemann. – Leipzig: Insel, z. B. 7. Aufl. 1968]

[Büchner, Georg / Weidig, Friedrich Ludwig]: Der Hessische Landbote. Erste Botschaft. – In: Hartwig Brandt (Hrsg.): Restauration und Frühliberalismus 1814-1840. – Darmstadt: Wiss., Buchges. 1979 (= Quellen zum politischen Denken der Deutschen im 19. und 20. Jahrhundert. Freiherr vom Stein-Gedächtnisausgabe, Bd 3), S. 439-449

Büchner, Georg: Danton's Tod. Ein Drama. [Studienausg. nach der Hs. mit 9 S. Faksimiles, Quellenmarkierungen, Marginalien u. Vorbem.]. Hrsg. von Thomas Michael Mayer. – In: Georg Büchner: Dantons Tod. Die Trauerarbeit im Schönen. Ein Theaterlesebuch. – Frankfurt a. M.: Schauspiel Frankfurt 1980 [= Programmbuch zur Inszenierung von Johannes Schaaf; unter demselben Titel auch hrsg. von Peter von Becker, Frankfurt a. M.: Syndikat 1980], S. 7 bis 74

[Dass. auch als Sonderdruck für die Mitglieder der ›Georg Büchner Gesellschaft‹. – Marburg 1980]

Büchner, Georg: ›Dantons Tod‹. Ein Drama[. M]it Materialien. Ausgew. u. eingel. von Bernd Jürgen Warneken. – Stuttgart: Klett 1979 (= Editionen für den Literaturunterricht). 105 S. [Text nach der histor.-krit. Ausg. v. W. R. Lehmann, Bd. 1, 1972]

Büchner, Georg: ›Lenz‹ und Oberlins Aufzeichnungen in Gegenüberstellung. Mit Materialien. Ausgew. u. eingel. von Heinz-Dieter Weber. – Stuttgart: Klett 1980 (= Editionen für den Literaturunterricht). 103 S. [Text nach der histor.-krit. Ausg. von W. R. Lehmann, Bd 1, 1972]

Büchner, Georg: Lenz. Der Hessische Landbote. [Bearb. u. Nachw. von Elke und Uwe Lehmann]. – Husum/Nordsee: Hamburger Lesehefte Vlg. o. J. [1980] (= Hamburger Leseheft 161). 39 S.

b) Übersetzungen

Büchner, Georg: The Complete Collected Works. Translated and Edited by Henry J. Schmidt. – New York: Avon 1977. 417 S. [Mit Erläuterungen und Dokumenten sowie Essays von Roy C. Cowen u. Herbert Lindenberger]
    Rez.: David H. Miles, in: Germanistik 19 (1978), S. 826. – Roy C. Cowen, in: Monatshefte f. dt. Unterricht, dt. Sprache u. Lit. 91 (1979), S. 450-452
Büchner, Georg: La mort de Danton (scènes) [übers. von Paul Launay]. – In: Po&sie [Paris] 9 (1979), S. 63-67
Büchner, Georg: Danton's Death. An English Version by James Maxwell with an Introduction by Martin Esslin. – London: Eyre Methuen [rev. ed.] 1979 (= Theatre Classic). 83 S.
Büchner, Georg: Woyzeck. Translated by John Mackendrick. With an Introduction by Michael Patterson. – London: Eyre Methuen 1979 (= Theatre Classic). XXXII, 40 S.
[Büchner, Georg]: Woyzeck: A Reading and Acting Text. Translated by David G. Richards. – In: D. G. Richards: Georg Büchner and the Birth of the Modern Drama (1977), S. 217-236

2. SEKUNDÄRLITERATUR

a) Monographien und Aufsätze
(mit einigen Nachträgen 1975/76)

Adolph, Winnifred Rosenthal: Mythic and Moral Structures in the Works of Georg Büchner. – Phil. Diss. The University of North Carolina at Chapel Hill 1978, 252 S. [Vgl. Dissertation Abstracts International A 40 (1979), 282]
Anz, Heinrich: »Leiden sei all mein Gewinnst«. Zur Aufnahme und Kritik christlicher Leidenstheologie bei Georg Büchner. – In: Text & Kontext [Kopenhagen] 4 (1976), H. 3, S. 57-72
Arnold, Armin: Woyzeck In Andorra. Max Frisch und Georg Büchner. – In: Gerhard P. Knapp (Hrsg.): Max Frisch. Aspekte des Bühnenwerks. – Bern, Frankfurt a. M., Las Vegas: Peter Lang 1979 (= Studien zum Werk Max Frischs, Bd 2), S. 297-311
Arnold, Heinz Ludwig (Hrsg.): Georg Büchner I/II. – München: edition text+kritik 1979 (= Sonderband aus der Reihe text+kritik). 456 S.
    Rez.: Rolf Michaelis, in: Die Zeit, Nr. 29, 13. 7. 1979, S. 33 f. – Johannes Kleinstück, in: Die Welt, Nr. 174, 29. 7. 1979, Beil., S. VI. – Jürgen Jacobs, in: Kölner Stadt-Anzeiger, Nr. 187, 14. 8. 1979, S. 9. – Ulrike Gruner, in: Oberhessische Presse, Marburg, Nr. 185, 11. 8. 1979, Beil. – Joachim Fritz-Vannahme, in: Badische Zeitung, Freiburg, 29./30. 9. 1979, Beil., S. 4. – Volker Bohn, in: Hessischer Rundfunk, 2. Progr., 8. 10. 1979. – Walter Grab, in: Frankfurter Rundschau, Nr. 235, 9. 10. 1979, S. 10. – Peter von Haselberg, in: Norddeutscher Rundfunk, Hannover, 3. Progr., 13. 10. 1979. – Lutz Meunier, in: Rias Berlin, 2. Progr., 23. 1. 1980. – Wolfgang Häusler, in: Mitteilungen d. Instituts für Österreichische Geschichtsforschung 88 (1980), S. 249-251. – Jürgen Sieß, in: Romantisme 10 (1980), H. 28/29, S. 315-319 [franz.]. – Theo Meyer, in: Nassauische Annalen 91 (1980), S. 448-450. – Erich Zimmermann, in: Archiv f. hessische Geschichte u. Altertumskunde, N. F. 38 (1980), S. 590-595. – Mitsuaki Mori, in: Doitsu Bungaku, H. 65 (1980), S. 129-132 [japan.]
Becker, Peter von (Hrsg.): Georg Büchner: Dantons Tod. Die Trauerarbeit im Schönen. Ein Theaterlesebuch. – Frankfurt a. M.: Syndikat 1980. 176 S.
Becker, Peter von: Die Trauerarbeit im Schönen. »Dantons Tod« – Notizen zu einem neu gelesenen Stück. – In: ders. (Hrsg.): Georg Büchner: Dantons Tod. Die Trauerarbeit im Schönen, S. 75-90
Behrmann, Alfred / Wohllehen, Joachim: Büchner: Dantons Tod. Eine Dramenanalyse. – Stuttgart: Klett 1980 (= Literaturwissenschaft – Gesellschaftswissenschaft 47). 206 S.
Benda, Gisela: Angst vor dem kommenden Chaos. Heine und Büchner als Vorgänger Nietzsches. – In: Germanic Notes 8 (1977), S. 4-8
Benn, Maurice B.: Büchner and Heine. – In: Seminar 13 (1977), S. 215-226
    Rez.: Jeffrey L. Sammons, in: English Language Notes 16 (1978), S. 157
Berlincourt, Alain: Les sources de Georg Büchner et l'étrange portrait de Mercier dans la »Mort de Danton«. – In: Hermann Hofer (Hrsg.): Louis-Sébastien Mercier précurseur et sa fortune. Avec des documents inédits. Recueil d'études sur l'influence de Mercier. – München: Fink 1977, S. 247-250

321

Bernarth, Peter: Die Sentenz im Drama von Kleist, Büchner und Brecht. Wesensbestimmung und Funktionswandel. – Bonn: Bouvier 1976 (= Studien zur Germanistik, Anglistik und Komparatistik, Bd 47). X, 407 S. [Kap.: Wesen u. Funktion der Sentenz in Büchners Dramen, S. 65-132]

Boisson, Daniel: [Woyzeck]. – In: Tadeusz Kowzan (Hrsg.): Analyse sémiologique du spectacle théâtral. – Lyon: Univ. de Lyon II 1976, S. 45-53

Braun, Volker: Büchners Briefe. – In: Connaissance de la RDA [Paris], N° 7, Octobre 1978, S. 8-17

Dörrlamm, Brigitte: Georg Büchner: Ich schreibe im Fieber [mit »Leseprobe(n)«]. – In: Hans-Christian Kirsch (Hrsg.): Klassiker heute. Zwischen Klassik und Romantik. Erste Begegnung mit Jean Paul, Clemens Brentano, Achim von Arnim, Heinrich von Kleist, E. T. A. Hoffmann, Joseph von Eichendorff, Heinrich Heine, Georg Büchner. – Frankfurt a. M.: Fischer Taschenb. Vlg 1980 (= Fischer Taschenb. 3024), S. 300-347

Durzak, Manfred: Lessing und Büchner: Zur Kategorie des Politischen. – In: Edward P. Harris u. Richard E. Schade (Hrsg.): Lessing in heutiger Sicht. Beiträge zur Internationalen Lessing-Konferenz, Cincinnati, Ohio 1976. – Bremen: [Vertrieb Nendeln, Liechtenstein: Klaus-Thomson] 1977, S. 279-298

Fischer, Ludwig (Hrsg.): Zeitgenosse Büchner. – Stuttgart: Klett-Cotta 1979 (= Literaturwissenschaft – Gesellschaftswissenschaft 39). 152 S.

Fuchshuber, Elisabeth: Georg Büchner: Lenz. – In: Jakob Lehmann (Hrsg.): Novellen von Goethe bis Walser: Interpretationen für den Deutschunterricht. Bd 1: Von Goethe bis C. F. Meyer. – Königstein/Ts.: Scriptor 1980 (= Scriptor Taschenbücher S 155: Literatur und Sprache und Didaktik), S. 141-160

Gaede, Friedrich: Büchners Widerspruch – Zur Funktion des »type primitif«. – In: Jahrbuch für Internationale Germanistik 11 (1979), H. 2, S. 42-52

Galle, Roland: Natur der Freiheit und Freiheit der Natur als tragischer Widerspruch in ›Dantons Tod‹. – In: Der Deutschunterricht 31 (1979), H. 2, S. 107-121

Georg Büchner: Dantons Tod. Die Trauerarbeit im Schönen. ein Theaterlesebuch. Hrsg. vom Direktorium Schauspiel Frankfurt; Redaktion: Peter von Becker. – Frankfurt a. M.: Schauspiel Frankfurt 1980 [= Programmbuch zur Inszenierung von Johannes Schaaf]. 176 S. [Dass. auch hrsg. von Peter von Becker, Frankfurt a. M.: Syndikat 1980]

Gnüg, Hiltrud: Georg Büchner. – In: Walter Hinck (Hrsg.): Handbuch des deutschen Dramas. – Düsseldorf: Bagel 1980, S. 286-300, S. 560f.

González, Inés: »Woyzeck« de Georg Büchner. – In: Estudios Filológicos 10 (1974/75), S. 67-80

Grandin, John M.: Woyzeck and the Last Judgment. – In: German Life and Letters 31 (1977/78), S. 175-179

Grimm, Reinhold: Georg Büchner and the Modern Concept of Revolt. – In: Annali – Studi tedeschi, Napoli 21 (1978), H. 2, S. 7-66

Grimm, Reinhold: Cœur und Carreau. Über die Liebe bei Georg Büchner. – In: Heinz Ludwig Arnold (Hrsg.): Georg Büchner I/II, S. 299-326

Guthke, Karl S.: Evangelium des Sozialismus oder Evangelium der Liebe? Über Georg Büchners Gegenwärtigkeit. – In: Schweizer Monatshefte für Politik, Wirtschaft und Kultur 58 (1978), H. 1, S. 70-76

Haenel, Hans-Dieter: Kettenkarussell und Spiegelkabinett. Determinanz der Form im Drama Georg Büchners. – Frankfurt a. M., Bern, Las Vegas: Lang 1978 (= Europäische Hochschulschriften, Reihe I, Bd 231). [IV], 359 S. [Zugl. Phil. Diss. Freiburg i. Br. u. d. T.: Form- und Strukturveränderungen des deutschen Dramas als Reflex gesellschaftlicher Entwicklung; dargestellt am dramatischen Werk Georg Büchners]
Rez.: Wolfgang Martens, in: Germanistik 19 (1978), S. 1157

Hamamoto, Takashi: Zum Problem des Volkes in Georg Büchners Werken – im Zusammenhang mit einer Würdigung des Hessischen Landboten [japan. mit dt. Zusf.]. – In: Doitsu-bungaku-Ronkô (1977), H. 19, S. 49-69

Hass, Adriana: Georg Büchners Rezeption in Rumänien – eine Erschließung der Gegenwart. – In: Revue roumaine d'histoire de l'art. Série Théâtre, Musique, Cinéma 15 (1978), S. 109-119

Heald, David: A Note on Verbal Echoes in Büchner's ›Woyzeck‹. – In: German Life and Letters 31 (1977/78), S. 179-182

Henkelmann, Thomas: Der Arzt und Dichter Georg Büchner. – Med. Diss. Heidelberg 1976. [IV], 163 S. [masch.]

Hensel, Georg: Das Maul mit Silber stopfen. Ein Vorschlag, endlich den Übersetzer Georg Büchner zu bemerken [zu Büchners Hugo-Übersetzungen]. – In: Frankfurter Allgemeine Zeitung, Nr. 42, 19. Februar 1977 (Beilage)

Hinck, Walter: Georg Büchner. – In: Benno von Wiese (Hrsg.): Deutsche Dichter des 19. Jahrhunderts. Ihr Leben und Werk. 2. überarb. u. verm. Aufl. – Berlin: Schmidt 1979, S. 255-278 [1. Aufl. 1969]

Hinderer, Walter: Büchner-Kommentar zum dichterischen Werk. – München: Winkler 1977. 283 S.
Rez.: Ernst Johann, in: Frankfurter Allgemeine Zeitung, 30. 9. 1977, S. 26. – Richard Thieberger, in: Germanistik 19 (1978), S. 160f. – Thomas Michael Mayer, in: Heinz Ludwig Arnold (Hrsg.): Georg Büchner I/II, S. 329-334. – Louis F. Helbig, in: German Quarterly 54 (1980), S. 393-395

Hinderer, Walter: »Wir stehen immer auf dem Theater, wenn wir auch zuletzt im Ernst erstochen werden«. Die Komödie der Revolution in Büchners »Dantons Tod«. – In: Wolfgang Rothe (Hrsg.): Schnittlinien für HAP Grieshaber. – Düsseldorf: Claassen 1979, S. 250-256

Hoelzel, Alfred: Betrayed Rebels in German Literature: Büchner, Toller, and Koestler. – In: Orbis litterarum 34 (1979), S. 238-258

Hummelsberger, Hanno Werner: »Der gute Mensch« as Tragic Character from Georg Büchner to Bertolt Brecht. – Phil. Diss. University of Toronto, Canada 1979. [Vgl. Dissertation Abstracts International A 40 (1980), 4615] (*)

Iwashita, Masayoshi: Das Problem um Gott bei Büchner – Aus dem Gesichtspunkt des Puppenmotivs [japan. mit dt. Zusf.]. – In: Doitsu Bungaku, H. 61 (1978), S. 62-71

Jacquet, Alain: [Woyzeck]. – In: Tadeusz Kowzan (Hrsg.): Analyse sémiologique du spectacle théatral. – Lyon: Univ. de Lyon II 1976, S. 54-58

Jäckel, Günter: Am Tage mit dem Skalpell und die Nacht mit den Büchern. Zum 140. Todestag Georg Büchners. – In: Germanica Wratislawiensia 36 (1980), S. 57-71

Jancke, Gerhard: Georg Büchner. Genese und Aktualität seines Werkes. Einführung in das Gesamtwerk. 3. Aufl., durchges. u. um e. bibliogr. Nachtr. erw. – Königstein/Ts.: Athenäum 1979. 308 S.

Jansen, Josef: Georg Büchner: Dantons Tod. Das Zeitalter der Restauration und die Literatur des »Jungen Deutschland«. – Düsseldorf: Bagel 1978 (= Kurs: Deutsch. Literatur, Sprache und Kommunikation. Unterrichtsmaterialien für die Sekundarstufe II). 112 S.

Kern, Rudolf: Drei Fallstudien zu Georg Büchner. – In: Germanistische Mitteilungen, Brüssel (1977), H. 5, S. 79-91

Kim, Whang-Chin: Die Existenzproblematik im Werk Georg Büchners – mit besonderer Berücksichtigung von Dantons Tod. – Phil. Diss. University of Utah, Salt Lake City 1977. XI, 178 S. [Vgl. Dissertation Abstracts International A 38 (1978) 6150]

Kim, Whang Chin: Das Leid im Werk Georg Büchners Die symbolischen und die musikalischen Formen. In: The Journal of Comparative Literature and Culture (Hrsg.: The Korean Comparative Literature Association, Seoul), No. 2 (1978), S. 127-148

Kim, Whang-Chin: Die Natur im Werk Georg Büchners [korean. m. dt. Zusf.]. – In: Nonmunjip. Humanities Research Institute, Chungnam National University, Daeduk, Korea, VII (1980), No. 1, S. 85-115

Kim, Whang-Chin: Kritische Betrachtungen zur Büchner-Forschung – besonders in bezug auf Dantons Tod. – In: Koreanische Zeitschrift für Germanistik (1980), H. 24, S. 70-94

Klotz, Volker: Büchners gebrochene Wirkungen. – In: ders.: Dramaturgie des Publikums. Wie Bühne und Publikum aufeinander eingehen, insbesondere bei Raimund, Büchner, Wedekind, Horváth, Gatti und im politischen Agitationstheater. – München: Hanser 1976 (= Literatur als Kunst), S. 89-137 [enthält: Publikum und Publikation – ihre Fragwürdigkeit bei Büchner, S. 89ff.; Agitationsgang und Wirkprozedur im Hessischen Landboten, S. 93ff.; Flugblatt und Bühnenstück, S. 111ff.; Überforderung des Publikums durch Dantons Tod, S. 118ff.]
Rez.: Ulf Birnbaumer, in: Maske und Kothurn 22 (1976), S. 354-356. – Marianne Streisand, in: Referatedienst zur Literaturwissenschaft 12 (1980), H. 1, S. 59f.

Knapp, Gerhard P.: Georg Büchner. – Stuttgart: Metzler 1977 (= Sammlung Metzler, Realien zur Literatur, Abt. D, Bd 159). VIII, 113 S.
Rez.: Richard Thieberger, in: Germanistik 19 (1978), S. 161. – Thomas Michael Mayer, in: Heinz Ludwig Arnold (Hrsg.): Georg Büchner I/II, S. 334-338. – David G. Richards, in: The German Quarterly 53 (1980), S. 124f.

Knapp, Gerhard P.: Kommentierte Bibliographie zu Georg Büchner. – In: Heinz Ludwig Arnold (Hrsg.): Georg Büchner I/II, S. 426-455

Koopmann, Helmut: Dantons Tod und die antike Welt. Zur Geschichtsphilosophie Georg Büchners. – In: Elfriede Neubuhr (Hrsg.): Geschichtsdrama. – Darmstadt: Wiss. Buchges.

1980 (= Wege der Forschung, Bd 485), S. 233-255 [Zuerst in: Zeitschrift für deutsche Philologie 84 (1965), Sonderh., S. 22-41]

Kuribayashi, Sumio: Georg Büchners Lustspiel *Leonce und Lena* [japan. mit dt. Zusf.]. – In: Forschungsberichte zur Germanistik (Hrsg.: Japanischer Verein für Germanistik im Bezirk Osaka-Kobe) 20 (1978), S. 39-56

Lehmann, Hans-Thies: Dramatische Form und Revolution in Georg Büchners ›Dantons Tod‹ und Heiner Müllers ›Der Auftrag‹. – In: Peter von Becker (Hrsg.): Georg Büchner: Dantons Tod. Die Trauerarbeit im Schönen, S. 106-121

Lehmann, Werner R.: Mythologische Vexierspiele. Zu einer Kompositionstechnik bei Büchner, Döblin, Camus und Frisch. – In: Ulrich Fülleborn u. Johannes Krogoll (Hrsg.): Studien zur deutschen Literatur. Festschrift für Adolf Beck zum siebzigsten Geburtstag. – Heidelberg: Winter 1979 (= Probleme der Dichtung, Bd 16), S. 174-224

Linck, Hans: Regte ein Bibliothekar Georg Büchner zu einem Schauspiel an? [Über Ph. Chasles' »L'Aretin...« und ›Pietro Aretino‹]. – In: Schloßgeflüster. Unabhängige Zeitung für die Mitarbeiter der Hess. Landes- und Hochschulbibliothek Darmstadt, No. 9 (Juli 1980), S. 9-11

Lukens, Nancy: Büchner's Valerio and the Theatrical Fool Tradition. – Stuttgart: Heinz 1977 (= Stuttgarter Arbeiten zur Germanistik 37). III, 221 S. [Zugl. Phil. Diss. Chicago]

Mann, Grant Thomas: Jakob Michael Reinhold Lenz and Georg Büchner. A Comparative Study. – Phil. Diss. The University of Michigan 1979. 283 S. [Vgl. Dissertation Abstracts International A 40 (1979) 2706]

Martens, Wolfgang: Büchner: Leonce und Lena. – In: Walter Hinck (Hrsg.): Die deutsche Komödie. Vom Mittelalter bis zur Gegenwart. – Düsseldorf: Bagel 1977, S. 145-159, 382f.

Mayer, Hans: Georg Büchner in unserer Zeit. – In: H. M.: Nach Jahr und Tag. Reden 1945 bis 1977. – Frankfurt a. M.: Suhrkamp 1978, S. 199-224 [Zuerst als Jahresgabe für die ›Gesellschaft der Freunde des Theaters in Kiel e. V‹, Kiel 1974]

Mayer, Thomas Michael: Umschlagporträt. Statt eines Vorworts. – In: Heinz Ludwig Arnold (Hrsg.): Georg Büchner I/II, S. 5-15

Dass. gekürzt u. überarb. auch u. d. T.: Georg Büchner – Dandy, Neojakobiner oder Frühkommunist? Bemerkungen zu seinem Porträt und zur Legitimität des ›Beerbens‹. – In: Berliner Hefte. Zeitschrift für Kultur und Politik (1979), H. 10, S. 86-96 [Vgl. Berichtigung, ebd., (1979), H. 11, S. 128]

Mayer, Thomas Michael: Büchner und Weidig – Frühkommunismus und revolutionäre Demokratie. Zur Textverteilung des »Hessischen Landboten«. – In: Heinz Ludwig Arnold (Hrsg.): Georg Büchner I/II, S. 16-298

Mayer, Thomas Michael: Zu einigen neueren Tendenzen der Büchner-Forschung. Ein kritischer Literaturbericht (Teil I). – In: Heinz Ludwig Arnold (Hrsg.): Georg Büchner I/II, S. 327-356

Mayer, Thomas Michael: Georg Büchner. Eine kurze Chronik zu Leben und Werk. – In: Heinz Ludwig Arnold (Hrsg.): Georg Büchner I/II, S. 357-425
[Die letzten vier Titel zugl. Phil. Diss. FU Berlin 1978 u. d. T.: Georg Büchner. Studien und neue Quellen zu Leben und Werk]

Mayer, Thomas Michael: Georg Büchner und »Der Hessische Landbote«. Volksbewegung und revolutionärer Demokratismus in Hessen 1830-1835. Ein Arbeitsbericht. – In: Otto Büsch und Walter Grab (Hrsg.): Die demokratische Bewegung in Mitteleuropa im ausgehenden 18. und frühen 19. Jahrhundert. Ein Tagungsbericht. – Berlin: Colloquium 1980, S. 360-390 [mit Falttafel und Debatte S. 428ff.]

McColgan, M[ichael A.]: The true dialectic of *Dantons Tod*. – In: New German Studies 6 (1978), S. 151-174

McKenzie, John R. P.: Cotta's Comedy Competition (1836). – In: Maske und Kothurn 26 (1980), S. 59-73

Meier, Albert: Georg Büchner: »Woyzeck«. – München: Fink 1980 (= Text und Geschichte. Modellanalysen zur deutschen Literatur, Bd 1; UTB 975). 127 S.

Michelsen, Peter: Die Präsenz des Endes. Georg Büchners *Dantons Tod*. – In: Deutsche Vierteljahrsschrift für Literaturwiss. u. Geistesgesch. 52 (1978), S. 476-495

Michelsen, Peter: Büchner-Miszelle [zu Thieberger: Büchner-Miszelle]. – In: Deutsche Vierteljahrsschrift für Literaturwiss. u. Geistesgesch. 52 (1978), S. 691

Milner-Gulland, Robin: Heroes of their Time? Form and Idea in Büchner's *Danton's Death* and Lermontov's *Hero of our Time*. – In: Alan Ryan (Hrsg.): The Idea of Freedom. Essays in Honour of Isaiah Berlin. – Oxford: Univ. Press 1979, S. 115-137

324

Mori, Mitsuaki: Der Barbier und die Bogenanordnung der WOYZECK-Handschriften. – In: Memoirs of the Faculty of General Education. Kumamoto University. Series of the Humanities No. 10 (1975), S. 157-171

Mori, Mitsuaki: Vergleich der Textentzifferung in den jüngsten »Woyzeck«-Ausgaben. – In: Memoirs of the Faculty of General Education. Kumamoto University. Series of the Humanities No. 11 (1976), S. 115-137

Mori, Mitsuaki: Die philologischen Probleme des »Woyzeck«. [japan. mit dt. Zusf.]. – In: Doitsu Bungaku, H. 56 (1976), S. 49-60

Mori, Mitsuaki: Das Bürger-Zitat im »Hessischen Landboten« [japan. mit dt. Zusf.]. – In: Memoirs of the Faculty of General Education. Kumamoto University. Series of Foreign Languages and Literatures No. 15 (1980), S. 39-51

Nagel, Ivan: Verheißungen des Terrors. Vom Ursprung der Rede des Saint-Just in »Dantons Tod«. – In: Frankfurter Allgemeine Zeitung, Nr. 296, 20. Dezember 1980 (Beilage)

Oehler, Dolf: Liberté, Liberté Chérie. Männerphantasien über die Freiheit. Zur Problematik der erotischen Freiheits-Allegorie. – In: Peter von Becker (Hrsg.): Georg Büchner: Dantons Tod. Die Traucrarbeit im Schonen, S. 91-105

Otten, Terry: Woyzeck and Othello: The Dimensions of Melodrama. – In: Comparative Drama 12 (1978), S. 123-136

Pascal, Roy: Büchner's Lenz – Style and Message. – In: Oxford German Studies 9 (1978), S. 68-83

Patterson, Michael: Contradictions concerning Time in Büchner's Woyzeck. – In: German Life and Letters 32 (1978/79), S. 115-121

Penzoldt, Günther: Georg Büchner. – München: dtV 1977 (= Friedrichs Dramatiker des Welttheaters 9). 96 S. [Zuerst Velber bei Hannover: Friedrich 1965]

Poppe, Reiner: Georg Büchner: Dantons Tod, Lenz, Woyzeck. Darstellungen und Interpretationen. 2. verb. Aufl. – Hollfeld/Ofr.: Beyer 1979 (= Analysen und Reflexionen, Bd. 18). 120 S. [1. Aufl. 1976]

Poschmann, Henri: Bürgerliche Freiheitsideologie und soziale Determination. Zur materalistischen Fundierung der Dramaturgie Büchners. – In: Streitpunkt Vormärz. Beiträge zur Kritik bürgerlicher und revisionistischer Erbauffassungen von Helmut Bock, Werner Feudel [u. a.]. – Berlin: Akademie-Vlg 1977 (= Literatur und Gesellschaft), S. 219-244, 510-513 Bez · Hans Georg Werner, in: Deutsche Literaturzeitung 99 (1978), Sp. 608-611

Poschmann, Henri: Gondolatok Büchner Leonce és Léna c. drámájáról [ungar. Hrsg. von Judit Györi]. – In: Helikon. Világirodulmi Figyeló, Budapest, 25 (1979), S. 383-417

Poschmann, Henri: Büchner und Schiller heute. – In: Zentraler Arbeitskreis Friedrich Schiller im Kulturbund der DDR (Hrsg.): Schiller und die Folgen. Wissenschaftliche Tagung am 9. November 1976 in Weimar. – [Weimar 1979], S. 49-53

Poschmann, Henri: Heine und Büchner. Zwei Strategien revolutionär-demokratischer Literatur um 1835. – In: Heinrich Heine und die Zeitgenossen. Geschichtliche und literarische Befunde. [Hrsg. von der] Akademie der Wissenschaften der DDR [und dem] Centre National de la Recherche scientifique. Centre d'Histoire et d'Analyse des Manuscrits Modernes. – Berlin u. Weimar: Aufbau 1979, S. 203-228, 320-322

Poschmann, Henri: Heine, Büchner und Camille Desmoulins. Zur Entwicklung des Schriftsteller-Selbstverständnisses um 1835. [Vortrag Warschau 1978]. – In: Romantycy i rewolucja. Studia pod redakcją Aliny Kowalcykowej. – Wroclaw, Warszawa, Kraków, Gdańsk 1980, S. 81-109

Poschmann, Henri: [Sammelbesprechung zu: D. Goltschnigg: Rezeptions- u. Winkungsgeschichte GBs, 1975; G. Jancke: GB. Genese und Aktualität seines Werkes, 1975; G. P. Knapp: GB. Eine kritische Einführung in die Forschung, 1975; D. Goltschnigg (Hrsg.): Materialien zur Rezeptions- u. Wirkungsgeschichte GBs, 1975; J. Sieß: Zitat und Kontext bei GB, 1975]. – In: Referatedienst zur Literaturwissenschaft. Literaturwissenschaftliche Information und Dokumentation 9 (1977), H. 1, S. 67-76

Proß, Wolfgang: Naturgeschichtliches Gesetz und gesellschaftliche Anomie: Georg Büchner, Johann Lucas Schönlein und Auguste Comte. – In: Alberto Martino (Hrsg.): Literatur in der sozialen Bewegung. Aufsätze und Forschungsberichte zum 19. Jahrhundert. – Tübingen: Niemeyer 1977, S. 228-259

Proß, Wolfgang: Die Kategorie der »Natur« im Werk Georg Büchners. – In: Aurora. Jahrbuch der Eichendorff Gesellschaft 40 (1980), S. 172-188

Rasch, Wolfdietrich: Wie der arme Wozzeck auf die Bühne kam. Die Büchner-Uraufführung 1913 in München – und was Hofmannsthal dazu beitrug. – In: Süddeutsche Zeitung, Nr. 142, 24./25. Juni 1978, S. 127

Ratschewa, Bisserta: Konzepzijata sa Tschoweka w dramarturgijata na Büchner [Das Menschenbild in der Dramaturgie Büchners – »Dantons Tod« und »Woyzeck«]. – In: Literaturna Misal [Sofia], 24. Jg. (1980), H. 8, S. 83-95

Reddick, John: Mosaic and Flux: Georg Büchner and the Marion Episode in *Dantons Tod.* – In: Oxford German Studies 11 (1980), S. 40-67

Reeve, William C.: Georg Büchner. – New York: Ungar 1979 (= World Dramatists). 186 S. [Mit Abb.]
   Rez.: Gerd Alfred Petermann, in: German Quarterly 53 (1980), S. 488 f.

Regina, Mario: Struttura e Significato del Woyzeck di Georg Büchner. – Bari 1976 (*)

Richards, David G.: Georg Büchner and the Birth of the Modern Drama. – Albany: State Univ. of New York Press 1977. XII, 289 S.
   Rez.: Krista Frischkorn, in: Germanistik 19 (1978) S. 827. – Margaret Jacobs, in: Modern Language Review 73 (1978), S. 702-704 [engl.]. – Gerhard P. Knapp, in: German Quarterly 51 (1978), S. 227f. [engl.]. – Herbert Lindenberger, in: Modern Language Quarterly 39 (1978), S. 78f. [engl.]. – Susan E. Cernyak, in: Monatshefte für deutschen Unterricht, deutsche Sprache u. Literatur 71 (1979), S. 342f. [engl.]. – Gerhard P. Knapp, in: German Studies Review [Tempe, Az.], Vol. 1 (1978), S. 104f. [engl.]. – Louis F. Helbig, in: Journal of English and Germanic Philology 78 (1979), S. 401 [engl.]

Rizzo, Roberto: Strutture, linguaggio e caratterisazzioni tipologiche nel teatro di Lenz e Büchner. Proposte per un'analisi comparativa. – Bologna: Forno 1976. 63 S. (*)

Rosenthal, Erwin Theodor: Strukturfunktionen von Dialekt und Liedeinlagen bei Georg Büchner. – In: Reingard Nethersole (Hrsg.): Literatur als Dialog. Festschrift zum 50. Geburtstag von Karl Tober. – Johannesburg: Ravan Press 1979, S. 295-305

Rugen, Barbara: »Woyzek« [sic] ve-hatzagat »Bnei ha-Ik« shel Peter Brook [hebräisch]. – In: Bama. Educational theatre review, Jerusalem, Nr. 71 (1976), S. 62-81

Saito, Matsusaburo: Weltanschauung oder Denkweise Georg Büchners [japan. mit dt. Zusf.]. – In: Doitsu Bungaku, Nr. 58 (1977), S. 58-68

Salıhoglu, Hüseyın: Georg Büchner'de Toplumsal Özgürlük ve *Woyzeck* de Insancillik [Soziale Freiheit bei Büchner und Humanität im Woyzeck]. – In: Bati Edebiyatlari Arastirma Dergisi, Ankara, 1 (1979), S. 105-117 (*)

Salzmann, Wolfgang: Stundenblätter »Woyzeck«. Eine literatursoziologische Analyse. – Stuttgart: Klett 1978 [3. Aufl. 1979] (= Stundenblätter für das Fach Deutsch). 38 S. und 15 S. Beilagen

Schaub, Gerhard: Statistik und Agitation. Eine neue Quelle zu Büchners *Hessischem Landboten.* – In: Herbert Anton, Bernhard Gajek u. Peter Pfaff (Hrsg.): Geist und Zeichen. Festschrift für Arthur Henkel zu seinem sechzigsten Geburtstag. – Heidelberg: Winter 1977, S. 351-375

Schaub, Gerhard: Die schriftstellerischen Anfänge Georg Büchners unter dem Einfluß der Schulrhetorik. – Habilitationsschr. Univ. Trier 1980 [masch.]. Teil I: Abhandlung, 564 S.; Teil II: Anmerkungen, Anhang, Literaturverzeichnis, 247 S. (*)

Schings, Hans-Jürgen: Der mitleidigste Mensch ist der beste Mensch. Poetik des Mitleids von Lessing bis Büchner. – München: Beck 1980. 116 S.

Schulz, Wilhelm: [Rez. der] Nachgelassene[n] Schriften von G. Büchner (Frankfurt a. M., J. D. Sauerländer 1850). – In: Peter von Becker (Hrsg.): Georg Büchner: Dantons Tod. Die Trauerarbeit im Schönen, S. 151-165 [gekürzt]

Schwarz, Alfred: From Büchner to Beckett. Dramatic Theory and the Modes of Tragic Drama. – Athens: Ohio Univ. Press 1978. 360 S.

Sengle, Friedrich: Georg Büchner (1813-1837). – In: F. S.: Biedermeierzeit. Deutsche Literatur im Spannungsfeld zwischen Restauration und Revolution. Bd 3: Die Dichter. – Stuttgart: Metzler 1980, S. 265-331, 1093-1097

Sevin, Dieter: Die existentielle Krise in Büchners *Lenz.* – In: Seminar 15 (1979), S. 327-356

Shitahodo, Ibuki: Zum Problem von Hans Mayers gesellschaftskritischer Interpretation – dargestellt am Beispiel seiner Büchner-Deutung. – In: Kwansei Gakuin University Annual Studies, Nishinomiya/Japan, 27 (1978), S. 35-40

Shitahodo, Ibuki: Büchners und Peter Schneiders *Lenz.* Ein vergleichender Versuch in Sicht der heutigen Büchner-Rezeption. – In: Doitsubungaku-Ronkô (Forschungsberichte zur Germanistik. Hrsg. vom Japanischen Verein für Germanistik im Bezirk Osaka-Kobe) (1980), H. 21, S. 59-75

Song, Yun-Yeop: Büchners Ästhetik des Häßlichen. – In: Koreanische Zeitschrift für Germanistik (1978), H. 21, S. 262-281

Solomon, Janis L.: Büchner's *Dantons Tod*: History as Theatre. – In: The Germanic Review 54 (1979), H. 1, S. 9-19

Squadrani, Enrico Luigi: Georg Buechner: Politica e commedia. – In: Cristallo. Rassegna di Varia Umanitá, Bolzano, 20 (1978), S. 55-66

Streitfeld, Erwin: Mehr Licht. Bemerkungen zu Georg Büchners Frührezeption. – In: Jahrbuch des Wiener Goethe-Vereins, N. F. 80 (1976), S. 89-104

Thieberger, Richard: Büchner-Miszelle. Was den Menschen vom Tier unterscheidet. – In: Deutsche Vierteljahrsschrift für Literaturwiss. u. Geistesgesch. 52 (1978), S. 521

Thorn-Prikker, Jan: Revolutionär ohne Revolution. Interpretationen der Werke Georg Büchners. – Stuttgart: Klett-Cotta 1978 (= Literaturwissenschaft – Gesellschaftswissenschaft 33). 138 S.
Rez.: Reinhold Grimm, in: Germanistik 20 (1979), S. 192f.

Trump, Elisabeth Ziegler: The Elitist Revolutionary: Georg Büchner in his letters. – Phil. Diss. Columbia University 1979. 237 S. [vgl. Dissertation Abstracts International 40 A (1980), No. 11, 5884] (*)

Turk, Horst: Das politische Drama des *Danton*. Geschichte einer Rezeption. – In: ders.: Wirkungsästhetik. Theorie und Interpretation der literarischen Wirkung. – München: edition text + kritik 1976, S. 107-137 [Zuerst in: Gunter Grimm (Hrsg.): Literatur und Leser. Theorien und Modelle zur Rezeption literarischer Werke. – Stuttgart: Reclam 1975, S. 208-222, 405-410]

Ullman, Bo: Produktive Rezeption ohne Mißverständnis. Zur Büchner-Deutung Alban Bergs im ›Wozzeck‹. – In: Ludwig Fischer (Hrsg.): Zeitgenosse Büchner, S. 9-39 [mit Notenbeisp.]

Vietta, Silvio: Selbsterfahrung bei Büchner und Descartes. – In: Deutsche Vierteljahrsschrift für Literaturwiss. u. Geistesgesch. 53 (1979), S. 417-428

Wetzel, Heinz: Revolution and the Intellectual: Büchner's Danton and Koestler's Rubashov. – In: Mosaic 10 (1977), S. 23-33

Wetzel, Heinz: Bildungsprivileg und Vereinsamung in Büchners *Lenz* und Dostojewskis *Dämonen*. – In: Arcadia 13 (1978), S. 268-285

Wetzel, Heinz: Die Entwicklung Woyzecks in Büchners Entwürfen. – In: Euphorion 74 (1980), S. 375-396

Wiese, Benno von: Der »arme« Woyzeck. Ein Beitrag zur Umwertung des Heldenideals im 19. Jahrhundert. – In: ders.: Perspektiven I. Studien zur deutschen Literatur und Literaturwissenschaft. – Berlin: Schmidt 1978, S. 128-145. [Zuerst in: Manfred Durzak (Hrsg.): Texte und Kontexte. Studien zur deutschen und vergleichenden Literaturwissenschaft. Festschrift für Norbert Fuerst. – Bern, München: Francke 1973, S. 309-326]

Wittkowski, Wolfgang: Georg Büchner. Persönlichkeit. Weltbild. Werk. – Heidelberg: Winter 1978 (= Reihe Siegen. Beiträge zur Sprach- und Literaturwissenschaft, Bd 10). 378 S.
Rez.: Margarete Arndt, in: Aurora. Jahrbuch der Eichendorff-Gesellschaft 39 (1979) S. 228 bis 230. – Herbert Anton, in: Germanistik 21 (1980), S. 350

Wittkowski, Wolfgang: Europäische Literaturrevolution ohne Büchner? Büchners Christlichkeit im Licht der Rezeptionsforschung. – In: Literaturwissenschaftliches Jahrbuch, N. F. 19 (1978), S. 257-275

Yitzhaki, Yedidya: Wozzeck ve-Othello ke-Gibborim Tragi'im [hebräisch]. – In: Bama. Educational theatre review, Jerusalem, Nr. 75/76 (1978), S. 17-30; Nr. 77/78 (1978), S. 42-54 (*)

Zagari, Luciano: Il »Wozzeck« di Berg nella storia del »Woyzeck« di Büchner. – In: Nuova Corrente, Milano, 79/80 (1979), S. 382-412

Zimmermann, Erich: Ein Mann, auf den Büchner hörte. Prof. Joseph Hillebrand, als Gießener Lehrer des Dramatikers wiederentdeckt. – In: Darmstädter Echo, 8. Februar 1980

Zimmermann, Erich: Scheitern eines stolzen Projektes. Ein Darmstädter Musenalmanach für 1833. – In: Darmstädter Echo, 12. April 1980

Zimmermann, Erich: Zwei neue Büchner-Dokumente [Brief Adolph Stöbers an Büchner, 23. Sept. 1832; Bescheinigung von Prof. Joseph Hillebrand, 6. Sept. 1834]. – In: Archiv für hessische Geschichte und Altertumskunde, N. F. 38 (1980), S. 381-384

b) Weitere publizistische Beiträge

Brasch, Thomas: Es ist alles still. Literatur heute: Rückzug in die Schädelnerven oder Aufbruch in die Werkhallen. Zum 165. Geburtstag von Georg Büchner. – In: Die Zeit, Nr. 42, 13. Oktober 1978, S. 50 [Mit Abb.: Horst Janssen: »Nein laß mich, so zu deinen Füßen / Georg Büchner«, 1968]

Grimm, Reinhold: Woyzecks Hundele. Über die Liebe bei Büchner nebst einer neuen Lesart. – In: Frankfurter Allgemeine Zeitung, Nr. 179, 8. 8. 1979, (Beilage), S. 2

Hensel, Georg: Polizeidiener waren seine Musen. Geschichten von Gedenkstätten und Gedenksteinen: Georg Büchner in Goddelau, Darmstadt und Zürich. – In: Frankfurter Allgemeine Zeitung, Nr. 280, 16. Dezember (Beilage)

Hochhuth, Rolf: Von Büchner zu Kolakowski. Fritz J. Raddatz schrieb elf Studien über »Revolte und Melancholie«. – In: Basler Zeitung, 5. Juli 1980 (Beilage: Basler Magazin, S. 6f.)

Langhoff, Matthias: Zu Büchners »Woyzeck« – Sehnsucht nach einem Theater des Asozialen. – In: [Programmheft zur Inszenierung ›Marie. Woyzeck‹ am Schauspielhaus Bochum, 1980, Programmbuch Nr. 19], S. 35-51
[Dass. auch in: Theater heute (22) 1981, H. 1, S. 24-39]

Neidlein, Isolde: Ein kleines Albumblatt für Luise. Erinnerung an Georg Büchners emanzipationsbewußte Schwester. – In: Stuttgarter Zeitung, Nr. 273, 26. November 1977, S. 53

Rank, Hugh: [Über Büchner und ›Woyzeck‹, engl.]. – In: The Guardian, 10. August 1979, S. 8

Schneider, Peter: Georg Büchner. Lenz. – In: Fritz J. Raddatz (Hrsg.): Die ZEIT-Bibliothek der 100 Bücher. – Frankfurt a. M.: Suhrkamp 1980 (= suhrkamp taschenbuch 645), S. 193-198
[Zuerst in: Die Zeit, Nr. 29, 13. Juli 1979, S. 34]

Schwedt, Ernst-Henning: Marginalien zu »Woyzeck«. – Hamburg: Thalia Theater 1980 [= Beilage zum Programmheft der Woyzeck-Inszenierung von Michael Gruner am Thalia Theater Hamburg; auch separat im Buchhandel]. 15 S.

3. ALLGEMEINERE LITERATUR MIT BÜCHNER-ERWÄHNUNGEN ODER -BEZÜGEN

Berglar, Peter: Der neue Hamlet. Ludwig Büchner in seiner Zeit. – Darmstadt: Gesellsch. Hess. Literaturfreunde 1978. 30 S.

Björn, Gösta: Deutsche Literatur in den Deutschbüchern des schwedischen Gymnasiums 1905-1970. – Stockholm: Almqvist & Wiksell o. J. [1979] (= Acta Universitatis Stockholmiensis. Stockholmer Germanistische Forschungen 26). 343 S. [Büchner: S. 60, 64, 104, 239, 241, 263]

Böschenstein, Bernhard: Umrisse zu drei Kapiteln einer Wirkungsgeschichte Jean Pauls: Büchner – George – Celan. – In: B. B.: Leuchttürme. Von Hölderlin zu Celan. Wirkung und Vergleich. Studien. – Frankfurt a. M.: Insel 1977, S. 147-177 [zu Büchner: S. 147-159] [zuerst in: Jahrbuch der Jean-Paul-Gesellschaft 10 (1975), S. 187-204 (auf S. 187-190 Zusammenfassung des Referats in: Akten des V. Internationalen Germanisten-Kongresses), und in: Leonard Forster, Hans-Gert Roloff (Hrsg.): Akten des V. Internationalen Germanisten-Kongresses Cambridge 1975 (= Jahrbuch für Internationale Germanistik. Reihe A: Kongreßberichte. Bd. 2). – Bern: Herbert Lang, Frankfurt a. M.: Peter Lang 1976, S. 57-73]

Boetcher Joeres, Ruth-Ellen: »Ein Dichter«: An Introduction to the World of Luise Büchner. – In: The German Quarterly 52 (1979), S. 32-49

Braun, Harald: Das turnerische und politische Wirken von Alexander Friedrich Ludwig Weidig 1791-1837. – Ahrensburg: Czwalina 1977. 211 S. [Zugl. Sportwiss. Diss. Köln 1976 u. d. T.: Revolutionäre Bestrebungen im Großherzogtum Hessen – dargestellt am politischen und turnerischen Wirken Alexander Friedrich Ludwig Weidigs]

Deutsche Literatur. Eine Sozialgeschichte. Hrsg. von Horst Albert Glaser. Bd 6: Vormärz: Biedermeier, Junges Deutschland, Demokraten 1815-1848. Hrsg. von Bernd Witte. – Reinbek b. Hamburg: Rowohlt Taschenbuch Vlg 1980 (= rororo 6255). 380 S. [S. 310-321: Walter Hinderer: Porträt Büchners]

Deutsche Literaturgeschichte. Von den Anfängen bis zur Gegenwart. Von Wolfgang Beutin, Klaus Ehlert [u. a.]. – Stuttgart: Metzler 1979 [über Büchner bes. S. 180ff. im Kapitel »Vormärz« von Peter Stein, S. 154-202]

Fischer, Ludwig: Der unhistorische Erlöser. Notizen zu Franz Theodor Csokors Drama ›Gesellschaft der Menschenrechte‹. – In: Ludwig Fischer (Hrsg.): Zeitgenosse Büchner, S. 40 bis 60

Fiesser, Wilhelm: Christus-Motive in Revolutionsdramen. – Heidelberg: Winter 1977 (= Beiträge zur Neueren Literaturgeschichte, F. 3, Bd 34). 274 S. [zu ›Dantons Tod‹ S. 110-163; zu Gaston Salvatores ›Büchners Tod‹ S. 206-246]

Geschichte der deutschen Literatur vom 18. Jahrhundert bis zur Gegenwart. Hrsg. von Victor Žmegač. Bde I, 1 u. I, 2. – Königstein/Ts.: Athenäum 1978. 446, 376 S. [Bd I, 2, S. 277-335: Bernd Balzer: Liberale und radikaldemokratische Literatur; S. 290-301: Andere Exilautoren. Georg Büchner] [2. Aufl. 1980 (= Athenäum Taschenbücher Nr. 2153)]

Grab, Walter: Ein Mann der Mann Ideen gab. Wilhelm Schulz, Weggefährte Georg Büchners, Demokrat der Paulskirche. Eine politische Biographie. – Düsseldorf: Droste 1979 (= Schriftenreihe des Instituts für Deutsche Geschichte, Universität Tel Aviv, Bd 4). 384 S.
Rez.: Ulrich Karthaus, in: Frankfurter Rundschau, 9. 2. 1980. – Monika Wölk, in: Internationale Wissenschaftliche Korrespondenz, Berlin, Heft 1/1980, S. 88-89. – Jörg Dieter Kogel, in: Westdeutscher Rundfunk, Köln, 14. 7. 1980. – Christoph Ehmann, in: Die Neue Gesellschaft, Heft 8/1980, S. 739-741. – Erich Zimmermann, in: Archiv für hessische Geschichte und Altertumskunde, N. F. 38 (1980), S. 603-606. – Detlev Claussen, in: Hessischer Rundfunk, 10. 1. 1981. – Inge Rippmann, in: Schweizerische Zeitschrift für Geschichte 31 (1981), H. 1, S. 86f. – Eckhart G. Franz, in: Das historisch-politische Buch 29 (1981), H. 2, S. 44

Händler-Lachmann, Barbara: Oberhessische demokratische Gruppen und ihre Beziehungen zu Marburg. – In: Dieter Kramer u. Christina Vanja (Hrsg.): Universität und demokratische Bewegung. Ein Lesebuch zur 450-Jahrfeier der Universität Marburg. – Marburg: Vlg Arbeiterbewegung und Gesellschaftswissenschaft 1977 (= Schriftenreihe für Sozialgeschichte u. Arbeiterbewegung, Bd. 5), S. 35-51

Hansen, Volkmar: »Freiheit! Freiheit! Freiheit!« Das Bild Karl Gutzkows in der Forschung; mit Ausblicken auf Ludolf Wienbarg. – In: Alberto Martino (Hrsg.): Literatur in der sozialen Bewegung. Aufsätze und Forschungsberichte zum 19. Jahrhundert. – Tübingen: Niemeyer 1977, S. 488-542 [Zur Rezeptionsgeschichte Büchners, S. 534f.]

Knapp, Gerhard P.: Robespierre. Prolegomena zu einer Stoffgeschichte der Französischen Revolution. – In: Adam J. Bisanz u. Raymond Trousson (Hrsg.): Elemente der Literatur. Beiträge zur Stoff-, Motiv- und Themenforschung. Elisabeth Frenzel zum 65. Geburtstag. Bd 1. – Stuttgart: Kröner 1980 (= Kröner Themata, Bd 702), S. 129-154

Kreis, Rudolf: Die verborgene Geschichte des Kindes in der deutschen Literatur. Deutschunterricht als Psychohistorie. – Stuttgart: Metzler 1980. 247 S. [Kapitel ›Georg Büchner: Woyzeck‹, S. 122-157, 244]

Kuhn, Reinhard: The Demon of Noontide. Ennui in Western Literature. – Princeton/N. J.: Univ. Press 1976. XVI, 395 S. [Zu Büchners ›Lenz‹ u. ›Leonce u. Lena‹ S. 246-251 u. ö.]
Rez.: Gert Mattenklott, in: Germanistik 19 (1978), S. 1072

Lee, Samuel: Der bürgerliche Sozialismus von Ludwig Büchner: eine Ideologie zwischen der bürgerlichen Demokratie und der sozialistischen Arbeiterbewegung. – Wirtsch. u. Sozialwiss. Diss. Göttingen 1976/77. 287 S. [masch](*)

Pascal, Roy: The dual voice. Free indirect Speech and its Functionning in the Nineteenth-century European Novel. – [Manchester]: Univ. Press, Totowa/N. J.: Rowmann and Littlefield [1977]. IX, 150 S. [Zu Büchners ›Lenz‹] (*)
Rez.: Jeffrey L. Sammons, in: Germanistik 19 (1977), S. 375

Raddatz, Fritz J.: Revolte und Melancholie. Essays zur Literaturtheorie. – Hamburg: Knaus 1979. 331 S. [über Büchner S. 16, 32-36, 137, 152]

Roth, Marc Allen: Role-Playing in Historical Drama and the Changing Visions of History. A Study of Shakespeare, Schiller, Büchner, and Strindberg. – Phil. Diss. University of California, Berkeley 1976. 221 S. [Vgl. Dissertation Abstracts International A 37 (1977), 5806]

Ruckhäberle, Hans-Joachim (Hrsg.): Frühproletarische Literatur. Die Flugschriften der deutschen Handwerksgesellenvereine in Paris 1832-1839. – Kronberg/Ts.: Scriptor 1977 (= Monographien Literaturwissenschaft 34). 261 S.
Rez.: Peter Stein, in: Germanistik 18 (1977), S. 813f. – Jacques Grandjonc, in: Internationale Wissenschaftliche Korrespondenz 14 (1978), S. 563-565. – Ingrid Pepperle, in: Referatedienst zur Literaturwissenschaft 10 (1978), H. 2, S. 193-196

Swales, Martin: The German Novelle. – Princeton/N. J.: Univ. Press 1977. XI, 229 S. [S. 99-113 zu Büchners »Lenz«]
Rez.: Wolfgang Monath, in: Germanistik 20 (1979), S. 835

Wunberg, Gotthart, in Zusammenarbeit mit Rainer Funke: Deutsche Literatur des 19. Jahrhunderts (1830-1895). Erster Bericht: 1960-1975. – Bern, Frankfurt a. M., Las Vegas: Lang 1980. 387 S. (= Jahrbuch für Internationale Germanistik, Reihe C: Forschungsberichte, Bd. 1) [Georg Büchner, S. 93-96]

4. REZENSIONEN ÄLTERER TITEL

Anton, Herbert: Büchners Dramen. Topographien der Freiheit (1975)
Rez.: Ludwig W. Kahn, in: Germanic Review 52 (1977), S. 226-228 [engl.]. – Thomas Michael Mayer, in: Heinz Ludwig Arnold (Hrsg.): Georg Büchner I/II, S. 343
Baumann, Gerhart: Georg Büchner. Die dramatische Ausdruckswelt (2. durchges. u. erg. Aufl., 1976)
Rez.: Roy C. Cowen, in: Michigan Germanic studies 3 (1977), H. 2, S. 82-84 (*)
Benn, Maurice B.: The Drama of Revolt. A critical Study of Georg Büchner (1976; 2. Aufl. Paperback 1979)
Rez.: Reinhold Grimm, in: Educational Theatre Journal 29 (1977), S. 126f. [engl.]. – John Whiton, in: Germano-Slavica (1977), Bd 2, S. 309-311 [engl.]. – D. G. Mowatt, in: AUMLA. Journal of the Australasian Universities Language and Literature Association H. 48 (1977), S. 360f. – Roy C. Cowen, in: German Quarterly 50 (1977), S. 544f. [engl.]. – Margaret Jacobs, in: German Life and Letters 32 (1978/79), S. 75-77 [engl.]. – W. D. Williams, in: Modern Language Review 73 (1978), S. 473f. [engl.]. – Karlheinz Hasselbach, in: Monatshefte f. dt. Unterricht, dt. Sprache u. Lit. 70 (1978), S. 329-331. – Thomas Michael Mayer, in: Heinz Ludwig Arnold (Hrsg.): Georg Büchner I/II, S. 338-340. – David G. Richards, in: Journal of English and Germanic Philology 79 (1980), S. 93-95 [engl.]
Bräuning-Oktavio, Hermann: Georg Büchner. Gedanken über Leben, Werk und Tod (1976).
Rez.: Siegfried Sudhof, in: Germanistik 18 (1977), S. 507. – Thomas Michael Mayer, in: Heinz Ludwig Arnold (Hrsg.): Georg Büchner I/II, S. 349-352
Büchner, Georg: Woyzeck. Kritische Lese- und Arbeitsausgabe. Hrsg. von Lothar Bornscheuer (1972)
Rez.: Hubert Gersch, in: Germanistik 18 (1977), S. 815
Galle, Roland: Tragödie und Aufklärung. Zum Funktionswandel des Tragischen zwischen Racine und Büchner (1976)
Rez.: Ulrich Schulz-Buschhaus, in: Arcadia 14 (1979), S. 200-203
Goltschnigg, Dietmar (Hrsg.): Materialien zur Rezeptions- und Wirkungsgeschichte Georg Büchners (1974)
Rez.: Henri Poschmann, in: Referatedienst zur Literaturwissenschaft 9 (1977), H. 1, S. 73f.
Goltschnigg, Dietmar: Rezeptions- und Wirkungsgeschichte Georg Büchners (1975)
Rez.: Erich Zimmermann, in: Archiv f. hess. Geschichte u. Altertumskunde, N. F. 36 (1978), S. 374-376. – Theo Meyer, in: Nassauische Annalen 89 (1978), S. 363-365
Hauser, Ronald: Georg Büchner (1974)
Rez.: Thomas R. Nadar, in: Monatshefte f. dt. Unterricht, dt. Sprache u. Lit. 69 (1977), S. 78f. [engl.]. – Peter K. Jansen, in: Modern Philology 76 (1978/79), S. 208-212 [engl.]. – Margaret Jacobs, in: German Life and Letters 31 (1977/78), S. 185f. [engl.]. – W. Schlick, in: AUMLA. Journal of the Australasian Universities Language and Literature Association H. 45 (1976), S. 163-165 [engl.]
Helbig, Louis Ferdinand: Das Geschichtsdrama Georg Büchners (1973)
Rez.: Wolfgang Wittkowski, in: German Quarterly 49 (1976), S. 490f.
Jancke, Gerhard: Georg Büchner. Genese und Aktualität seines Werkes (1975)
Rez.: Hagal Mengel, in: Das Argument (1977), H. 102, S. 260f. – Herbert Anton, in: Germanistik 18 (1977), S. 176. – Henri Poschmann, in: Referatedienst zur Literaturwissenschaft 9 (1977), H. 1, S. 75f. – Thomas Michael Mayer, in: Heinz Ludwig Arnold (Hrsg.): Georg Büchner I/II, S. 343-347
Knapp, Gerhard P.: Georg Büchner. Eine kritische Einführung in die Forschung (1975)
Rez.: Gerhard Kurz, in: Archiv für das Studium der neueren Sprachen und Literaturen 129 (1977), S. 121f. – Henri Poschmann, in: Referatedienst zur Literaturwissenschaft 9 (1977), H. 1, S. 70-73
Kobel, Erwin: Georg Büchner. Das dichterische Werk (1974)
Rez.: Wolfgang Wittkowski, in: German Quarterly 49 (1976), S. 491-493. – M. Bräunin, in: AUMLA. Journal of the Australasian Universities Language and Literature Association H. 48 (1977), S. 345f. [engl.]. – Peter K. Jansen, in: Modern Philology 75 (1978), 414-420. – Thomas Michael Mayer, in: Heinz Ludwig Arnold (Hrsg.): Georg Büchner I/II, S. 347 bis 349
Mosler, Peter: Georg Büchners »Leonce und Lena«. Langeweile als gesellschaftliche Bewußtseinsform (1974)

330

Rez.: Hans-Joachim Ruckhäberle, in: Das Argument (1977), H. 102, S. 259. – Henry J. Schmidt, in: Monatshefte f. dt. Unterricht, dt. Sprache u. Lit. 70 (1978), S. 327-329 [engl.]
Paul, Ulrike: Vom Geschichtsdrama zur politischen Diskussion. Über die Desintegration von Individuum und Geschichte bei Georg Büchner und Peter Weiss (1974)
Rez.: Jürgen Hofmann, in: Das Argument (1978), H. 111, S. 745 f.
Ruckhäberle, Hans-Joachim: Flugschriftenliteratur im historischen Umkreis Georg Büchners (1975)
Rez.: Gerhard Schaub, in: Internationales Archiv für Sozialgeschichte der deutschen Literatur 2 (1977), S. 227-235. – Ingrid Pepperle, in: Referatedienst zur Literaturwissenschaft 10 (1978), H. 2, S. 193-196. – Helmut Bleiber, in: Deutsche Literaturzeitung 100 (1979), H. 3, Sp. 136-139. – L. Calvié, in: Etudes Germaniques 35 (1980), S. 113 f. [franz.]
Schaub, Gerhard: Georg Büchner und die Schulrhetorik (1975)
Rez.: Walter Münz, in: Germanisch-Romanische Monatsschrift 27 (1977), S. 477 f. – Josef Kopperschmidt, in: Publizistik 25 (1980), S. 382 f.
Schaub, Gerhard: Georg Büchner / Friedrich Ludwig Weidig: Der Hessische Landbote (1976)
Rez.: Joseph Strelka, in: German Quarterly 49 (1976), S. 498 f. – H. Jürgen Meyer-Wendt, in: Colloquia Germanica 10 (1976/77), S. 366 f. – Henry J. Schmidt, in: Monatshefte für dt. Unterricht, dt. Sprache u. Lit. 70 (1978), S. 327-329 [engl.]. – Erich Zimmermann, in: Archiv für hess. Geschichte u. Altertumskunde, N. F. 35 (1977), S. 483-485
Sieß, Jürgen: Zitat und Kontext bei Georg Büchner (1975)
Rez.: Henri Poschmann, in: Referatedienst zur Literaturwissenschaft 9 (1977), H. 1, S. 74 f.
Ueding, Cornelie: Denken, sprechen, handeln (1976)
Rez.: Wolfgang Martens, in: Germanistik 21 (1980), S. 699 f.
Ullman, Bo: Die sozialkritische Thematik im Werk Georg Büchners (1972)
Rez.: Margaret Jacobs, in: German Life and Letters 31 (1977/78), S. 296 f. [engl.]
Zons, Raimar St.: Georg Büchner. Dialektik der Grenze (1976)
Rez.: Hubert Gersch, in: Germanistik 18 (1977), S. 508. – Gerhard P. Knapp, in: German Quarterly 50 (1977), S. 545 f. – Henry J. Schmidt, in: Seminar 14 (1978), S. 65 f. – Ludger Lütkehaus, in: Frankfurter Hefte 33 (1978), H. 5, S. 68-70. – Hans-Georg Werner, in: Deutsche Literaturzeitung 100 (1979), Sp. 546-549. – Thomas Michael Mayer, in: Heinz Ludwig Arnold (Hrsg.): Georg Büchner I/II, S. 340-343. – George Bühler, in: Erasmus 31 (1979), S. 362-364 [engl.]

5. FORSCHUNGSINSTITUTIONEN

Büchner-Archiv, Darmstadt (seit 1979; Vorbereitungen seit etwa 1967)

Zimmermann, Erich: Das Büchner-Archiv der Hessischen Landes- und Hochschulbibliothek. – In: Schloßgeflüster. Unabhängige Zeitung für die Mitarbeiter der Hess. Landes- und Hochschulbibliothek Darmstadt, No. 9 (Juli 1980), S. 11-14
Neujahrsgrüße an Bruder »Hammelmaus«. Wertvolle Ergänzungen für das Büchner Archiv im Darmstädter Schloß. – In: Darmstädter Echo, 8. 11. 1980

Georg Büchner Gesellschaft, Marburg (seit 1979)

Reiß, Klaus-Peter: Büchner-Gesellschaft in Marburg gegründet. – In: Darmstädter Echo, 19. 7. 1979, S. 17

6. LEBEN UND WERK AUF DER BÜHNE UND IN DEN MEDIEN

Verwendete Abkürzungen:
AZ = Zahl der Aufführungen
B = Bühne
CD = Camille Desmoulins
D = Danton
DEA = Deutsche Erstaufführung

HD = Hauptdarsteller
K = Kaufmann
KP = König Peter
L = Lenz
La = Lena
Le = Leonce
M = Marion bzw. Marie
ML = Musikalische Leitung
O = Oberlin
P = Datum der Premiere
Re = Regie
Ro = Robespierre
SJ = Saint Just
V = Valerio
W = Woyzeck bzw. Wozzeck
UA = Uraufführung
ZZ = Zuschauerzahl

a) Büchners Stücke (und Übersetzungen) in Theaterinszenierungen

DANTONS TOD
Bad Gandersheim (Domfestspiele)
P: 29. 7. 1977. Re: Walter Pohl. B: Hans Joachim Weygold. HD: D: Jörg Hube. CD: Savin Sutter. Ro: Kurt Kaschent. SJ: Wolfgang Uhl. M: Sylvia Anders
Rez.: Horst Ziermann, in: Die Welt, 4. 8. 1977, S. 15. – Gerhard Schüler, in: Gandersheimer Kreisblatt, 1. 8. 1977. – Dirk Schwarze, in: Northeimer Neueste Nachrichten, 1. 8. 1977. – A. F. Teschemacher, in: Hannoversche Allgemeine, 1. 8. 1977. – Sonja Luyken, in: Lübecker Nachrichten, 3. 8. 1977

Berlin/DDR (bat-Studio-Theater des Instituts für Schauspielregie)
P: März 1977. Re: Konrad Zschiedrich. B: Pieter Hein. HD: D: Ekkehard Schall. Ro: Hermann Beyer
Rez.: Rainer Kerndl, in: Neues Deutschland, 31. 3. 1977, S. 4. – Martin Linzer, in: Theater der Zeit 32 (1977), H. 5, S. 20-23. – Schlechter, Joel: *Danton's Death* in East Berlin. – In: Theater 9 (1977), S. 87-90. – Cwojdrak, Günther: Zweimal »Dantons Tod«. – In: Die Weltbühne 32 (1977), H. 9, S. 269-271

Bonn (Theater der Stadt)
P: 28. 9. 1980. Re: Hans-Joachim Heyse. B: Ottowerner Meyer. HD: D: Wolf Richards. CD: Burkhard Jahn. Ro: Klaus Barner. SJ: Günter Stahl. M: Uta-Maria Schütze. (AZ: ca 24)
Rez.: Siegfried Schmidt, in: Bonner Rundschau, 30. 9. 1980 u. 1. 10. 1980. – Dieter Sparrer, in: Kölner Stadt-Anzeiger, 30. 9. 1980. – Ulrike Schwieren-Höger, in: General-Anzeiger Bonn, 30. 9. 1980. – ck, in: Akut. Bonn, 16. 10. 1980. – Lore Schaumann, in: Rheinische Post, 18. 10. 1980. – U. F., in: Honnefer Volkszeitung, 5. 11. 1980

Braunschweig (Staatstheater)
P: 17. 9. 1977. Re: Ulrich Greiff. B: Dietrich Schoras. HD: D: Carsten Otto. CD: Hubert Harzer. Ro: Alexander Brill. SJ: Klaus Kessler. M: Felicitas Wolff
Rez.: h. m., in: Braunschweiger Zeitung

Darmstadt (Hessisches Staatstheater, Kleines Haus)
P: Febr. 1978. Re: Lothar Trautmann. B: Herbert Wernicke
Rez.: Peter Iden, in: Frankfurter Rundschau, 8. 2. 1978, S. 12. – Rudolf Krämer-Badoni, in: Die Welt, 8. 2. 1978, S. 21

Frankfurt a. M. (Schauspiel)
P: 15. 11. 1980. Re: Johannes Schaaf. B: Karl Kneidl, Anna Viebrock. HD: D: Heinrich Giskes. CD: Friedrich Karl Praetorius. Ro: Klaus-Henner Russius. SJ: Wolfgang Ransmayr. M: Regine Vergeen
Vgl.: . . . jetzt sperrst du 500 Frankfurter Bürger mit der Französischen Revolution zusammen. Und wir sehen mal, was dann passiert. Gespräch im Schauspiel [zwischen Johannes Schaaf, Peter v. Becker, B. K. Tragelehn und der Redaktion] nicht nur über »Dantons Tod«. – In: Pflasterstrand. Stadtzeitung für Frankfurt, Nr. 100, 28. 2. 1981 – 13. 3. 1981, S. 26-29
Rez.: Peter Iden, in: Frankfurter Rundschau, 17. 11. 1980, S. 5. – Georg Hensel, in: Frankfur-

ter Allgemeine Zeitung, 17. 11. 1980, S. 25. – Michael Ben, in: Deutsche Volkszeitung, Nr. 49, 4. 12. 1980, S. 14. – Urs Jenny, in: Der Spiegel, Nr. 48, 24. 11. 1980, S. 269-274. – Benjamin Henrichs, in: Die Zeit, Nr. 48, 21. 11. 1980, S. 44. – Henning Rischbieter, in: Theater heute 22 (1981), H. 1, S. 21 f. – Hanno Parmentier, in: Die Tat, 28. 11. 1980. – Günther Engelhardt, in: Die Weltwoche, 19. 11. 1980; und Rheinischer Merkur, 21. 11. 1980. – haj., in: Neue Zürcher Zeitung, 19. 11. 1980. – Dirk Dessin, in: Stuttgarter Nachrichten, 22. 11. 1980. – Dieter Stoll, in: Weser-Kurier, 26. 11. 1980. – C. Bernd Sucher, in: Süddeutsche Zeitung, 19. 11. 1980. – Rainer Hartmann, in: Frankfurter Neue Presse, 17. 11. 1980. – Bernhard Rzehak, in: Darmstädter Echo, 17. 11. 1980. – halef, in: Nürnberger Zeitung, 17. 11. 1980. – Rudolf Krämer-Badoni, in: Die Welt, 17. 11. 1980. – Jens Frederiksen, in: Allgemeine Zeitung, Mainz, 17. 11. 1980. – Hans Bertram Bock, in: Nürnberger Nachrichten, 17. 11. 1980

Halle/Saale (Landestheater)
P: 21. 3. 1977. Re: Horst Rupprecht. B: Carlheinz O. Städter. HD: D: Roland Hemmo. CD: Werner Stempel. Ro: Klaus Hecke. SJ: Siegfried Voß
Rez.: Rainer Kerndl, in: Neues Deutschland, 31. 3. 1977, S. 4. – Martin Linzer, in: Theater der Zeit 32 (1977), H. 5, S. 20-23. – Cwojdrak, Günther: Zweimal »Dantons Tod«, in: Die Weltbühne 32 (1977), H. 9, S. 269-271

Hamburg (Deutsches Schauspielhaus)
P: 6. 11. 1976. Re: Jürgen Flimm. B: Erich Wonder. HD: D: Michael Rehberg. Ro: Herbert Mensching. SJ: Christoph Bantzer. M: Barbara Sukova
Rez.: Klaus Wagner, in: Frankfurter Allgemeine Zeitung, 8. 11. 1976, S. 21. – Günter Zehm, in: Die Welt, 8. 11. 1976, S. 15. – Rolf Michaelis, in: Die Zeit, Nr. 47, 12. 11. 1976, S. 42. – Jürgen Schmidt, in: Stuttgarter Zeitung, 13. 11. 1976, S. 48. – Werner Burkhardt, in: Süddeutsche Zeitung, 15. 11. 1976, S. 14. – Mechthild Lange, in: Frankfurter Rundschau, 16. 11. 1976, S. 15. – W. Js., in: Neue Zürcher Zeitung, 25. 1. 1977. – Hellmuth Karasek, in: Theater heute 18 (1977), H. 1, S. 18 f.
Dass.: Fernschaufzeichnung ZDF, 10. 8. 1977 (auch ORF, 1977)

Karl-Marx-Stadt (Städtisches Theater)
P: 6. 10. 1980. Re: Alfred Albiro. B: Wolfgang Bellach. HD: D: Bernhard Baier. CD: Ulrich Miehe. Ro: Eberhard Kirchberg. SJ: Mario Melzer. M: Dagmar Jaeger
Rez.: Georg Menchén, in: Thüringer Landeszeitung, 29. 11. 1980, S. 3. – Rainer Kerndl, in: Neues Deutschland, 13. 11. 1980, S. 4

München (Kammerspiele)
P: 13. 7. 1980. Re: Dieter Dorn. B: Jürgen Rose. HD: D: Claus Eberth. CD: Felix von Manteuffel. Ro: Manfred Zapatka. SJ: Edgar Selge. M: Daphne Wagner
Rez.: Beate Kayser, in: tz München, 15. 7. 1980. – Armin Eichholz, in: Münchner Merkur, 15. 7. 1980. – C. Bernd Sucher, in: Süddeutsche Zeitung, 15. 7. 1980. – Helmut Schödel, in: Die Zeit, Nr. 30, 18. 7. 1980, S. 40. – Michael Dultz, in: Rheinische Post, 23. 7. 1980. – Gerhard Pörtl, in: Kölner Stadt-Anzeiger, 17. 7. 1980; und: Saarbrücker Zeitung, 23. 7. 1980. – Hans Krieger, in: Bayerische Staatszeitung, 18. 7. 1980. – Klaus Colberg, in: Mannheimer Morgen, 17. 7. 1980. – Dietmar Schmidt, in: Die Rheinpfalz, 17. 7. 1980. – F. J. Bröder, in: Fränkischer Tag, Bamberg, 17. 7. 1980. – Rainer Stephan, in: Frankfurter Rundschau, 18. 7. 1980. – Henning Rischbieter, in: Theater heute 21 (1980), H. 8, S. 6 f. – Urs Jenny, in: Der Spiegel, Nr. 48, 24. 11. 1980, S. 269-274

Nürnberg (Schauspielhaus)
P: 22. 1. 1977. Re: Wolfram Mehring. B: Manuel Lützenhorst. HD: D: Hans Josef Eich. CD: Helmut Winkelmann. Ro: Karl Heinz Fiege. SJ: Raimund Gensel. M: Astrid Kube
Rez.: Horst Ziermann, in: Die Welt, 25. 1. 1977, S. 15. – Rainer Wagner, in: Stuttgarter Zeitung, 3. 2. 1977, S. 29. – Hans Bertram Bock, in: Die Deutsche Bühne 48 (1977), H. 3, S. 22 f. – Hans Bertram Bock, in: Nürnberger Nachrichten, 24. 1. 1977. – Gustav Roeder, in: Nürnberger Zeitung, 24. 1. 1977. – Helena Neumann, in: Oberpfälzer Nachrichten, Weiden, 29. 1. 1977. – Otto Stadler, in: Kitzinger Zeitung, 29. 1. 1977. – Irene Reif, in: Neue Presse Coburg, Ausgabe Ebern, 4. 2. 1977

Paderborn (Westfälische Kammerspiele)
P: 17. 2. 1979. Re: Martin Steiner. B: Amelia Franken-Wassilewa. HD: D: Stéfan Horn. CD: Robert Grass. Ro: Hermann Scherm. SJ: Knud Schultheiß. M: Marita Volkland
Rez.: Neue Westfälische, 15. 2. 1979: Interview mit Martin Steiner. – S. W., in: Westfälisches Volksblatt, 17. 2. 1979. – S. W., in: Westfälisches Volksblatt, 19. 2. 1979. – e–a, in: Neue Westfälische, 22. 2. 1979. – Theodor Schroedter, in: Die Warte, März 1979

Saarbrücken (Saarländisches Staatstheater)
P: 19. 11. 1978. Re: Günther Pentzoldt. B: Walter Jahrreiss. HD: D: Peter-Uwe Arndt. CD: Jürgen Meyer-Schwerin / René Toussaint. Ro: Fred Woywode. SJ: Gunter Cremer. M: Bibi Jelinek (ZZ: 5135)
Rez.: Christiane Auras, in: Saarbrücker Zeitung, 24. 11. 1978
St. Gallen (Stadttheater)
P: 11. 1. 1979. Re: Joachim Engel-Denis. B: Manfred Schroeter. HD: D: Guido Rieger. Ro: Volker K. Bauer
Rez.: Susi Haefelin, in: Neue Zürcher Zeitung, 28. 3. 1979, S. 28
Tübingen (Landestheater Württemberg-Hohenzollern)
P: 10. 9. 1976. Re: Dieter Haspel. B: Haitger M. Böken. HD: D: Mario Scanzoni. CD: Axel Anselm. Ro: Paul Wolff-Plottegg. SJ: Yves Jansen. M: Christiane B. Horn. (AZ: 30)
Rez.: Gerhard Stadelmaier, in: Stuttgarter Zeitung, 18. 9. 1976, S. 81
Turku/Finnland (Kaupunginteatteri)
P: 4. 2. 1977. Re: Ralf Långbacka. HD: D: Esko Salminen. CD: Heikki Kinnunen. Ro: Risto Saanila. SJ: Petri Rajala. M: Rose-Marie Precht
Vgl.: Dantonin kuolema. Rolf Långbacka kertoo ohjaustyöstään. – In: Kultuurivihkot, Nr. 3, 1977, S. 5-23
Wien (Volkstheater)
P: 16. 12. 1977. Re: Vaclav Hudeček. B: Zbyněk Kolář. HD: D: Herwig Seeböck. CD: Ernst Cohen. Ro: Ernst Meister
Rez.: Piero Rismondo, in: Die Presse, 19. 12. 1977, S. 4. – haj., in: Neue Zürcher Zeitung, 27. 1. 1978, S. 31

LEONCE UND LENA
Bamberg (E. T. A. Hoffmann-Theater)
P: 27. 4. 1978. Re: Wolfgang Rommerskirchen. B: Mike Rose. HD: KP: Friedhelm Straubel. Le: Lutz Jürgen Kraushaar. La: Mia Heitger. V: Gerhard Bender
Berlin/DDR (Volksbühne am Luxemburgplatz)
P: 9. 9. 1978 (nach Voraufführungen). Re: Jürgen Gosch. B: Gero Troike. HD: KP: Erich Brauer. Le: Michael Gwisdek. La: Doris Otto. V: Hermann Beyer
Rez.: Günther Bellmann, in: BZ am Abend, 8. 9. 1978. – Christoph Funke, in: Der Morgen, 8. 9. 1978. – Rainer Kerndl, in: Neues Deutschland, 16./17. 9. 1978, S. 4. – Günther Cwojdrak, in: Die Weltbühne 73 (1978), H. 38, S. 1198-1200. – Carl Andrießen, in: eulenspiegel, Nr. 40, 29. 9. 1978, S. 6. – Erika Stephan, in: Sonntag, Berlin, 1. 10. 1978. – Martin Linzer, in: Theater der Zeit 33 (1978), H. 11, S. 2. – Michael Stone, in: Der Tagesspiegel, 8. 12. 1978, S. 5. – Sibylle Wirsing, in: Frankfurter Allgemeine Zeitung, 16. 12. 1978, S. 25. – Jürgen Beckelmann, in: Süddeutsche Zeitung, 5. 1. 1979, S. 12; und in: Stuttgarter Zeitung, 8. 1. 1979, S. 12. – Heinz Klunker, in: Theater heute 20 (1979), H. 3, S. 19f.; und in: Frankfurter Rundschau, 13. 1. 1979, S. 12
Bonn (Theater der Stadt)
P: 19. 3. 1980. Re: Oswald Döpke. B: Michael Pilz. HD: KP: Aljoscha Sebald. Le: Michael Evers. La: Ingrid Cannonier. V: Siegfried Flemm. (AZ: 20)
Rez.: Hermann-Josef Kraemer, in: General-Anzeiger, Bonn, 21. 3. 1980. – H. D. Terschüren, in: Bonner Rundschau, 21. 3. 1980. – Walter Zöller, in: Rhein-Sieg-Anzeiger, 21. 3. 1980
Brighton (Polytechnic)
P: 2. 5. 1978
Bukarest (Lucia Sturdza Bulandra-Theater)
P: 1970 (?). Re: Liviu Ciulei
Juni 1977: Gastspiel in Berlin/DDR (Volksbühne am Luxemburgplatz)
Rez.: Rainer Kerndl, in: Neues Deutschland, 25. 6. 1977, S. 14. Vgl. Adriana Hass (oben unter 2.a), 1978, S. 116ff. (mit Abb.)
Erlangen (Pantomimenensemble)
P: 1978. Re: Werner Müller / Ralf Kassalicky, HD: Le: Bernhard Leniger. La: Sandra Nordmann
Frankfurt a. M. (Schauspiel, Kammerspiel)
P: 21. 9. 1977. Re: Peter Roggisch. B: Michael Peter. HD: KP: Matthias Fuchs. Le: Clemens Eich. La: Tanja von Oertzen. V: Christian Redl
Rez.: Siegfried Diehl, in: Frankfurter Allgemeine Zeitung, 23. 9. 1977, S. 26. – Rainer Hart-

mann, in: Frankfurter Neue Presse, 23. 9. 1977. – Helmut Schmitz, in: Frankfurter Rundschau, 23. 9. 1977, S. 7. – F. K. Müller, in: Frankfurter Abendpost, 23. 9. 1977. – Wiesbadener Kurier, 23. 9. 1977. – Darmstädter Echo, 24. 9. 1977. – Hans Pehl, in: Main-Echo, 28. 9. 1977. – Wilhelm Ringelband, in: Deutsche Tages-Post, 7. 10. 1977, und in: Flensburger Tageblatt, 28. 10. 1977. – Orest Roseneck, in: Coburger Tageblatt, 29./30. 10. 1977

Göttingen (Junges Theater)
P.: 14. 12. 1979. Re: Otto Schnelling. B: Peter Schlösser. HD: KP: Thomas Dehn. Le: Hans Peter Bader. La: Ada Hollstein. V: Hartmut Schories. (AZ: 35)
Rez.: Heidrun Plewe, in: Hessisch-Niedersächsische Allgemeine, 18. 12. 1979. – Hans-Christian Winters, in: Göttinger Tageblatt, 17. 12. 1979. – R. P. Schaper, in: Braunschweiger Zeitung, 21. 12. 1979

Hannover (Niedersächsisches Staatstheater, Ballhof)
P: 17. 11. 1979. Re: Wolfgang Kolneder. B: Uwe Oelkers. HD: KP: Wolfgang Hofmann. Le: Wolfgang Ransmayr. La: Katharina Hochstrasser. V: Peter Bernhardt
Rez.: Bernhard Häußermann, in: Hannoversche Allgemeine Zeitung, 19. 11. 1979. – Raimar Hollmann, in: Neue Hannoversche Presse, 19. 11. 1979

Kassel (Staatstheater)
P: 22. 10. 1978. Re: Rolf-Harald Kiefer. B: Gerd Friedrich. HD: KP: Wolfgang Strohmeyer. Le: E. Heinrich Krause. La: Sylvia Wempner. V: Bernd Wurm. (AZ: 14)

Kiel (Schauspielhaus)
P: 13. 1. 1979. Re: Harald Reinke. B: Hubert Popp. HD: KP: Hannes Kruppa. Le: Ulrich Frank. La: Hildegard Kuhlenberg. V: Gregor Vogel
Rez.: Susanne Materleitner, in: Kieler Nachrichten, 15. 1. 1979. – Brigitte Schubert-Riese, in: Norddt. Rundfunk, Kiel, 15. 1. 1979, 11.05 Uhr. – Wolfgang Butzlaff, in: Flensburger Tageblatt, 16. 1. 1979. – Doris Maletzke, in: Holsteinischer Courier, 23. 1. 1979

Koblenz (Theater der Stadt)
P: 22. 5. 1979. Re: Wolfgang Regentrop. B: Heinz Hansen. HD: KP: Wolfgang Regentrop. Le: Stephan Wald. La: Astrid Finke. V: Günther Dittrich

Landshut/Passau (Südostbayerisches Städtetheater)
P: 17. 10. 1980. Re: Stefan Kolo. B: Robert Geiger. HD: KP: Reinhold Massag. Le: Wolf Zehren. La: Gisela Bolte. V: Klaus Siegemund
Rez.: Anonym, in: Landshuter Zeitung, 20. 10. 1980. – Klaus-Jürgen Schmidt, in: Mittelbayerische Zeitung, Regensburg, 21. 10. 1980. – Ria Hans, in: Bayerischer Rundfunk, Hörfunk, 21. 10. 1980. – Gerhard Burkhardt, in: Landshuter Wochenblatt, 22. 10. 1980. – Peter Hutsch, in: Passauer Neue Presse, 11. 11. 1980. – Walter Wolf, in: Donauwörther Zeitung, 9. 12. 1980

München (Studiotheater)
P: Nov. 1976. Re: Gunnar Holm-Petersen
Rez.: Thomas Thieringer, in: Süddeutsche Zeitung, 17. 11. 1976

München (Off-Off-Theater)
P: März 1979. Re: Christa Keller-di Cerami. B: Gabriele Pillon
Rez.: Thomas Thieringer, in: Süddeutsche Zeitung, 8. 3. 1979, S. 10. – M., in: Bayernkurier, 31. 3. 1979, S. 13

Notting Hill (Gate Theatre)
P: 3. 6. 1980 (Übersetzung: Julia Hilton)

Osnabrück (Städtische Bühnen)
P: 11. 12. 1980. Re: Wolfgang Schön. B: C. Johnson. HD: KP: Helmut Franz. Le: M. Lange. La: M. Heinrich. V: P. Kadius

Saarbrücken (Saarländisches Staatstheater, Kammerspiele)
P: 20. 10. 1979. Re: Günther Penzoldt. B: Frank Schultes. HD: KP: Peter Uwe Arndt. Le: Burkhard Jahn. La: Nora von Collande. V: Lothar Rollauer. (ZZ: 2725)
Rez.: Werner Klippert, in: Saarbrücker Zeitung, 22. 10. 1979. – Hermann Hartwig, in: Rheinpfalz, 26. 10. 1979

Stuttgart (Theater tri-bühne)
P: 21. 3. 1980. Re: Michael Koerber. B: C. Rebok. HD: Le: B. Heinzelmann. La: E. Bäumker. V: M. Koerber

Wuppertal (Bühnen)
P: 13. 4. 1980. Re: Inge Flimm. B: Johannes Kieling. HD: KP: Erich Leukert. Le: Michael Wittenborn. La: Leonie Thelen. V: Helmut Grieser

Vgl.: Nicht nur schmutzige Wäsche. [Interview mit Inge Flimm von Bernd Behrendt]. – In: tip magazin, Berlin/West 9 (1980), H. 14, S. 46f.
Rez.: Frank Scurla, in: Westdeutsche Zeitung, 15. 4. 1980. – Johannes K. Glauber, in: Neue Ruhr Zeitung, 15. 4. 1980. – Michael André, in: Rheinische Post, 16. 4. 1980. – Hans Jansen, in: Westdeutsche Allgemeine Zeitung, 30. 4. 1980

WOYZECK
Augsburg (Stadttheater)
P: 3. 11. 1977. Re: Hans Dieter Lehmann. B: Konrad Kulke. HD: W: Peter Hackenberger. M: Eva M. Keller
Rez.: Augsburger Allgemeine, 5. 11. 1977. – Schwäbische Neue Presse, 10. 11. 1977. – Süddeutsche Zeitung, 12. 11. 1977
Basel (Komödie)
P: 26. 9. 1979. Re: Frank Günther. B: Hiltraud Warndorf. HD: W: Klaus Baer. M: Sigrun Burger. (AZ: 14)
Rez.: Peter Burri, in: Basler Zeitung, 28. 9. 1979. – Gerhard Jörder, in: Badische Zeitung, 28. 9. 1979. – Linda Stibler, in: Abend-Zeitung Basel, 1. 10. 1979. – pww., in: Neue Zürcher Zeitung, 20. 10. 1979. – Christian Fink, in: Vorwärts, 11. 10. 1979. – Paul Schorno, in: Volksblatt, 28. 11. 1979
Berlin/DDR (Theater im Palast in Koproduktion mit der Staatlichen Schauspielschule Berlin)
P: 3. 2. 1980. Re: Peter Schroth / Peter Kleinert. B: Helga Leue. HD: W: Jürgen Scheithauer. M: Ute Schmidt
Rez.: Rainer Kerndl, in: Neues Deutschland, 7. 2. 1980, S. 4
Bern (Stadttheater)
P: 9. 11. 1976. Re: Frederik Ribell. B: Rolf Christiansen. HD: W: Klaus Degenhardt. M: Béatrice Scheffler
Rez.: K. S., in: Neue Zürcher Zeitung, 31. 12. 1976, S. 31f. – C. C., in: Bund, 11. 11. 1976. – Kb., in: Berner Tagblatt, 11. 11. 1976. – ud, in: Berner Tagwacht, 11. 11. 1976. – Martin Schürch, in: Tages-Nachrichten, Münsingen, 11. 11. 1976, S. 15. – Beatrice Eichmann-Leutenegger, in: Vaterland, 15. 11. 1976. – ems, in: Berner Zeitung, 17. 11. 1976. – rk, in: Zofinger Tagblatt, 17. 11. 1976. – rn, in: Solothurner Zeitung: 19. 11. 1976. – amk, in: Bund, 20. 11. 1976. – kh, in Oltener Tagblatt, 27. 11. 1976. – gg, in: Vaterland, 30. 11. 1976
Besancon (Centre Théâtral de Franche-Compté)
P: 14. 1. 1981. Re: Jean-Louis Hourdin
Biel/Solothurn (Städtebundtheater)
P: 4. 2. 1977. Re: Heinz Possberg
Bielefeld (Bühnen der Stadt)
P: 28. 1. 1978. Re: Alfred S. Kessler. B: Jürgen Kötter. HD: W: Klaus Lange. M: Eva Derleder
Rez.: hph, in: Mindener Tageblatt, 15. 2. 1978. – E. B., in: Westfalen-Blatt, 15. 2. 1978. – Lin, in: Neue Westfälische, 15. 2. 1978. – rä, in: Neue Westfälische, 1. 2. 1978. – Ursula Siefken, in: Westfalen-Blatt, 1. 2. 1978
Bochum (Schauspielhaus)
P: 15. 11. 1980 u. d. T.: »Marie. Woyzeck«. Re: Manfred Karge / Matthias Langhoff. B: Maren Christensen. HD: W: Manfred Karge. M: Lore Brunner
Rez.: Rolf Michaelis, in: Die Zeit, Nr. 48, 21. 11. 1980, S. 44. – Hellmuth Karasek, in: Der Spiegel, Nr. 48, 24. 11. 1980, S. 266-269. – Ulrich Schreiber, in: Frankfurter Rundschau, 26. 11. 1980, S. 7. – Michael Erdmann, in: Theater heute 22 (1981), H. 1, S. 22f. – Georg Hensel, in: Frankfurter Allgemeine, 21. 11. 1980. – Hans Jansen, in: Westdeutsche Allgemeine Zeitung, 17. 11. 1980. – Konrad Schmidt, in: Ruhr-Nachrichten, 17.11. 1980. – Peter Kurath, in: Vaterland, 1. 12. 1980. – Ulrich Schreiber, in: Stuttgarter Nachrichten, 28. 11. 1980. – Heinz Klunker, in: Deutsches Allgem. Sonntagsblatt, 7. 12. 1980. – Werner Schulze-Reimpell, in: Nürnberger Nachrichten, 24. 11. 1980. – Gerhard Stadelmaier, in: Stuttgarter Zeitung, 18. 11. 1980. – Colette Godard, in: Le Monde, 28./29. 12. 1980. – Johann Wohlgemut, in: Westfälische Rundschau, 17. 11. 1980
Vgl. auch Filmbericht über die Probenarbeiten von Michael Kluth, in: WDR, 3. Fernsehprogramm, 4. 1. 1981, 22.30 Uhr
Bremen (Kammerspiele)
P: 7. 6. 1980. Re: Wolfgang Wiens. B: Johannes Schütz. HD: W: Ignaz Kichner. M: Hildegard Kuhlenberg

Rez.: Erich Emigholz, in: Bremer Nachrichten, 9. 6. 1980. – Detlef Wolff, in: Weser Kurier, 9. 6. 1980. – Ernst Goetsch, in: Wilhelmshavener Zeitung, 9. 6. 1980

Cardiff (Pip Simmons Theatre Group)
P: 11. 12. 1977
Mai 1979: Gastspiel in Hamburg
Rez.: Georg Hensel, in: Frankfurter Allgemeine Zeitung, 3. 5. 1979, S. 25. – Jürgen Schmidt, in: Deutsches Allgemeines Sonntagsblatt, 13. 5. 1979, S. 19
Mai 1979: Gastspiel in Köln (Kammerspiele)
Rez.: Hans-Joachim Schyle, in: Kölner Stadt-Anzeiger, 23. 5. 1979, S. 39

Castrop-Rauxel (Westfälisches Landestheater)
P: 21. 12. 1977. Re: Gerd-Theo Umberg

Cluj Napoca/Rumänien (Nationaltheater)
P: Dez. 1976. Re: Mircea Marin. HD: W: Dorel Vişan
Rez.: In: Teatrul, 1977, Nr. 4, S. 61
Vgl. Adriana Hass (oben unter 2.a), 1978, S. 115, 119

Ealing (Questors Theatre)
P: Juli 1979

Esslingen (Württembergische Landesbühne)
P: 11. 10. 1978. Re: Rolf Lansky. B: Herbert Murauer. HD: W: Ernst Specht. M: Ursula Cantieni
(Gastspiele in Nürtingen, Schorndorf, Gerabronn, Sindelfingen, Bietigheim, Nagold u. a.)
Rez.: Rudi Kost, in: Esslinger Zeitung, 13. 10. 1978. – Ulrich Staehle, in: Stuttgarter Zeitung, 16. 10. 1978, S. 13. – Reinhard Fiedler, in: Hohenloher Tagblatt, 24. 10. 1978. – Sigi Fastus, in: Stuttgarter Nachrichten, 26. 10. 1978. – ps, in: Nürtinger Zeitung, 23. 11. 1978. – Dieter Schnabel, in: Kreiszeitung – Böblinger Bote, 29. 11. 1978. – Sybille Schnurr, in: Stuttgarter Zeitung, 30. 11. 1978. – P. V., in: Badische Neueste Nachrichten, 11. 12. 1978

Frankfurt a. M. (Schauspiel)
P: 28. 8. 1976. Re: Peter Palitzsch. B: Götz Loepelmann. HD: W: Christian Redl. M: Anneliese Betschart
Rez.: Georg Hensel, in: Frankfurter Allgemeine Zeitung, 30. 8. 1976, S. 17. – Helmut Schmitz, in: Frankfurter Rundschau, 30. 8. 1976, S. 10. – Uwe Schultz, in: Stuttgarter Zeitung, 1. 9. 1976, S. 41. – Rudolf Krämer-Badoni, in: Die Welt, 3. 9. 1976, S. 23 – Benjamin Henrichs, in: Die Zeit, Nr. 37, 3. 9. 1976, S. 42. – Jens Wendland, in: Süddeutsche Zeitung, 7. 9. 1976, S. 13. – Dietmar N. Schmidt, in: Die Deutsche Bühne 47 (1976), H. 10, S. 17f.

Freiburg i. Br. (Stadttheater, Podium)
P: 10. 3. 1979. Re: Dieter Bitterli. B: Wolfgang Reuter. HD: W: Franz Lettenwitsch. M: Sabine Wackernagel
Rez.: Gerhard Jörder, in: Stuttgarter Zeitung, 27. 3. 1976, S. 26; und in: Theater heute 20 (1979), H. 6, S. 26f.

Gießen (Stadttheater)
P: 25. 2. 1978. Re: Horst-Gottfried Wagner

Göttingen (Junges Theater)
P: 8. 12. 1978. Re: Otto Schnelling. B: Manfred Holler. HD: W: Bernd Ludwig. M: Roswitha Ballmer. (AZ: 31)
Rez.: Gerhard Schüler, in: Göttinger Tagblatt, 11. 12. 1978. – Marion Gusovius, in: Südhannoversche Volkszeitung, 11. 12. 1978. – Monika Zimmermann, in: Hannoversche Allgemeine Zeitung, 20. 12. 1978

Hamburg (Thalia Theater)
P: 12. 9. 1980. Re: Michael Gruner. B: Uwe Oelkers. HD: W: Peter Striebeck. M: Elke Lang
Rez.: Werner Schulze-Reimpell, in: Die Deutsche Bühne 51 (1980), H. 10, S. 47f. – Klaus Wagner, in: Frankfurter Allgemeine, 15. 9. 1980. – Werner Burkhardt, in: Süddeutsche Zeitung, 16. 9. 1980. – Rolf Michaelis, in: Die Zeit, 19. 9. 1981. – Sepp Schelz, in: Allg. Deutsches Sonntagsblatt, Nr. 38, 21. 9. 1980. – Heti Aalken, in: Kölner Stadt-Anzeiger, Nr. 256, 1./2. 11. 1980
Vgl. auch: Elke Lang: Marie redet nicht um des Redens willen, sondern sie sagt, weil sie's fühlt. – In: Thalia. Theaterzeitung des Thalia Theaters, Spielzeit 1980/81, Nr. 1, S. 1

Hammersmith (Lyric Theatre)
P: 25. 3. 1980. Ensemble: Foco Novo Company. Bearbeitung: Peter Hulton. R: Neil Johnston. HD: W: Karl Johnson

Karlsruhe (Badisches Staatstheater, Kleines Haus)
P: 5. 4. 1979. Re: H.-Dieter Jendreyko. B: Erich Offermann. HD: W: Roland Teubner. M: Susanne Stoll
Rez.: Hermann Hartwig, in: Die Rheinpfalz, 5. 4. 1979. – Jutta Bachmann, in: Badisches Tageblatt, 7. 4. 1979. – Andreas Roßmann, in: Haller Kreisblatt (4802 Halle/NRW), 21. 4. 1979. – Walter Röhrig, in: Abendpost, Frankfurter Nachtausgabe, 24. 4. 1979. – Andreas Roßmann, in: Generalanzeiger für Bonn, 24. 4. 1979. – Schwarzwälder Bote, 27. 4. 1979
Le Mans (Théâtre du Radeau)
P: 1976
London (Half Moon Theatre)
P: 15. 8. 1979
Mainz (Schauspielhaus)
P: 21. 3. 1978. Re: Rudolf Krieg
München (Studiotheater)
P: 1976, als »Neuverdichtung« u. d. T.: »Da Woitscheck«. Re: Wolfgang Madleitner
Rez.: Thomas Petz, in: Süddeutsche Zeitung, 4. 10. 1976, S. 10
München (Theaterkollektiv Gaukelstuhl)
P: 1980. R: Theaterkollektiv. HD: W: Michael Hirsch. M: Sabine Dornblut
Rez.: Christopher Tarnow, in: Frankfurter Neue Presse, 10. 7. 1980. – Frankfurter Rundschau, 10. 7. 1980. – Frankfurter Allgemeine Zeitung, 14. 7. 1980
New York (Shaliko-Company)
Rez.: Charlotte Beradt, in: Frankfurter Rundschau, 16. 7. 1976, S. 8
Paris (Théâtre de l'Aquarium)
P: Herbst 1980. Re: Jean-Louis Hourdin
Rez.: Théâtre public. Revue trimestrielle publiée par le théâtre de Gennevilliers. Nr. 36 (1980), S. 52 f.
Saarbrücken (Saarländisches Staatstheater, Kammerspiele)
P: 6. 10. 1977 u. d. T.: »Der Fall Woyzeck« (1. Der historische Woyzeck. Der Mordprozeß nach den Gerichtsakten, von Günther Penzoldt. – Pause – 2. Georg Büchners Woyzeck). Re: Günther Penzoldt. B: Walther Jahrreiss. HD: W: Fred Woywode. Clarus: Willkit Greuèl. M: Petra Constanza. (ZZ: 7744)
Salzburg (Elisabethbühne)
P: 20. 1. 1979. Re: Georges Ourth. B: Arno Fischbacher. HD: W: Hugo Asen. M: Ilse Dunzenhofer. (AZ: 36)
Trier (Theater der Stadt)
P: 1977
Wien (Die Komödianten im Künstlerhaus)
P: 1. 9. 1977. Re: Karl Menrad. B: Gerhard Jax. HD: W: Dieter Hofinger. M: Helga Illich. (AZ: 36. ZZ: 4893)
Rez.: Hans Haider, in: Die Presse, 3. 9. 1977, S. 7. – Arthur West, in: Volksstimme, 4. 9. 1977. – Renate Wagner, in: Neues Volksblatt, 8. 9. 1977. – Ricco Szokoll, in: Arbeiter-Zeitung, 3. 9. 1977. – Karl Maria Grimme, in: Die Furche, 9. 9. 1977
Wiesbaden (Hessisches Staatstheater, Kleines Haus)
P: 18. 2. 1979. Re: Karl Heinz Roland. B: Alois Gallé. HD: W: Helmut Grieser. M: Ulrike Johannson
Rez.: Rudolf Krämer-Badoni, in: Die Welt, 26. 2. 1979, S. 15

VICTOR HUGO: MARIA TUDOR
Wien (Burgtheater)
P: 30. 1. 1977. Re: Gerhard Klingenberg. B: Veniero Colasanti. HD: Maria: Gisela Uhlen. Jane: Eva Rieck. Gilbert: Kurt Schossmann
Rez.: Piero Rismondo, in: Die Presse, 1. 2. 1977, S. 5. – Georg Hensel, in: Frankfurter Allgemeine Zeitung, 2. 2. 1977, S. 23. – Erik G. Wickenburg, in: Die Welt, 3. 2. 1977, S. 17. – Otto F. Beer, in: Süddeutsche Zeitung, 4. 2. 1977, S. 12. – Duglore Pizzin, in: Wochenpresse, 2. 2. 1977. – Volkmar Parschalk, in: Tiroler Tageszeitung, 2. 2. 1977. – Walter Zeleny, in: Salzburger Volksblatt, 2. 2. 1977. – Franz Konrad, in: Neue Zeit, 2. 2. 1977. – Hans Heinz Hahnl, in: Arbeiter-Zeitung, 1. 2. 1977. – Viktor Reimann, in: Kronenzeitung, 1. 2. 1977. – Paul Blaha, in: Kurier, 1. 2. 1977, S. 23. – György Sebastyén, in: Wiener Zeitung, 1. 2. 1977

b) Stücke und Szenarien über Büchner

LAURENCE CHABLE / GÉRARD FORGEOUX:
Ne nous faites pas honte. Le monde est si vieux [Un portrait d'après les œuvres de Georg Büchner]
Le Mans (Théâtre du radeau. Groupe d'action théâtrale du Maine)
>   P: 1980. Re. B: Laurence Chable / Gérard Forgeoux. HD: Laurence Chable, René-Luc Masseau, Marc Sulvic
>   (Gastspiele, u. a. in Paris, Maison Heinrich Heine, 10.-25. 10. 1980)

INGE FLIMM (Zusammenstellung und Regie):
Büchner! Verschwörung in Hessen. Texte Lieder Dokumente
[Szenische Dokumentation als Ergänzung zur Inszenierung von »Dantons Tod« am Hamburger Schauspielhaus. »Das Thema des Abends ist Büchners politische Biographie«]
Hamburg (Deutsches Schauspielhaus, Malersaal)
>   P: 19. 10. 1976. Re: Inge Flimm. B: Burkhard Manger. HD: Höffer, Schade, Schwarz, Berg, Dahmen, Hinz, König, Kuntzsch, Mues, Prelle, Rastl, Ulrich

WOLFRAM MEHRING:
Georg Büchner oder Büchners Sterben
[UA: 1970 in Paris]
Neuss (Rheinisches Landestheater)
>   P: 12. 9. 1980 (DEA). Re, B: Wolfram Mehring. HD: Büchner: Michael Schories. Weidig usw.: Waldemar Stutzmann. Minna Jaegle usw.: Tatjana Pasztor
>   Rez.: Eo Plunien, in: Die Welt, 16. 9. 1980. – Heinz G. Feld, in: Düsseldorfer Nachrichten, 15. 9. 1980. – goka, in: Neuss-Grevenbroicher-Zeitung, 15. 9. 1980. – Dirk H. Fröse, in: Die Deutsche Bühne 51 (1980), H. 10, S. 49
>   Vgl. auch: Die Deutsche Bühne 51 (1980), H. 9, S. 30f. [mit Leseprobe]
>   (Gastspiele, u. a. in Darmstadt)

MARCEL SCHILB (Textzusammenstellung und Regie):
Georg Büchner. – »Friede den Hütten! Krieg den Palästen!« Ein politisches Szenarium aus einer vergangenen Zeit. Lehrstück für Demokraten
[Politische Revue mit Textmontagen u. a. von Büchner, C. Schulz, Weitling, Marx, Herwegh, Freiligrath, Brecht]
Frankfurt a. M. (die katakombe, Kellertheater)
>   P: Febr. 1980 (UA). Re: Marcel Schilb. HD: Sylvia Bossart, Claudia Macht, Otto Edelmann, Ben Engel, Ralf Kellen
>   (Zahlreiche Gastspiele)
>   Rez.: Günter Tilliger, in: Frankfurter Neue Presse, 25. 2. 1980. – a. f., in: Frankfurter Allgemeine Zeitung, 29. 2. 1980. – Helmut Schmitz, in: Frankfurter Rundschau, 8. 3. 1980, S. 5. – Rainer Meinigke, in: Rheinische Post, Düsseldorf, 2. 4. 1980

FRIEDER VENUS:
Traumtanz (s. unten zu 7.)

GERHARD ZWERENZ:
Rede des Georg Büchner vor der Darmstädter Akademie für Sprache und Dichtung anläßlich seiner Ablehnung als Büchner-Preisträger
>   P: Okt. 1975. Re: Peer Raben. HD: Volker Spengler
>   (über 250 Aufführungen und Gastspiele 1975-1980)

c) Opern nach Büchner

GOTTFRIED VON EINEM: DANTONS TOD (1947)
Bremen (Theater am Goetheplatz)
>   P: 6. 10. 1979. Re: Peter Brenner. B: Marco Arturo Marcelli. ML: Peter Schneider. HD: D: Nicolas Christou. CD: Stefan Drakulich. Ro: Fero Livora. SJ: Mihail Milanow
>   Rez.: Simon Neubauer, in: Opernwelt 20 (1979), H. 12, S. 31

WOLFGANG RIHM: JAKOB LENZ. KAMMEROPER NR. 2. LIBRETTO FREI NACH G. BÜCH-NERS »LENZ« VON MICHAEL FRÖHLING
Textbuch: Wien: Universal-Edition 1979. 39 S.
Rez.: Reinhard Beuth, in: die Welt, 10. 3. 1979, S. 15. – Gerhard R. Koch, in: Frankfurter Allgemeine Zeitung, 12. 3. 1979, S. 21. – Lutz Lesle, in: Stuttgarter Zeitung, 12. 3. 1979, S. 11. – Gerhart Asche, in: Tagesspiegel, 13. 3. 1979, S. 5. – Hans-Klaus Jungheinrich, in: Frankfurter Rundschau, 16. 3. 1979, S. 7. – Richard Bernstein, in: Rheinischer Merkur, Nr. 11, 16. 3. 1979, S. 26. – Heinz-Josef Herbort, in: Die Zeit, Nr. 12, 16. 3. 1979, S. 45. – Rainer Gagner, in: Deutsches Allgemeines Sonntagsblatt, Nr. 11, 18. 3. 1979, S. 19. – ahg., in: Neue Zürcher Zeitung, 29. 3. 1979, S. 39. – Hans-Klaus Jungheinrich, in: Die Deutsche Bühne 50 (1979), H. 4, S. 40. – Gerhart Asche, in: Opernwelt 20 (1979), H. 5, S. 31
Braunschweig (Staatstheater. Experimentelles Musiktheater im Herzog-Anton-Ulrich-Museum)
P: 4. 10. 1980. Re: Heinz Lukas-Kindermann. B: Dietrich Schoras. ML: Friedrich Sin. HD: L: Richard Salter. O: Günther Morbach. K: Wolf-Hildebrand Moser
Rez.: Rolf Lieberum, in: Braunschweiger Zeitung, 6. 10. 1980
Gelsenkirchen (Musik-Theater-Werkstatt)
P: 13. 5. 1979. Re: Thomas Rübenacker. B: Thomas Rübenacker. ML: Volkmar Olbrich. HD: L: John Janssen. O: Karl Fäth. K: Mario Brell
Rez.: Gerhard Bauer, in: Kölner Stadt-Anzeiger, 21. 5. 1979, S. 5. – Ulrich Schreiber, in: Frankfurter Rundschau, 30. 5. 1979, S. 12. – Albin Hänseroth, in: Die Welt, 2. 6. 1979, S. 15. – Jörg Loskill, in: Opernwelt 20 (1979), H. 8, S. 39
Graz (Opernhaus)
P: 19. 10. 1980 (ÖEA). Re: Emil Breisach. B: Jörg Koßdorff. HD: L: Wolfgang Müller-Lorenz. O: Richard Best. K: Ernst-Dieter Suttheimer
Rez.: Manfred Blumauer, in: Opernwelt 21 (1980), H. 12, S. 30
Hamburg (Staatsoper, Studiobühne Opera Stabile)
P: 8. 3. 1979 (UA). Re: Siegfried Schönbohm. B: Brigitte Friesz. ML: Klauspeter Seibel. HD: L: Richard Salter. O: Udo Krekow. K: Peter Haage
Rez.: Hans-Klaus Jungheinrich, in: Die Deutsche Bühne 50 (1979), H. 4, S. 40. – Gerhart Asche, in: Opernwelt 20 (1979), H. 5, S. 31
Karlsruhe (Badisches Staatstheater, Kleines Haus)
P: 6. 3. 1980. Re: Hans Peter Knell. B: Waldemar Mayer-Zick. ML: Frithjof Haas. HD: L: Paul Yoder. O: Mark Munkittrick. K: Julius Best
Dass.: Sendung im Südwestfunk, 2. Progr., 15. 6. 1980, 20.20-22.00 Uhr
Rez.: Karl-Heinz Ebert, in: Badische Neueste Nachrichten, 8. 3. 1980. – Ursula Dauth, in: Die Rheinpfalz, 8. 3. 1980. – Hartmut Regitz, in: Stuttgarter Nachrichten, 8. 3. 1980. – Karl Nagel, in: Badisches Tageblatt, 10. 3. 1980. – Alb-Bote (7890 Waldshut-Tiengen, Baden-Württemberg), 17. 3. 1980. – Heinz W. Koch, in: Mannheimer Morgen, 18. 3. 1980. – Franz Josef Wehinger, in: Offenbacher Tageblatt, 18. 3. 1980. – Horst Koegler, in: Stuttgarter Zeitung, 8. 3. 1980
Nürnberg (Städtische Bühnen)
P: 31. 5. 1980. Re: Peter B. Wyrsch. B: Waltraud Engelberg. ML: Neil Varon. HD: L: Barry Hanner. O: Arend Baumann. K: Cesare Curzi. (AZ: 6. ZZ: ca. 600)
Rez.: W. Bronnenmeyer, in: Nürnberger Zeitung, 2. 6. 1980. – Ders., in: Opernwelt, Juli 1980. – Fritz Schleicher, in: Nürnberger Nachrichten, 2. 6. 1980. – Klaus Martin Wiese, in: Donau-Kurier, 5. 6, 1980
Stuttgart (Württembergisches Staatstheater)
P: 12. 5. 1980

PAUL DESSAU: LEONCE & LENA. OPER NACH DEM GLEICHNAMIGEN LUSTSPIEL VON GEORG BÜCHNER. TEXT VON THOMAS KÖRNER (1979)
Textbuch: Berlin: Henschel 1979
Vgl. Kynaß, Hans-Joachim: Oper über Georg Büchner und Gedenkstück für Paul Dessau. ND-Werkstattgespräch mit dem Leipziger Komponisten Friedrich Schenker. – In: Neues Deutschland, 6. 2. 1980, S. 4
Rez.: Oehlschlägel, Reinhard: Paul Dessaus »Leonce und Lena« und die Oper in der DDR. – In: Südwestfunk, 2. Progr., 27. 4. 1980
Berlin/DDR (Deutsche Staatsoper)
P: 24. 11. 1979 (UA). Re: Ruth Berghaus. B: Marie-Luise Strandt. ML: Joachim Freyer. HD: KP: Reiner Süß. Le: Eberhard Büchner. La: Carola Nossek. V: Peter Menzel

Rez.: Klaus Geitel, in: Berliner Morgenpost, 27. 11. 1979. – Dietman Fritzsche, in: Theater der Zeit 35 (1980), H. 1, S. 32f. – Klaus-Henning Bachmann, in: Opernwelt 21 (1980), H. 1, S. 38f. – Eberhard Rebling, in: Neues Deutschland, 27. 11. 1979, S. 3. – Hans Werner Heister, in: Deutsche Volkszeitung, 1979, Nr. 49
P: 29. 12. 1979. Re: Lukas Kindermann. B: Hans Georg Schäfer. ML: Hans Urbanek. HD: KP: Jan Allofs. Le: Dieter Bundschuh. La: Gisela Büchner. V: Rupert O. Forbes
Rez.: Heinz Koch, in: Opernwelt 21 (1980), H. 2, S. 31f.
Dass.: Sendung im Südwestfunk, 2. Progr. 27. 4. 1980, und im WDR, 3. Progr., 9. 11. 1980

ALBAN BERG: WOZZECK. OPER IN DREI AKTEN. TEXT NACH GEORG BÜCHNERS GLEICH-NAMIGEM DRAMA (1921/25)

Taylor, Ronald: Opera in Berlin in the 1920s. *Wozzeck* and The *Treepenny* *Opera*. – In: Keith Bullivant (Hrsg.): Culture and Society in the Weimar Republic. – Manchester: Univ. Press 1977 (Totowa, N. J.: Rowman & Littlefield 1978), S. 183–180

Berlin/West (Deutsche Oper)
P: 28. 10. 1976. Re: Otto Schenk. B: Günther Schneider-Siemssen. ML: Heinrich Hollreiser / Caspar Richter. HD: W: Gerd Feldhoff. M: Brigitte Fassbaender
Rez.: Wolfgang Burde, in: Der Tagesspiegel, 30. 10. 1976 u. 26. 11. 1976. – Klaus Geitel, in: Die Welt, 30. 10. 1976, S. 15. – H. H. Stuckenschmidt, in: Frankfurter Allgemeine Zeitung, 1. 11. 1976, S. 25; und in: Neue Zürcher Zeitung, 30. 11. 1976, S. 17. – Krause, in: Opernwelt 17 (1976), H. 12, S. 32

Darmstadt (Hessisches Staatstheater)
P: Aug. 1976. Re: Kurt Horres. B: Hanna Jordan. ML: Hans Drewanz. HD: W: Willi Nett. M: Bärbel Kleibner
Rez.: Hans-Klaus Jungheinrich, in: Frankfurter Rundschau, 31. 8. 1976, S. 12. – Gerhard Rohde, in: Frankfurter Allgemeine Zeitung, 1. 9. 1976, S. 25. – Jens Wendland, in: Süddeutsche Zeitung, 7. 9. 1976, S. 13. – Dietmar N. Schmidt, in: Die Deutsche Bühne 47 (1976), H. 10, S. 17f.

Edinburg (King's Theatre. Festspiele)
P: 28. 8. 1080. Re: David Adlen. B: David Fielding. ML: Sir Alexander Gibson. HD: W: Benjamin Luxon. M: Elise Ross
Rez.: Ossia Trilling, in: Opernwelt 21 (1980), H. 11, S. 60

Firenze (Teatro Communale. Maggio musicale fiorentino)
P: 2. 5. 1979. Re: Liliana Caviani. B: Ezio Frigerio. ML: Bruno Bartoletti. HD: W: William Stone. M: Maralin Niska
Rez.: Wolfgang Schreiber, in: Süddeutsche Zeitung, 8. 5. 1979, S. 25. – Sinah Kessler, in: Frankfurter Allgemeine, 11. 5. 1979, S. 23. – Paul Kruntorad, in: Deutsche Zeitung   Christ und Welt, Nr. 22, 25. 5. 1979, S. 18; und in: Frankfurter Rundschau, 12. 6. 1979, S. 13. – Giovanna Kessler, in: Opernwelt 20 (1979), H. 6, S. 29f.

Frankfurt a. M. (Opernhaus)
P: Dez. 1978 (Neuaufnahme). Re: Wieland Wagner. ML: Michael Gielen
Rez.: Justus Mahr, in: Frankfurter Rundschau, 13. 12. 1978, S. 25. – Wolfgang Wolkow, in: Der Tagesspiegel, 13. 12. 1978, S. 5

Gelsenkirchen (Musiktheater)
P: 3. 6. 1977. Re: Toni Blankenheim / Joachim Fontheim. B: Toni Businger. ML: Ljubomir Romansky. HD: W: Willi Nett. M: Gerlinde Lorenz
Rez.: Käthe Flamm, in: Opernwelt 18 (1977), H. 8, S. 33. – Jörg Loskill, in: Die Deutsche Bühne 48 (1977), H. 7, S. 19, 22

Genève (Grand Théatre)
P: 1. 6. 1978. Re: Jean-Claude Riber. B: Andrzej Majewski. ML: Siegfried Kurz. HD: W: Karl-Heinz Stryczek. M: Elisabeth Söderström
Rez.: Imre Fabian, in: Opernwelt 19 (1978), H. 7, S. 39. – Andres Briner, in: Neue Zürcher Zeitung, 9. 6. 1978, S. 43

Kassel (Staatstheater)
P: 15. 6. 1980. Re: Heinz Lukas-Kindermann. B: Walter Perdacher. ML: James Lockhart. HD: W: Dieter Hönig. M: Barbara Honn
Rez.: J. H. Sutcliffe, in: Opernwelt 21 (1980), H. 8/9, S. 44

341

Lübeck (Bühnen der Hansestadt)
P: 2. 4. 1977. Re: Karl Vibach / Michael Wedeking. ML: Matthias Kuntzsch
Rez.: Hans Otto Spingel, in: Die Welt, 13. 4. 1977, S. 19
Milano (Scala)
P: April 1977. Re: Luca Ronconi. B: Gae Aulenti. ML: Claudio Abbado. HD: W: Guillermo
Sarabia. M: Wendy Fines
Rez.: Astrid Heuer, in: Süddeutsche Zeitung, 13. 4. 1977, S. 23. – rur., in: Neue Zürcher Zei-
tung, 15. 4. 1977. – Sinah Kessler, in: Frankfurter Allgemeine Zeitung, 6. 4. 1977, S. 23. –
Giovanna Kessler, in: Opernwelt 18 (1977), H. 5, S. 44
Münster (Städtische Bühnen)
P: 11. 4. 1978. Re: Klaus Laskowski. B: Jochen Plänker. ML: Alfred Walter. HD: W: Bengt
Wisten. M: Angelika Rode
Rez.: Jörg Loskill, in: Opernwelt (1978), H. 6. – C. Georg Tannenhoff, in: Orpheus (1978), H.
5, S. 381f. – Albin Häuseroth, in: Die Welt, 19. 4. 1978, S. 21. – Bernd Behr, in: Münstersche
Zeitung, 13. 4. 1978. – Joh. Hasenkamp, in: Westfälische Nachrichten, 13. 4. 1978
New York (Metropolitan Opera)
P: 1980. Re: David Alden. B: nach dem alten Modell von Caspar Neher. ML: James Levine.
HD: W: José van Dam. M: Anja Silja
Rez.: Kurt Oppens, in: Opernwelt 21 (1980), H. 5, S. 49
Zürich (Opernhaus)
P: 14. 6. 1980

d) Filme, Hörspiele, Lesungen usw. (auch über Büchner)
FILME

Georg Büchner: Dantons Tod. Fernsehbearbeitung und Regie: Fritz Bornemann (Dramatur-
gie: Alfred Nehring)
DDR-Fernsehen, 1. Programm, 27. März 1977
[Eigeninszenierung zum Welttheatertag.]
B: Gabriele Jansen. HD: D: Friedo Solter. CD: Uwe Kockisch. Ro: Jürgen Hentsch. SJ: Henry
Hübchen. M: Ursula Werner
Rez.: FF-Dabei [Programmillustrierte] (1977), Nr. 13, S. 44f. – Martin Linzer, in: Theater
der Zeit 32 (1977), H. 5, S. 20-23. – Rainer Kerndl, in: Neues Deutschland, 31. 3. 1977, S. 4
Jürgen Schyskewitz: Friede den Hütten! Krieg den Palästen! [nach Kasimir Edschmid: Georg
Büchner. Eine deutsche Revolution]
Hessischer Rundfunk, 20. 6. 1970 (Erstsendung; spätere Wiederholungen)
Re: Gerhard Klingenberg. HD: Weidig: Siegfried Wischnewski. B: Klaus-Maria Brandauer
Georg Büchner: Dantons Death. Bearbeitet von Stuart Griffiths und Alan Clarke
BBC 1 (Television), 23. 4. 1978
Heide Kouba und Karin Brandauer: Poesie und Revolution. Georg Büchner
ORF, 1. Fernsehprogramm, 30. 10. 1977, 22.00 Uhr
Re: Karin Brandauer, HD: Büchner etc.: Klaus Maria Brandauer
Gerhard Labudda und Hans Dieter Zimmermann: »Wir sind alle lebendig begraben«. Georg
Büchner – Poet und Revolutionär
Hessisches Fernsehen, 3. Programm, 27. 7. 1978
Helga Schütz (Buch), Lothar Warneke (Regie), Claus Neumann (Kamera): Addio, piccola mia
[Spielfilm über Georg Büchner]
DEFA, Berlin/DDR-Babelsberg (1979); Farbe; Breitwand
HD: Büchner: Hilmar Eichhorn. Weidig: Michael Gwisdek
Rez.: Anonym, in: Filmspiegel, Berlin/DDR: Henschel (1978), Nr. 25, S. 21. – Peter Ahrens,
in: Die Weltbühne 74 (1979), H. 9, S. 278-281. – Horst Knietzsch, in: Neues Deutschland,
20./21. 1. 1979, S. 4. – Heinz Kersten, in: Frankfurter Rundschau, 15. 2. 1979, S. 9; und in:
Der Tagesspiegel, 18. 3. 1979, S. 62
Werner Herzog (Buch, nach dem Bühnenfragment von Georg Büchner, und Regie)
Jörg Schmidt-Reitwein (Kamera): Woyzeck
Werner Herzog Filmproduktion, München; Farbe / Format 35 mm
(Länge: 82 Minuten. Kinostart 25. 5. 1979. Verleih: Filmverlag der Autoren)
HD: W: Klaus Kinski. M: Eva Mattes. Hauptmann: Wolfgang Reichmann. Doktor: Willy
Semmelrogge. Tambourmajor: Josef Bierbichler. Andres: Paul Burjan

342

Vgl. Jahrbuch Film 79/80. Hrsg. von Hans Günther Pflaum. – München: Hanser 1979, S. 97, 210. – Kino 79/80. Bundesdeutsche Filme auf der Leinwand. Hrsg. von Robert Fischer. – München: Nüchtern 1979, S. 162-165
Rez.: Hellmuth Karasek, in: Der Spiegel, Nr. 21, 21. 5. 1979, S. 229-232. – Wilfried Wiegand, in: Frankfurter Allgemeine Zeitung, 23. 5. 1979, S. 27. – Volker Baer, in: Der Tagesspiegel, 24. 5. 1979, S. 4. – Wolfgang Ignée, in: Stuttgarter Zeitung, 25. 5. 1979, S. 33. – Wolfram Schütte, in: Frankfurter Rundschau, 26. 5. 1979, S. 18. – Rolf Thissen, in: Kölner Stadt-Anzeiger, 26. 5. 1979, S. 38. – Peter Buchka, in: Süddeutsche Zeitung, 29. 5. 1979. – Franz Manola, in: Die Presse, 2. 6. 1979, S. 6. – Hans C. Blumenberg, in: Die Zeit, Nr. 23, 1. 6. 1979, S. 50. – Michael Stone, in: Deutsche Zeitung – Christ und Welt, Nr. 24, 8. 6. 1979, S. 18

HÖRSPIELE

Hans Rothe: Besonderes Kennzeichen: Kurzsichtig. Hörspiel über Georg Büchner
Bayerischer Rundfunk, 23. 10. 1978
Re: Ulrich Lauterbach
Nachsendungen: Hessischer Rundfunk, 5. 11. 1978. – Norddeutscher Rundfunk, 21. 3. 1979
Rez.: Evangelischer Pressedienst Nr. 62, 16. 8. 1978

LESUNGEN

18. 12. 1979: Ernst-Henning Schwedt liest »Lenz« von Georg Büchner und »Leviathan« von Arno Schmidt (Hochschule Lüneburg)
Rez.: Landeszeitung für die Lüneburger Heide, 21. 12. 1979, S. 10
20. 1. 1980: Karl-Heinz Böhm liest Büchners »Lenz« (Schauspielhaus Düsseldorf, Matinee)
15. 4. 1980: Michael Evers liest Texte und Briefe Büchners (Werkstattbühne der Städt. Bühnen Bonn)
Rez.: General-Anzeiger Bonn, 17. 4. 1980

AUSSTELLUNGEN

Georg Büchner (Dauerausstellung im Burgmannen-Museum Gießen)
Der Georg-Büchner-Preis 1951-1978 (Wissenschaftszentrum Bonn-Bad Godesberg 11. 10.-26. 11. 1978; Mathildenhöhe Darmstadt 10. 2. 1. 3. 1070) (Vgl. unten zu 7. Der Georg Büchner-Preis . . .)

VERSCHIEDENE VERANSTALTUNGEN

Georg Büchner. (Veranstaltungsreihe der Naturfreunde, der Volkshochschule und der Stadtbücherei Offenbach a. M.)
17. 9. 1980: Werner Herzogs »Woyzeck«-Film im Kommunalen Kino
19. 9. 1980: »Friede den Hütten . . .«. Videofilm nach dem Roman »Georg Büchner – eine deutsche Revolution« von Kasimir Edschmid [Vgl. oben S. 342 unter ›Filme‹]. Vortrag von Bernd Schulz, Univ. Frankfurt, mit anschl. Diskussion in der Volkshochschule
18. 11. 1980: »Der Hessische Landbote und die Gesellschaft der Menschenrechte«. Hans-Christian Kirsch (Frederik Hetmann) liest aus seinem neuen Buch »Georg B.«
19. 11. 1980 Fahrt zum Burgmannen-Museum Gießen (Büchner-Abteilung) und Wanderung zur Badenburg
Nov/Dez. 1980 (geplant): Besuch der Aufführung des Frankfurter Kellertheaters Die Katakombe: »Georg Büchner. – Friede den Hütten! Krieg den Palästen!«
Rez.: Offenbach-Post, 24. 11. 1980

VORTRÄGE, RUNDFUNKESSAYS

Aus dem Hessischen Landboten. – In: Radio Bremen, 1. Progr. 12. 6. 1977, 15.15-17.00 Uhr
Wolfgang Schwerbrock: Der Hessische Landbote. Die Geschichte einer literarischen Zeitung und ihres Gründers Friedrich Ludwig Weidig [Typoskript 60 S.]. – In: Hessischer Rundfunk, 2. Progr., 17. 1. 1978

Gerhart Baumann: Georg Büchner: Die Sprache der Sprachlosen. – In: Südwestfunk, 2. Progr., 23. 3. 1980 (Die Aula, 10.30-11.00 Uhr)

7. DER GEORG-BÜCHNER-PREIS UND WIRKUNG IN DER GEGENWART

Der Georg-Büchner-Preis (1951-1978). Eine Ausstellung des Deutschen Literaturarchivs Marbach und der Deutschen Adademie für Sprache und Dichtung Darmstadt (Wissenschaftszentrum Bonn-Bad Godesberg, 11. Oktober-26. November 1978). Ausstellung und Katalog bearb. von Dieter Sulzer, Hildegard Dieke und Ingrid Kußmaul. – Marbach a. N.: Deutsche Schillergesellschaft 1978. 375 S. mit 219 Abb. im Text.
[Dazu als dreifarb. Siebdrucke Plakate im Format DIN A 0 mit Porträts von Georg Büchner, Gottfried Benn, Marie-Luise Kaschnitz, Max Frisch, Günter Eich, Paul Celan, Hans Erich Nossack, Wolfgang Koeppen, Hans Magnus Enzensberger, Ingeborg Bachmann, Günter Grass, Wolfgang Hildesheimer, Heinrich Böll, Thomas Bernhard, Uwe Johnson, Elias Canetti, Peter Handke, Reiner Kunze, Hermann Lenz]

Preisträger:
1977: Reiner Kunze (21. Oktober in Darmstadt)
Reiner Kunze: Sind Gedichte Luxus? Dankrede beim Empfang des Georg-Büchner-Preises. – In: Süddeutsche Zeitung, Nr. 244, 22. 10. 1977, S. 101
Georg-Büchner-Preis an Reiner Kunze. Darf ein Schriftsteller überhaupt *vernünftig* werden wollen? Reden von Heinrich Böll [Laudatio] und Reiner Kunze [Dankrede]. – Frankfurt a. M.: S. Fischer 1977. 31 S. (Verlagsgabe »Für unsere Freunde«, Dez. 1977)
Heinrich Böll: Rede auf den Preisträger. Reiner Kunze: Dankrede. – Beide in: Deutsche Adademie für Sprache und Dichtung Jahrbuch 1977. – Heidelberg: Lambert Schneider 1978, S. 71-76, 77-81
Vgl.: Ulrich Greiner, in: Frankfurter Allgemeine Zeitung, 24. 10. 1977, S. 21. – Helmut Schmitz, in: Frankfurter Rundschau, 24. 10. 1977, S. 7. – Rudolf Krämer-Badoni, in: Die Welt, 24. 10. 1977, S. 17. – Geno Hartlaub, in: Deutsches Allgemeines Sonntagsblatt, 30. 10. 1977, S. 17
1978: Hermann Lenz (27. Oktober in Bonn)
Hermann Lenz: Den Verfall hinauszögern. – In: Deutsche Akademie für Sprache und Dichtung Jahrbuch 1978, II. Lieferung. – Heidelberg: Lambert Schneider 1979, S. 74-81
Dolf Sternberger: Laudatio auf Hermann Lenz, ebda., S. 69-73, und in: Süddeutsche Zeitung, Nr. 249, 28. 10. 1978, S. 129f.
Hermann Lenz: Die Literatur – ein Heilmittel. Dankrede nach dem Empfang des Georg-Büchner-Preises. – In: Süddeutsche Zeitung, Nr. 249, 28. 10. 1978, S. 129f.
Vgl. Volker Hage, in: Frankfurter Allgemeine Zeitung, 30. 10. 1978, S. 23. – Hellmut Jaesrich, in: Die Welt, 30. 10. 1978, S. 19. – Marie Münster, in: Deutsches Allgemeines Sonntagsblatt, 14. 5. 1978 und 5. 11. 1978, S. 19
1979: Ernst Meister (19. Oktober in Darmstadt)
Eva Zeller: Laudatio auf Ernst Meister. – In: Deutsche Akademie für Sprache und Dichtung Jahrbuch 1979, II. Lieferung. – Heidelberg: Lambert Schneider 1980, S. 83-91
1980: Christa Wolf (16. Oktober in Darmstadt)
Hanno Helbling: Laudatio auf Christa Wolf. Christa Wolf: Dankrede. – Beide in: Deutsche Akademie für Sprache und Dichtung Jahrbuch 1980, II. Lieferung. – Heidelberg: Lambert Schneider 1981, S. 62-66, 67-77
Christa Wolf: Rosetta unter ihren vielen Namen. Rede vor der Darmstädter Akademie bei Entgegennahme des Georg-Büchner-Preises. – In: Süddeutsche Zeitung, Nr. 242, 18./19. 10. 1980, S. 149f.
Christa Wolf: Rosetta sous ses multiples noms. – In: Théâtre public 37 (1981), S. 24-30

Canetti, Elias: Georg Büchner. – In: Das Gewissen der Worte. Essays. – München: dtv 1978
Celan, Paul: The Meridian [übers. von Jerry Glenn]. – In: Chicago Review 29 (1978), H. 3, S. 29-40 [Einleitung von Beatrice Cameron: The ›Meridian‹ Speech: An Introductory Note, ebd., S. 23-27]
Jacobi, Heinz / Eckart Menzler: Forderung nach Verbot des Georg-Büchner-Preises. – In: Der Bote (Der Martin-Greif-Bote) Nr. 8. – München 1978. S. 146-149

Reinhold, Ursula: Vormärztradition als Gegenstand ideologischer Auseinandersetzung im öffentlichen Leben der BRD. – In: Streitpunkt Vormärz. Beiträge zur Kritik bürgerlicher und revisionistischer Erbauffassungen von Helmut Bock, Werner Feudel [u. a.]. – Berlin: Akademie-Vlg 1977 (=Literatur und Gesellschaft), S. 64-99 [darin der Abschnitt: »Revolutionär-demokratisches Erbe als Herausforderung an den bürgerlichen Künstler in der spätkapitalistischen Gesellschaft der BRD, dargestellt an den Reden der Büchner-Preis-Träger«, S. 65-78, 293f.]

Leonce und Lena-Preis [für Lyrik] (vgl. Nachtrag im folgenden Band des *Büchner Jahrbuchs*)

Literarische Wirkung; Dichtungen über Büchner

Bartsch, Kurt: Wadzeck. Roman. – Reinbek bei Hamburg: Rowohlt Taschenbuch Vlg 1980 (=das neue Buch 141). 90 S.

Brasch, Thomas: Danton [Gedicht]. – In: ders.: Kargo. 32. Versuch auf einem untergehenden Schiff aus der eigenen Haut zu kommen. – Frankfurt a. M.: Suhrkamp 1977, S. 192

Braun, Volker: Unvollendete Geschichte. – Frankfurt a. M.: Suhrkamp 1977. 97 S.
  Dass.: Frankfurt a. M.: Suhrkamp 1979 (=Bibliothek Suhrkamp 648)
  [Zuerst in: Sinn und Form 27 (1975), H. 5, S. 941-979]
  Beth, Hanno: Die Verwirrungen des Zöglings Karin. Zu Volker Brauns Erzählung »Unvollendete«. – In: Volker Braun. Text + Kritik, H. 55 (Juli 1977), S. 49-57
  Koerner, Charlotte W.: Volker Brauns *Unvollendete Geschichte*. Erinnerung an Büchners »Lenz«. – In: Basis. Jahrbuch für deutsche Gegenwartsliteratur 9 (1979), S. 149-168, 266f.

Edschmid, Kasimir: Georg Büchner. Eine deutsche Revolution. Roman. – Frankfurt a. M.: Suhrkamp 1980 (=suhrkamp taschenbuch 616). 530 S. [Erstausgabe u. d. T.: München: Desch 1966]

Hacks, Peter: Der Meineiddichter. – In: Neue Deutsche Literatur (1977), H. 5, S. 8-19 [zu Büchner S. 11f.]
  Vgl.: Peter Hacks, Werner Mittenzwei u. a. im Dramatischen Arbeitskreis der Akademie der Künste, Berlin (DDR): Protokoll vom 21. 12. 1976: »Dantons Tod« [Unveröffentlichte Tonbandmitschrift]. – Archiv der Akademie der Künste Berlin (DDR)

Müller, Heiner: Der Auftrag. Erinnerung an eine Revolution. – In: Sinn und Form 31 (1979), H. 6, S. 1244-1263
  Dass. in: Theater heute 21 (1980), H. 3, S. 45-51

Salvatore, Gaston: Büchners Tod (1972)
  Fischer, Ludwig: Erkennen und Wiedererkennen. Über die Aneignung von Gegenwart und Vergangenheit in Gaston Salvatores ›Büchners Tod‹. – In: Ludwig Fischer (Hrsg.): Zeitgenosse Büchner, 1979, S. 61-95

Schneider, Peter: Lenz. Eine Erzählung (1973)
  Pott, Wilhelm Heinrich: Über den fortbestehenden Widerspruch von Politik und Leben. Zur Büchner-Rezeption in Peter Schneiders Erzählung ›Lenz‹. – In: Ludwig Fischer (Hrsg.): Zeitgenosse Büchner, 1979, S. 96-130
  Sahlberg, Oskar: Peter Schneiders Lenz-Figur. – In: Ludwig Fischer (Hrsg.): Zeitgenosse Büchner, 1979, S. 131-152
  (Vgl. auch Shitahodo, Ibuki, oben unter 2a)

Steinberg, Werner: Protokoll der Unsterblichkeit. [Büchner-]Roman. 4. Aufl. – Halle, Leipzig: Mitteldeutscher Vlg o. J. [1980] (= W. S.: Ausgewählte Werke, hrsg. [u. mit Nachwort] von H. D. Tschörtner). 448 S. [1. Aufl.: Halle 1969]

Venus, Frieder: Traumtanz. Szenen aus dem 19. Jahrhundert [Stück über Büchner]. – In: Temperamente. Blätter für junge Literatur. – Berlin: Vlg Neues Leben 2 (1977), H. 1, S. 76 bis 105
  [2 Aufführungen in Eisenach und Karl-Marx-Stadt, 1978]

Politische Wirkung

Der Hessische Landbote. Eine Aktion für Sozialdemokraten; veranstaltet von der Sozialdemokratischen Wählerinitiative Hessen. – Frankfurt a. M. Sept. 1976. 8 S. in 4°

Der hessische Landbote. Bund Umwelt Naturschutz Deutschland (BUND) e. V. Redaktion Henrich von Nussbaum. – Frankfurt a. M. [Sept. 1977] [Zeitschrift und Flugblatt zu einem »Lokaltermin in Sachen Georg Büchner« in Goddelau am 1./2. 10. 1977 u. a. mit Beitr. v. Andreas Hoffmann, F. v. Wangenheim, M. v. Soden, H. v. Nussbaum, Gerhard Zwerenz; hierzu auch div. Presseberichte, z. B. in: Frankfurter Rundschau, 29. 9. 1977 u. 3. 10. 1977, S. 16. – Offenbach-Post, 7. 10. 1977, S. 12]

Der neue hessische Landbote. Hrsg. vom Bund für Umwelt und Naturschutz Hessen e. V. – Frankfurt a. M. 1978

Friede den Hütten! Krieg den Palästen! [Hrsg. vom] Georg v. Rauch-Haus Kollektiv [Umschlagtitel: Rauch-Haus Kollektiv. 6 Jahre Selbstorganisation]. – Berlin/West [Sept.] 1977. 172 S.

Georg Büchner – oder der Fall Goddelau. – In: Kultur & Gesellschaft. Monatsschrift des Demokratischen Kulturbundes der Bundesrepublik Deutschland Nr. 12 (Dez. 1977), S. 11-16 [Beiträge von Erik Neutsch: »Reise zu Büchner: Endpunkt Garage« (zuerst in: Neues Deutschland, 11. 1. 1975), Rudi Hechler, Peter Schütt, Karl Freitag u. a. zu einer öffentlichen Geburtstagsfeier für Georg Büchner, veranstaltet vom ›Demokratischen Kulturbund‹ am 17. 10. 1977 in Goddelau]

Vgl. Helmut Schmitz, in: Frankfurter Rundschau, 3. 11. 1977, S. 22. – Peter Knodt, in: Unsere Zeit, 28. 1. 1978, S. 7. – »Endpunkt Garage«, in: Stern, 15. 9. 1977

Jacobi, Heinz: APORIE oder Büchner grüßt aus dem Knast [Gedicht]. – In: Der Bote (Der Martin-Greif-Bote) Nr. 8. – München 1978, S. 22

Jacobi, Heinz: Versuch, der Terrorpsychologie auf die Sprünge zu helfen [mit Bezügen auf Büchners Brief vom 5. April 1833]. – In: Der Bote (Der Martin-Greif-Bote) Nr. 8. – München 1978, S. 95-101

Das Manifest der ersten organisierten Opposition in der DDR. Zweiter Teil [Abschnitt IV: Zur inneren Situation der DDR]. – In: Der Spiegel 32. Jg., Nr. 2, 9. 1. 1978, S. 26-30

Nordhessischer Umweltbote. Hrsg. von Bürgerinitiativen in Nordhessen (Verantwortl.: Wilfried Wackerbarth, Fritzlar) [Erscheinungsweise: monatlich, seit ca. Mai 1978; Druckort: Wetzlar]

Rümmler, Artur: Das Verhör des Georg Büchner. – In: Ade, Luisenplatz! Ein Darmstadt-Lesebuch. Hrsg. von der Werkstatt Darmstadt im Werkkreis Literatur der Arbeitswelt unter Mitarbeit der Gruppe Arbeiterfotographie Darmstadt. – Darmstadt: Georg-Büchner-Edition 1979, S. 26-50

8. UNIVERSITÄTSVERANSTALTUNGEN

Verwendete Abkürzungen:

GK = Grundkurs
HS = Hauptseminar
K = Kurs
KO = Kolloqium
OS = Oberseminar
P = Plenum
PS = Proseminar
S = Seminar
Ü = Übung
VL = Vorlesung

Universität Bayreuth
Sprach- und Literaturwissenschaftliche Fakultät. Literaturwissenschaft und Didaktik

| SS 1980 | Georg Büchner | S | Prof. Dr. Walter Gebhard |

Freie Universität Berlin
Deutsche Philologie, Deutsche Literatur der Neuzeit

| WS 1977/78 | Deutsche Literatur zwischen 1830 und 1848 | HS | Prof. Dr. Bernd Balzer |
| WS 1977/78 | Grabbe und Büchner | HS | Prof. Dr. Horst Denkler |

SS	1978	»Woyzeck« und »Woyzeck«- Rezeption	GK	Prof. Dr. Bernd Balzer
SS	1978	Einführung in die Analyse des Dramas »Dantons Tod«	PS 4 st.	Prof. Dr. Alfred Behrmann / Prof. Dr. Joachim Wohlleben
SS	1979	Neuere und neueste Tenden- zen der Büchnerforschung	KO	Dr. Thomas Michael Mayer
WS	1980/81	Junges Deutschland / Vormärz / Biedermeier	VL	Prof. Dr. Bernd Balzer
WS	1980/81	Georg Büchner	HS	Prof. Dr. Günter Holtz

Technische Universität Berlin
Allgemeine und Vergleichende Literaturwissenschaft

WS	1980/81	Georg Büchner	HS	Prof. Dr. Horst Enders

Ruhr-Universität Bochum
Abteilung für Philologie, Neugermanistik

SS	1977	Georg Büchner	PS	Otto Haßelbeck
SS	1979	Die Lustspiele Grabbes und Büchners	Ü	Dr. Wulf Wülfing
SS	1979	Georg Büchners Werk. Text und Kontext	PS	Dr. Hans Adler

Rheinische Friedrich-Wilhelms-Universität Bonn
Philosophische Fakultät. Deutsche Philologie. Abteilung für neuere deutsche Literaturwissenschaft

SS	1979	Georg Büchner	PS	Sorg
WS	1979/80	Georg Büchner. Lektüre und Interpretation (für ausländ. Germanistikstud.)	Ü	Dr. Helmut Tervooren
WS	1980/81	Georg Büchner	PS	Dr. Klaus Müller-Salget

Technische Universität Carolo Wilhelmina zu Braunschweig
Germanistik

WS	1979/80	Einrichtung eines Theaters stücks. Büchner: »Leonce und Lena«	Ü	Dr. Dieter Prinzing

Universität Bremen
Kommunikation und Ästhetik, Literaturwissenschaft

SS	1977	Georg Büchner Wirklichkeit und Werk	K	Prof. Dr. Werner Krogmann

Gesamthochschule Duisburg
Germanistik, Literaturwissenschaft

SS	1977	Georg Büchners »Woyzeck« als Demonstrationsobjekt für den Zusammenhang von Pro- duktions-, Editions- und Interpretationsaspekten	OS	Prof. Dr. Lothar Bornscheuer

Friedrich Alexander Universität Erlangen / Nürnberg
Philosophische Fakultät II. Sprach- und Literaturwissenschaft, Neuere Literaturgeschichte

SS	1979	Georg Büchner	PS	Dr. Theo Elm

Johann Wolfgang Goethe-Universität Frankfurt / Main
Neuere Philologien. Germanistik. Deutsche Sprache und Literatur II

SS	1978	Georg Büchners »Dantons Tod«	S	Prof. Dr. Volker Bohn
WS	1978/79	Georg Büchner	PS	Prof. Dr. Hans Zimmermann
SS	1980	Einführung in die Literatur- geschichte. Junges Deutschland / Vormärz Biedermeier	PS	Prof. Dr. Norbert Altenhofer

Albert-Ludwigs-Universität Freiburg im Breisgau
Philosophische Fakultät III. Germanische Philologie. Deutsches Seminar
SS 1977	Georg Büchner »Woyzeck«	HS	Dr. Friedrich-Wilhelm v. Herrmann
WS 1980/81	Georg Büchner	HS	Dr. Bernhard Greiner

Justus-Liebig-Universität Gießen
Germanistik, Deutsche Literaturwissenschaft
SS 1977	Romantische und jungdeutsche Literaturkritik	HS	Prof. Dr. Günter Oesterle
SS 1980	Literatur und Geschichte: Georg Büchner	PS	Prof. Dr. Günter Oesterle
WS 1980/81	Georg Büchner	VL	Prof. Dr. Günter Oesterle

Georg-August-Universität Göttingen
Philosophische Fakultät I. Neuere Deutsche Literatur
SS 1978	Deutsche Revolutionsdramen	S	Dr. Otto Distelmaier
WS 1978/79	Heines »Buch der Lieder« und Büchners »Dantons Tod«	PS	Dr. Klaus Müller-Dyes
SS 1979	»Fiesco« – »Danton« – »Marat« Zur Strukturentwicklung des modernen Dramas und zum didaktischen Prinzip des Exemplarischen	HS	Dr. M. Karnick
SS 1980	Heines »Buch der Lieder« und Büchners »Dantons Tod«	PS 2x	Dr. Klaus Müller-Dyes

Universität Hamburg
Sprachwissenschaften. Germanisches Seminar. Neuere deutsche Literaturwissenschaft
SS 1977	Junges Deutschland, Biedermeier und Vormärz. Die deutsche Literatur: von 1830-1848 II	VL	Prof. Dr. Karl Robert Mandelkow
SS 1977	Der Literaturbegriff im Jungen Deutschland und im Vormärz	S Stufe II	Prof. Dr. Karl Robert Mandelkow

Ruprecht-Karls-Universität Heidelberg
Neuphilologische Fakultät. Germanisches Seminar. Literaturwissenschaft. Neuere deutsche Literatur
WS 1979/80	Geschichtsdrama: Shakespeare, Goethe, Schiller, Büchner	PS	Dr. Peter Pfaff
WS 1979/80	Georg Büchner	PS	Dr. Gotthardt Frühsorge

Gesamthochschule Kassel
Germanistik. Literaturwissenschaft
WS 1980/81	Georg Büchner	S	Prof. Dr. Helmut Fuhrmann

Christian-Albrechts-Universität Kiel
Philosophische Fakultät. Germanistik. Institut für Literaturwissenschaft
WS 1977/78	Büchner und Grabbe	PS II	Dr. Bodo Heimann

Universität zu Köln
Philosophische Fakultät. Germanische Philologie. Neuere Deutsche Literatur
SS 1977	1. Teil: Grundlage: Georg Büchner	PS	Dr. F.-N. Klein
SS 1977	2. Teil: Grundlage: Georg Büchner	PS	Prof. Dr. Walter Hinck
WS 1977/78	1. Teil: Grundlage: Georg Büchner 2. Teil: Grundlage: Georg Büchner	PS	Dr. F.-N. Klein
SS 1979	1. Teil: Grundlage: Literarische Adaptionen – Heine/Biermann Büchner/Schneider u. a.	PS	S. Volckmann

| WS 1979/80 | Georg Büchner | VL | E. Rosenthal |
| WS 1980/81 | Literatur in der Restaurationszeit von E.T.A. Hoffmann bis G. Büchner | | R. Drux |

Universität Konstanz
Fachgruppe Literaturwissenschaft. Neuere deutsche Literatur

| SS 1978 | Büchner und Grabbe | PS | Prof. Dr. Heinz-Dieter Weber |

Johannes-Gutenberg-Universität Mainz
Fachbereich Philosophie I. Germanische Philologie

| WS 1978/79 | Georg Büchner | PS | Dr. Christian Klotz |
| SS 1979 | Georg Büchner | K | Dr. Norbert Müller |

Universität Mannheim
Fakultät für Sprach- und Literaturwissenschaft. Deutsche Philologie. Literaturwissenschaft

SS 1978	Georg Büchner I	HS	Prof. Dr. Horst Meixner
WS 1978/79	Georg Büchner II	HS	Prof. Dr. Horst Meixner
WS 1980/81	Das Junge Deutschland	VL	Prof. Dr. Horst Meixner

Philipps-Universität Marburg
Fachbereich Neue deutsche Literatur und Kunstwissenschaften. Neuere deutsche Literatur

| SS 1980 | Georg Büchner »Dantons Tod« und »Der Hessische Landbote« | PS | Prof. Dr. Hartmut Rosshoff |

Ludwigs-Maximilians-Universität München
Philosophische Fakultät. Sprach- und Literaturwissenschaft II. Neuere Deutsche Literatur

SS 1979	Die Überlieferung von Georg Büchners »Woyzeck« und ihre editorischen Probleme	KO	Prof. Dr. Klaus Kanzog
SS 1977	Raimund, Nestroy, Grabbe, Büchner	VL	Prof. Dr. Friedrich Sengle
SS 1978	Georg Büchner und die Wissenschaften seiner Zeit		Dr. Wolfgang Proß
WS 1978/79	Georg Büchner und die politischen Flugschriften des deutschen Vormarz	S II 4 st.	Dr. Edda Ziegler
SS 1979	Georg Büchner	S II	Dr. Rolf Schröder
WS 1979/80	Georg Büchner	HS	Prof. Dr. Wolfgang Frühwald

Westfälische Wilhelms-Universität Münster
Fachbereich Germanistik. Neuere Deutsche Literatur und Vergleichende Literaturwissenschaft

SS 1977	Probleme der Büchner-Forschung I	KO	Dr. Hubert Gersch
WS 1977/78	Probleme der Büchner-Forschung II	KO	Dr. Hubert Gersch
WS 1980/81	Brentano: »Ponce de Leon« und Büchner: »Leonce und Lena«	HS	Prof. Dr. Ludwig Völker
WS 1980/81	Literaturwissenschaftliche Übg. am Beispiel der Werke Georg Büchners	PS 2x2 st.	Dr. Hubert Gersch

Universität Osnabrück
Deutsche Literaturwissenschaft

| WS 1979/80 | Georg Büchner: Textanalyse | Ü | Anneliese Hewig |

Universität Osnabrück, Abteilung Vechta
WS 1980/81   Das deutsche Geschichtsdrama   S   Prof. Dr. Paul Ludwig Sauer
(I) Von Schiller bis Büchner

Hochschule des Saarlandes
Neuere Sprach- und Literaturwissenschaften. Germanistik, Literaturwissenschaft
SS 1979   Georg Büchner   PS   Hans-Dieter Petto
WS 1980/81   Georg Büchner   Cours   Marie-Luise Roth
et séminaire

Gesamthochschule Siegen
Germanistik. Literatur und ihre Didaktik
SS 1977   Flugschriften im Umkreis von   PS   Peter Faigel
Büchners »Hessischem
Landboten« als Gegenstand des
Literaturunterrichts
WS 1979/80   Georg Büchner   PS   Peter Faigel

Universität Stuttgart
Germanistik. Literaturwissenschaft. Neue Deutsche Literatur I und II
WS 1980/81   Georg Büchner   S   Prof. Dr. Joachim Bark

Universität Trier
Sprach- und Literaturwissenschaft. Germanistik. Neuere deutsche Literatur
WS 1977/78   Georg Büchner: Werk und   HS   Prof. Dr. Karl Eibl
Wirkung

Eberhard-Karls-Universität Tübingen
Neuphilologische Fakultät. Germanische Philologie. Neuere Deutsche Literatur
WS 1977/78   Das junge Deutschland   PS   Dr. Martin Bollacher
WS 1979/80   Georg Büchner   PS   Dr. Martin Bollacher

Gesamthochschule Wuppertal
Sprach- und Literaturwissenschaft
WS 1978/79   Georg Büchner   PS   Dr. Werner Bellmann

Mitteilungen der
Georg Büchner Gesellschaft

Zu Voraussetzungen und Aufgaben der Georg Büchner Gesellschaft

Bis vor rund 15 Jahren galt das Werk Georg Büchners als »mit allen Methoden der Literaturwissenschaft bis in die letzten Winkel durchleuchtet«. Die folgenden textkritischen Untersuchungen und Editionen haben gezeigt, daß noch nicht einmal die Textbasis hierfür elementaren Voraussetzungen genügte. Bis vor wenigen Jahren galt dann wenigstens der biographische und quellenkundliche »Horizont der Forschung« als kaum noch erweiterbar. Die Entdeckung unbekannter Briefe, Aufzeichnungen von Freunden, biographischer Quellen zur Gymnasial- und Studienzeit wie zur Konspiration um den »Hessischen Landboten«, neuer Porträtzeichnungen und nicht zuletzt unbekannter Quellen des literarischen, naturwissenschaftlichen und philosophischen Werks stellten auch diese Gewißheit nachhaltig in Frage. Auch für die Textinterpretation könnte die veränderte Materiallage eine Anregung sein, ihre bisherigen Ergebnisse zu überdenken.

Die Tatsache, daß dies bei einem Autor solchen Ranges jetzt noch möglich wird, hat ihre Vorgeschichte sicher in den wissenschaftspolitischen Prioritäten der frühen positivistischen Forschung gerade gegenüber einem Thema so dezidiert demokratischer Tradition. Die entsprechenden Forschungsdefizite machen sich bis heute bemerkbar:
– Der ältere, richtungsbestimmende Teil der interpretierenden, gehalts- und formanalytischen Literatur bezog sich auf unkritisch edierte, z. T. geradezu nichtauthentische Texte.
– Eine abgeschlossene kritische und kommentierte Gesamtausgabe liegt nicht vor.
– Es fehlt eine vollständige Dokumentation der Quellen zu Leben, Werk und Rezeption.
– Es gibt keinen befriedigenden Überblick und nur wenige brauchbare Orientierungshilfen zu den historischen, literaturgeschichtlichen und biographischen Voraussetzungen und Zusammenhängen.
– Die Forschung hat kein Organ der Diskussion, der raschen Mitteilung, der Auseinandersetzung und Verständigung.
– Es gibt keine Institution, die die Forschungsdiskussion selbst und den Kontakt zwischen Forschung und Öffentlichkeit (auch Schule und Theater) anregen und fördern könnte.
– Die schwer überschaubare Forschungsentwicklung trägt deutliche Spuren hiervon.

Dieser Zustand ist wissenschaftlich disfunktional; insbesondere bei einem auf interdisziplinäre Kooperation geradezu angewiesenen Gegenstand. Die kaum weniger kontroversen Forschungsthemen Hölderlin, Kleist, Heine beispielsweise zeigen jedoch, daß produktivere Arbeitsformen keineswegs unerreichbar sind.

Gerade weil die Büchner-Forschung in den letzten Jahren das Editions- und Quellenmaterial als Basis für die künftigen philologischen und hermeneutischen Anstrengungen erheblich erweitert hat und insgesamt sowohl quellen- und textbezogener als auch methodisch offener und reflektierter geworden ist, scheint jetzt ein Forum notwendig, das die skizzierten Mängel und Probleme wenigstens stückweise zu überwinden hilft.

Die am 5. Mai 1979 in Marburg gegründete Georg Büchner Gesellschaft versteht sich als eine Initiative, die der breitesten Verständigung über diese Fragen dient und damit zugleich nach Lösungsmöglichkeiten sucht.

Die Form einer solchen Initiative, die durch die Mitglieder der Gesellschaft erst Profil gewinnen kann, scheint gerechtfertigt durch die Beitritte von fast 300 Interessenten der verschiedensten Forschungsrichtungen und mit entsprechend vielseitigen Informationsbedürfnissen bereits nach rund zwei Jahren (unter den Mitgliedern aus 24 Ländern sind am 1. August 1981: 77 berufstätige Akademiker und Nichtakademiker; 7 Institutionen; 93 Studenten; 56 promovierte Dozenten, Assistenten u. ä.; 49 Professoren).

Die gemeinsamen Vorstellungen der Gründungsmitglieder und weiterer Mitglieder dürften sich zwischen kritischem Positivismus und historisch orientierter Textanalyse bewegen; beide Richtungen sehen einerseits das poetische Werk nicht in seinem ideologischen Gehalt aufgehen, wenden sich andererseits aber auch gegen die Vernachlässigung sozialhistorischer und biographischer Voraussetzungen.

Thema der gemeinsamen Überlegungen soll Georg Büchners Gesamtwerk, Leben und Wirkung sein; ferner die ästhetisch ›modernen‹ und demokratischen, aber auch die gegenläufigen Bestrebungen in Literatur und Geschichte des Vormärz, soweit sie in einem plausiblen Zusammenhang mit Büchner stehen.

Die Faktenkenntnisse über diesen Gegenstand zu erweitern, und zwar durchaus im Sinne von ›Bausteinen der Forschung‹, ist ein erstes Ziel der Gesellschaft. Die Quellenarbeit kann hier insofern auf besondere Weise dem Abbau von Legenden dienen, als die mit jedem Dokument freigelegte Wirklichkeit in diesem Fall eine besondere ist: radikaler, konkreter Humanismus, der poetisch, philosophisch und praktisch auf eine ›Welt nach dem Bild des Menschen‹ zielte (Büchner nach Muston) und weder verschwieg noch hinnahm, was ihr entgegensteht. Daß sich auch die Textanalyse die neuen Bausteine kritisch zunutze macht, ist zu erwarten.

Die sachliche Verbindung des Quellenkundlichen mit den historisch – und nicht museal – hermeneutischen Bemühungen jedenfalls zu vermitteln, ist ein zweites Ziel der Gesellschaft. Eigene analytische Beiträge dagegen kann und soll sie natürlich nicht als Institution leisten, sondern wiederum nur durch die Anregung ihrer Mitglieder und deren Initiative selbst.

Zu den konkreten Aufgaben der Gesellschaft gehören:
- die Publikation des Georg Büchner Jahrbuchs, das in seinen Gliederungsteilen (Aufsätze, Debatten, kleinere Beiträge und Glossen, Dokumente und Materialien, Rezensionen, Bibliographie, Mitteilungen der Gesellschaft) die ganze Breite der Forschungsergebnisse und -diskussionen erfassen soll;
- dazu ergänzend die Publikation einer Schriftenreihe;
- die Einrichtung einer Dokumentationsstelle der Quellen und der Literatur nach Maßgabe der finanziellen Mittel und der Einsendung von Schriften hierfür;
- die Veranstaltung von wissenschaftlichen Tagungen und Vorträgen;
- ferner ist daran gedacht, die Einrichtung eines öffentlich finanzierten Georg Büchner Instituts zu unterstützen, das als Forschungszentrum längerfristig diejenigen wissenschaftlichen Aufgaben koordinieren bzw. übernehmen könnte, die im genannten Katalog der Defizite die Möglichkeiten der Gesellschaft übersteigen.

Berücksichtigt man, daß mit Georg Büchner der vermutlich bedeutendste Dramatiker des Welttheaters zwischen Kleist und Ibsen aus Hessen kam, daß mit dem »Hessischen Landboten« von Büchner und Weidig die wichtigste soziale Flugschrift des frühen deutschen Vormärz entstand und daß überhaupt während aller drei Oppositionswellen gegen das Restaurationssystem (1815-1819, 1830-1835 und 1848) die liberale und demokratische Bewegung in Hessen eine zentrale Bedeutung für ganz Deutschland hatte, so liegen gerade die landesgeschichtlichen Zusammenhänge auf der Hand. Im Sinne dieser Verbindungen und auch Traditionen ist die Georg Büchner Gesellschaft an der Zusammenarbeit mit allen betreffenden wissenschaftlichen und öffentlichen Institutionen in Hessen besonders interessiert. Sie ist ebenso darauf angewiesen wie sie ihrerseits schon ihre Aufgabenstellung als einen Beitrag in dieser Richtung versteht.

Satzung
der »Georg Büchner Gesellschaft e. V.«
Marburg/Lahn

§ 1 Name und Sitz des Vereins, Geschäftsjahr

1. Der Verein trägt den Namen »Georg Büchner Gesellschaft e. V.« und hat seinen Sitz in Marburg an der Lahn.
2. Das Geschäftsjahr ist das Kalenderjahr.
3. Der Verein ist in das Vereinsregister eingetragen.

§ 2 Zweck des Vereins

1. Die Georg Büchner Gesellschaft e. V. ist eine wissenschaftliche Institution, die sich folgende Aufgaben setzt:
   - Erforschung von Leben und Werk Georg Büchners sowie Publikation und Unterstützung der Publikation von Ergebnissen solcher Forschung.
   - Forschung und Publikation zur demokratischen Bewegung im Vormärz, insbesondere in Hessen.
2. Der Verein verfolgt ausschließlich und unmittelbar gemeinnützige Zwecke im Sinne des Abschnitts »Steuerbegünstigte Zwecke« der Abgabenordnung, und zwar insbesondere durch Wissenschaft und Forschung, Pflege der landesgeschichtlichen Tradition und belehrende Vorträge.
3. In Verfolgung ihrer Zielsetzungen tritt die Georg Büchner Gesellschaft e. V. durch Einrichtung einer Dokumentationsstelle, durch Publikationen sowie als Veranstalter oder Mitveranstalter wissenschaftlicher Tagungen, Colloquien und Vorträge an die Öffentlichkeit.
4. Die Georg Büchner Gesellschaft e. V. enthält sich dagegen jeglichen weihevollen Vereinslebens sowie aller Fest- und Feierveranstaltungen zu ihrem Gegenstand ebenso wie zu ihren eigenen Aktivitäten oder verdienten Mitgliedern.
5. Die Georg Büchner Gesellschaft e. V. unterhält Beziehungen mit Personen und Institutionen, die den Vereinszwecken dienen; insbesondere ist ggf. engere Zusammenarbeit mit einem künftig zu gründenden »Georg Büchner Institut« geplant.

§ 3 Mitglieder

1. Mitglied des Vereins kann jeder werden, der die Zwecke des Vereins unterstützt oder an ihnen Interesse hat, die Satzung anerkennt und regelmäßig den Mitgliedsbeitrag entrichten will.
2. Über die Aufnahme nach schriftlichem Antrag an den Vorstand entscheidet die Mitgliederversammlung.
3. Mitglieder, die aus dem Verein austreten wollen, haben dies durch schriftliche Erklärung dem Vorstand mitzuteilen.
4. Bei Zuwiderhandlungen gegen die Interessen des Vereins, Verstößen gegen die Satzung oder Beitragsrückstand von über einem Jahr kann der Vereinsvorstand ein Mitglied suspendieren. Die Mitgliederrechte ruhen in diesem Fall bis zur endgültigen Entscheidung über einen Ausschluß durch die Mitgliederversammlung, die hierüber mit Zweidrittelmehrheit entscheidet.

§ 4 Beiträge

1. Der jährliche Vereinsbeitrag, über dessen Angleichung ggf. die Mitgliederversammlung entscheidet, beträgt DM 24,– für berufstätige Mitglieder oder solche mit geregelten Einkünften.
2. Für Studenten oder nichtberufstätige Mitglieder beträgt der jährliche Vereinsbeitrag DM 12,–.
3. In begründeten Fällen kann die Mitgliederversammlung ein Mitglied auf seinen Antrag von der Zahlung der Vereinsbeiträge freistellen.
4. Die Zahlung der Beiträge erfolgt in beliebigen Raten gebührenfrei auf das Vereinskonto.

5. Die Entrichtung des Vereinsbeitrags berechtigt zum erheblich verbilligten Bezug der größeren Publikationen des Vereins, d. h. soweit solche den Mitgliedern nicht ohnehin kostenfrei zugehen.

§ 5 Organe des Vereins

1. Oberstes Organ des Vereins ist die Mitgliederversammlung.
2. Für die Durchführung der satzungsmäßigen Aufgaben, für die verantwortliche Leitung sämtlicher Vereinsaktivitäten, für die juristische und geschäftliche Vertretung sowie die Vertretung des Vereins in der Öffentlichkeit wählt die Mitgliederversammlung einen dreiköpfigen Vorstand.

§ 6 Mitgliederversammlung

1. Die Mitgliederversammlung muß mindestens einmal im Jahr vom Vorstand mit schriftlicher Einladung (spätestens 14 Tage vor dem Versammlungstermin) einberufen werden. Bei der Einladung ist die Tagesordnung bekanntzugeben.
2. Auf Beschluß der Mitgliederversammlung, auf Wunsch des Vorstandes oder auf Antrag von einem Drittel der Mitglieder können weitere Mitgliederversammlungen einberufen werden.
3. Die Mitgliederversammlung beschließt über
   – den Jahresbericht,
   – den Rechenschaftsbericht des Kassierers,
   – die Entlastung des Vorstands,
   – die Neuwahl des Vorstands.
4. Eine satzungsgemäß einberufene Mitgliederversammlung ist in jedem Fall beschlußfähig; bei Beschlüssen, die die Änderung der Satzung oder die Auflösung des Vereins betreffen, jedoch nur, wenn der Vorstand und mindestens 30 Mitglieder anwesend sind.
5. Die Mitgliederversammlung entscheidet mit einfacher Mehrheit; bei Beschlüssen, die die Satzung ändern, oder Beschlüssen über die Auflösung des Vereins mit Dreiviertelmehrheit.
6. Das Stimmrecht in den Mitgliederversammlungen kann auch durch einen mit schriftlicher Vollmacht versehenen Vertreter ausgeübt werden.
7. Die Beschlüsse der Mitgliederversammlung sind in ein besonderes Protokollbuch niederzuschreiben und vom Versammlungsleiter, vom ersten Vorsitzenden und dem Schriftführer zu unterzeichnen; die Beschlüsse werden den Mitgliedern auf Wunsch bekanntgegeben. Die Protokolle werden auf der nächstfolgenden Mitgliederversammlung verlesen; erfolgt kein Einspruch, so gelten sie als genehmigt.

§ 7 Vorstand

1. Der Vorstand besteht aus dem ersten Vorsitzenden, dem Schriftführer, der gleichzeitig der erste stellvertretende Vorsitzende ist, und dem Kassierer, der gleichzeitig der zweite stellvertretende Vorsitzende ist.
2. Der Vorstand wird von der Mitgliederversammlung für ein Jahr gewählt. Wiederwahl und zwischenzeitliche Abwahl sind möglich; der Vorstand bleibt jedoch bis zur Neuwahl eines Vorstandes im Amt.
3. Nur ordentliche Mitglieder des Vereins können Vorstandsmitglieder sein.
4. Der Vorstand führt die Geschäfte, führt die Vereinsbeschlüsse durch und verwaltet das Vereinsvermögen.
5. Aus den Reihen der Mitglieder kann ein geeignetes Mitglied mit der organisatorischen Geschäftsführung betraut werden, sofern der Umfang der Tätigkeiten dies erfordert. Der Geschäftsführer wird auf Vorschlag des Vorstandes durch die Mitgliederversammlung gewählt. Der Geschäftsführer, der an den Sitzungen des Vorstands und der Mitgliederversammlungen teilnimmt, leitet die Geschäftsstelle.
6. Zur Entlastung des Vorstandes hinsichtlich der Kassenprüfung kann die Mitgliederversammlung einen oder zwei Mitglieder als Kassenprüfer wählen.
7. Der Vorstand ist berechtigt, Vereinsmitglieder zur Vornahme von Rechtsgeschäften und Rechtshandlungen jeder Art für den Verein zu ermächtigen.

8. Der Kassierer verwaltet die Kasse des Vereins und erstattet der Mitgliederversammlung einen Rechenschaftsbericht.
9. Der Vorstand ist verpflichtet, in alle namens des Vereins abzuschließenden Verträge die Bestimmung aufzunehmen, daß die Vereinsmitglieder nur mit dem Vereinsvermögen haften.
10. Der erste Vorsitzende und seine beiden Stellvertreter erhalten keine Vergütung ihrer Tätigkeit.

§ 8 Finanzen

1. Der Verein finanziert seine Tätigkeit aus den Beiträgen der Mitglieder, aus Spenden und sonstigen Zuwendungen, sowie aus etwaigen Erlösen seiner Veranstaltungs- und Publikationstätigkeit.
2. Im Rahmen von Beschlüssen der Mitgliederversammlung können der ernannte Geschäftsführer und etwaige weitere zur Geschäftsführung nötige Fach- oder Hilfskräfte gemäß dem Umfang ihrer Tätigkeiten für den Verein in ortsüblicher Höhe entlohnt werden.
3. Etwaige Gewinne des Vereins dürfen ausschließlich für die satzungsmäßigen Zwecke verwendet werden. Vorstand und Mitglieder erhalten keine Gewinnanteile und in ihrer Eigenschaft als Mitglieder auch keine sonstigen Zuwendungen aus Mitteln des Vereins.

§ 9 Auflösung des Vereins

Bei Auflösung des Vereins oder Wegfall seines bisherigen Zwecks fällt das Vermögen des Vereins entweder an ähnliche Einrichtungen bzw. Vereine, oder es wird ausschließlich und unmittelbar zu anderen gemeinnützigen oder karitativen Zwecken verwendet. Darüber beschließt die Mitgliederversammlung.

Marburg/Lahn, den 5. Mai 1979
    (folgen Unterschriften)
    (folgt Eintragung in das Vereinsregister
    unter Nr. 1072 durch das Amtsgericht
    Marburg am 4. Juli 1979)

Änderungsvorschläge der nach § 6,1 nicht beschlußfähigen ersten Mitgliederversammlung am 7. 7. 1979 an die zweite Jahresversammlung:

Statt § 2,1, Zeile 3 f.:
Förderung der Forschung und Publikation zu Leben und Werk Georg Büchners.
Statt § 2,1, Zeile 5 f.:
Förderung der Forschung und Publikation zur demokratischen Bewegung im Vormärz, insbesondere in Hessen.
Statt § 2,4, Zeile 1-3:
Die Georg Büchner Gesellschaft e. V. enthält sich jeglichen weihevollen Vereinslebens.
Statt § 3,2, Zeile 1:
Über die endgültige Aufnahme . . .
Statt § 6,1, Zeile 4:
ist die vorläufige Tagesordnung bekanntzugeben.
(§ 6,4-6 soll nach Konsultation mit anderen vergleichbaren Gesellschaften und nach Maßgabe der Erfahrung neu diskutiert und formuliert werden; es soll auch überprüft werden, ob eine Kumulation von schriftlichen Vollmachten vereinsrechtlich zulässig und/oder üblich ist.)

Georg Büchner Gesellschaft, Postfach 1530, D-3550 Marburg

Vorankündigungen

Anschriften der Mitarbeiter

Dr. Heinrich Anz, Godthåbsvænget 25. 3., tv., DK-2000 København F.

Volker Braun, Wolfshagener Str. 68, DDR-1100 Berlin

Dr. Hubert Gersch, Hochstr. 18, 4400 Münster

Prof. Dr. Reinhold Grimm, 3983 Plymouth Circle, Madison, Wisc., 53705/USA

Jan-Christoph Hauschild, Koblenzer Str. 14, 4040 Neuß-Stüttgen

Prof. Dr. Peter Horn, 51 Cleveland Rd., Claremont/Republik Südafrika

Alexander Lang, c/o Deutsches Theater, Schumannstr. 13a, DDR-1040 Berlin

Dr. Thomas Michael Mayer, Renthof 13, 3550 Marburg/Lahn

Dr. Albert Meier, Rablstr. 46, 8000 München 80

Prof. Dr. Günter Oesterle, Nahrungsberg 49, 6300 Gießen

Riitta Pohjola, Kirkkokatu 53 B 15, 90100 Oulu 10/Finnland

Dr. Henri Poschmann, c/o Akademie der Wissenschaften der DDR/Zentralinstitut für Literaturgeschichte, DDR-108 Berlin, Otto Nuschke Str. 22/23

Dr. Wolfgang Proß, Franziskanerstr. 3, 8000 München 80

Dr. Hartmut Rosshoff, Frankfurter Str. 4 B, 3550 Marburg/Lahn

Dr. Hans-Joachim Ruckhäberle, 3, Rue des Fossés St. Jacques, F-75005 Paris

Ass. Prof. Dr. Gerhard Schaub, Klausenerstr. 14, 5500 Trier

Reinhard F. Spieß, Edith-Stein-Str. 1, 4400 Münster

Peter G. Steese, Dept. of Ancient and Modern Languages, University of New Hampshire, Durham, N.H. 03804/USA

Prof. Dr. Silvio Vietta, Erlbrunnenweg 8, 6901 Wilhelmsfeld